KU-523-924

La France
de 1914 à nos jours

DES MÊMES AUTEURS

JEAN-FRANÇOIS SIRINELLI

Les intellectuels en France, de l'Affaire Dreyfus à nos jours (en collaboration avec Pascal Ory), Armand Colin, 1986, 2e éd., 1992.
Génération intellectuelle. Khâgneux et normaliens dans l'entre-deux-guerres, Fayard, 1988, rééd., PUF, coll. « Quadrige », 1994.
Intellectuels et passions françaises, Fayard, 1990, rééd., Gallimard, coll. « Folio », 1996.
La politique sociale du général de Gaulle (en codirection avec Marc Sadoun et Robert Vandenbussche), Centre d'histoire de la Région du Nord, 1990.
La guerre d'Algérie et les intellectuels français (en codirection avec Jean-Pierre Rioux), Bruxelles, Complexe, 1991.
Histoire des droites en France (sous la direction de), 3 t., Gallimard, 1992.
Ecole normale supérieure. Le livre du Bicentaire (sous la direction de), PUF, 1994.
Dictionnaire historique de la vie politique française au XXe siècle (sous la direction de), PUF, 1995.
Deux intellectuels dans le siècle, Sartre et Aron, Fayard, 1995, rééd., « Pluriel », 1999.
Cent ans de socialisme septentrional (en codirection avec Bernard Ménager et Jean Vavasseur-Desperriers), Centre d'histoire de la Région du Nord, 1995.
Pour une histoire culturelle (en codirection avec Jean-Pierre Rioux), Le Seuil, 1997.
Le temps des masses, t. IV de l'*Histoire culturelle de la France* (en corédaction avec Jean-Pierre Rioux), Le Seuil, 1998.
Dictionnaire de l'Histoire de France (en codirection avec Daniel Couty), 2 t., Armand Colin, 1999.
La France d'un siècle à l'autre, 1914-2000. Dictionnaire critique (en codirection avec Jean-Pierre Rioux), Hachette Littératures, 1999, rééd., « Pluriel », 2 t., 2002.
Aux marges de la République, PUF, 2001.
Les Baby-boomers, Fayard, 2003.

ROBERT VANDENBUSSCHE

Guy Mollet, un camarade en République (en codirection avec Bernard Ménager *et al.*), Presses Universitaires de Lille, 1987.
La politique sociale du général de Gaulle (en codirection avec Marc Sadoun et Jean-François Sirinelli), Centre d'histoire de la Région du Nord, 1990.

JEAN VAVASSEUR-DESPERRIERS

Cent ans de socialisme septentrional (en codirection avec Bernard Ménager et Jean-François Sirinelli), Centre d'histoire de la Région du Nord, 1995.
République et liberté. Charles Jonnart, une conscience républicaine (1857-1927), Villeneuve-d'Ascq, Presses Universitaires du Septentrion, 1996.
La nation, l'Etat et la démocratie en France au XXe siècle, A. Colin, 2000.

SOUS LA DIRECTION DE

Jean-François Sirinelli

EN COLLABORATION AVEC

Robert Vandenbussche

Jean Vavasseur-Desperriers

La France de 1914 à nos jours

QUADRIGE / PUF

ISBN 978-2-13-053843-1
ISSN 1630-5264

Dépôt légal — 1re édition : 1993
1re édition « Quadrige » : 2004, février

8e tirage : 2012, août

Premier Cycle
6, avenue Reille, 75014 Paris

Sommaire

La rédaction des chapitres a été ainsi assurée :
— Jean-François Sirinelli : 3, 10, 12, 13 et 15 ;
— Robert Vandenbussche : 6, 7, 8, 9 et 11 ;
— Jean Vavasseur-Desperriers : 1, 2, 4 et 5.
Le chapitre 14 a été rédigé par les trois auteurs

J.-F. S.

1. La Grande Guerre

La mobilisation générale, décrétée le 1er août 1914, et la déclaration de guerre, adressée par l'Allemagne à la France deux jours plus tard, surviennent à l'issue d'une crise internationale déclenchée le 23 juillet. L'incident originel, le meurtre, survenu le 28 juin, du prince héritier d'Autriche à Sarajevo, n'avait guère été, au départ, jugé susceptible de mener à un conflit généralisé. Même si, dans toute l'Europe, les gouvernements et les états-majors des grandes puissances envisageaient depuis de longues années l'éventualité d'un conflit, le déclenchement de la guerre les surprend par sa soudaineté.

Du 20 au 24 juillet, le président de la République, Raymond Poincaré, et le président du Conseil, René Viviani, sont reçus en visite officielle en Russie, sans que ce déplacement revête une signification particulière. La remise de l'ultimatum autrichien à la Serbie, le 23 juillet, les amène cependant à revenir le 29, jour de la mobilisation partielle des forces armées russes. L'engrenage mécanique de la marche à la guerre arrive à son terme le 1er août.

L'impossible décision militaire (1914 - début 1917)

La France devant la guerre

Au mois d'août 1914, l'opinion et les pouvoirs publics doivent faire face à un conflit imprévu, mais envisagé cependant de longue date.

L'opinion globale : de la résignation à la résolution. — L'opinion, après avoir manifesté durant le mois de juillet une indifférence remarquable aux événements internationaux, réagit avec surprise devant l'enchaînement qui suit l'ultimatum du 23 juillet.

Jean-Jacques Becker a montré que l'annonce de la mobilisation, le 1er août, est accueillie par beaucoup avec incrédulité. Bien loin de provoquer des manifestations patriotiques massives, elle suscite un sentiment généralisé de consternation et de résignation. Cette première réaction dissipée, la résolution gagne l'opinion. Le départ des mobilisés, à partir du 2 août, recueille une écrasante majorité (les trois quarts, les quatre cinquièmes ?) de sentiments favorables. Les Français sont persuadés que, victimes d'une agression, ils doivent défendre la patrie menacée.

Ce patriotisme défensif, qui, rétrospectivement, construit l'image d'une Allemagne menaçante depuis 1905, ne laisse aucune place, sauf chez quelques nationalistes, à l'idée de restitution de l'Alsace-Lorraine. Il explique que, massivement, les citoyens concernés aient répondu à la mobilisation, puisque l'autorité militaire enregistra seulement 1,5 % de cas d'insoumissions, soit un total beaucoup plus faible que celui qui avait été envisagé d'après l'expansion supposée de la propagande antimilitariste.

Les forces organisées : le ralliement des socialistes à la défense nationale. — Cette adhésion massive de l'opinion globale à l'idée de défense nationale permet d'expliquer l'attitude des deux forces organisées hostiles par principe à l'idée de conflit armé, le Parti socialiste SFIO et les syndicalistes de la CGT.

Le Parti socialiste tentait depuis de nombreuses années de résoudre la question de l'attitude devant la guerre, et surtout des moyens que les classes ouvrières des différents pays pourraient mettre en œuvre pour l'empêcher, dans la perspective de l'internationalisme prolétarien. Lors d'un congrès tenu à Paris du 14 au 16 juillet 1914, la SFIO s'était prononcée pour une « grève générale simultanément et ouvrièrement organisée ». Durant la semaine qui précède la mobilisation générale, le samedi 1er août, les socialistes multiplient les réunions pacifistes, rassemblant le 31 juillet 10 000 personnes à Limoges, 20 000 à Lyon, des milliers à Paris, réunies dans 13 meetings. Le 30 juillet, Jean Jaurès rencontre à Bruxelles des socialistes allemands, au cours d'une réunion de l'Internationale, avant de trouver la mort, le 31 juillet au soir, assassiné à Paris par un déséquilibré fanatisé par la presse d'extrême droite.

Jaurès avait surtout appelé les gouvernements à garder leur sang-froid, tout en soulignant la volonté de paix du gouvernement français qui, le 29, avait fait retirer les troupes de couverture à 20 km en arrière des frontières. Peut-être ses propos contenaient-ils, en germe, l'idée de guerre défensive. Après sa mort et l'annonce de la mobilisation, lors d'un meeting tenu à Paris le 2 août, d'importants dirigeants du parti, Jean Longuet, Marcel Cachin, Edouard Vaillant, proclament leur soutien à la guerre défensive. « En présence de l'agression, déclare ce dernier, les socialistes accompliront tout leur devoir pour la patrie, pour la République et pour la Révolution. » Nul doute que, pour les socialistes, la nécessité de lutter jusqu'au bout pour la paix n'est pas apparue comme contradictoire avec les impératifs de défense de la patrie, une fois le conflit enclenché.

L'antimilitarisme, nourri du souvenir des répressions du XIXe siècle, voire le défaitisme, représentait une position de principe essentielle pour les dirigeants de la CGT. Lors du Congrès de 1912, celle-ci avait proclamé le refus de la classe ouvrière « d'aller aux frontières ». Le changement d'attitude est ici encore plus net. Le comité confédéral de la CGT, le 31 juillet au soir, repousse l'idée de grève générale. Lors des obsèques de Jaurès, le 4 août, son secrétaire général, Léon Jouhaux, retrouve les accents de la grande Révolution pour déclarer son adhésion à la défense nationale. La classe ouvrière, dit-il, « s'est toujours nourrie des traditions révolutionnaires des soldats de l'an II... ». Elle ne se lève pas par haine des autres peuples, mais pour combattre leurs « despotes » et leurs « mauvais bergers ».

Sur ce revirement rapide, des dirigeants syndicalistes devaient plus tard s'exprimer. Un appel à la grève générale n'aurait rencontré qu'un très faible écho au sein des masses ouvrières, soulevées, au dire de l'un d'entre eux, Merrheim, par « une formidable vague de nationalisme ». En réalité, celles-ci témoignaient plutôt de leur sentiment d'intégration à la communauté nationale, progressivement réalisée, malgré le discours officiel sur l'internationalisme prolétarien.

Les pouvoirs publics : l'Union sacrée. — L'attitude du gouvernement ne joue pas un faible rôle dans le ralliement général des esprits à la défense nationale. Le gouvernement de Viviani comprend une majorité de radicaux, issus d'une Chambre élue en avril 1914, en principe hostile à la loi de 1913 portant le service militaire à trois ans.

Le ministre de l'Intérieur, le radical Louis Malvy, prend dès le début du conflit une attitude propre à favoriser la réalisation d'un consensus national. Dès le 1er août, il ordonne aux préfets de ne pas procéder à l'arrestation des 2 000 personnes, syndicalistes, anarchistes, socialistes, inscrites sur le carnet B, dans lequel devaient être répertoriés les éventuels meneurs défaitistes. Symétriquement, il suspend, le 2 août, les mesures prises à l'encontre des congrégations non autorisées en application des lois de 1901 et 1904. Ainsi les catholiques, que les troubles survenus dans les premières années du siècle à propos de la question laïque avaient pu amener à se considérer comme des exclus, peuvent-ils désormais se sentir réinsérés dans la communauté nationale et davantage acceptés par le gouvernement de la République.

Il appartenait au président de la République, Raymond Poincaré, de lancer la formule, demeurée célèbre, d' « Union sacrée ». La France, écrit-il le 4 août 1914 dans un message lu par le président du Conseil aux sénateurs et aux députés, « sera héroïquement défendue par tous ses fils, dont rien ne brisera, devant l'ennemi, l'Union sacrée, et qui sont, aujourd'hui, fraternellement assemblés dans une même indignation contre l'agresseur, et dans une même foi patriotique ». Cependant, si l'Union sacrée se réalise dans les deux assemblées, qui votent à l'unanimité, le 4 août, les crédits de guerre réclamés par le gouvernement, il faut attendre le 26 août pour voir sa concrétisation au niveau gouvernemental.

Un remaniement permet alors d'élargir le gouvernement sur sa gauche, avec l'arrivée de deux ministres socialistes, Jules Guesde et Marcel Sembat, tandis que, du côté droit, reviennent les chefs de la coalition battue en mai 1914, favorable à la loi des trois ans, Alexandre Millerand, devenu ministre de la Guerre, et Aristide Briand, nommé garde des Sceaux. Alexandre Ribot, qui figurait dans l'opposition républicaine modérée depuis 1899, revient aux affaires, avec le portefeuille des Finances. Mais l'Union reste incomplète : aucun représentant de la droite catholique n'est appelé par Viviani, tant demeure forte la persistance du clivage qui sépare « cléricaux » et « laïques ».

Par ailleurs, la situation amène le gouvernement à régler le difficile problème de l'organisation exceptionnelle des pouvoirs en temps de guerre. L'état de siège, institué le 2 août par un décret présidentiel, permet de conférer à l'autorité militaire l'exercice des pouvoirs de police normalement dévolus aux préfets et aux maires, renforcés par des dispositions permettant de censurer la presse, non seulement dans le cas d'atteinte à l'ordre public, mais aussi pour réprimer les indiscrétions militaires. L'état de guerre, décrété le 10 août, permet de substituer aux juridictions ordinaires les conseils de guerre pour tout militaire ou civil à propos de toute cause intéressant la sûreté de l'Etat ou l'ordre public.

Ainsi, dès les premiers jours du conflit, se trouve posé le difficile problème de la conciliation du respect des droits fondamentaux (liberté, sûreté, garanties devant la justice) et de l'efficacité nécessaire au fonctionnement d'un pays en guerre.

Cependant, à partir du 1er août, des millions d'hommes sont intégrés dans l'appareil militaire, tandis que l'état-major se prépare à l'exécution du plan offensif qu'il a conçu de longue date.

La campagne de 1914

Les potentiels globaux et les plans des états-majors. — La France mobilise 3 700 000 hommes. Il faut, pour apprécier cette masse, la comparer aux armées engagées dans le conflit le 3 août 1914.

— Les forces à la mobilisation :

Forces des belligérants à la mobilisation :

Nations	*Nombre de divisions* (1)	*Effectifs mobilisés (dépôts compris)*	*Pièces toutes catégories*
France	93	3 600 000	4 150
Angleterre	22	485 000	800
Belgique	7	117 000	250
Russie	142	8 000 000	4 500
Serbie	13	270 000	400
Total	277	12 472 000	10 100
Allemagne	130	3 800 000	8 200
Autriche-Hongrie	78	1 250 000	2 700
Total	208	5 050 000	10 900

(1) L'effectif divisionnaire varie de 15 000 à 20 000 hommes pour la division d'infanterie ; de 5 000 à 7 000 hommes pour la division de cavalerie. La DI française compte en 1914 382 officiers et 17 000 soldats, 38 pièces de 75 mm. La DI allemande, 520 officiers et 18 000 soldats, 48 pièces de 77 et de 105 (75 désigne le diamètre de l'obus).

(D'après le général Gambiez et le colonel Suire, *Histoire militaire de la première guerre mondiale,* Fayard, 1968.)

Ces armées sont dans l'ensemble constituées d'une masse de fantassins, fréquemment 70 % de l'effectif, les 30 % restant se répartissant entre l'artillerie, le génie et la cavalerie (5 à 10 % pour cette dernière). Encore napoléoniennes pour une large part, elles sont équipées de manière légère. Le fusil reste l'arme principale, les engins automatiques demeurent encore très rares. Pièces et services de corps restent majoritairement hippotractés, l'armée française ne comptant que 6 000 véhicules automobiles au début de la guerre. Celle-ci est perçue par les professionnels comme un gigantesque jeu de manœuvres, où la mobilité et la rapidité des troupes comptent davantage que la puissance du matériel dont on est alors loin de soupçonner l'essor.

Si l'infanterie allemande, remarquablement formée et encadrée, excelle à la manœuvre comme au tir, si l'artillerie lourde allemande bénéficie d'une réelle supériorité, en nombre et en puissance, l'armée française dispose d'une très bonne artillerie légère ; le canon de 75 est un modèle de précision et de maniabilité. L'équipement individuel laisse cependant à désirer : les soldats français, dépourvus de casques, portent le pantalon rouge, particulièrement voyant, plus adapté à la parade qu'à la bataille, alors que les Allemands sont déjà revêtus d'un uniforme gris-vert qui ne permet pas une aussi bonne visibilité aux tireurs ennemis.

Ce sont donc deux masses de combattants de qualité globalement équivalente qui, vers le milieu d'août, sont prêtes à l'affrontement.

— Situation des troupes à la concentration et plans des états-majors :

En France, les deux opérations préliminaires de mobilisation et de concentration se déroulent du 2 au 18 août. Les forces réparties sur le front occidental marquent alors une légère supériorité alliée en matière d'effectifs ; les Allemands disposent cependant d'un potentiel d'artillerie plus étoffé que celui de leurs adversaires.

Moyens	*Allemands*	*Alliés*
Divisions	86	96 dont 6 Britanniques 7 Belges
Pièces légères	5 130	4 892
Pièces lourdes	572	282
Mitrailleuses	2 000	2 500

Le maréchal von Moltke, chef d'état-major allemand depuis 1906, avait repris le plan élaboré par son prédécesseur, Alfred von Schlieffen, chef d'état-major de 1891 à 1906, décédé en 1913. Celui-ci, dans l'éventualité d'une guerre sur deux fronts, avait estimé qu'il fallait frapper la France dans un premier temps, compte tenu de la lenteur probable de la mobilisation russe. Désireux d'éviter le secteur fortifié lorrain de Verdun-Toul-Epinal, il avait conçu un plan de débordement du dispositif français par l'ouest et prévu, dans cette perspective, que 30 corps d'armée massés en Rhénanie passeraient à l'attaque à travers la Belgique en direction des Ardennes pour gagner la basse Seine à marche forcée. Von Moltke, désireux de renforcer la défense de la Prusse-Orientale, a réduit la formidable puissance de l'aile droite que nécessitait une correcte exécution du plan Schlieffen. Mais, conformément à la conception de Schlieffen, le gros des troupes allemandes est massé au nord de la Moselle.

Le plan XVII, adopté par le chef d'état-major général français Joseph Joffre, ne tient guère compte du plan Schlieffen. Il prévoit, grâce à l'allant des troupes et l'appui apporté par la pression russe à l'est, une double attaque au centre, en Lorraine et au nord de Verdun, pendant que ses ailes contiendraient l'ennemi. Double erreur d'estimation : il néglige la puissance de l'aile droite allemande et la capacité de résistance des secteurs visés, particulièrement fortifiés par l'ennemi.

Les opérations de la guerre de mouvement (août-novembre 1914). — Elles présentent plusieurs phases :

— La bataille des frontières (19-23 août 1914). Dès les premières heures du conflit, les plans sont mis à exécution. Les Allemands réduisent Liège le 16 août, puis franchissent la Meuse. Le 20, la Ire armée du général von Kluck entre dans Bruxelles. Namur tombe le 24, mais Anvers résiste jusqu'au 7 octobre. Joffre, de son côté, tente la mise en application de son plan offensif. Sans succès : les 19 et 20 août, une attaque lancée en Lorraine échoue devant Sarrebourg et Morhange, puissamment fortifiés par les Allemands. Du 21 au 23 août, dans les Ardennes, les troupes françaisеs connaissent un deuxième échec.

Cependant, sur sa gauche, pour freiner l'avance de l'aile droite allemande, qu'il a sous-estimée dans un premier temps, Joffre ordonne le 20 août à la Ve armée du général Lanrezac de s'avancer sur la Sambre, flanqué sur sa gauche par le corps expéditionnaire britannique du maréchal French. Ce dispositif rencontre les troupes, très supérieures en nombre, des IIe et IIIe armées ennemies qui déclenchent le 21 août la bataille de la Sambre dans la zone comprise entre Dinant, Namur et Charleroi. Le 23 août, après avoir subi de très lourdes pertes, Lanrezac donne l'ordre de repli. French, fortement pressé par Kluck, l'a précédé dans la retraite.

— Le repli français (24 août - 5 septembre). Le repli français se déroule dans les douze jours qui suivent. Joffre, dont les conceptions initiales se sont révélées inexactes, affronte la situation avec calme, sang-froid et lucidité. Tandis que le repli français s'opère en bon ordre, il procède à un renforcement de son aile gauche par la constitution d'une nouvelle armée, la VIe, placée sous le commandement du général Maunoury. Il prend ensuite des mesures de réorganisation d'une importance considérable, relevant près de la moitié des commandants de corps d'armée et de division. Il consolide le centre du dispositif français en créant la IXe armée, confiée à Ferdinand Foch. Le 26 août, Gallieni, nommé gouverneur du camp retranché de Paris, commence la mise en défense de la capitale.

Dans le même temps, von Moltke prend de son côté deux décisions lourdes de conséquences. Le 26 août, il fait transférer en Prusse-Orientale des éléments de sa IIe et de sa IIIe armée, affaiblissant ainsi son front occidental. Logiquement, pour resserrer son dispositif, il donne l'ordre à von Kluck d'infléchir sa marche vers le sud-est, c'est-à-dire de quitter la vallée de l'Oise pour faire route vers l'Ourcq et la Marne, dans le double but de couper les Français de leur capitale et de couvrir le flanc droit du dispositif allemand. Von Kluck choisit d'affecter le gros de ses forces à la première de ces tâches. Impatient de saisir la gauche de la Ve armée française, il fonce le 4 septembre au sud de la Marne, laissant son flanc droit découvert, sans se soucier de la VIe armée, ni de French.

Pour les stratèges français, c'est là une occasion inespérée. L'idée d'une attaque sur le flanc droit allemand menée par la VIe armée et les Britanniques, inspirée peut-être par Gallieni, est mise en œuvre par Joffre, qui, après s'être assuré de l'accord des Britanniques, fixe au 6 septembre l'offensive générale.

— La bataille de la Marne (5-12 septembre 1914). L'ensemble des opérations dénommées « bataille de la Marne » se déroule pour l'essentiel sur un front de 200 km entre Oise et Meuse.

A l'ouest, dans le secteur des deux Morins et de l'Ourcq, se déroule la grande manœuvre offensive d'aile gauche. Dès le 5 septembre, à midi, la VIe armée attaque les éléments de la Ire armée allemande restés au nord de la Marne. Aussitôt Kluck, dès le 6 au matin, rappelle les corps déjà engagés au sud de la rivière et tente de déborder Maunoury par le nord. Malgré l'arrivée de renforts dans la nuit du 7 au 8 septembre, dont 4 000 hommes transportés par 700 taxis parisiens, Maunoury envisage le 9 septembre de faire retraite le lendemain (bataille de l'Ourcq). Cependant Kluck, par sa contremarche, a ouvert une brèche de 30 à 40 km entre la Ire et la IIe armée, aussitôt exploitée par Joffre. Du 7 au 9, le corps expéditionnaire britannique et la Ve armée de Franchet d'Esperey franchissent le Grand-Morin, le Petit-Morin, puis la Marne. Le 9 septembre, vers 13 heures, la IIe armée commence son repli, entraînant celui de la Ire, ordonnée une heure plus tard par von Kluck (bataille des deux Morins).

Ailleurs, l'affrontement prend la forme de batailles d'arrêt. Au centre, en Champagne, Foch et la IXe armée résistent non sans peine à la formidable pression de la IIIe armée allemande, notamment dans le secteur des marais de Saint-Gond. A la droite du dispositif français, en Lorraine, Sarrail, à la tête de la IIIe armée française, et la IVe armée, parviennent à repousser les violentes attaques des IVe et V^e^ armées allemandes. A partir du 9 septembre, au soir, les troupes ennemies commencent à décrocher. Du 10 au 14 septembre, les forces françaises esquissent une poursuite, mais leur état d'épuisement interdit une exploitation poussée. Le 14, les Allemands creusent des tranchées sur une ligne qui joint l'Oise en amont de l'Aisne à Verdun sur la Meuse. La guerre de position commence dans ce secteur.

La défaite « incontestable », selon le mot de Joffre, des Allemands ne tient pas à la défaillance des troupes. Celles-ci opèrent lors de la bataille des prodiges de bravoure et d'endurance. Les hommes de la Ire armée allemande parcourent 100 km en vingt-quatre heures pour reprendre l'offensive contre Maunoury, cependant que les soldats de la Ve armée française évoluent sur près de 700 km en vingt-six jours. Les charges furieuses se terminent dans un tiers des cas par des corps à corps. En fait, les Allemands ont surtout subi les conséquences de l'allégement de leur droite, dû aux nécessités de la conquête de la Belgique et du front de l'Est, auxquelles se sont ajoutées la médiocrité du commandement de Moltke et les destructions ferroviaires du nord de la France, qui ont gêné leurs mouvements latéraux.

— La « Course à la mer » (15 septembre - 15 novembre). Après la Marne, Joffre et von Falkenhayn, successeur de von Moltke, persuadés de l'inutilité d'un assaut frontal, privilégient les manœuvres de débordement. Celui-ci, exclu sur les parties centrales et orientales du front, en voie de stabilisation dans un solide réseau fortifié, ne peut se faire qu'en direction de la mer, qui, sans être l'objectif des combats, en marque nécessairement le terme.

Deux manœuvres de ce type échouent, en Picardie (bataille de Lassigny-Roye, septembre-octobre) et en Artois (bataille d'Arras, octobre 1914), le front se déplaçant mécaniquement au rythme de ces combats particulièrement sanglants. Puis la lutte reprend dans les Flandres une allure frontale. Pendant un mois (16 octobre - 15 novembre), Britanniques, Belges et Français, coordonnés par Foch, résistent sur l'Yser à la poussée des armées allemandes. Celles-ci, gênées par l'inondation volontairement provoquée de la Flandre maritime et repoussées à Dixmude, font porter leur effort sur le saillant d'Ypres, tenu par les Britanniques. En vain : le 10 novembre, après avoir pris Dixmude, les Allemands renoncent, et le front se stabilise pour de longs mois.

Bilan de la guerre de mouvement. — Il se présente ainsi :

— Bilan guerrier : les pertes de la guerre de mouvement ont été considérablement élevées. En cinq mois, 300 000 Français ont été tués, 600 000 ont été blessés, faits prisonniers ou portés disparus. La moyenne mensuelle s'établit donc pour 1914 à 60 000 tués (pour 1915 : 31 000 ; 1916 : 21 000 ; 1917 : 13 500 ; 1918 : 21 000). Les pertes les plus importantes datent des premiers jours de combat : du 20 au 23 août 1914, 40 000 hommes sont tombés du côté français, dont 27 000 le 22. De telles pertes proviennent, autant que des défauts de l'équipement (port du pantalon rouge, particulièrement voyant), de la sous-estimation de l'ampleur de la puissance du feu. Des formations d'infanterie trop denses, des préparations d'artillerie insuffisantes, le mythe de l'attaque rapide « à la baïonnette », ont entraîné la mort de milliers de soldats, tombés foudroyés par le feu d'un ennemi qu'ils ne purent jamais voir. Cet échec d'une guerre courte menée dans le style offensif surprend les états-majors des deux camps qui escomptaient un dénouement rapide.

La surprise joue aussi dans le domaine de l'armement : l'armée française manque de pièces lourdes. L'artillerie « consomme » un nombre d'obus beaucoup plus élevé que prévu. A partir d'octobre 1914, il faut imprimer à la production de munitions un rythme accéléré. On intègre ainsi au phénomène guerrier les données jusque-là négligées, le potentiel économique, la capacité productive, l'aptitude à mobiliser la totalité des ressources humaines et matérielles, qui illustrent le mieux l'aspect novateur du conflit de 1914-1918.

— Bilan moral : l'opinion publique réagit aux événements avec un certain décalage. Jusqu'à la fin du mois d'août règne un optimisme naïf, favorisé par la censure et renforcé par le bourrage de crâne. L'annonce de la prise de Mulhouse, réoccupé le 7 août pour trois jours seulement, provoque dans le pays tout entier un enthousiasme délirant. Le 29 août, un communiqué militaire révèle aux Français que « la situation, de la Somme aux Vosges, est restée aujourd'hui ce qu'elle était hier ». La panique pousse alors 500 000 Parisiens à prendre la fuite. Le 2 septembre, le président de la République et le gouvernement gagnent Bordeaux, suivis le lendemain par plusieurs trains de parlementaires.

Après la victoire de la Marne, annoncée le 12 par la presse, les commentaires, sauf exception, se font beaucoup plus modérés. L'impression de soulagement, mêlée à une grande prudence, prédomine. L'opinion prend conscience de l'échec de la guerre courte, sans abandonner l'espoir d'une décision rapide. Une cruelle incertitude continue de régner sur l'ampleur des pertes, soigneusement tenues secrètes, mais que la rumeur publique affirme très importantes.

La guerre de position 1915-1916

Les modifications de la technologie guerrière. — Le front s'étend sur 650 km, de la mer du Nord aux Vosges. De la mer du Nord à l'Oise, sa direction générale est nord-sud, puis il s'infléchit dans le sens nord-ouest - sud-est à partir de Noyon, suit le cours de l'Aisne, court sur une ligne Reims-Verdun, avant de plonger sur les Vosges.

Les défenseurs de Paris, puis les troupes de Kluck, les premiers, avaient recouru au système défensif enterré, les « tranchées », s'inspirant en cela des exemples balkaniques de 1912 et de la guerre russo-japonaise de 1905. A la fin de 1914, sur toute l'étendue du front, se constitue, à partir des trous de tirailleurs isolés, un réseau défensif formé de deux positions parallèles, distantes de 3 à 6 km, pour protéger la plus profonde de l'artillerie adverse. Chacune d'elles comprend deux à trois lignes de tranchées, espacées de 200 à 300 m, profondes de 2 m environ, larges de 50 cm au fond, étayées par des sacs de terre, des gabions et des clayonnages.

En avant du système, sur une cinquantaine de mètres, des réseaux de barbelés. Le tracé général sinueux permet d'éviter un éventuel tir en enfilade. De loin en loin, les nids de mitrailleuses placés selon une disposition permettant le tir croisé. De place en place, des excavations, abris, souterrains, généralement sur la seconde position, des boyaux, des « sapes », destinés à relier l'ensemble parfois compartimenté en secteurs défensifs, pour éviter l'effondrement total de toute une position dans le cas d'une pénétration ennemie.

La technologie guerrière s'adapte à ce système. L'équipement défensif du soldat français est amélioré par l'adoption de l'uniforme bleu horizon en avril 1915 et celle du port du casque en septembre de la même année. L'armement se modifie : la mitrailleuse, arme défensive par excellence, devient un élément essentiel dans la guerre des tranchées. Le fusil mitrailleur, la grenade, équipent les régiments ; en 1916, les deux camps utilisent le lance-flammes. L'artillerie doit s'adapter en introduisant les engins à tir courbe (« crapouillots » français, *Minenwerfer* allemands). La France doit, à partir de 1915, consacrer un gros effort à la fabrication de pièces lourdes, dont l'Allemagne est déjà bien pourvue au début de la guerre : elle dispose en 1918 de 7 100 canons lourds contre 8 130 aux Allemands (mais 10 100 seulement pour l'artillerie en général contre 20 700 aux Allemands).

L'innovation la plus marquante est sans conteste l'utilisation des gaz de combat. Moins cher qu'un explosif, l'obus au chlore est utilisé pour la première fois par les Allemands le 22 mars 1915 à Langemark, dans le secteur d'Ypres. Les effets sont cruels : toux, vomissements, lésions pulmonaires, asphyxie... ; l'ypérite, utilisée à partir de 1917, a des effets encore plus terrifiants : attaque des muqueuses et de la peau, brûlure des yeux et des poumons, destruction de l'appareil digestif. L'efficacité militaire est indéniable, la peur des gaz ajoutant encore à la dureté de l'existence des soldats. Les combattants français, au départ mal protégés, disposent en avril 1916 de masques protecteurs efficaces. Cinq mois plus tard, ils sont en mesure de riposter par le même procédé enfin mis au point par les chimistes français, en retard sur les Allemands.

L'aviation, arme nouvelle, n'occupe qu'une place réduite dans ce dispositif guerrier. Elle est utilisée essentiellement comme instrument d'observation des lignes ennemies, en particulier des arrière-positions dissimulées par des reliefs, « à contre-pente ». La nécessité de s'assurer la maîtrise du ciel amène le développement de la chasse, mais l'activité de bombardement reste secondaire.

La recherche de la décision. — La constitution d'un front continu solidement fortifié amène la transformation de la guerre de mouvement en guerre de position. L'obsession des états-majors est désormais d'arriver à percer ce front, pour retrouver les techniques plus familières de la guerre de mouvement. Aussi assiste-t-on, en 1915, aux tentatives françaises de percée. Leur échec amène l'année suivante la mise au point par les Allemands d'une nouvelle stratégie, l'usure.

— 1915 : les tentatives de percée. L'équilibre des forces, l'ampleur du système défensif ne dissuadent pas les états-majors de tenter dans un premier temps la « percée ». Alors que Falkenhayn fait, en 1915, porter tout son effort vers la Russie, qui subit alors de sévères défaites, Joffre demeure convaincu que la rupture reste possible. Aussi lance-t-il une série d'offensives destinées à percer le front. Elles n'obtiennent que des résultats dérisoires. La première offensive de Champagne (février-mars) dure trente et un jours pour obtenir une progression de 2 km ; la première d'Artois (mai-juin), quarante jours pour 4 km ; la deuxième de Champagne (septembre-octobre), douze jours pour 4 km ; la deuxième d'Artois (septembre-octobre), dix-sept jours pour 2 km. Ces opérations coûtent 349 000 tués aux Français.

La percée se heurtait en fait à des obstacles incontournables. L'ennemi, alerté par la préparation d'artillerie, toujours importante, pouvait acheminer rapidement les réserves nécessaires en fonction de l'assaut prévisible. Il était, d'autre part, difficile aux deuxièmes vagues d'assaillants d'occuper de façon suffisamment rapide un terrain ravagé par le feu adverse. La rupture, en fait, ne pouvait être obtenue que par une modification de l'équilibre des forces qui n'était pas encore en vue à la fin de 1915.

Ces échecs français ne sont pas perdus pour les Allemands. En décembre 1915, von Falkenhayn expose à l'empereur les principes d'une nouvelle stratégie, l'usure. Il convenait de fixer les troupes françaises sur un point du front et de les amener à y engager leurs réserves pour les saigner à blanc. Le généralissime allemand proposait le choix du site de Verdun. Cette place, entourée de 26 ouvrages fortifiés, d'ailleurs médiocrement équipés, présentait l'avantage de constituer un saillant sur le front français et de n'être reliée à l'arrière-pays que par une route et une voie ferrée secondaire Verdun - Bar-le-Duc ; Falkenhayn estimait, à juste titre, que la valeur historique et symbolique attachée à cette ville amènerait ses adversaires à la défendre avec acharnement.

— L'usure (1916) : Verdun et la Somme. Verdun, la cité ceinturée de forts, la clé de la marche de l'Est, est établi sur la Meuse entre une zone accidentée à l'est qui domine la plaine de la Woëvre et des reliefs moins marqués à l'ouest du fleuve.

L'attaque allemande (février-mars 1916) joue la surprise. Le 21 février, à 17 h 40, après une préparation d'artillerie d'une intensité sans précédent, les vagues d'assaut déferlent sur la rive droite, s'emparent le 26 du fort de Douaumont, mais se heurtent à la résistance des défenseurs du fort de Vaux. Le 6 mars, von Falkenhayn élargit la bataille au secteur non fortifié de la rive gauche, où les reliefs servent de points d'appui aux défenseurs (cote 304, Mort-Homme).

Du 15 mars au 23 juin la lutte devient intense. Sur une ligne qui court des hauteurs de la rive gauche jusqu'aux Hauts-de-Meuse se déroulent d'effroyables combats. Les défenseurs résistent par petites unités, coupées parfois de l'échelon supérieur, dans un paysage ravagé par d'intenses bombardements. Douaumont, repris le 22 mai, tombe à nouveau le 24. Les défenseurs de Vaux doivent le 7 juin cesser leur résistance, menée jusqu'à l'extrême limite.

Fin juin, les Allemands, pressentant l'offensive sur la Somme, lancent leurs derniers assauts sur la rive droite. Menées par le Kronprinz impérial les 23 juin et 11 juillet, ces attaques prennent fin le 12.

La victoire de Verdun est d'abord l'œuvre des combattants. Mais si l'endurance des hommes a primé l'habileté de la manœuvre, un immense mérite revient à leur chef, le général Pétain, investi du commandement en chef à Verdun dès les premiers jours de la bataille. En accord avec Joffre, celui-ci va s'efforcer de durer aux moindres frais. Prenant un soin tout particulier à maintenir le contact avec Bar-le-Duc par la « voie sacrée », longue de 75 km, sans cesse entretenue, et qui permet chaque jour le transport de 4 000 t de matériel et de 15 000 à 20 000 hommes, Pétain assure une « noria » des troupes françaises qui montent à tour de rôle, mais sont retirées rapidement — parfois après trois jours seulement, au plus fort de la bataille — pour éviter leur usure totale.

Il apparaît qu'à l'issue des combats de Verdun — pour la totalité de l'année, car en octobre et décembre une offensive française devait reprendre, définitivement, Vaux et Douaumont — les pertes françaises se seraient élevées à 163 000 tués ou disparus contre 143 000 Allemands. On compterait avec les blessés 770 000 hommes mis hors de combat. Ces chiffres montrent clairement que le calcul de Falkenhayn, qui escomptait au départ 2 morts Allemands pour 5 Français, n'avait pas trouvé son aboutissement.

• La deuxième bataille d'usure de l'année 1916 est lancée dans la Somme à l'initiative des Alliés, avec de gros moyens : 4 000 pièces lourdes, gaz de combat, moyens aériens, dans le secteur de Péronne, sur un front de 50 km. L'offensive, déclenchée le 1er juillet, après une importante préparation d'artillerie, se déroule par vagues successives jusqu'au 18 novembre. Pour la première fois, des chars, dans une modeste proportion, sont utilisés. Les gains sont réduits : 35 km de progression. Les pertes sont énormes : 620 000 blessés, tués ou disparus pour les Alliés, dont 104 000 morts Français, 500 000 pour les Allemands, moins « usés » dans cette bataille que leurs adversaires.

Ainsi les opérations militaires n'ont-elles abouti à aucun résultat significatif à la fin de 1916. Sans doute les Alliés remportent-ils une victoire diplomatique avec l'entrée en guerre à leurs côtés de l'Italie en mai 1915. Mais leurs tentatives de diversion en Orient, l'opération contre les Dardanelles en 1915, suivie du débarquement à Salonique où stationnent à la fin de 1916 370 000 hommes, n'aboutissent qu'à l'extension du conflit, sans changement significatif du rapport de forces.

La nation dans la guerre

La bravoure des combattants

De multiples témoignages évoquent l'inhumanité de l'existence des soldats de la guerre des tranchées. La mort se présente sous mille formes atroces ; les hommes peuvent être enfouis vivants, brûlés au lance-flammes, gazés, tués dans un corps à corps, surtout déchiquetés par le monstrueux appareil de destruction d'une artillerie surdimensionnée qui pulvérise et mutile les corps. On imagine la somme de souffrances que représente le sort des blessés, évacués dans de difficiles conditions vers les hôpitaux de campagne situés à l'arrière du front. En première ligne, il y a des moments intenses : l'assaut au cours duquel les troupes doivent sortir de la tranchée, traverser la zone des barbelés préalablement cisaillés, affronter le *no man's land* sous les obus, puis sous le feu de la « méthodique et presque infaillible mitrailleuse » parvenir à la première ligne ennemie, et terminer la besogne à la grenade, à la baïonnette, au couteau « nettoyeur » (utilisé surtout par les troupes de choc).

En dehors de ces moments, relativement rares, il y en a d'autres particulièrement pénibles : la montée en première ligne, sous le poids du « barda » (30 kg), à travers les étroits boyaux ; les gardes ; les corvées qui amènent parfois à sortir de l'espace abrité. Même en période calme, le soldat de première ligne doit subir les intempéries, le froid, la pluie, particulièrement redoutée, qui transforme les tranchées en cloaques boueux. Il doit supporter les odeurs des charniers, de l'urine, des déjections. Il est incommodé par des présences animales parasites, celle des poux ou des rats. L'absence d'hygiène, due à l'impossibilité de se laver ou de changer de vêtements, est vécue comme un élément de dégradation morale autant que physique par les « poilus ».

La vie cependant s'organise. Sur les lignes, des abris (« cagnas ») permettent, malgré leur inconfort, de profiter de quelque répit entre les assauts, les corvées, les gardes. Surtout, en arrière du front, souvent dans quelque village abandonné, se trouvent les zones de « repos ». Une règle non écrite, en général bien respectée, veut que les hommes de première ligne soient « relevés » après une vingtaine de jours. Ils peuvent alors se laver et prendre quelque repos avant de « remonter » deux ou trois mois plus tard. Enfin, périodiquement, une permission, droit régulier à partir de 1915, peut leur être accordée. La régularité des relèves et des permissions représente un élément essentiel du maintien du moral des troupes.

Durant le conflit, la presse et la littérature officielles présentent largement l'image « héroïque » du soldat. Mû par le sentiment patriotique, impatient d'en découdre, ce combattant méprise la mort et fait d'avance le sacrifice de sa vie. Cette passion patriotique poussée à l'extrême crée une étroite solidarité avec les autres soldats, qui s'exprime dans la fraternité des tranchées. Conscient du rôle qui est le sien, il intègre son action individuelle dans l'immense effort de guerre entrepris collectivement par la nation française et atteint ainsi à une dimension de communion spirituelle de nature quasi religieuse. Cette thèse, en général grossièrement simpliste, peut se colorer cependant de quelques nuances. Un catholique peut se sacrifier pour les valeurs nationales et religieuses, étroitement liées. Un socialiste peut donner sa vie pour le triomphe de la justice universelle, menacée par l'impérialisme réactionnaire des Prussiens, de même qu'un « républicain », laïque et libre penseur.

A cette thèse « héroïque », officielle et optimiste, s'oppose la vision « réaliste », apparue durant la guerre elle-même, illustrée notamment par le roman *Le feu* d'Henri Barbusse (prix Goncourt 1916). Dans cette présentation, élaborée par d'anciens combattants en réaction contre la thèse précédente, le soldat ne se bat pas par idéal, mais par nécessité ; le sentiment patriotique n'apparaît donc plus comme le motif essentiel de son action. Il lutte pour survivre dans un monde où la mort omniprésente a fini par devenir un spectacle habituel accepté avec indifférence. Une fraternité d'armes naît entre les compagnons de misère et d'infortune, renforçant le sens de la solidarité immédiate, sans référence à des valeurs collectives. Le déroulement général de la guerre et la situation de l'arrière ne provoquent qu'exaspération, sarcasme et dérision à l'égard des « planqués », des « embusqués », des civils en général. Cette thèse, relativement pessimiste, tout en mettant l'accent sur le courage des troupes et leur sens de la solidarité, amène tout de même à s'interroger sur le sens d'une résistance aussi acharnée qui n'a pas toujours trouvé son équivalent dans toutes les armées belligérantes.

Des études récentes, fondées sur l'analyse des journaux de tranchées ont permis de nuancer les deux visions précédentes. Ces feuilles à tirage réduit, fabriquées artisanalement dans le cadre de l'escouade, de la section, de la compagnie ou du régiment, ont permis de dégager une vision immédiate et non reconstruite de la conscience du combattant. Leur analyse permet de restituer la force d'un sentiment national puissant, mais en en précisant le contenu : loin des considérations abstraites qui caractérisent le patriotisme officiel (la guerre du droit, la France défenseur de la civilisation, l'Alsace-Lorraine), il trouve sa source dans des préoccupations concrètes, la sauvegarde de la famille, avec qui les combattants n'ont cessé d'entretenir des liens étroits, et la défense de leur sol, partiellement occupé, au contraire de celui des Allemands.

Ce devoir, les soldats le remplissent avec conscience, surmontant une peur attestée par l'évocation constante de leur mort prochaine, et sans que joue avec une si grande force « la fraternité des tranchées ». Quant à l'arrière, il est source de sentiments ambivalents. Exécré pour ce qu'il représente d'insouciance et d'ingratitude, il joue un rôle essentiel dans la résistance des combattants français, puisque c'est pour lui qu'ils acceptent de tels sacrifices. Ainsi se trouve réévalué le sentiment national, mais en le rapportant aux conditions spécifiques de l'ensemble social et politique français. Ainsi peut s'expliquer que, dans le cadre disciplinaire très strict instauré en 1914, on compte à peine, pour la période d'août 1914 à janvier 1917, 22 à 23 condamnations à mort par mois, dont seulement le tiers suivi d'exécution.

L'arrière : l'installation dans la guerre longue

Les pouvoirs publics : les jeux politiques. — La situation exceptionnelle créée par l'état de guerre n'avait été prévue par aucun texte constitutionnel ou législatif. Un difficile équilibre parvient à s'établir, après de longs tâtonnements, entre les instances du pouvoir, l'exécutif, le législatif, et, bien que subordonné aux deux autres, mais mis en valeur par les circonstances, le haut commandement.

Durant la guerre de mouvement, d'août à décembre 1914, le pouvoir exécutif assume seul la responsabilité de la conduite du pays, après l'ajournement des Chambres le 4 août. Cette situation aboutit à renforcer les pouvoirs du grand quartier général (GQG), dont le chef, le général Joffre, jouit, après la Marne, d'un immense prestige dans le pays. Mais après le retour à Paris, début décembre, de toutes les autorités suprêmes de l'Etat, Parlement, gouvernement, président de la République, les Chambres, convoquées le 22, décident de siéger en permanence jusqu'à la fin de la guerre. Dès lors, le contrôle parlementaire reprend à l'égard du gouvernement. Il vise le ministre de la Guerre, Millerand, jugé trop docile à l'égard du GQG. Après avoir diminué ses pouvoirs par la création de 4 sous-secrétariats d'Etat, ses adversaires parviennent à l'écarter lors de la formation du gouvernement Briand, qui succède à Viviani en octobre 1915.

Aristide Briand, pour la cinquième fois président du Conseil, tente de renforcer l'exécutif en élargissant la formule d'Union sacrée par la nomination de cinq ministres d'Etat choisis à titre symbolique : Freycinet, vieil homme d'Etat dont le passage au pouvoir remontait à la République opportuniste, les radicaux Léon Bourgeois et Emile Combes, le socialiste Jules Guesde et un représentant de la droite catholique, Denys Cochin. Le radical Malvy reste à l'Intérieur grâce à l'appui de son parti, les progressistes (républicains les plus modérés) Méline et Ribot à l'Agriculture et aux Finances. A la Guerre, Briand nomme Gallieni. Il espère ainsi pouvoir rétablir l'équilibre entre le gouvernement et le haut commandement.

Mais sous son gouvernement la pression parlementaire se fait plus forte. La bataille de Verdun fournit l'occasion aux parlementaires de réclamer l'institution des comités secrets qui permet aux Chambres de siéger à huis clos. Dans le même temps, Joffre est l'objet de critiques grandissantes, mettant en cause à la fois son refus du contrôle parlementaire et sa manière de conduire la guerre, jugée inefficace et coûteuse en vies humaines.

Lors du troisième comité secret, Briand obtient à la fin de 1916 une majorité plus étroite que précédemment. Pour parer à la critique qui lui est faite de négliger la conduite de la guerre, il forme en décembre 1916 un gouvernement plus concentré, dont il exclut les figures symboliques, obtient la démission de Joffre, dont les fonctions sont partagées entre Nivelle pour la métropole et Sarrail pour l'Orient et confie le ministère de la Guerre à Lyautey. Là encore sa tentative échoue : à la suite d'un incident survenu entre les députés et le nouveau ministre, il doit démissionner en mars 1917.

Sans doute le remplacement de Joffre marque-t-il une étape : le pouvoir politique affirme par là son autorité vis-à-vis d'un homme que sa popularité a longtemps mis à l'abri. Mais le fait le plus marquant, dès le début de 1915, est le retour du Parlement, dont le rôle ne cesse de s'affirmer dans le courant de 1916. En fin de compte, le conflit n'entame guère les institutions parlementaires.

L'opinion publique : le maintien du moral. — L'absence de contestation, qui est le phénomène le plus remarquable des années 1915 et 1916, relève de deux séries de causes bien différentes. D'une part, l'opinion française est soumise à un conditionnement assez strict qui limite les possibilités d'information et d'action. Par ailleurs, les conditions de vie matérielle des Français ne se dégradent pas de manière trop sensible durant les deux premières années de la guerre longue. Aussi ne relève-t-on pas de mouvements marqués de mécontentement, pour autant qu'il soit possible de les déceler dans un pays vivant sous un régime de liberté contrôlée.

• Instaurée dès les premières heures de la guerre par la loi du 5 août 1914, la censure avait été renforcée par une circulaire de Millerand du 19 septembre suivant. Outre la suppression des informations pouvant renseigner l'ennemi ou celles de « nature à exercer une influence fâcheuse sur l'esprit de l'armée et des populations », le ministre de la Guerre y préconisait l'interdiction des critiques à l'égard du gouvernement ou des chefs de l'armée. Ce régime soulève maintes réserves, mais il présente pour les gouvernements l'indéniable avantage de pouvoir les soustraire à des critiques trop poussées. Il existe un autre type de brouillage, élaboré par la presse spécialisée dans « le bourrage de crânes », les nouvelles inexactes et les « bobards », complaisamment colportés par la presse ultra-nationaliste et bénéficiant de la complaisance des autorités.

Rien, cependant, n'autorise à penser que cette propagande, au demeurant grossièrement primaire, ait pu influencer profondément l'opinion. Il existe d'ailleurs une presse non conformiste. Dès septembre 1914, *L'Homme libre* de Clemenceau, après avoir dénoncé les conditions de déplacement de soldats blessés qui, transportés dans des wagons affectés d'ordinaire aux chevaux, y auraient contracté le tétanos, est interdit par un arrêté de Malvy. Mais le journal peut reparaître sous le titre *L'Homme enchaîné,* qu'il conserve jusqu'à novembre 1917. *L'Œuvre* publie en 1915 *Le feu* de Barbusse. Maurice Maréchal, en septembre 1915, fonde *Le Canard enchaîné* qui s'en prend, en fait, au chauvinisme outrancier, sans jamais tomber dans le défaitisme. Même si les tirages de ces organes restent modestes, leur existence nuance fortement l'image d'une presse unanime dans l'hystérie nationaliste.

• Les conditions concrètes d'existence contribuent pour une large part au maintien du calme moral et social. Dans les campagnes, la hausse des prix des denrées agricoles, accentuée à partir de 1916, profite aux cultivateurs. Le versement d'allocations aux familles nécessiteuses dont le soutien est mobilisé contribue également à maintenir des conditions matérielles correctes, sinon satisfaisantes. La principale difficulté des campagnes reste de pouvoir continuer à assurer la production malgré le départ massif de la main-d'œuvre masculine.

Dans les villes, les observateurs sont frappés par le petit nombre de grèves ouvrières : 98 en 1915 et 9 000 grévistes, 314 en 1916 et

41 000 grévistes, contre 1 073 en 1913 avec 220 000 grévistes, selon les chiffres officiels, sans doute minorés. Le 1er mai 1915, on ne compte en région parisienne que 700 personnes qui, malgré l'hostilité des syndicats, respectent l'arrêt de travail rituel ; l'année suivante 1 500. Des enquêtes d'opinion montrent qu'en 1915, si les ouvriers parisiens sont préoccupés par leurs conditions matérielles d'existence, les idées « pacifistes » ne gagnent guère dans leur milieu.

En fait, les classes populaires urbaines bénéficient d'allocations, du moratoire — suspension provisoire — des loyers, surtout de la reprise économique à la fin de 1914 qui permet le retour des ouvriers affectés dans les usines de guerre et l'embauche massive des femmes dans l'industrie. Le problème principal reste la hausse des prix et la pénurie. Mais l'inflation reste modérée en 1915 et 1916 : dans la région parisienne, l'indice du coût des denrées alimentaires sur la base 100 en juillet 1914 se situe à peine à 136 en janvier 1916. A la fin de 1916 seulement, la dégradation du niveau de vie apparaît de manière plus sensible.

Les forces organisées : la persistance de l'Union sacrée. — Le maintien du moral populaire va de pair avec celui de l'Union sacrée. Si dans ce domaine certains signes de dissociation apparaissent, ils restent encore mineurs et n'ébranlent pas véritablement le consensus des forces politiques.

Des deux forces réintégrées dans l'appareil de direction du pays au sein de l'Union sacrée, les catholiques semblent poser le moins de problèmes. Le fossé entre « cléricaux » et « laïques » n'a cependant pas disparu. Dès la fin de 1914, une partie de la presse laïque, exploitant les propos imprudents de quelques ecclésiastiques qui semblent souhaiter, en vue d'une totale « expiation », la défaite de leur pays, met en cause de façon outrancière le comportement du clergé au point de vue patriotique. C'est la « rumeur infâme », démentie par les faits puisque 4 618 prêtres, séminaristes et religieux devaient trouver la mort dans le conflit. Repoussée par Briand, elle laisse des séquelles : en février 1917, la Chambre vote un amendement d'origine socialiste qui prévoit le reversement des ecclésiastiques des classes 1889-1905, antérieures à la loi de séparation, dans tous les corps de troupe et non plus seulement dans les services auxiliaires. Ce vote est considéré par *La Croix* comme « une rupture scandaleuse de l'Union sacrée ».

En fait, le très fort engagement patriotique du clergé français

— 25 000 prêtres mobilisés —, le renouveau religieux, le rôle joué dans les institutions d'entraide, ont fini par irriter les anticléricaux qui soupçonnent l'Eglise d'envisager pour l'après-guerre une révision des lois laïques réputées « intangibles ». Il n'en demeure pas moins que le contexte patriotique demeure propice à la réintégration des catholiques dans la vie nationale et que le léger renouveau anticlérical du début de 1917 est plutôt révélateur d'un courant général qui leur est favorable.

Le mouvement socialiste et ouvrier s'était rallié à l'Union sacrée en 1914. Durant les années suivantes, des socialistes, Sembat, Guesde, Thomas, restent membres des conseils gouvernementaux, le dernier jusqu'en 1917. A la Chambre, les parlementaires du parti votent sans peine les crédits de guerre en 1915 et 1916. La CGT, quant à elle, ne refuse pas de participer à un Comité d'action qui, en liaison avec les pouvoirs publics, prend en charge une série de problèmes intéressant les conditions d'existence des travailleurs.

L'Union sacrée, cependant, suscite des critiques, situées à des niveaux différents. Au sein du Parti socialiste apparaît, dès le printemps de 1915, un courant dit « minoritaire ». Présents en Haute-Vienne, dans la Seine, autour de Jean Longuet, petit-fils de Karl Marx, et Pierre Laval, député d'Aubervilliers, dans l'Isère, le Rhône, l'Ain, le Vaucluse, les minoritaires obtiennent 960 mandats contre 1 996 au conseil national de la SFIO d'avril 1916. En décembre 1916, lors du XIIIe Congrès du parti, leur motion sur la reprise des relations avec les partis socialistes étrangers obtient 1 467 mandats contre 1 537 à la majorité qui y est hostile. Sans s'opposer au vote des crédits militaires, ni à l'Union sacrée, ils estiment devoir agir en faveur de l'idée d'une paix de compromis qui respecterait l'intégrité de la France et de la Belgique.

A l'intérieur de la CGT, une minorité conteste, de façon plus marquée, la formule de l'Union sacrée dans laquelle elle voit une forme de collaboration de classes. Elle se groupe autour du journal *La Vie ouvrière* de Pierre Monatte et du secrétaire de la Fédération des métaux, Alphonse Merrheim. Cette deuxième opposition, plus radicale, débouche sur la reprise des liens internationaux entre les militants prolétariens. A l'initiative de militants suisses et russes, agissant en dehors du bureau de l'Internationale, une conférence de 38 membres, dont deux Français, Merrheim et Albert Bourderon, secrétaire de la Fédération du tonneau, se tient dans le village suisse de Zimmerwald du 5 au 8 septembre 1915. Les participants, venus de 11 pays, se divisent en une majorité qui, tout en condamnant la guerre impérialiste, préconise une pression socialiste internationale pour parvenir à la paix, et une minorité qui, autour de Lénine, préconise le déclenchement de l'action révolutionnaire à l'occasion de la guerre internationale.

A Kienthal, près de Berne, se tient quelques mois plus tard du 24 au 30 avril 1916 une deuxième réunion socialiste internationale groupant 44 participants venus de 7 pays ; 3 députés socialistes français, non mandatés par leur parti, y prennent part, Alexandre Blanc, Pierre Brizon, Jean Raffin Dugens. Le fossé s'accentue entre les « droitiers », favorables à la remise sur pied de la IIe Internationale, malgré les errements d'août 1914, et la « gauche », acquise à l'idée que le capitalisme est entré dans un cycle révolutionnaire.

Une tendance zimmerwaldienne se forme en France à l'issue de ces contacts. Dans le courant de 1916 apparaissent successivement un Comité pour la reprise des relations internationales, avec des militants socialistes et syndicalistes, puis un Comité de défense syndicaliste. Ces opposants zimmerwaldiens, distincts des minoritaires longuettistes, refusent le défaitisme, mais n'acceptent pas la participation à l'Union sacrée, au contraire de ces derniers. Ils ne représentent qu'une très faible minorité de militants du parti SFIO qui obtiennent, lors du XIIIe Congrès de décembre 1916, 8 % des mandats contre 52 % aux majoritaires et 38 % aux longuettistes. Au total, les deux oppositions, minoritaire et zimmerwaldienne, qu'elles soient d'origine syndicaliste ou socialiste, ne parviennent pas à ébranler le fort courant général favorable au soutien de l'effort de guerre et à l'Union sacrée.

L'organisation de l'économie de guerre

L'interventionnisme ou le « dirigisme » ne procède nullement d'une volonté délibérée de l'Etat. Mais dès l'automne 1914 il apparaît nécessaire aux pouvoirs publics, face aux besoins créés par la guerre, de mettre en place des structures d'intervention et des moyens de mobilisation des ressources matérielles du pays.

Les structures d'intervention. — L'initiative d'une intensification de l'effort de production est prise dès le lendemain de la bataille de la Marne. Les réserves de munitions s'épuisant à une cadence imprévue, Millerand, en accord avec les dirigeants de l'industrie, décide de jeter les bases de l'effort de production.

Les liens nécessaires s'établissent dès la fin de 1914 entre les industriels et les bureaux des armements. Au départ, le directeur de l'artillerie représente l'Etat jusqu'à la création, en mai 1915, d'un sous-secrétaire d'Etat aux armements. Les industriels représentés par leurs organisations, le Comité des forges et la Chambre syndicale du matériel de guerre, fixent les quotas à produire par chaque entreprise et la répartition des matières premières. Ainsi, dans le secteur des industries de guerre, s'établit un système dirigiste souple avec la collaboration du patronat, seul à même par ses connaissances techniques de mettre en place la reconversion de l'appareil industriel. C'est réciproquement, dans ce cadre, que les industriels peuvent obtenir de l'Etat les moyens en hommes et en capitaux dont la rareté suppose l'affectation autoritaire.

Cette étroite collaboration est mise en place, de mai 1915 à septembre 1917, par le socialiste Albert Thomas, qui occupe successivement les fonctions de sous-secrétaire d'Etat à l'artillerie et de ministre de l'Armement (décembre 1916 - septembre 1917). Inspiré aussi bien par des considérations idéologiques — son socialisme prône la collaboration des classes, sur la base de relations contractuelles, et la démocratie industrielle — que par l'urgence des nécessités, il encourage le productivisme et la taylorisation et n'établit pas de contrôle étroit sur les entreprises privées. En même temps, soucieux d'intégrer la classe ouvrière à l'effort de guerre dans l'immédiat et à la société globale après la fin des hostilités, il améliore les relations du travail dans les usines de l'Etat par la création de commissions d'arbitrage et de délégués d'ateliers. Le refus des socialistes de reconduire leur participation au gouvernement amène son départ en septembre 1917.

L'affectation prioritaire des capitaux et des hommes. — Le programme d'intensification de la production des usines de guerre amène alors l'Etat à intervenir pour affecter prioritairement les capitaux et la main-d'œuvre, devenus rares.

Dans le premier domaine, les banques se révélant durant le conflit peu empressées à accorder leur crédit, l'Etat se substitue à elles. Un décret du 15 juillet 1915 lui permet de pratiquer des avances à l'achat de matériel, contrairement aux règles ordinaires de la comptabilité publique. Là encore, pour répartir au mieux les moyens financiers, l'Etat négocie avec les entreprises par l'intermédiaire des syndicats professionnels. Le montant total des avances, peut-être plus de 10 milliards, permet donc le renouvellement de l'outillage et favorise la mise en place d'un système d'économie mixte.

La mobilisation prive le marché du travail, dans l'industrie, d'au moins 1 million d'hommes rappelés sous les drapeaux. Pour faire face aux besoins de main-d'œuvre, les autorités recourent à trois procédés, le rappel des ouvriers mobilisés, l'appel à la main-d'œuvre étrangère et l'utilisation du travail féminin. Millerand, reprenant un projet de loi du député radical Dalbiez, fait voter la loi du 13 août 1915 qui permet les affectations spéciales d'ouvriers qualifiés dans les usines de guerre. La loi Dalbiez touche 500 000 hommes, mais le quart des effectifs de l'industrie restent au front. Il faut alors recruter la main-d'œuvre parmi les étrangers, parfois originaires de pays européens (Portugais, Espagnols, Grecs), ou venus d'Asie (150 000 Chinois se trouvent en France en 1918) ou parmi les populations coloniales : Algériens, Tunisiens, Marocains, près de 50 000 Annamites.

L'apport essentiel de main-d'œuvre nouvelle est fourni par le travail féminin. Les services de l'armement mènent campagne pour faciliter cette embauche, au départ mal vue des syndicats. Plusieurs circulaires d'Albert Thomas prévoient d'aménager au mieux la vie quotidienne de ces femmes, qui subit malgré tout la dureté générale du travail industriel. A la fin de la guerre, les 430 000 « munitionnettes » représentent 25 % des emplois de l'industrie de guerre.

En 1918, la structure de l'emploi dans l'industrie en France, tous secteurs confondus, reflète ces évolutions. Elle se décompose en 42 % d'hommes non mobilisés, 39 % d'ouvriers mobilisés en sursis industriel, 15,3 % de femmes et 3,7 % d'étrangers.

Ainsi la période 1915-1916 voit-elle se mettre en place un système totalement nouveau d'organisation économique, fondé sur la liaison Etat-grande industrie, le premier se chargeant de donner l'impulsion par ses commandes, de rassembler hommes et capitaux, le second devant mettre en œuvre, par les moyens les mieux appropriés, les objectifs élaborés dans cette structure de type « militaro-industriel ».

La rupture de l'équilibre financier. — Les dépenses totales de l'Etat ont atteint 223 milliards de francs-or pour les 6 exercices 1914-1919, dont 62 % affectés aux charges nées de la guerre, soit 37 milliards de dépenses annuelles, contre 5 milliards pour une année d'avant guerre.

Ces dépenses ont été couvertes par les ressources suivantes :

1 / Ressources normales (impôts)	16 %
2 / Avances de la Banque de France	12,5 %
3 / Dette intérieure à court terme	38 %
4 / Dette intérieure à long terme	12 %
5 / Dette extérieure	21,5 %

— L'effort fiscal a donc été réduit, le tout nouvel impôt sur le revenu, voté en 1914, n'a que faiblement contribué à l'effort national.

— Les avances de la Banque centrale à l'Etat restent relativement modérées en 1915 et 1916 sous la gestion prudente de Ribot, avant de s'amplifier sous son successeur Klotz à partir de 1917.

— Les bons à court terme, mis au point par Ribot, connaissent un grand succès dans le public : ils sont remboursables à trois, six, douze mois ; leur intérêt est élevé (5 %) et payable d'avance.

— Les emprunts à long terme (quatre au total, émis en 1915, 1916, 1917, 1918, à des conditions exceptionnelles : taux d'intérêt élevé, exemption fiscale) sont largement couverts.

— Les prêts accordés par l'étranger, notamment par le Trésor britannique, et les emprunts placés aux Etats-Unis, souscrits par les grandes banques (Morgan) contre garantie en or et en titres, combinés avec les prêts accordés aux nationaux français (importateurs, industriels), permettent le maintien du commerce extérieur malgré un déficit considérable (62 milliards pour la période 1914-1918) sans assèchement de la réserve métallique de la Banque centrale. Cet avantage financier, ainsi que le maintien des liaisons maritimes, que ne connaissent pas les Empires centraux soumis au blocus britannique, permet au pays de bénéficier, au moins jusqu'en 1917, d'un ravitaillement suffisant en denrées alimentaires et en matières premières.

Cependant, si le refus de recourir à l'impôt et l'ampleur de la dette intérieure et extérieure permettent le financement dans le court terme, cette solution est grosse de menaces pour l'avenir. Outre les risques politiques qui pouvaient résulter de l'endettement extérieur, l'énormité de la dette intérieure exposait l'Etat à « résoudre » le problème par la voie de la création monétaire, avec pour conséquence l'inflation et, en définitive, la spoliation des épargnants.

Un dénouement difficile (1917-1918)

1917 marque un tournant dans le conflit considéré de façon globale. Cependant, l'entrée en guerre des Etats-Unis et la révolution russe n'amènent pas de modifications immédiates de rapport de forces. Le déroulement en France de la « crise » de 1917 découle des échecs accumulés les années précédentes. Alors que surviennent ces événements susceptibles de faire évoluer le conflit, le doute quant à la possibilité d'aboutir à une décision fait son apparition. La crise de 1917 affecte aussi bien les opérations militaires que le moral de l'opinion et le jeu des forces politiques.

La crise militaire de 1917 et l'infléchissement stratégique

La recherche de la rupture : l'offensive Nivelle. — Le successeur de Joffre, le général Robert Nivelle, devait son rapide avancement au succès remporté à Verdun à la fin de 1916. En deux offensives brillantes, conçues par lui et exécutées par Mangin en octobre et décembre 1916, les troupes françaises avaient pu dégager l'ensemble fortifié. Ces opérations, engagées sur une courte section du front, 8 à 10 km, et sur une faible profondeur, 3 à 4 km, avaient nécessité une puissante préparation d'artillerie de sept à dix jours, admirablement réalisée par le bon artilleur qu'était Nivelle.

Le nouveau commandant en chef estime possible de remporter à grande échelle un succès analogue. Une puissante préparation, sur 8 à 9 km de profondeur, puis l'assaut d'une armée de réserve, qui devrait avoir parcouru 25 km au soir du deuxième jour, devaient parvenir à réaliser la percée. Ce plan suscite maintes réserves, notamment de Lyautey et de Pétain, mais forts des assurances de Nivelle, les politiques, Ribot et Painlevé, nouveau ministre de la Guerre, le laissent déclencher son offensive, alors que, du 15 au 19 mars, l'état-major allemand avait décidé d'abandonner un vaste secteur formant saillant, entre Arras et Soissons. Or cette opération avait abouti, en raccourcissant le front allemand, à la mise en réserve de 8 divisions supplémentaires, sans que le général en chef français ait tenu compte de ce potentiel supplémentaire de l'ennemi.

Le 9 avril, les Britanniques prennent avec succès l'offensive en Artois, allant même les jours suivants jusqu'à menacer Lens. Mais ce n'est qu'une attaque de « fixation » : le 16 avril à 6 heures, le principal assaut débute sur l'Aisne, avec comme objectif le franchissement de la crête du Chemin des Dames, afin d'arriver à Laon le soir du premier jour. L'échec est total : seules les premières lignes allemandes sont enlevées et la progression est de 500 m ! La préparation de l'artillerie semble en fait avoir été insuffisante sur un front de 65 km, 6 fois plus important qu'à Verdun. Les chars, engagés pour la première fois, n'ont joué qu'un rôle secondaire, le problème de la coordination de leurs mouvements avec celui des fantassins n'ayant pas été suffisamment étudié. Nivelle malgré tout s'obstine, envoie le 21 avril une armée en renfort et fait lancer des attaques d' « usure ». Le 15 mai, il est relevé de son commandements et remplacé comme commandant en chef des armées du Nord-Est par Philippe Pétain.

Les pertes sont énormes : du 1er avril au 9 mai, 271 000 tués, blessés, prisonniers, disparus ; du 16 au 30 avril, 40 000 tués et 90 000 blessés. Ces pertes ne sont guère plus élevées que celles de Verdun ou de la Somme, mais la déception est considérable dans l'opinion publique et chez les combattants.

Les mutineries. — Des troubles graves se déclenchent dans l'armée aussitôt après la fin de l'offensive. Dès le 17 avril, à Aubérive, sur la Suippe, on relève le premier cas d'indiscipline collective. Dès lors le mouvement s'amplifie : limité jusqu'au 15 mai, il gagne en fréquence et en extension après cette date (26 cas du 17 avril au 15 mai, 46 cas du 16 au 31 mai) pour atteindre son paroxysme dans la première semaine de juin, avant de décroître dans les deux mois suivants ; mais des troubles persistent sporadiquement jusqu'en janvier 1918. Spatialement le mouvement né dans le secteur situé entre Soissons et Aubérive, dans lequel se trouve le Chemin des Dames, s'étend vers l'est, en particulier dans la zone de Verdun, mais épargne le front à l'ouest de Soissons.

L'importance du mouvement doit être relativisée. Si 66 divisions sur 110 sont touchées, soit les deux tiers de l'armée, dans 24 % seulement des unités on peut parler de fléchissement sérieux. Mais dans chaque division une ou deux compagnies sont touchées en moyenne ; par régiment, une centaine d'hommes ; le nombre total des mutins ne dépasse pas 40 000. Les formes du mécontentement revêtent avant tout l'aspect du refus de monter en ligne, accompagné parfois d'actes de violences à l'égard des officiers, beaucoup plus rarement de manifestations politiques (chant de *L'Internationale*). Aucun mouvement ne se produit sur le front ; les Allemands n'en prennent connaissance qu'à l'époque où les mutineries touchent à leur fin.

Il s'agit donc d'un mouvement de protestation, une « grève » des soldats, plus qu'une révolte débouchant sur des attitudes défaitistes. La hiérarchie militaire met en cause la propagande révolutionnaire que le ministre Malvy, selon elle, n'aurait pas réprimée avec une vigueur suffisante. En fait, l'influence zimmerwaldienne est faible, pour ne pas dire nulle, dans l'armée : les soldats ignorent pratiquement la révolution russe. La réalité est bien différente : les mutins protestent contre les attaques inutilement sanglantes, comme en témoigne la géographie des troubles, mettent en doute la capacité du haut commandement, s'insurgent contre les conditions matérielles de leur existence, l'inégalité dans les tours de permission, la médiocrité d'accueil des zones de repos. Les meneurs sont souvent des soldats d'une grande bravoure, distingués par leurs officiers.

La répression se traduit par 629 condamnations à mort, prononcées d'avril 1917 à janvier 1918. 75 sont suivies d'exécutions, dont 50 ont eu lieu sans le moindre doute. Sur ces 50, 27 l'ont été pour des faits collectifs. Une répression relativement modérée donc, mais menée sans faiblesse.

Pétain. — Successeur de Nivelle le 15 mai, Pétain doit faire face aux mutineries. Cet homme froid et dur ne recule pas devant les représailles, n'hésitant pas à qualifier de « cérémonie expiatoire » l'exécution de quatre hommes par un peloton recruté parmi un des régiments soulevés. Mais, habile calculateur, il décide d'agir en premier lieu sur les causes concrètes du mouvement par l'amélioration des tours de permission, un meilleur confort des cantonnements, davantage de soin apporté à la nourriture et au ravitaillement. Il y gagne le respect et la confiance des hommes.

Surtout, son arrivée amène un changement dans l'orientation stratégique. Par opportunité autant que par conviction, le général en chef estime vaines et inutiles les tentatives de rupture frontale qu'il condamne dès le 19 mai dans sa première directive. La volonté de mener une guerre nouvelle n'est donc pas pour rien dans l'arrêt des mutineries. Il préconise désormais la défensive, grâce à un système privilégiant la profondeur. Priorité doit être donnée à la puissance du matériel qui, seule, permettra la rupture à terme. Fin octobre, les troupes françaises sont victorieuses à la Malmaison : Pétain y utilise systématiquement les chars. L'entrée en guerre des Américains en mars 1917 lui fait espérer un renforcement du potentiel allié. Mais l'arrivée est lente : de juin à décembre, 177 000 Américains sont parvenus en Europe, cependant que l'Allemagne, profitant de l'effondrement russe, peut renforcer son front occidental.

L'arrière en 1917

La crise sociale de 1917. — A l'arrière, la dureté des conditions d'existence, accrue dans le courant de 1916, devient insupportable au début de 1917. Le gouvernement n'avait décrété que tardivement les mesures de contrôle des prix par un décret du 20 avril 1916 qui autorisait la taxation de certains produits. La réquisition du blé, de la farine, du charbon était autorisée depuis 1915, mais restait limitée à ces produits. Or, pour la première fois depuis 1914, l'année 1917 connaît une flambée des prix. L'indice du coût des 13 denrées alimentaires à Paris passe, sur la base 100 en 1914, à 139 en janvier 1917, à 183 en juillet. Entre avril et juillet 1917, le rythme annuel d'augmentation atteint 100 %, conséquence de la pénurie des produits et de l'excédent de monnaie engendré par les pratiques financières nées de la guerre. La guerre sous-marine à outrance déclenchée en février 1917 par l'Allemagne aggrave encore la situation. Dans le courant de 1917 apparaissent les premières mesures de rationnement : carte de sucre, limitation des jours d'ouverture des pâtisseries, limitation de la vente de certains produits.

Le mouvement social connaît alors une relance. Pour 1917, les statistiques comptabilisent 697 grèves et 294 000 grévistes. Le mouvement débute fin 1916 - début 1917, s'amplifie en mai-juin pour décroître durant l'été et l'automne. La couture parisienne est en grève le 8 janvier, suivie par les usines de guerre, le bâtiment, les agents du gaz et du métro, les employés de banque. Paris n'est pas seul affecté ; des grèves éclatent en province, notamment à Toulouse, à la cartoucherie et la poudrerie ; en août, dans le bassin de la Loire.

Le mouvement, largement spontané, est en grande partie le fait des ouvrières, les mobilisés affectés dans les usines observant naturellement une plus grande prudence. Les arrêts de travail, sans coordination, ont essentiellement pour objectif des revendications matérielles portant sur les salaires. Sans doute une manifestation de 5 000 à 10 000 personnes réunie le 1er mai par le Comité de défense syndicaliste prend-elle une tonalité pacifiste. A Toulouse, les manifestants entonnent *L'Internationale.* Mais la preuve péremptoire du caractère essentiellement matériel de ces revendications réside dans la brièveté de ces conflits, aussitôt arrêtés après que celles-là ont reçu satisfaction. Les efforts d'Albert Thomas qui institue en janvier une procédure d'arbitrage et parvient à faire aboutir en août 1917 un règlement de conflit chez Renault jouent également un grand rôle dans l'apaisement relatif de la fin de l'année.

Le pacifisme et la crise politique. — Si la crise sociale procède essentiellement du mécontentement matériel, la crise politique trouve sa racine dans la progression de l'idée pacifiste. Cette notion est d'ailleurs complexe et recouvre plusieurs réalités : le défaitisme (paix à n'importe quelle condition) reste fort rare ; le mot pacifisme recouvre en général tout comportement tendant à essayer, par la négociation, de trouver une solution diplomatique au conflit en cours. Il n'y a pratiquement personne pour se dire partisan d'une paix blanche qui signifierait la renonciation à l'Alsace-Lorraine, ce qui, étant donné la position allemande sur ce problème, rendait ces tentatives vaines, mais on l'ignorait à l'époque.

Deux phénomènes montrent bien, dans la première partie de 1917, l'intérêt marqué par une partie du personnel politique à une possibilité d'arrêt des combats. Des contacts sont tentés par Briand qui envisage un moment une rencontre avec un haut fonctionnaire allemand, le baron von Lancken. Un prince de Bourbon-Parme, officier de l'armée belge, beau-frère de l'empereur Charles, rencontre les responsables français. Vaine tentative : l'Allemagne ne céderait jamais sur l'Alsace-Lorraine. Ces tentatives restent ultra-secrètes. Mais un courant pacifiste se manifeste dans le même temps, dans des milieux variés, à l'initiative de certains écrivains (Romain Rolland, Henri Barbusse). Dans les milieux politiques, Joseph Caillaux, président du Parti radical, hostile à la guerre, « une folie et un crime », qu'il estime de surcroît dangereuse pour la République, se répand en propos pacifistes, mais reste en réalité fort isolé.

Le pacifisme, objet de vives campagnes de la part de l'extrême droite, se trouve discrédité par plusieurs affaires de trahison qui permettent de faciles amalgames. En juillet 1917, la feuille pacifiste *Le Bonnet rouge* est suspendue ; son directeur, Almereyda, qui a reçu de l'argent allemand, est arrêté puis trouvé mort dans sa cellule. Quelques jours plus tard, en septembre, l'espion Bolo Pacha est appréhendé : on le soupçonne d'avoir participé à une opération de mainmise allemande sur le quotidien *Le Journal*. Il est, quelques mois plus tard, condamné à mort et passé par les armes. Ces deux affaires ont d'importantes répercussions politiques. Le suicide d'Almereyda entraîne la démission du ministre de l'Intérieur Malvy, cible depuis des mois des campagnes conjuguées de Clemenceau et de *L'Action française*. Surtout, Caillaux est mis en cause pour ses relations avec les deux personnages, sans qu'il y ait le moindre lien de complicité.

La révolution russe de février, d'autre part, n'est pas sans répercussion sur l'évolution du mouvement socialiste français, également concerné par la poussée pacifiste. Sur la suggestion de socialistes russes modérés, le secrétaire de l'Internationale convoque une conférence, prévue à Stockholm pour le 15 mai 1917, aux fins d'y engager une discussion sur une paix de compromis, après l'abandon par le gouvernement provisoire russe de toute visée annexionniste. Une majorité de la SFIO, regroupant des minoritaires et des majoritaires, y est favorable. Mais le gouvernement français refusant d'accorder les passeports, la participation socialiste au gouvernement est mise en cause. Il est à remarquer toutefois que la rencontre n'aurait guère donné de résultats, les socialistes allemands considérant l'Alsace-Lorraine comme partie intégrante du Reich.

Ce contexte explique les crises gouvernementales qui se succèdent de juin à novembre. Le gouvernement Ribot formé en mars voit grandir l'opposition des socialistes, dont une majorité vote contre lui dans le débat de juin 1917 sur l'obtention des passeports. D'un autre côté, les attaques dont Malvy est l'objet après la mort d'Almereyda amènent la démission du ministre de l'Intérieur le 31 août, suivie de la chute du gouvernement le 7 septembre. Paul Painlevé forme un cabinet davantage marqué à gauche, à majorité radicale, mais pour la première fois les socialistes refusent leur participation. Attaqué par l'extrême droite et par Clemenceau à propos de Bolo et des négociations secrètes, Painlevé, victime de l'opposition des socialistes sur sa gauche et des modérés sur sa droite, est mis en minorité le 13 novembre 1917. Ainsi, en trois mois, a-t-on pu voir des événements sans précédent depuis le début de la guerre, la sortie des socialistes de l'Union sacrée et le renversement d'un gouvernement.

Poincaré se tourne alors vers le tombeur des ministères précédents, qu'il n'aime guère : Georges Clemenceau, adversaire acharné du cléricalisme comme du collectivisme, s'était distingué depuis le début du conflit par la dénonciation des insuffisances et des faiblesses des responsables. Estimant qu'il fallait un homme résolu à mener énergiquement l'effort de guerre et la lutte contre le défaitisme, le président de la République l'appelle à former le gouvernement le 14 novembre. Clemenceau constitue un gouvernement choisi parmi des hommes avec lesquels il entretient des liens personnels, sans se préoccuper des habituels dosages. La plupart d'entre eux sont radicaux, mais le nouveau ministère est soutenu par la droite, le centre et le centre gauche (418 voix lors du vote d'investiture, contre 65, dont 64 socialistes, 25 socialistes et 15 radicaux s'abstenant).

Le « Tigre » gouverne alors selon un style très personnel, convoquant rarement le Conseil des ministres, réglant les affaires avec un petit nombre de conseillers, notamment Jules Jeanneney, sous-secrétaire d'Etat à la Guerre, Georges Mandel et le général Mordacq, ses chefs de cabinet. Nulle « dictature » cependant : la censure, rigoureuse sur le défaitisme, s'assouplit en matière politique. Les comités secrets ne sont plus réunis, mais les Chambres sont appelées à accorder leur confiance. Pas de délégation exceptionnelle, sauf celle née de l'extension du dirigisme. Clemenceau va bénéficier en fait du soutien massif de l'opinion publique.

Les premiers actes politiques du gouvernement visent la lutte contre le défaitisme. Des poursuites sont lancées contre Joseph Caillaux, mis en état d'arrestation en janvier 1918, et condamné par la suite en 1920 à trois ans de prison pour imprudence ayant servi les intérêts de l'ennemi. Dès le 22 novembre, Malvy demande de lui-même sa comparution devant le Sénat réuni en Haute Cour ; en 1918, il est condamné à cinq ans de bannissement pour négligences dans les devoirs de sa charge. Ainsi s'achevait la crise morale et politique de 1917.

L'achèvement du dirigisme. — L'aggravation de la pénurie, liée à la guerre sous-marine à outrance déclenchée en février 1917 par l'Allemagne, la nécessité de l'aide extérieure, l'intensification de la production industrielle de guerre amènent au cours de l'année 1917 les responsables français à l'instauration d'une économie dirigée. Le gouvernement Clemenceau met définitivement en place le dirigisme non par doctrine mais par nécessité.

En matière industrielle, le successeur d'Albert Thomas, Louis Loucheur, apparaît différent à tous égards de son prédécesseur. Industriel qui a lancé avec succès une entreprise de fabrications électriques puis producteur d'armes durant les premières années de la guerre, Loucheur seconde Thomas comme sous-secrétaire d'Etat avant de devenir ministre en septembre 1917. Principal conseiller de Clemenceau en matière économique, il dirige le ministère de la Reconstruction en 1918-1920. Son souci est avant tout l'efficacité industrielle. Partisan d'une intervention sélective de l'Etat pour accroître l'efficacité de l'appareil économique, sans se soucier d'idéologie, il a pu être considéré comme un « dirigeant prétechnocratique ».

En matière commerciale, Etienne Clémentel, ministre du Commerce de 1915 à 1920, joue le rôle tenu par Thomas et Loucheur dans le domaine industriel. Avant l'arrivée de Clemenceau, par un décret de mars 1917, le gouvernement établit le monopole de l'Etat sur le commerce extérieur. Pour chaque produit de base, il est institué un consortium regroupant les industriels et les importateurs concernés par le même produit brut, chargé de centraliser les besoins de la branche, d'acheter à l'étranger les matières premières et de les revendre à ses adhérents à un prix fixé par l'Etat. Dans l'immédiat, Clémentel voulait éviter la spéculation et la hausse des prix. Mais une pensée plus large présidait à cette création : il s'agissait à long terme de favoriser les regroupements, la concentration, et par là même, d'améliorer l'efficacité de l'appareil économique. Le monopole du commerce est complété en juillet 1917 par l'instauration d'un contrôle sur la flotte marchande rendu nécessaire par le déclenchement de la guerre sous-marine à outrance.

L'ampleur de la pénurie née de la guerre sous-marine et de la logique même de l'économie de guerre allait amener le gouvernement Clemenceau à s'orienter vers un contrôle plus étroit des circuits économiques. En février 1918, une loi autorise le gouvernement à prendre des décrets qui pourraient « réglementer ou suspendre, en vue d'assurer le ravitaillement national, la production, la fabrication, la circulation, la vente, la détention ou la consommation des denrées servant à l'alimentation de l'homme et des combustibles ». Au cours du premier semestre, la carte d'alimentation est étendue pour certaines denrées à toute la France. En mars 1918, le contrôle des changes est institué. Ces mesures ne tiennent pas à la doctrine, bien au contraire. Clemenceau ne fait que parachever ce que les gouvernements précédents, sous l'empire des nécessités, ont commencé à mettre progressivement en place. Elles doivent être considérées comme l'aboutissement d'un processus logique plus que comme l'expression d'une action particulièrement autoritaire.

Le dénouement (mars-novembre 1918)

Le dénouement militaire. — Il a lieu en plusieurs temps :

— Les offensives allemandes du printemps 1918. Au début de 1918, les cartes sont redistribuées sur le plan militaire. Les Allemands, libérés par la paix signée le 3 mars avec les bolcheviks à Brest-Litovsk, peuvent transférer une partie de leurs forces vers le front ouest. Fin mars, ils disposent de 197 divisions contre 175 alliées, mais avec un matériel inférieur (14 000 canons, 3 000 avions, 40 chars seulement, contre 15 000, 5 400 et 3 000). Ils redoutent l'arrivée des Américains dont le rythme s'intensifie durant le 1er semestre de 1918.

Le véritable maître de la stratégie allemande, le quartier-maître général du grand état-major, le général Ludendorff, décide d'appliquer à l'ouest une méthode expérimentée en Russie. L'attaque aurait lieu après une très brève préparation d'artillerie, pour accroître l'effet de surprise ; des groupes d'assaut, suivis de formations plus lourdes, devaient attaquer l'adversaire sur les points faibles, sans se préoccuper d'atteindre des objectifs fixés d'avance, en évitant les zones de trop forte résistance qui pourraient être réduites ultérieurement. Cette méthode supposait qu'une très large autonomie soit laissée à la base, à l'échelon divisionnaire.

Le 21 mars, à 9 h 40, le quartier-maître général lance sa première offensive en Picardie, dans le secteur tenu par les Britanniques, dont la partie méridionale du dispositif, sur la Somme, est enfoncée pour la première fois depuis 1914. La gravité de la situation amène alors les dirigeants alliés, réunis le 26 à Doullens, à créer un coordonnateur pour le front occidental et à confier ce poste au général Foch, nommé quinze jours plus tard « commandant en chef des armées alliées en France ».

Du 9 au 27 avril, Ludendorff au cours d'une deuxième offensive porte son effort sur les Flandres, où les Anglais subissent à nouveau une sévère défaite. Puis il décide de diriger ses coups vers le sud pour affaiblir le dispositif français. Le 27 mai, les Allemands franchissent le Chemin des Dames, mal défendu en profondeur, malgré les recommandations de Pétain que n'avait pas suivies Foch. Les 30 et 31 mai, ils atteignent la Marne. A l'issue de ces attaques, le front présente trois saillants allemands, dans les Flandres, en Picardie, en Champagne. Ainsi, Ludendorff réussit enfin l'exploit de la percée, mais la technique utilisée se révèle sans lendemain, l'absence d'objectifs précis et la nécessité de transférer sans cesse ses équipements lourds sur les divers points d'attaque l'empêchant de tirer pleinement parti de ces succès qui restent purement tactiques.

— La victoire alliée. La partie se joue du 15 au 18 juillet. Le 15, Ludendorff lance une nouvelle offensive pour réduire le saillant de Reims. Sur leur droite, les Allemands poussent jusqu'à la Marne et la franchissent à nouveau en amont de Château-Thierry. Alors que Pétain prône la prudence, Foch ordonne une contre-offensive sur le flanc ouest de la poche créée par les attaques allemandes autour de Château-Thierry. Le 18 juillet, à 4 h 30, la Xe armée française, commandée par Mangin, appuyée par des centaines de chars, attaque par surprise, sans préparation d'artillerie, le flanc droit allemand à partir de la forêt de Villers-Cotterêts. Le 19, Ludendorff ordonne le repli au nord de la Marne ; il faut quinze jours aux Alliés, appuyés par 1 000 chars, pour réduire la poche et rétablir le front sur le Chemin des Dames. Dès lors, les Allemands ont perdu l'initiative des opérations, face un adversaire disposant de la supériorité matérielle.

Le rapport de forces étant définitivement inversé — il y a désormais 1 million d'Américains en France fin juillet —, Foch décide la mise en œuvre d'une stratégie méthodique de refoulement. Une série d'attaques sera déclenchée alternativement sur des points différents du front de manière à ne laisser aucun répit à l'adversaire. Cette poussée, qui suppose une certaine lenteur de par son caractère méthodique, est rendue possible par la supériorité massive en armes et en chars.

Les opérations se déroulent en deux temps. Durant le mois d'août, Foch entreprend de réduire les « poches » créées par les offensives de printemps. Le 12 septembre, les Américains réduisent le saillant de Saint-Mihiel. Le 26 septembre, Foch déclenche trois offensives simultanées : au nord vers l'Escaut ; au centre vers la

Sambre ; vers la Meuse à hauteur de Mézières. Durant le dernier mois de la guerre, les troupes allemandes reculent en bon ordre, mais ne disposent plus de réserves. Le 11 novembre, la presque totalité du territoire français, dans ses frontières de 1914, est libérée, de même que la Belgique, de Gand à la Sambre.

— L'armistice. Le 29 septembre, Ludendorff, sous le coup de la capitulation bulgare et de la triple offensive de Foch, presse l'empereur de conclure un armistice. Le surlendemain, le Kaiser nomme un nouveau chancelier, Max de Bade, libéral et ouvert à la négociation, qui présente la demande aux Américains le 5 octobre en précisant qu'elle est faite sur la base des 14 points du président Wilson. Au cours d'un échange de notes, du 5 au 27 octobre, Wilson exige la formation d'un gouvernement représentatif qui remplacerait l'autocratie, tandis que les dirigeants français, mis au courant, acceptent le principe à la double condition que l'Alsace-Lorraine serait restituée et l'Allemagne mise hors d'état de nuire.

Affaiblie par les armistices de Moudros (30 octobre) et de Villa Giusti (3 novembre), par lesquels ses alliés ottoman et autrichien mettent bas les armes, l'Allemagne envoie le 7 novembre une délégation dirigée par le député Mathias Erzberger, auprès de l'état-major français. Après que le 9 une révolution populaire a renversé à Berlin le régime impérial, les plénipotentiaires allemands signent l'armistice dans le wagon du maréchal Foch, stationné dans la clairière de Rethondes près de Compiègne, le 11 novembre 1918, vers 5 heures du matin. Les conditions sont dures, mais ont été allégées à la demande des envoyés allemands qui ont fait valoir la menace d'une révolution bolchevique : l'armée allemande doit livrer une grosse partie de ses armements (25 000 mitrailleuses, 5 000 canons, 1 700 avions), de son matériel de transport (5 000 camions, 5 000 locomotives) et évacuer la rive gauche du Rhin dans un délai d'un mois. A 11 heures du matin, les clairons, sur le front, les cloches, dans tous les villages et les villes de France, annoncent la fin des combats.

L'ultime effort moral. — Les offensives de début du printemps avaient été marquées par une innovation : Paris avait alors subi les effets directs de bombardements allemands, pratiqués à l'aide d'un canon de très fort calibre (420 mm) stationné dans la forêt de Saint-Gobain. Mais ces bombardements expérimentaux de la population civile ne produisent que des effets limités. Si les victoires de Ludendorff provoquent quelques mouvements de panique dans la capitale, l'ensemble de la population observe toujours une attitude de fermeté résignée mais résolue.

Au sein du mouvement ouvrier et socialiste, cependant, on observe une montée du courant pacifiste, voire défaitiste. De mars à mai, de grandes grèves paralysent des industries de guerre principalement dans la région parisienne et dans le bassin de Saint-Etienne. Les revendications matérielles n'en constituent pas la plate-forme. Les dirigeants zimmerwaldiens du mouvement mettent en avant la recherche de la paix, sans oser aller jusqu'au défaitisme, au moins ouvertement. Le gouvernement étouffe l'affaire par la censure et quelques arrestations. Dans l'ensemble cependant les ouvriers ne suivent pas. Il est significatif que le mouvement cesse avec le début de la troisième offensive allemande.

Même attitude chez les socialistes. Les majoritaires font accepter en février la participation de trois socialistes à des hauts-commissariats que leur propose Clemenceau ; ce n'est que le 27 juillet, après la fin de l'offensive allemande, que les longuettistes l'emportent définitivement sur les majoritaires en déclarant leur hostilité à toute intervention en Russie et leur ralliement aux 14 points du président Wilson. Au Congrès d'octobre 1918, les ex-minoritaires accèdent à la direction avec l'élection de Ludovic-Oscar Frossard au poste de secrétaire général.

L'annonce de la demande allemande le 6 octobre surprend l'opinion publique qui rapidement se sent partagée entre deux possibilités, qui divisent les dirigeants : au camp des « durs » (la droite nationaliste, nombre de radicaux, Poincaré), partisans de la poursuite de la guerre sur le sol ennemi, s'opposent les « conciliants » (Clemenceau, Foch et Pétain, désireux de ne pas user leurs troupes), favorables à un armistice immédiat sous la condition de la mise hors d'état de nuire de l'Allemagne. Finalement, les conditions connues, l'armistice est accepté et accueilli dans un enthousiasme délirant.

Le dénouement politique : le traité de Versailles (juillet 1919). — Dès la fin de 1918 s'ouvre le débat, capital et lourd de conséquences, de l'aménagement de la paix. L'opinion publique voit avant tout dans le règlement de la paix le moyen pour la France d'assurer sa sécurité et d'obtenir réparation des dommages subis. Les problèmes plus vastes soulevés par la déclaration du président Wilson, dite des 14 points (8 janvier 1918), tels une nouvelle organisation de l'Europe fondée sur le principe des nationalités, une « diplomatie ouverte », la liberté des mers, le libre-échange, un désarmement général et contrôlé, la création d'une Société des nations, destinée à promouvoir et à défendre ce nouvel ordre, ne rencontrent guère d'écho dans l'opinion française, sinon dans la gauche « pacifiste », socialiste et syndicaliste, qui lui réserve un chaleureux accueil lors de son arrivée en Europe.

Clemenceau prend en main la négociation, fort de la confiance que la Chambre lui accorde le 30 décembre 1918 par 386 voix contre 89. Sans être le moins du monde « wilsonien », il n'est nullement « expansionniste », comme les nationalistes de *L'Echo de Paris* ou de *L'Action française* qui le soutiennent depuis 1917. Son unique but avait été de recouvrer les provinces perdues, ce qui est réalisé *de facto* et *de jure* dès novembre 1918. Il doit cependant tenir compte d'une double exigence, celle des responsables français, militaires ou économiques, qui mettent en avant la double préoccupation de sécurité et de réparation ; celle, d'autre part, des alliés de la France soucieux d'éviter un écrasement trop marqué de l'Allemagne, les Britanniques dans leur souci traditionnel d'équilibre européen, Wilson pour promouvoir sa nouvelle diplomatie.

La conférence de la paix ouverte le 18 janvier 1919 regroupe les 27 Etats vainqueurs, à l'exclusion des vaincus. En fait, ce sont les 4 principaux vainqueurs, Wilson, Clemenceau, Lloyd George pour la Grande-Bretagne, Orlando pour l'Italie, qui mènent la discussion.

Trois questions provoquent tour à tour une série de conflits entre les Alliés.

La première concerne la sécurité. Foch préconise l'occupation de la rive gauche du Rhin, « son détachement politique... par rapport à l'Allemagne » et la « création... d'un ou plusieurs Etats autonomes ». Clemenceau dans un souci de sécurité soutient d'abord ces vues mais se heurte à l'opposition catégorique des Anglo-Saxons, qui proposent en échange un traité de « garantie » contre une agression allemande. Il est finalement décidé une occupation de quinze ans de la rive gauche, avec évacuation par tiers tous les cinq ans des trois secteurs d'occupation, Cologne, Mayence et Coblence, et la démilitarisation de la rive gauche et d'une bande de 50 km sur la rive droite (compromis du 22 avril).

La deuxième concerne à la fois la sécurité et les réparations. Renonçant le 17 mars à l'idée d'Etats rhénans, Clemenceau demande une annexion partielle de la Sarre ; en avril, on parvient à un compromis : la Sarre, placée sous administration SDN durant quinze ans, choisira à l'issue de ce laps de temps le rattachement à la France, ou à l'Allemagne, ou le maintien du *statu quo*. Les mines sont transférées à la France.

Le paiement de réparations financières est imposé à l'Allemagne, déclarée par le traité responsable de la guerre. Cette fois, l'intransigeance de la France, qui réclame l'établissement du montant en refusant d'envisager la question de la capacité allemande de paiement, l'emporte. Outre le versement d'un acompte important, il est décidé qu'une commission des réparations devra évaluer les dommages subis.

Les Alliés acceptent enfin le désarmement de l'Allemagne dont l'armée, réduite à 100 000 hommes, ne peut être munie de chars, ni d'avions, ni d'artillerie lourde, ni de flotte de guerre.

Le traité, signé le 29 juin 1919 par les Allemands, est ratifié par la Chambre le 2 octobre 1919. L'opinion est amère, accusant les Anglo-Saxons d'avoir privé le pays des fruits de sa victoire. En fait, les faiblesses du traité venaient d'ailleurs. Fondé sur une conception traditionnelle, il ne posait nullement les bases d'une reconstruction raisonnée de l'ordre économique et politique européen. Désireux d'affaiblir l'Allemagne, il ne pouvait, immanquablement, que mener à un réveil violent de son nationalisme. De ce fait, il n'assurait ni la sécurité de la France, plus que jamais dépendante des Anglo-Saxons, ni le paiement des indemnités fixées dans une perspective étroitement juridique, hors de toute logique économique.

BIBLIOGRAPHIE

Audoin-Rouzeau Stéphane, *14-18. Les combattants des tranchées,* Armand Colin, 1986.

Becker Jean-Jacques, *1914. Comment les Français sont entrés dans la guerre,* Presses de la Fondation nationale des sciences politiques, 1977.

Becker Jean-Jacques, *La France en guerre (1914-1918). La grande mutation,* Bruxelles, Complexe, 1988.

Becker Jean-Jacques, Berstein Serge, *Victoire et frustrations (1914-1929),* Le Seuil, 1990.

Braudel Fernand, Labrousse Ernest (sous la direction de), *Histoire économique et sociale de la France,* t. 4, vol. 2 : *1914 - années 1950,* PUF, 1980.

Cholvy Gérard, Hilaire Yves-Marie (sous la direction de), *Histoire religieuse de la France contemporaine,* t. 2 : *1880-1930,* Toulouse, Privat, 1986.

Contamine Henry, *La victoire de la Marne,* Gallimard, 1970.

Duby Georges, Wallon Armand (sous la direction de), *Histoire de la France rurale,* t. 4, Le Seuil, 1977.

Duroselle Jean-Baptiste, *La France et les Français (1914-1920)*, Richelieu, 1972.
Duroselle Jean-Baptiste, *Clemenceau*, Fayard, 1988.
Ferro Marc, *La Grande Guerre*, Gallimard, 1969.
Gambiez Fernand, Suire Marc, *Histoire de la Première guerre mondiale (1914-1918)*, Fayard, 1968.
Kriegel Annie, Becker Jean-Jacques, *1914, la guerre et le mouvement ouvrier français*, Armand Colin, 1964.
Kuisel Richard, *Le capitalisme d'Etat et l'Etat en France (Modernisation et dirigisme au vingtième siècle)*, Gallimard, 1981.
Léon Pierre (sous la direction de), *Histoire économique et sociale du monde*, t. 5, Armand Colin, 1977.
Mayeur Jean-Marie, *La vie politique sous la IIIe République*, Le Seuil, 1984.
Miquel Pierre, *La Grande Guerre*, Fayard, 1987.
Offenstadt Nicolas, *Les fusillés de la Grande Guerre et la mémoire collective (1914-1999)*, Odile Jacob poches, 2002.
Pédroncini Guy, *Les mutineries de l'armée française*, PUF, 1967.
Prochasson Christophe et Rasmussen Anne, *Au nom de la patrie. Les intellectuels et la première guerre mondiale (1910-1919)*, La Découverte, 1996.
Renouvin Pierre, *La crise européenne et la première guerre mondiale*, PUF, 1962.
Renouvin Pierre, *11 novembre 1918. L'armistice de Rethondes*, Gallimard, 1968.
Ouvrage collectif, *14-18. Mourir pour la patrie*, Le Seuil, 1992.

2. L'impossible retour à l'avant-guerre (1919-1931)

L'opinion, au lendemain de la guerre, s'interroge sur les pertes et destructions, s'attachant surtout aux aspects les plus visibles, alors que les conséquences les plus importantes, notamment les déséquilibres nés du conflit, échappent à l'appréhension immédiate. Les années 1920 débutent mal : une période de crises monétaires et financières précède une stabilisation tardive, en 1926. De même, dans le domaine politique, une phase de luttes internes et passionnelles, de 1919 à 1926, débouche sur une situation plus stable, avec le regroupement réalisé en 1926 autour de Raymond Poincaré. Le fragile équilibre difficilement atteint allait être péniblement maintenu de 1926 à 1931.

Les marques de la guerre

Les hostilités terminées, le pays fait le compte des pertes et des destructions. Les pouvoirs publics et l'opinion s'attardent surtout sur les effets immédiats et visibles, alors que la portée des transformations est beaucoup plus considérable. Le conflit, s'il n'a pas par lui-même provoqué des mutations profondes, a créé les conditions nécessaires à leur apparition.

Les effets démographiques

Les victimes de la guerre. — Il faut distinguer :

— Les pertes militaires. Le nombre de soldats ou officiers tués au front, décédés dans la zone des armées ou « disparus », est estimé à 1 322 000 métropolitains, ce qui représente par rapport aux 7 900 000 mobilisés métropolitains environ 16,7 % de pertes. Le même calcul s'élève à 15,4 % pour les armées allemandes.

Les officiers ont été davantage touchés que les hommes de troupe (18,5 % parmi les officiers mobilisés, contre 16 % parmi les soldats ; parmi les troupes effectivement combattantes, en défalquant les services de l'arrière, 22 % contre 15,8 % pour les hommes de troupe). Les soldats des troupes coloniales ont perdu 15,2 % de leur effectif : 71 000 hommes par rapport aux 465 000 transportés en France, pour 16,5 pour l'ensemble des forces françaises.

Les pertes des agriculteurs ont été considérables, les plus élevées en valeur absolue : 538 000 tués ou disparus. Cette catégorie formait le gros des formations de fantassins, plus touchés que les artilleurs et le génie. Mais les pertes rapportées au nombre d'actifs de la catégorie en 1914 (996 tués ou disparus pour 10 000 actifs) se situent à la moyenne nationale : 990 pour 10 000. Les professions libérales et les fonctionnaires ont payé un tribut proportionnellement plus lourd (respectivement 1 070 et 1 055), ces catégories fournissant en effet l'encadrement, plus touché que les hommes de troupe. 7 400 instituteurs ont été tués, ainsi que 41 % des élèves de l'Ecole normale supérieure, les littéraires affectés dans l'infanterie subissant des pertes beaucoup plus lourdes que leurs condisciples scientifiques naturellement versés dans l'artillerie. Les actifs de l'industrie et des transports, par suite des affectations spéciales, ont perdu 877 et 810 actifs pour 10 000.

Les chiffres des morts doivent être complétés par ceux des soldats marqués durablement dans leur chair. Environ 3 000 000 d'hommes ont été blessés ; une statistique portant sur 2 000 000 d'entre eux révèle 60 % de blessures par obus, 34 % par balles, 0,7 par arme blanche. 1 200 000 sont considérés comme invalides de guerre, dont 280 000 mutilés. On dénombre au lendemain de la guerre 680 000 veuves, 760 000 orphelins, 650 000 ascendants qui ont perdu leur soutien.

— Les pertes civiles. Les pertes civiles liées directement à la guerre ne dépassent pas 40 000 personnes, victimes d'actes de violence ou de bombardements : 256 personnes ont été tuées à Paris par les tirs de la « Grosse Bertha » en 1918.

Les pertes indirectes résultent de l'évolution du mouvement naturel pendant la guerre. La natalité a chuté à partir d'avril 1915 pour atteindre son point le plus bas à la fin de 1915, avant de se relever très lentement pour repartir à nouveau en 1919. De 750 000 naissances pour l'immédiat avant-guerre (1911-1914), on est passé à 450 000 pendant les années 1915-1919, soit un « déficit » total de 1 500 000 naissances.

Effets sur la structure démographique. — La pyramide des âges de 1921 montre deux entailles à la base (les classes « creuses » de 2 à 7 ans) pour les deux sexes et au centre (classes 20 à 40 ans du côté masculin : 20 % de ces classes ont disparu). Le déséquilibre des sexes, l'accroissement relatif des classes d'âge de plus de 65 ans et la diminution corrélative des moins de 20 ans, donc le « vieillissement » global vont peser lourd sur la démographie de l'entre-deux-guerres. Mais le vieillissement, la baisse de la fécondité, aggravée par une hausse de la divortialité entre 1911-1913 et 1921-1925, ne sont pas liés à la guerre : ces phénomènes ne font que poursuivre des tendances déjà constatées avant 1914, largement amplifiées mais non provoquées par le conflit.

Le souvenir des disparus est rappelé par les 35 000 monuments aux morts, érigés pendant l'entre-deux-guerres dans quasiment toutes les communes de France. Monuments civiques, près de la mairie, parfois dotés de symboles religieux dans les régions « cléricales », souvent héroïques, parfois pacifistes, ces stèles perpétuent dans d'interminables listes le souvenir des morts, tout en rappelant la valeur permanente du sacrifice qui a permis la sauvegarde de l'indépendance de la nation. Ils deviennent des lieux de rassemblement, de commémoration et d'unanimité nationale, tout particulièrement pour la célébration du 11 novembre, devenue officiellement fête nationale en 1922, anniversaire « particulièrement respectable pour ceux mêmes qui boudaient le 14 juillet » (Maurice Agulhon). Ils jouent enfin un indispensable rôle pédagogique à l'égard des générations suivantes. Avec leurs symboles patriotiques (le drapeau, les palmes, le coq, la victoire), ils s'inscrivent désormais dans le paysage national.

L'économie

La guerre marque durablement l'économie française. Sans doute l'expérience étatiste fondée sur la maîtrise par l'Etat des circuits économiques par le contrôle de la demande (commandes militaires), l'affectation des hommes et des capitaux, la réglementation des échanges et des prix, prend-elle fin avec les hostilités, remplacée d'ailleurs par d'autres formes d'interventions par redistribution (allocations, pensions...). En fait, dans trois domaines, la guerre laisse des traces durables : elle a entraîné par les destructions et les pertes diverses un incontestable appauvrissement de la nation ; elle a abouti à une rapide usure du capital productif insuffisamment renouvelé pendant les hostilités ; elle a mené au détraquement de l'instrument de la circulation et des échanges, la monnaie.

Les destructions, pertes, endettement. — Dans les 10 départements dévastés, 17 000 édifices publics et 565 000 maisons ont été détruits ou endommagés, 2 552 000 ha de terrain agricole doivent être remis en état, de même que 62 000 km de route, 1 900 km de canaux, 5 600 km de voies ferrées. En ajoutant les dommages maritimes, on atteint un total estimé à 34 milliards de francs. Si le revenu national (total des richesses produites en une année) de 1913 peut être estimé à 42 milliards et l'investissement annuel à 5 milliards, selon Alfred Sauvy, ces destructions représentent près de dix mois de revenu 1913 et sept ans de création de capital au rythme de l'économie d'avant guerre. De fait, une dizaine d'années vont être nécessaires pour panser les plaies.

A ces destructions s'ajoutent les pertes des placements à l'étranger qui s'élevaient avant le conflit à 45 milliards de francs-or. 23 sont irrémédiablement perdus : 11 par suite des ventes et mises sous séquestre en Autriche, Allemagne, Turquie, 12 représentant les valeurs russes, considérées comme pratiquement irrécupérables après la victoire des bolcheviks en 1919-1920. La France a perdu en quatre ans plus de la moitié de sa fortune à l'étranger, cependant que l'endettement à l'égard des alliés se monte à 32 milliards de francs-or (dont il faut déduire 10 milliards de créances).

On comprend aisément que le problème des réparations par l'Allemagne occupe une position centrale dans la France des années 1920, lié à celui des dettes à l'égard des Américains. Quant à la perte des emprunts russes, ils vont influencer durablement l'attitude des épargnants.

La baisse de la production et l'usure du capital productif. — Tous les secteurs de la vie économique connaissent une baisse globale de la production. Les récoltes de 1919 représentent pour le blé, l'avoine et l'orge environ la moitié de celle de 1911-1913 ; celle de la betterave à sucre le cinquième ; celle des cultures fourragères les deux tiers. La production industrielle de 1919 se situe à 57 % de celle de 1913. Sur la base 100 en 1913, la métallurgie est à 29, le textile à 60, les industries extractives à 44, le bâtiment à 16, les industries mécaniques à 58. L'occupation allemande du Nord et du Nord-Est, la pénurie de main-d'œuvre, le manque de matières premières, l'orientation des investissements vers certains secteurs privilégiés expliquent cette situation.

Le redéploiement industriel est la deuxième caractéristique de la production de guerre. Alors que les secteurs non liés à la guerre (bâtiment, outillage agricole, métallurgie « civile »...) ont vu leur potentiel s'amenuiser, les productions de guerre ont connu un important développement de leurs investissements, lié à ceux de leurs chiffres d'affaires et de leurs bénéfices. La rationalisation et la taylorisation ont résulté de la pénurie de main-d'œuvre comme des délais impératifs de livraison. Ainsi l'aéronautique (200 000 salariés en 1919) et l'automobile (Renault a fourni des chars et des moteurs d'avions) témoignent de ces progrès structurels.

Mais cet aspect « positif » ne saurait être surestimé. Ce type d'innovation aurait pu se produire sans le conflit. « La guerre n'a pas créé de miracle industriel », a pu écrire François Caron. Le conflit, de manière générale, a engendré un retard que le pays s'est vu dans l'obligation de rattraper une fois la paix revenue.

Le dérèglement monétaire. — En ce domaine, le bouleversement a été brutal, décisif, sans doute irréparable. Avant 1914, le franc était défini par une quantité d'or (322,5 mg) inchangée depuis la loi du 7 germinal an XI (28 mars 1803) — d'où le nom de « franc germinal ». Le papier-monnaie restait convertible en or : la Banque de France, détentrice du monopole de l'émission, conservait la quantité de métal précieux nécessaire à des demandes d'échange éventuelles. Au plan extérieur, le système avait pour conséquence la stabilité du taux de change sur un marché où les devises, toutes définies par rapport au métal précieux, pouvaient s'échanger librement. Enfin la faiblesse des tensions sur les prix, due à une gestion rigoureuse du crédit et des finances publiques, permettait aux espèces monétaires de conserver leur valeur en termes de quantité de marchandises.

La guerre a bouleversé ce système. En août 1914, la Banque de France, craignant d'avoir à faire face à des demandes massives de remboursement, avait suspendu la convertibilité pour conserver son encaisse métallique (environ 4 milliards de francs en or), c'est-à-dire proclamé le « cours forcé » des billets. En 1919, cette mesure restait en vigueur. Elle avait, d'autre part, par le biais des avances faites au Trésor public ou du réescompte des bons du Trésor, été amenée à multiplier les émissions de papier-monnaie : la circulation de billets passe de 6 milliards en 1914 à 30 milliards à la fin de 1918. La multiplication des espèces allant de pair avec la pénurie de biens sur le marché, les prix n'avaient cessé de monter pendant la guerre : de 1914 à 1918 ils avaient quadruplé.

Sur le marché des changes, le franc a mieux résisté grâce à l'afflux des crédits anglais et américains. Si la baisse s'est accélérée en 1917, la dépréciation externe est restée très inférieure à la dévalorisation interne. En avril 1918, une loi avait dû réglementer les mouvements de capitaux. Le soutien américain et britannique, prolongé durant le premier semestre de 1919, permet d'éviter un effondrement du franc, dont la baisse s'annonce cependant durant les derniers mois de 1919.

Les responsables politiques et économiques s'accrochent cependant à la perspective d'une restauration de la situation d'avant guerre. Le remboursement des avances du Trésor à la Banque de France permettrait, selon eux, de réduire l'excédent en circulation et de rétablir la convertibilité. La désillusion sera lourde : une telle contraction de la masse monétaire, avec pour conséquences inévitables une baisse des revenus nominaux et un ralentissement des affaires, était pratiquement irréalisable.

L'opinion publique, dans sa quasi-totalité, participe aux mêmes illusions. Elle perçoit essentiellement les destructions et l'appauvrissement financier et se borne à constater, restant sur le terrain éthique et juridique, que l'agresseur, « le Boche », doit payer. Les réalités profondes et irréversibles que sont la fin du système monétaire mis au point au XIXe siècle, avec ce que cela peut supposer de transfert brutal de richesses par la voie de la dépréciation et de l'inflation, l'introduction dans le système capitaliste d'une rationalité économique globale qui fait de l'Etat le promoteur d'une action collective, au sein de laquelle sont associés les intérêts particuliers, l'apport de l'innovation technologique que représentent la taylorisation et la rationalisation, ne sont pas encore perçues par une opinion dont l'attention se concentre sur des préoccupations immédiates.

La société

La réalité de la guerre, vécue par les conscrits de toutes classes sociales de manière assez égalitaire, avec les nuances déjà vues, a influencé les structures sociales. Le conflit a ruiné, appauvri, parfois enrichi. Il a renforcé le rôle des acteurs collectifs. Enfin, il a entraîné l'apparition d'un groupe spécifique, les anciens combattants.

Enrichissement et appauvrissement. — La rumeur publique veut, sitôt le conflit terminé, qu'il y ait eu des « profiteurs » et des « victimes ». L'examen des trois blocs qui forment, à part égale, la société française, la paysannerie, la classe ouvrière et l'ensemble « bourgeoisie » - classes moyennes, montre un tableau plus nuancé.

— La paysannerie. Bien qu'ils aient été décimés par la guerre, les paysans font figure, au lendemain du conflit, de privilégiés. La hausse des prix des denrées agricoles, multipliés par quatre entre 1913 et 1920, les fait apparaître comme des profiteurs de la guerre. Il est indéniable qu'à l'issue du conflit les cultivateurs ont remboursé une partie de leurs dettes et acquis des terres nouvelles.

Il faut remarquer cependant que ces profits ont été moins considérables que ne l'imaginait l'opinion. La taxation des prix des denrées et le coût de la main-d'œuvre, particulièrement rare dans les campagnes, ont rogné les bénéfices. De plus, pendant quatre ans, les cultivateurs n'ont pu acheter le matériel nécessaire, dont la production avait d'ailleurs diminué. Les achats différés pèsent sur le budget d'après guerre. La guerre apparaît à distance comme une parenthèse : très vite les mouvements à long terme, la baisse tendancielle des prix et l'hémorragie de main-d'œuvre, attirée par les salaires plus élevés de l'industrie, reprennent le dessus.

— Les ouvriers. Le bilan matériel est défavorable, dans l'ensemble, à la classe ouvrière. La hausse des prix des denrées n'a pas été compensée par les augmentations de salaires accordées durant le conflit. La pénurie se prolonge au lendemain de la guerre jusqu'en 1920, la perte globale de pouvoir d'achat depuis 1913 se situant aux environs de 20 %.

Mais les effets négatifs du conflit ont été largement atténués par le plein-emploi — que les besoins de la reconstruction maintiennent dans l'immédiat après-guerre avant que la croissance ne prenne le relais —, les mesures protectrices comme le moratoire des loyers et les initiatives sociales prises par le ministre Thomas en matière d'arbitrage et de conflit de travail. A l'issue du conflit, la Chambre, en partie pour prévenir l'agitation qui se développe en réaction contre la vie chère, vote le 23 avril 1919 la journée de travail de huit heures. Une avancée sociale de taille, même si la mesure ne calme pas l'agitation qui gagne le milieu ouvrier.

— La « bourgeoisie » et les classes moyennes. Si l'on exclut les élites dirigeantes, faible couche numérique qui détient le pouvoir économique et politique, ces catégories représentent un vaste conglomérat hétérogène.

D'abord les salariés : les fonctionnaires sont atteints par la stagnation de leur traitement qui a été maintenu pendant les hostilités ; les employés supérieurs des affaires privées perdent leurs salaires mal compensés par les soldes d'officiers ; certains connaissent au lendemain de la guerre des problèmes de reclassement.

Les classes moyennes indépendantes, les rentiers, les professions libérales, le monde de l'entreprise commerciale et artisanale, moyenne et petite, sont diversement frappés. Il n'est pas exclu que les petites et moyennes entreprises, fournisseurs de guerre ou mercantis, aient pu dans certains cas prospérer — les petits bénéfices ont été beaucoup moins taxés que les gros. En revanche, les membres des professions libérales appelés sous les drapeaux ont souvent perdu leur clientèle et doivent se réinsérer, non sans difficultés.

Un point semble certain : le conflit a eu des effets négatifs sur les rentiers et propriétaires, frappés par le moratoire des loyers, la diminution des distributions de dividendes qui pénalise les porteurs d'actions, l'érosion monétaire qui atteint les détenteurs de titres à revenus fixes. L'Etat s'est endetté au-delà de toute mesure et, pour se libérer de sa dette, a reporté sur les rentiers, par l'inflation, le financement de la guerre. Psychologiquement, l'effet est désastreux : l'esprit d'épargne est déconsidéré.

Cet effacement des rentiers est sans nul doute un effet majeur de la guerre. Mais il convient de remarquer toutefois qu'une bonne partie des classes moyennes parvient à éviter la ruine. Le conflit a contribué à redistribuer certaines cartes, mais non à déstabiliser la société.

Le renforcement des acteurs collectifs. — L'économie de guerre, dans sa logique dirigiste et mobilisatrice, a favorisé la croissance des organismes collectifs, tant au niveau des salariés qu'à celui du patronat.

La CGT a connu une forte croissance de ses effectifs (entre 1 600 000 et 2 400 000 en 1920, contre moins de 700 000 avant la guerre). Léon Jouhaux et ses dirigeants ont soutenu jusqu'au bout l'Union sacrée grâce à laquelle la classe ouvrière a pu obtenir des avantages non négligeables, notamment en matière salariale, grâce à la politique d'intégration menée par Albert Thomas. Mais cette croissance qui touche la métallurgie, les chemins de fer, les ouvriers du textile, les mineurs, et qui est encore amplifiée par l'adhésion des postiers (décembre 1918) et des instituteurs (septembre 1919), aboutit à aggraver les tensions au sein de l'organisation.

S'appuyant sur les revendications portant sur la cherté de la vie, une minorité, formée de syndicalistes révolutionnaires d'avant-guerre et d'admirateurs de la révolution bolchevique, lance une vague d'agitation qui culmine en mai-juin 1919, avec une manifestation violente le 1er mai et une grève de la métallurgie parisienne. Au Congrès de Lyon, en septembre 1919, Jouhaux et la majorité l'emportent encore avec un programme devenu de fait réformiste, fondé sur les nationalisations, mais la coupure des deux tendances, loin de disparaître, s'accentue encore davantage.

En marge de la CGT désunie apparaît, de surcroît, une deuxième confédération syndicale, ce qui représente une nouveauté dans le monde des salariés français. Fondée en mars 1919, la Confédération française des travailleurs chrétiens (CFTC) s'inspire de la doctrine sociale de l'Eglise catholique qui recommande le rejet de la lutte des classes et l'introduction d'une dimension de justice dans les rapports économiques. Forte de 150 000 membres, la CFTC recrute chez les employés (30 % des effectifs) et dans les pays de tradition religieuse (Nord, Alsace).

La nécessité de regrouper et de coordonner l'activité des entreprises dans le cadre du complexe militaro-industriel mis en place ne reste pas sans conséquence sur les structures patronales. Etienne Clémentel, ministre du Commerce de Clemenceau, le créateur des

« consortiums » commerciaux, lance l'idée d'une organisation regroupant l'ensemble des professions, favorablement accueillie par le patronat. En effet, si le rôle de l'Etat recule après la guerre, la distribution des dommages de guerre suppose des groupes représentatifs. La loi de mars 1919 sur les conventions collectives incite également aux regroupements, puisqu'elle substitue au contrat individuel un contrat issu d'une négociation entre les organisations patronales et ouvrières.

L'initiative de Clémentel aboutit donc en juillet 1919 à la création de la Confédération générale de la production française (CGPF), formée par 21 fédérations professionnelles regroupant au total 1 200 syndicats, nationaux et locaux. L'ensemble demeure d'ailleurs assez lâche et son champ de compétence reste limité par les organisations traditionnelles comme le Comité des Forges ou le Comité central des Houillères.

Rôle et poids des anciens combattants. — Groupe original, consubstantiellement lié au phénomène guerrier, regroupant l'ensemble de la société française, par-delà les clivages sociaux, la masse des anciens combattants joue un rôle primordial dans la France du lendemain de guerre, préoccupée d'indemnisations et de réparations.

6 400 000 mobilisés ont survécu à la guerre, représentant en 1920 55 % des plus de vingt ans, 45 % en 1930. A cette date, près d'un sur deux adhère à une association d'anciens combattants, soit spécialisée, regroupant telle catégorie de combattants, soit générale, dont les deux principales, l'Union fédérale (UF) et l'Union nationale des combattants (UNC), sont nées en 1918 (300 000 membres chacune en 1921).

Le rôle, étudié par Antoine Prost, de ces groupements qui naissent à peine au lendemain de la guerre est à la fois revendicatif, par la pression exercée sur les autorités dans le but d'obtenir une juste indemnisation des dommages subis, et moral, les anciens combattants se réservant le droit d'exprimer leur opinion sur la manière dont la nation est conduite, sans pour autant devenir une force politique à part entière. Le pacifisme et la distance à l'égard du parlementarisme deviennent rapidement les caractéristiques majeures de la sensibilité de ces associations.

La tendance démographique au vieillissement, l'émergence de nouvelles technologies du travail, l'apparition d'une nouvelle rationalité économique, l'affaiblissement à long terme de certains types de revenus, la croissance en nombre et en importance des structures collectives relèvent de tendances à long terme et ne sont donc pas imputables au conflit lui-même. Ce sont toutefois les événements de 1914-1918 qui ont amené à l'existence ces réalités virtuelles, et intensifié ou contrarié certains effets. Aussi bien l'ampleur de certains changements structuraux échappe-t-elle à l'opinion publique de 1919-1920. Celle-ci en reste aux effets extérieurs qui l'atteignent matériellement et moralement : les destructions et l'appauvrissement sont des plaies qu'il faut réparer le plus rapidement possible, mais en essayant de reconstituer à l'identique pour retrouver une période mythique, celle d'avant 1914, « la Belle Epoque ».

Hommes et majorité de 1919 à 1926

La reconstruction politique n'intervient qu'à la fin de l'année 1919, avec les élections législatives générales du 16 novembre. Jusqu'à cette date, la Chambre élue en 1914, dont les pouvoirs sont théoriquement arrivés à expiration en 1918, continue de siéger. Elle vote la loi des huit heures, ratifie le traité de Versailles et modifie le système électoral.

La victoire du Bloc national

L'adoption du système de représentation proportionnelle dans le cadre départemental, en juillet 1919, met un terme au scrutin d'arrondissement uninominal à deux tours, en vigueur depuis 1889, accusé de mener à la constitution de fiefs politiques et d'empêcher la formation de majorités claires. Mais une atténuation de taille est introduite dans le mode de représentation proportionnelle : une liste qui aura obtenu la majorité absolue des voix dans une circonscription remportera la totalité des sièges à pourvoir.

Précisément, la constitution des listes doit tenir compte de trois facteurs :

— la tendance de l'opinion à considérer que l'Union sacrée née dans la guerre doit être prolongée dans la paix pour résoudre les difficiles problèmes de l'application des traités et de la reconstruction ;

— la crise du Parti socialiste et son refus de prendre clairement position sur la question « bolcheviste ». La guerre provoque un afflux de nouveaux adhérents, dont beaucoup semblent attirés par la révolution bolchevique. En avril 1919, pour préserver l'unité, les socialistes décident de ne conclure aucun accord en vue des législatives de la fin de l'année. Cette décision isole les radicaux qui doivent renoncer à toute perspective d'alliance axée à gauche, comme en 1914, et permet le déclenchement d'une virulente campagne du centre et de la droite contre la SFIO, accusée en bloc d'être favorable au bolchevisme ;
— la persistance des divisions partisanes traditionnelles. Si l'extrême droite monarchiste, l'Action française, est laissée à l'écart, l'accord semble bien difficile entre les autres composantes du système politique. A droite, les nationalistes, critiques à l'égard du régime parlementaire, les catholiques, réticents à l'égard des lois laïques, les « progressistes » (républicains les plus modérés d'avant-guerre) acceptent un rapprochement avec les républicains modérés du centre droit, les « fermes laïques et bons républicains » ou « Républicains de gauche », souvent membres de l'Alliance démocratique, mais récusent tout accord avec les radicaux. Ces derniers, placés devant le refus socialiste, n'ont d'autre ressource que de se rapprocher, dans certains cas, des modérés du centre droit en excluant tout apport des droites, ou d'aller seuls à la bataille, affrontant dans ce cas des coalitions de centre droit constituées autour de l'Alliance.

Des négociations compliquées aboutissent à la constitution de 324 listes. Les socialistes composent des listes homogènes, les radicaux se divisent, certains figurant donc sur des listes d'alliance avec le centre droit (listes de « concentration »), d'autres constituant des listes isolées. Les listes dites de « Bloc national » regroupent généralement des nationalistes, des catholiques, des modérés « progressistes » et de l'Alliance démocratique. Le caractère hétéroclite de ces coalitions fait d'autant mieux ressortir la confusion de la campagne électorale. Cependant, de manière générale, les candidats du Bloc national s'accordent à prôner la stricte application des traités, la lutte contre le bolchevisme — sans que ce thème revête un caractère exclusif — et la fin du dirigisme. De manière isolée, Alexandre Millerand, qui dans le 2e secteur de la Seine mène une liste de large union, de Barrès aux radicaux, propose un renforcement du pouvoir présidentiel.

Les résultats en voix sont difficiles à estimer, sauf pour le Parti socialiste, le seul à présenter partout des listes homogènes. Il obtient 1 700 000 voix, soit 23 % des suffrages exprimés, contre 1 400 000 voix et 17 % en 1914. Mais ces progrès apparents sont dus, pour les trois quarts, au fait que le Parti socialiste n'avait pas présenté partout des candidats lors des législatives précédentes. Les radicaux reculent dans les secteurs où ils ont présenté des listes homogènes. Les listes de concentration et de Bloc national permettent à leurs composantes, réunies en 1919, de dépasser leurs scores de 1914.

La composition de la Chambre issue des élections présente trois caractéristiques :

— le personnel politique est largement renouvelé : 60 % des députés sont de nouveaux venus ;

— les anciens combattants y sont nombreux (44 %), d'où le surnom de Chambre « bleu horizon ». Répartis assez également parmi les divers groupes de l'Assemblée, parfois blessés ou mutilés, ils y jouissent d'un prestige particulier ;

— l'appartenance des députés après constitution des groupes fait apparaître une nette prédominance du centre et de la droite. Sur 616 députés, on compte :

Sensibilité politique	*Nombre d'élus*	*Nombre de députés par rapport au total de la Chambre (en %)*	*% de députés de la catégorie élus sur liste Bloc national*
Droite (2)	212	34,5	57 (1)
Centre droit (Alliance et radicaux indépendants) (3)	203	33	79
Centre gauche (4) (radicaux et républicains socialistes)	112	18	34
Socialistes	68	11	0
Non inscrits	21	3,5	

(1) Les 43 % restants ont été élus sur des listes de droite « pure », mais la majorité d'entre eux a déployé une thématique « Bloc national ».

(2) Divisée en Indépendants (29) et Entente républicaine démocratique (183).

(3) Divisé en trois groupes : Action républicaine et sociale, Républicains de gauche, Gauche républicaine démocratiquc, ce dernier très proche des radicaux.

(4) Le groupe radical-socialiste compte 86 élus.

D'une telle répartition ressort nettement l'absence de majorité tranchée. Deux combinaisons sont en fait possibles : une majorité issue de l'union de la droite et de la plus grosse partie du centre droit, à l'exclusion du groupe charnière de la Gauche républicaine, ou bien une autre formule de type « concentration », fondée sur le rapprochement du centre droit et du centre gauche radical. De constantes fluctuations vont marquer la législature dite du « Bloc national ».

Le renouvellement de la Chambre est accompagné de celui de toutes les instances supérieures de l'Etat. Celui du Sénat, en janvier 1920, amène à la Haute Assemblée un fort contingent d'élus radicaux de tendance généralement favorable à la concentration. Elle se situe donc plus à gauche que la Chambre.

En janvier 1920, Poincaré, arrivé au terme de son mandat, doit quitter l'Elysée. Clemenceau envisage d'accéder à la magistrature suprême et d'y terminer sa carrière. Mais il s'est fait beaucoup d'ennemis. Les radicaux lui reprochent le sort fait à Malvy et Caillaux ; beaucoup de parlementaires ont mal supporté « le gouvernement de guerre » ; Briand redoute une exclusion prolongée du pouvoir qui lui serait insupportable ; surtout « le Tigre » ne se prononce pas clairement sur la politique d'apaisement religieux, mécontentant ainsi les catholiques qui forment les gros bataillons de l'Entente républicaine démocratique.

Aussi quand, le 20 janvier 1920, a lieu le vote préliminaire par lequel les députés et sénateurs « républicains » désignent le candidat à la présidence, Clemenceau est battu de 19 voix par le modéré Paul Deschanel que lui préfèrent les parlementaires. Ulcéré, il refuse de présenter sa candidature lors de l'élection officielle, qui, le lendemain, se termine par la victoire de son concurrent. Sa mise à l'écart représente une victoire pour le Parlement, dont beaucoup de membres, tout en approuvant la politique de Clemenceau, envisageaient mal un rétrécissement des prérogatives de l'instance législative par rapport à la présidence.

« Ni réaction, ni révolution »

Il apparut, d'entrée de jeu, qu'une distorsion allait s'instaurer entre la majorité de la Chambre, axée à droite, et les gouvernements successifs du « Bloc », orientés sensiblement plus au centre.

La politique intérieure, de 1919 à 1924, allait être dominée par l'existence de cette réalité fondamentale.

Des gouvernements de centre droit. — Quatre gouvernements allaient se succéder durant la législature. Alexandre Millerand paraît au lendemain de l'élection présidentielle le chef désigné du Bloc national. La formation de son gouvernement apparaît aussitôt comme un acte politique majeur : à l'Intérieur et aux Colonies, il nomme des radicaux ; s'il désigne au Commerce un notable catholique lyonnais, Auguste Isaac, importante personnalité de l'Entente, la majorité des ministres sont des hommes de l'Alliance ou des radicaux et radicalisants.

Elu en septembre 1920 président de la République en remplacement de Deschanel, démissionnaire pour raison de santé, Millerand, en nommant un de ses proches, Georges Leygues, tente de conserver un droit de regard sur la conduite des affaires, contrairement à « la tradition républicaine » qui voulait que le président s'abstienne de ce type d'intervention. La Chambre renverse Leygues et le remplace en janvier 1921 par Briand qui, pendant la campagne électorale de 1919, avait émis des réserves sur une extension trop à droite du Bloc national. Il accentue encore la physionomie centre gauche du gouvernement, jusqu'à sa chute en janvier 1922.

Raymond Poincaré, qui lui succède, est avant tout préoccupé, pendant les deux ans que dure son passage au gouvernement, de ne pas se couper des radicaux, tout en axant son gouvernement autour de l'Alliance (Barthou, Maginot). Malgré une opposition croissante des parlementaires du Parti radical, Poincaré garde des ministres de cette tendance jusqu'en mars 1924, date à laquelle ceux-ci préfèrent démissionner, à quelques semaines des élections.

Les gouvernements du Bloc national sont donc en décalage par rapport à la « majorité » parlementaire. Alors que celle-ci, largement renouvelée, est majoritairement axée à droite, le personnel dirigeant est toujours puisé dans le même vivier qu'avant guerre ; sa préoccupation constante, de 1919 à 1924, est d'éviter, grâce à un appui radical, de se retrouver prisonnier d'une droite dont les convictions républicaines et laïques ne lui apparaissent pas avec suffisamment de netteté.

La défense de l'ordre social. — Seul ciment susceptible de réunir la droite, le centre droit et une large fraction des radicaux, la politique de défense sociale menée pendant la période du Bloc national lui a longtemps conféré un aspect « réactionnaire », alors que la répression des mouvements « révolutionnaires » est une constante dans l'histoire de la IIIe République.

La poussée révolutionnaire perceptible en 1919, objet de la propagande des listes « Bloc national », se confirme en 1920. L'échec socialiste aux élections de 1919 amène au sein de la CGT une intensification de l'action des minoritaires, admirateurs de la révolution bolchevique. La prise de contrôle de la Fédération des transports leur permet de déclencher un mouvement de grève dans les chemins de fer au début de 1920 et d'obtenir du bureau confédéral l'extension du mot d'ordre à d'autres secteurs, notamment les mines. Ponctué d'incidents violents le 1er mai, le mouvement est peu suivi par l'ensemble des ouvriers et paraît le fait d'une minorité d'agitateurs politisés.

Le gouvernement Millerand réquisitionne les chemins de fer — tandis que les compagnies révoquent 22 000 agents — et entame des poursuites judiciaires contre la CGT. Le tribunal correctionnel de la Seine décide au début de 1921 la dissolution du syndicat, mais l'application de la sentence est suspendue par suite de l'appel interjeté par la CGT. La direction de celle-ci, qui avait lancé le 21 mai 1920 l'ordre de reprise du travail, sort considérablement affaiblie de l'épreuve qui accentue la division interne de l'organisation. La scission est désormais en marche.

Au début de 1921, l'affaiblissement du mouvement syndical amène un retour du calme social, alors que les questions extérieures et financières accaparent l'attention de l'opinion publique.

Bloc national et laïcité. — Ce point de débat, susceptible de rompre l'accord de la droite catholique et du centre droit laïque, tout en provoquant un rapprochement de celui-ci avec les radicaux, apparaît dès le départ comme particulièrement délicat. Condamnées par la papauté, considérées comme injustes et discriminatoires par les catholiques, les lois laïques qui limitent la liberté d'enseignement des congrégations religieuses, leur existence même et prétendent imposer des associations cultuelles qui auraient la charge de gérer les biens afférents au culte, sont réputées intangibles par les républicains laïques de gouvernement. Mais un bon nombre parmi ceux-ci estiment qu'une application large et libérale de ces lois pourrait amener le Saint-Siège à lever l'interdit qui pèse sur elles.

Le gouvernement du Bloc donne une première preuve de sa volonté d'apaisement en refusant d'appliquer les lois laïques à l'Alsace-Lorraine, respectant en cela la volonté des populations des anciennes provinces perdues, qui conservent le bénéfice du régime concordataire : les ecclésiastiques y sont rémunérés par l'Etat et l'école reste confessionnelle. En mai 1921, Briand désigne un ambassadeur auprès du Saint-Siège, le sénateur Charles Jonnart, président de l'Alliance démocratique, partisan d'une politique d'application tolérante des lois laïques. La négociation, soumise à la double pression des catholiques intransigeants qui souhaitent le maintien des interdits pontificaux et des laïques sourcilleux, radicaux ou membres de l'Alliance, aboutit à un succès, puisque le pape Pie XI, au début de 1924, autorise la formation d' « associations diocésaines », fort proches des associations cultuelles de la loi de 1905.

Ainsi les gouvernements du « Bloc » ont-ils résolu un conflit vieux de vingt ans sans la moindre renonciation à la législation laïque : en matière scolaire, notamment, le problème demeure entier. Mais un pas considérable a été franchi : la présence massive des catholiques au Parlement et l'application tolérante de la loi républicaine achèvent ce que la guerre avait commencé, l'intégration des catholiques au régime.

Les désillusions extérieures et financières. — Ces désillusions seront sensibles dans deux domaines notamment :

— La politique extérieure. Inspirés par une double préoccupation, la sécurité et les réparations, les gouvernements du Bloc national, gênés par l'attitude réservée des Alliés, hésitent sur l'attitude à adopter. Millerand, en 1920, semble renoncer à la sécurité au profit des réparations. Briand, après avoir fait occuper en mars 1921 Düsseldorf, Duisbourg et Ruhrort, se tourne à la fin de l'année vers une solution négociée sur les réparations, qui provoque sa chute. Poincaré, déterminé à obtenir le paiement allemand, s'engage dans la politique de « saisie d'un gage productif » en ordonnant l'occupation de la Ruhr le 11 janvier 1923.

Par voie de conséquence, les affaires extérieures permettent l'amorce d'un reclassement politique. Les radicaux et leur président, Edouard Herriot, soutiennent Briand en 1921, mais manifestent leur hostilité à l'occupation de la Ruhr, surtout à partir de l'été 1923. L'opinion française, quant à elle, évolue de 1920 à 1923.

Sans doute existe-t-il encore en 1920 un large consensus sur la sécurité et les réparations. Mais l'opération de la Ruhr soulève de grandes réserves chez les Français, inquiets devant la perspective d'un conflit armé. Aussi quand, en octobre 1923, Poincaré accepte, sous la pression anglo-saxonne, d'ouvrir des négociations qui aboutissent au plan Dawes en avril 1924, le soulagement est-il réel dans une opinion qui aspire avant tout à la paix.

— Les difficultés financières. Le Bloc national avait fondé sa politique financière sur deux principes, le maintien du franc à sa valeur officielle et l'affectation des réparations allemandes aux énormes dépenses nées de la reconstruction.

Cette politique monétaire se révèle rapidement impraticable avec la cessation dès mars et juillet 1919 du soutien britannique et américain de la devise française sur le marché des changes. Les besoins de produits importés restant considérables, une limitation des importations avec contrôle des changes étant exclue, il s'ensuit naturellement une chute de la monnaie française par rapport à la livre et au dollar. Elle perd 50 % de sa valeur en 1919 et 33 % en 1920. Le ralentissement mondial de 1921-1922 fait croire à une amélioration, mais, dans les dernières semaines de 1923, une vaste opération spéculative, d'origine aussi bien nationale qu'étrangère, se déclenche contre le franc et se prolonge jusqu'au mois de mars 1924, faisant passer la livre de 83 F à 125 F, le dollar de 19 F à 28 F.

Le déficit des finances de l'Etat, provoqué par les dépenses considérables relatives à la reconstruction, est naturellement vertigineux : 17 milliards en 1920, 9 en 1921 et 1922, 12 en 1923, alors que les versements allemands n'ont pas dépassé 3 milliards de marks-or. Les ministres des Finances, pour éviter d'accroître la charge fiscale, doivent recourir à un endettement croissant, qui atteint en 1921 la limite du soutenable par rapport au revenu national.

Ce double échec, fondé sur la double croyance d'un prolongement de l'appui anglo-américain et d'un paiement des réparations allemandes, marque la fin des illusions gouvernementales. En février 1924, Poincaré prend une série de mesures énergiques en augmentant de 20 % les impôts directs et en contractant, pour rééquilibrer le marché des changes, une série de prêts auprès de la finance privée américaine, accordés contre promesse d'un aménagement des réparations. Le « Verdun financier », fondé sur la contrainte fiscale, va coûter cher à la majorité sortante lors des élections générales.

Le Cartel des gauches (1924-1926)

Formation et victoire du Cartel des gauches. — A partir de 1923, la perspective de l'échéance électorale de 1924 accapare l'attention des forces politiques dont l'équilibre et la répartition se sont modifiés au cours des trois années précédentes.

Le Parti radical, dont l'attitude en 1919 avait reflété le grand embarras devant les nécessités de la persistance de l'Union sacrée, se reconstitue progressivement de 1920 à 1923. Une base militante nouvelle, plus jeune, plus orientée vers l'alliance à gauche que les parlementaires et les notables partisans de l'entente avec le centre droit, appuie Edouard Herriot, président du parti depuis 1919, dans sa politique de rapprochement avec les socialistes.

A l'extrême gauche, la majorité des délégués du Congrès du Parti socialiste SFIO avait décidé le 29 décembre 1920, à Tours, d'adhérer à la IIIe Internationale et de fonder le Parti communiste, mettant ainsi un terme au débat qui opposait partisans et adversaires de la révolution bolchevique. La SFIO, au sein de laquelle se rassemble la minorité de Tours, est difficilement reconstruite sous l'égide de Jean Longuet et de Léon Blum. Alors que le Parti communiste va séparément à la bataille, les socialistes hésitent sur l'attitude à adopter. L'alliance avec les radicaux paraît à certains d'entre eux une compromission dangereuse, tandis que d'autres redoutent l'isolement qui mènerait inéluctablement à la défaite. En janvier 1924, la SFIO décide de former avec les radicaux des listes de coalition, dans le cadre d'un accord purement électoral limité au temps du scrutin (« un accord d'une minute »), sans le moindre programme de gouvernement. La décision étant laissée aux fédérations départementales, l'accord n'est réalisé que dans 64 circonscriptions sur 97, certains radicaux préférant l'alliance avec le centre droit.

Ce dernier fait illustre bien la situation de la majorité sortante, incapable de s'unir en vue des élections. Poincaré, pressenti pour être son chef, soucieux de préserver les chances d'une solution de concentration avec les radicaux qui a toujours sa préférence, observe un silence prudent. Autour de lui, se forment des listes de centre droit, groupant les « républicains de gauche » (l'Alliance) et les « radicaux nationaux » (qui refusent l'alliance socialiste). Millerand, au contraire, sortant de la réserve à laquelle est traditionnellement tenu le chef de l'Etat, prononce en octobre 1923, à Evreux, un vigoureux discours dans lequel, faisant l'apologie de la majorité sortante, il réclame une réforme constitutionnelle tendant à accroître les pouvoirs du président de la République. Autour de lui se regroupent les hommes de l'Entente républicaine démocratique, la fraction droite du Bloc national, qui forment des listes d' « Union républicaine et de concorde nationale ».

La division de la majorité sortante va provoquer sa défaite en sièges sinon en suffrages. En effet, l'extrême droite, la droite et le centre droit obtiennent 4,5 millions de voix contre 4,2 millions qui se portent sur les listes des gauches, communistes compris. Mais le système électoral privilégie cette fois les listes cartellistes.

Aussi la répartition des députés après l'élection montre-t-elle une victoire des gauches en sièges :

Gauches 353	Communistes			26
	Cartel élargi 327	Cartel *stricto sensu* 287	— Socialistes	104
			— Républicains socialistes	44
			— Radicaux	139
		— Radicaux indépendants [1]		40
Droites 228	— Centre droit [2] et démocrates-chrétiens [3]			95
	— Droite [4]			104
	— Non inscrits			29
				581

Majorité absolue : 291

[1] Groupe de la « Gauche radicale ».
[2] Groupe des « Républicains de gauche » et de la « Gauche républicaine démocratique », dont les membres appartiennent souvent à l'Alliance démocratique.
[3] La présence de 14 députés démocrates-chrétiens représente une nouveauté.
[4] Groupe de l'URD (Union républicaine démocratique), successeur de l'Entente républicaine démocratique, lié à la Fédération républicaine.

Mais cette victoire des gauches (353 élus contre 228) est en fait illusoire : les 26 communistes votent systématiquement contre le Cartel ; le groupe de la Gauche radicale, proche des radicaux-socialistes sur le plan religieux, vote avec les droites sur le plan financier. La majorité cartelliste *stricto sensu* se réduit donc à 287 représentants, alors que la majorité absolue des voix se situe à 291 suffrages.

La coalition victorieuse soulève aussitôt le problème posé par l'intervention du président de la République au cours de la campagne électorale, qu'elle estime contraire à la « tradition républicaine ». Dès la réunion de la Chambre, le 2 juin, le groupe radical demande son départ. Trois jours plus tard, Herriot refuse de répondre à l'appel du président qui lui demande de constituer le gouvernement. Le 8, Millerand désigne comme président du Conseil un de ses amis du centre droit, Frédéric François-Marsal, avec l'espoir de provoquer à la Chambre et au Sénat un débat sur l'irresponsabilité présidentielle et donc sur le caractère inconstitutionnel de l'attitude cartelliste. Vaine manœuvre : la majorité de la Chambre demande l'ajournement de la discussion jusqu'à la présentation d'un gouvernement conforme aux vœux exprimés par le pays. Le 11 juin, Millerand démissionne. Son échec signifie celui des projets de révision constitutionnelle tendant à renforcer l'exécutif, qui lui tenaient tant à cœur.

La nouvelle majorité prend alors ses dispositions pour faire élire un des siens. Lors de la réunion préparatoire à laquelle seuls participent les groupes du Cartel, le républicain socialiste Paul Painlevé est désigné comme candidat, mais 30 % des suffrages environ se portent sur un radical modéré qui n'avait pas officiellement posé sa candidature, le président du Sénat Gaston Doumergue. Celui-ci, soutenu par la droite des radicaux, dont de nombreux sénateurs, le centre droit et la droite, l'emporte le 13 juin sur Painlevé. Cet échec montre nettement les limites de la majorité parlementaire.

Le ministère Herriot. — Dès le lendemain de son élection, Doumergue appelle Herriot à former un gouvernement que les socialistes s'engagent à soutenir sans accorder leur participation. Les radicaux y sont majoritaires, renforcés par des républicains socialistes et des radicaux indépendants. Le nouveau gouvernement entend marquer son caractère orienté à gauche par des mesures symboliques, en amnistiant les condamnés de la guerre, notamment Malvy et Caillaux, et en faisant transférer les cendres de Jaurès au Panthéon. Mais c'est l'application de son programme religieux qui provoque les premières véritables difficultés de la nouvelle majorité.

— L'échec de la politique laïque. Le retour à une stricte politique laïque figurait parmi les intentions du Cartel. Herriot, mû par le simple désir de restaurer la légalité républicaine, annonce dans sa déclaration de gouvernement son intention d'appliquer la législation laïque à l'Alsace-Lorraine, de supprimer l'ambassade au Vatican, et d'appliquer la loi de 1901 aux congrégations religieuses que les gouvernements de la législature précédente avaient laissées se reconstituer sans autorisation, en violation des dispositions légales.

Ces déclarations soulèvent aussitôt de très vives oppositions. Affirmant haut et fort leur refus absolu de tels projets, les catholiques se groupent en puissantes associations. En août 1924, apparaît le mouvement pour la Défense des religieux anciens combattants (DRAC), créé par le P. Doncœur. En février 1925, la Fédération nationale catholique, issue des comités diocésains, est mise sur pied par un chef prestigieux de la Grande Guerre, le général de Castelnau. Cette organisation, axée sur la défense religieuse, réunit dans de vastes rassemblements des dizaines de milliers de citoyens à la fin de 1924 et au début de 1925. Le vote du principe de la suppression de l'ambassade auprès du Saint-Siège, acquis en février, amène un redoublement de la campagne. En mars, les archevêques publient un manifeste dans lequel se trouve condamné le principe même de la neutralité de l'Etat en matière religieuse.

L'ampleur d'une telle résistance amène alors Herriot, surpris, à renoncer en janvier 1925 à l'application des lois laïques à l'Alsace-Lorraine. Son successeur, Paul Painlevé, se prononce pour le maintien de l'ambassade en avril 1925, lors de sa déclaration d'investiture. La querelle se solde donc par un échec total pour le Cartel, qui s'est révélé incapable d'appliquer son programme et semble, aux yeux d'une large partie de l'opinion, avoir réveillé des querelles qui paraissaient à beaucoup révolues. La surprise même des chefs du Cartel, décontenancés par une telle opposition, montre à quel point l'affaire avait été engagée sans réflexion préalable, peut-être sous la pression des éléments les plus sectaires de la nouvelle majorité.

— La crise financière. Le montant de la dette intérieure de l'Etat, non compris les avances de la Banque de France, s'est considérablement accru sous la législature précédente, passant de 150 milliards en 1918 à 330 milliards en 1923, pour atteindre 338 milliards à la fin de 1924. Elle est, pour la plus grosse partie, formée de bons à court terme, ce qui suppose un renouvellement régulier des souscriptions lors de l'arrivée des échéances. Alors que les radicaux n'ont guère de programme précis sur ce sujet, les socialistes parlent d'impôt sur le capital et de consolidation forcée, c'est-à-dire de transformation autoritaire du court en long terme, projets qui ne semblent guère de nature à rassurer l'épargne. Dès la victoire du Cartel des gauches, et durant le second semestre de 1924, le placement des bons à court terme se révèle de plus en plus difficile par suite de la crainte des mesures proposées, largement amplifiée par la campagne dirigée contre le gouvernement par les groupes de défense catholique et l'hostilité systématique des organismes bancaires qui déconseillent à leurs clients ce type de placement.

Aussi, très vite, la seule solution pour le ministre des Finances Clémentel est-elle de recourir aux avances de la Banque de France. Mais celles-ci, soumises à une limitation légale, ne peuvent dépasser un montant maximum (un « plafond »), comme d'ailleurs la circulation fiduciaire dont la Banque a la responsabilité en vertu de son monopole d'émission des billets. Au cours du second semestre de 1924, le gouvernement obtient une série d'avances qui mènent à des dépassements du plafond légal. Temporaire au départ, et dissimulée par divers artifices, cette pratique devient systématique au début de 1925.

Le gouverneur de la Banque demande alors au gouvernement le vote d'une loi autorisant une augmentation du plafond. Herriot refuse : user de ce procédé mènerait à révéler l'ampleur des dépassements pratiqués depuis quelques mois. Il semble prêter une oreille attentive à une proposition d'impôt sur le capital, relancée par Blum à la fin du mois de mars 1925. Herriot, qui n'y croit sans doute guère lui-même, cherche en fait une porte de sortie honorable qui le fasse « tomber à gauche ». Le 10 avril 1925, alors que la Banque de France révèle l'ampleur des avances consenties, les sénateurs, y compris certains radicaux, renversent le cabinet Herriot.

La fin du Cartel (avril 1925 - juillet 1926). — Durant une année (avril 1925 - juillet 1926), ses successeurs recherchent une formule susceptible de fournir une alternative à la solution cartelliste. Painlevé (avril-novembre 1925), appuyé par Caillaux, qu'il nomme ministre des Finances, adopte une ligne plus centriste, renonçant à l'idée d'impôt sur le capital et à la suppression de l'ambassade auprès du Saint-Siège. Le souple et rusé Briand tente à trois reprises (novembre 1925, mars et juin 1926) d'adopter franchement une formule de concentration, toujours avec l'appui de Joseph Caillaux. Herriot, appuyé sur les militants et l'aile gauche du Parti radical au Parlement, s'y oppose, et provoque la chute répétée de ces gouvernements, pour lesquels les hommes du centre droit n'ont d'ailleurs aucune complaisance, car ils souhaitent de plus en plus ardemment le retour de Poincaré.

L'instabilité se déroule sur fond de crise des changes. La révélation du dépassement du « plafond » au printemps 1925, l'incertitude politique qui suit la chute d'Herriot et l'absence de définition d'une politique de redressement financier amènent les opérateurs français à se couvrir en devises étrangères. La livre passe de 100 F en juin 1925 à 109 F en octobre, 130 F en décembre, 144 F en avril 1926, 172 F à la fin du mois de mai. Caillaux, ministre des Finances de Briand, propose en juillet 1926 un plan de redressement classique, tendant à rassurer l'épargne. Herriot renverse alors le gouvernement avec l'appui des socialistes et d'un tiers des radicaux.

Le président Doumergue, désireux, pour hâter la fin du Cartel, de démontrer que cette formule n'offre aucune perspective gouvernementale, fait appel à Herriot. Le gouvernement, formé le 20 juillet, se heurte aussitôt à la Banque de France qui exige une loi sur le relèvement du « plafond », aux porteurs de bons qui boudent les échéances, aux épargnants qui, affolés par la presse conservatrice, procèdent au retrait de leurs dépôts, aux opérateurs qui accentuent la chute du franc sur le marché des changes : la livre passe à 235 F le 21 juillet. Le lendemain, mis en minorité, Herriot tombe pour la deuxième fois, abandonné par une partie de la Gauche radicale et des républicains socialistes.

Ces événements ont donné lieu à des interprétations divergentes. Pour Herriot et ses amis, le gouvernement a été victime des milieux financiers, en particulier de la Banque de France, organisme alors privé dirigé par un Conseil de régence, émanation de l'oligarchie financière, qui a refusé à un pouvoir de gauche les facilités qu'il avait consenties à la droite. Les adversaires du Cartel font valoir « le plébiscite des porteurs de bons », paisibles épargnants effrayés par les projets spoliateurs des collectivistes. Ces deux réalités ne sont guère contestables. Plus complexe est la question du ressort profond du comportement des épargnants et des banquiers, inspirés soit par l'hostilité politique, soit par la peur réelle de la faillite : Jean-Noël Jeanneney a montré le subtil enchevêtrement de leurs motivations.

La portée politique de cet échec est considérable. La formule du « Bloc des gauches », la seule possible avant la guerre en dehors de celle de la « concentration républicaine » (alliance des radicaux et des modérés), s'est révélée impraticable, faute d'un support valable qui ne pouvait plus guère être la défense de la laïcité. L'alliance du Parti radical, devenu dès avant la guerre un parti de gestion acquis à un libéralisme économique non exclusif de réformisme, avec le

Parti socialiste, qui ne perdait pas une occasion d'affirmer son identité révolutionnaire, ne pouvait donc déboucher que sur une alliance électorale purement tactique, sans perspective gouvernementale claire et précise. Ainsi s'explique aisément la facilité du passage du Bloc des gauches à la formule de concentration républicaine au cours de l'été 1926.

Idées et forces politiques dans les années 1920

La guerre a conforté le régime républicain, qui a démontré sa capacité à mener la nation au travers de difficiles épreuves. Mais les ambiguïtés du Bloc national et l'échec du Bloc des gauches montrent bien la persistance des clivages politiques traditionnels.

Les mouvements réactionnaires et antiparlementaires

La droite contre-révolutionnaire : l'Action française. — Une droite extrême perdure dans les années 1920, qui, prônant une restauration monarchique, met en cause la forme même du régime républicain, dont elle conteste la base fondamentale, la référence aux principes de la Révolution française, les droits de l'homme et la souveraineté de la nation. Fondée au printemps de 1905, la Ligue d'Action française s'est formée autour de la revue du même nom, apparue en juin 1899 à l'initiative d'un comité antidreyfusard. Portée par le courant nationaliste, elle s'est développée avant et pendant la guerre, à l'issue de laquelle un de ses chefs, Léon Daudet, est élu député à la Chambre bleu horizon.

La ligue, qui continue à se développer durant la première partie des années 1920, bénéficie du prestige intellectuel de son maître à penser, Charles Maurras, partisan d'une monarchie fondée sur la tradition sans référence à la souveraineté de la nation, d'une société formée de groupes organisés hiérarchiquement et non d'individus isolés abstraitement égaux, d'une nation cimentée par les coutumes, la langue, la religion, soucieuse de préserver son identité par l'exclusion des éléments étrangers difficilement assimilables. Cette doctrine, synthèse du royalisme et du nationalisme, est diffusée par l'organe du mouvement, *L'Action française*, devenu quotidien en 1908, qui tire à plusieurs dizaines de milliers d'exemplaires en 1919.

L'influence électorale du mouvement reste faible, son extension militante assez réduite, peut-être 30 000 (?) membres cotisants en 1924, mais il est présent en milieu étudiant, où les Camelots du Roi, l'organisation de choc du mouvement, se signalent par diverses manifestations et chahuts. S'il recueille des adhérents dans une fraction des classes moyennes, chez les militaires ou les commerçants notamment, son influence est nulle en milieu ouvrier. L'Action française vise surtout à influencer les esprits : outre le journal, fort bien écrit, d'autres organes, *Candide*, la *Revue universelle*, dirigés par Jacques Bainville, contribuent à la diffusion d'un état d'esprit favorable au maurrassisme, de même que la collection des « Grandes Etudes historiques » publiée chez Arthème Fayard.

Le mouvement qui ne cesse dans les années 1920 de surenchérir dans un sens nationaliste, voit son essor arrêté par ses démêlés avec l'Eglise catholique. Inquiet des fondements naturalistes de la doctrine de Maurras qui, reposant sur une méthode positiviste, écarte toute considération d'ordre surnaturel, et de son emprise sur la jeunesse, le pape Pie XI ordonne aux catholiques de rompre avec le mouvement en décembre 1926. Pour couper court à la résistance qui s'amorce, il assortit sa décision de sanctions disciplinaires en mars 1927, en interdisant l'accès des sacrements aux ligueurs obstinés. Ce conflit porte un rude coup à la ligue dont l'influence diminue à partir de la fin des années 1920.

La droite antiparlementaire. — Egalement situés à l'extérieur du système parlementaire, les représentants de la droite autoritaire et antiparlementaire, favorables à un pouvoir fort appuyé sur le peuple, figurent encore sur le spectre des forces politiques. Si les bonapartistes « purs » sont peu nombreux, les héritiers des ligues antidreyfusardes se manifestent de façon bruyante, surtout sous les gouvernements du Cartel des gauches. Issues de la vieille Ligue des patriotes de Déroulède, dont le général de Castelnau a pris la présidence après le décès de Barrès en 1923, les Jeunesses patriotes deviennent autonomes en décembre 1924, puis indépendantes en 1926, sous la direction de l'industriel et patron de presse Pierre Taittinger.

Les Jeunesses patriotes ont un uniforme (imperméable bleu et béret), une organisation paramilitaire, le goût des parades, défilés et rassemblements. Le mouvement ne se donne pas pour objectif l'action électorale, mais la démonstration de rues, tendant à dissuader, par l'étalage de « la machine de guerre nationale », toute tentative révolutionnaire. Il ne vise nullement à établir une dictature, mais prône un renforcement de l'exécutif, qui serait confié à un président de la République élu par un corps élargi, et dont les prérogatives seraient renforcées face à un Parlement dont les droits d'initiative et d'amendement seraient limités.

La ligue connaît un succès indéniable dans les grandes agglomérations et en milieu étudiant : le mouvement aurait compté plusieurs dizaines de milliers d'adhérents à la fin des années 1920 (100 000 en 1929 ?). Si certaines apparences ont pu faire évoquer le fascisme, le programme de Taittinger reste dans la tradition nationaliste et plébiscitaire. Les Jeunesses patriotes ne se développent d'ailleurs que par réaction aux gouvernements du Cartel, dont ils condamnent la faiblesse face au communisme et l'inefficacité devant la chute de la monnaie. A partir de 1926, sous l'ère poincariste, leur chef se rallie au sauveur du franc, montrant ainsi les limites de sa révolte antiparlementaire.

Plus originale et plus éphémère semble l'expérience du Faisceau (1925-1928). Son fondateur, Georges Valois, militant d'Action française, voit dans le fascisme italien une révolution d'origine populaire susceptible d'aboutir à une organisation sociale qui, fondée sur un système de corporations, permettrait de surmonter les conflits qui déchirent la société libérale. Financé par des hommes d'affaires qui voient en lui un moyen de défense contre le Cartel, le Faisceau connaît un certain développement, attirant quelques militants venus de la gauche socialiste et syndicaliste. Sa théorie d'un Etat antiparlementaire et corporatiste aux mains des combattants et des producteurs représenterait « un avatar modéré du fascisme, adapté au tempérament national français, petit-bourgeois » (Philippe Machefer). L'Union nationale porte en 1926 un coup mortel au Faisceau : les bailleurs de fonds se dérobent, les militants l'abandonnent. Peu d'entre eux avaient sérieusement adhéré à la doctrine du fondateur.

Les marges républicaines : catholiques et conservateurs

Les catholiques et la République. — Les catholiques ne forment nullement un groupe politique homogène. Avant la guerre, la lutte contre les lois laïques avait pu sembler un dénominateur commun à des groupes déjà très divers. L'Union sacrée, la politique du Bloc national et l'apurement du contentieux entre l'Eglise et l'Etat provoquent le ralliement d'une grande partie des catholiques à la République, même si de graves réserves subsistent à propos des lois laïques. D'autre part, les conceptions de Pie XI, élu pape en 1922, l'amènent à refuser de donner une caution quelconque à un mouvement politique particulier, l'essentiel pour lui n'étant pas d'occuper des positions du pouvoir, mais de promouvoir une action d'évangélisation de la société, au sein des divers mouvements d'action catholique.

Les catholiques sont donc dispersés au gré de la diversité des sensibilités. A l'extrême droite, une forte minorité d'entre eux adhère à l'Action française, au moins jusqu'à la condamnation de 1926-1927. Beaucoup de catholiques conservateurs, venus en grande partie de l'Action libérale populaire d'avant guerre, qui cesse toute activité dans les années 1920, rejoignent les rangs de la droite parlementaire, à l'URD et à la Fédération républicaine.

Une troisième fraction, promise à un grand avenir, moins importante alors que celle des catholiques conservateurs, est à l'origine d'un parti démocrate-chrétien, le Parti démocrate populaire (PDP), formé en septembre 1924. Le parti, fort de 10 000 militants à la fin des années 1920, présidé à partir de 1929 par Auguste Champetier de Ribes, dispose de 19 députés dans la Chambre de 1928, souvent élus dans l'Ouest. Le PDP accepte les institutions républicaines, qu'il propose de « démocratiser » encore en décentralisant et en assurant une représentation spécifique des intérêts économiques et sociaux. Favorable à un réformisme social qui prône les huit heures, les congés payés et les assurances sociales, il défend la politique extérieure de sécurité collective. Le PDP, par ses options, se situe de plain-pied dans le camp républicain, sans la moindre contestation possible.

Enfin, beaucoup plus à gauche, Marc Sangnier, fondateur du Sillon, condamné par Rome en 1911, puis de la Jeune République, favorable à un rapprochement avec la gauche laïque et socialiste, se fait dans les années 1920 l'apôtre de la réconciliation franco-allemande. Mais il reste minoritaire.

La droite parlementaire. — Forte de 104 députés en 1924 et 102 en 1928, recueillant 3 et 2,3 millions de voix lors de ces consultations, la droite parlementaire n'aura guère de représentants au pouvoir, sauf après 1926 et encore de façon très discrète. Issue à l'origine des républicains les plus modérés (« progressistes ») qui, en 1899-1900, avaient refusé de rallier le Bloc des gauches constitué pour faire pièce au péril nationaliste, elle s'est accrue d'un grand nombre de catholiques conservateurs, sans compter quelques éléments proches de la droite autoritaire (Taittinger siège dans ses rangs à la Chambre).

La droite parlementaire a pour expression politique dans le pays la « Fédération républicaine », créée sous l'égide de Jules Méline, chef des « progressistes », en 1903. Le parti regroupe des adhérents directs (2 300 notables en 1926) et des comités largement autonomes, structure commune aux formations modérées qui accentue la faible cohérence de l'ensemble. Dans les années 1920, respectueuse du parlementarisme dont son président, Louis Marin, est une incarnation, la droite parlementaire reste méfiante à l'égard du laïcisme républicain, par conviction religieuse ou par traditionalisme ; elle rejette facilement toute solution étatiste aux problèmes sociaux, qu'elle voudrait régler par des voies purement « civiles », et ne parvient pas à dégager une ligne nette en politique extérieure, une aile nationaliste (Marin, l'industriel de Wendel) s'opposant à une aile favorable au rapprochement franco-allemand et point très éloignée des démocrates-chrétiens. Ces contradictions font de la droite parlementaire une force dont le rôle politique n'est pas proportionné à son poids électoral qui reste considérable.

Les familles républicaines de gouvernement : modérés et radicaux

A ces groupes et formations s'applique pleinement l'étiquette « républicaine », si l'on place sous cette appellation les cinq composantes définies par Serge Berstein : la primauté de l'individu sur la société, la prépondérance du Parlement, la laïcité de l'école et de l'Etat, le souci de progrès social et le patriotisme défensif. Ils ont, d'autre part, vocation à occuper l'espace gouvernemental : modérés et radicaux fournissent massivement les présidents du Conseil et les ministres des années 1920.

Le centre droit. — Les républicains modérés occupent dans les années 1920 l'espace du centre droit. Ils sont les héritiers des modérés qui, devant le péril nationaliste, n'ont pas hésité à participer dans les premières années du siècle à un vaste rassemblement incluant, outre leurs propres troupes (dites des « républicains de gauche », le nom est resté, même si la configuration de l'hémicycle n'est pas la même), les radicaux et les socialistes, réunis sous l'égide d'un des leurs, René Waldeck-Rousseau, qui se proclamait « républicain modéré, mais non modérément républicain ». Sa force électorale équivaut à celle de la droite : plus de 2 millions de voix en 1928, soit près de 19 % des inscrits.

Les hommes du centre droit, Raymond Poincaré, Louis Barthou, Georges Leygues, ont, pour beaucoup, la nostalgie de la « grande armée républicaine », unie face à la réaction, essentiellement sur la base de la laïcité. Ils se séparent cependant des radicaux sur deux points essentiels. Bien qu'ils partagent avec ces derniers l'idéal d'une société de propriétaires indépendants, ils refusent l'intervention de l'Etat en matière sociale, la transformation de la société devant si possible venir du corps social lui-même. Cela les amène à refuser toute alliance avec le Parti socialiste, formation collectiviste dont le triomphe signifierait la ruine de l'ordre libéral. Leurs efforts tendent dès lors à empêcher tout rapprochement entre les radicaux et les socialistes.

La plupart sont regroupés dans un « parti de cadres », l'Alliance démocratique, dont la fondation remonte à 1901. Peu intéressée par une extension militante, celle-ci est avant tout un club de grands notables et une organisation électorale qui comptera à la fin des années 1930 seulement 24 000 affiliés. Les républicains modérés de gouvernement bénéficient prioritairement des fonds d'origine patronale distribués par l'Union des intérêts économiques.

Les radicaux. — Le Parti républicain radical et radical-socialiste, dont la création remonte au 22 juin 1901, s'identifiait au régime avant la guerre. Fidèle soutien de l'Union sacrée, en porte à faux sous le Bloc national, durement éprouvé par l'échec du Cartel, le parti recherche une formule qui lui permette de retrouver sa vocation d'incarnation de l'idéal républicain, alors que sa force électorale tend à stagner (1,6 million de voix en 1928).

Le parti, présidé par Edouard Herriot de 1912 à 1926, reste une formation qui recrute largement dans les classes moyennes indépendantes auxquelles appartiennent près de 80 % des délégués au Comité exécutif entre 1919 et 1939, répartis entre agriculteurs et entrepreneurs individuels, souvent d'origine modeste, et professions libérales (de très nombreux avocats et médecins) ; chez les parlementaires, ces derniers prédominent. Sa structure réserve une grande place aux notables et aux parlementaires, tout en préservant une impulsion démocratique venue des comités de base, qui s'exprime dans les congrès du parti.

Formation dont la vocation est le rassemblement à gauche, le Parti radical cherche dans les années 1920 un thème susceptible de le réaliser. La défense laïque paraît artificielle, l'impôt sur le revenu a été voté en 1914, l'idéal de petite propriété paraît figer le parti dans le conservatisme. Au sein du parti, cependant, agissent des forces de renouvellement. L'échec du Cartel amène l'apparition d'un courant novateur, les « Jeunes radicaux ». Favorables à un renforcement de l'exécutif et à une représentation des intérêts sociaux et économiques, ce qui les amène à se démarquer du parlementarisme classique, ils prennent en compte les évolutions sociales en cours, et se déclarent en conséquence favorables à une mainmise accrue de l'Etat sur l'économie, qui freinerait le pouvoir des féodalités économiques. Grâce à eux, Edouard Daladier, qui n'est pas des leurs, est élu président du Parti radical en 1927.

Les partis de la révolution sociale : socialistes et communistes

Le Congrès de Tours. — Le Parti socialiste a connu durant la guerre de vives discussions à propos de la participation à l'Union sacrée. Après l'armistice, la SFIO se divise sur l'appréciation à porter sur la révolution bolchevique et va seule à la bataille des législatives de novembre 1919, qui se soldent pour elle par un échec sans équivoque.

Cependant au début de 1920, le Parti socialiste doit trancher sur la question de l'adhésion à la IIIe Internationale créée par Lénine au début de 1919. Le Congrès de Strasbourg de février 1920 voit s'affronter les partisans d'une adhésion à la IIIe Internationale (un tiers des mandats environ), ceux d'un renouveau de la IIe Internationale avec rejet de la bolchevisation (Blum) et ceux d'un « centre », favorables à la « reconstruction » d'une Internationale par la fusion des éléments les plus à gauche de la IIe et des partisans de la révolution bolchevique. Deux des « reconstructeurs », le secrétaire général du parti Frossard et le directeur de *L'Humanité* Marcel Cachin, sont envoyés à Moscou pour négocier l'adhésion dans le courant de juin.

Les bolcheviks leur font part des 21 conditions requises pour être admis dans la IIIe Internationale. Le nouveau parti, qui s'intitulera désormais « communiste », sera organisé selon un modèle centralisé et discipliné ; un organisme central « exercera une autorité incontestée » sur les parlementaires, la presse du parti, les militants ; les décisions de l'Internationale seront pour lui obligatoires. Ce parti exclura les éléments réformistes, combinera les formes d'action légales et illégales, y compris la propagande parmi les troupes. Son action de noyautage s'exercera dans les syndicats ouvriers.

Le 26 décembre, après plusieurs mois de débats internes, le Congrès du Parti socialiste s'ouvre à Tours. Trois positions avaient été soumises aux militants, l'adhésion (Cachin et Frossard), l'adhésion avec réserves (Longuet), le refus (Blum). Les réserves portaient sur le droit d'expression des minorités dans le parti, les rapports parti-syndicat, les modalités d'action illégale. Au cours des débats, un télégramme de l'Internationale jette l'exclusive contre Longuet. Mais le 29, 69 % des délégués votent l'adhésion contre 22 % aux longuettistes, 8 % seulement s'abstenant à la demande de Blum.

La décision de Tours a été prise par une majorité de nouveaux militants, adhérents du lendemain de guerre, mus davantage par un réflexe sentimental que par un mouvement réfléchi. La révolution bolchevique était perçue comme le premier exemple mondial de pouvoir prolétarien : les militants estimaient donc pouvoir passer sur des modalités qui leur paraissaient secondaires. Comme devait l'écrire Frossard : « Les masses ouvrières se tournèrent vers Moscou comme vers la ville sainte du socialisme... (C'était) son prodigieux rayonnement qui réchauffait les cœurs. »

Le Parti socialiste SFIO. — Les minorités longuettiste et blumiste, représentant quelque 40 000 adhérents, contre 120 000 au nouveau Parti communiste, décident de conserver la dénomination « SFIO », qui désignait, selon l'expression de Blum, « la vieille maison », à qui restent fidèles la majorité des parlementaires, un grand nombre d'élus locaux et le journal *Le Populaire*.

Au cours des années 1920, le parti procède à une reconstruction organisationnelle et électorale. La SFIO, qui comprend 110 000 militants dès 1925, est dirigée conjointement par le longuettiste Paul

Faure, secrétaire général, et par Léon Blum, secrétaire du groupe parlementaire et éditorialiste du *Populaire*. Elle garde sa structure décentralisée et démocratique qui tolère une grande autonomie des fédérations départementales et l'expression des tendances. Ses progrès électoraux sont certains : avec 1,7 million de voix en 1928, il dépasse le Parti radical. Parti d'employés, de petits fonctionnaires, d'enseignants, il est populaire beaucoup plus qu'ouvrier, remplaçant d'ailleurs parfois le Parti radical sur ses terres traditionnelles des midis languedocien et provençal.

La SFIO, parti intégré au système parlementaire par ses alliances électorales, maintient toutefois avec soin son identité révolutionnaire, sans doute sous la pression de ses militants, beaucoup plus intransigeants que ses élus et ses parlementaires, que préoccupent les réactions des électeurs. Sa doctrine se renouvelle peu et le parti refuse à plusieurs reprises, en 1924-1925, la participation offerte par le Parti radical. Blum, en janvier 1926, pose alors la distinction entre la conquête et l'exercice du pouvoir. La première, souhaitable, mais éloignée, suppose la prise totale du pouvoir politique par le prolétariat et le changement du régime de propriété. L'exercice du pouvoir, envisageable si la SFIO est devenue la première composante de la gauche, amènerait le Parti socialiste à assumer dans le cadre capitaliste la gestion loyale de la société bourgeoise, mais en assurant au mieux les intérêts de la classe ouvrière. Cette doctrine allait encore prédominer dans les années 1930.

Le Parti communiste. — Le parti, né à Tours dans la confusion et l'ambiguïté, allait se transformer très vite.

De 1920 à 1924, c'est la phase de l'épuration du nouveau parti, encore proche malgré tout de l'ancienne SFIO par le personnel comme par le mode de pensée. Fin 1922, Moscou exige l'exclusion des francs-maçons et des membres de la Ligue des droits de l'homme jugés trop proches des socialistes. Frossard démissionne en janvier 1923. Le parti s'engage alors dans une vigoureuse campagne contre l'occupation de la Ruhr ; ses militants se lancent dans l'action illégale, appelant les soldats français à fraterniser avec les prolétaires allemands ; la répression qui suit renforce son unité et empêche sa dislocation.

A partir de 1924 commence la phase de bolchevisation. Le parti change de structure, adoptant le système de la cellule d'entreprise pour renforcer l'implantation en milieu ouvrier et éviter les « contaminations » qui pourraient résulter du maintien de la section locale (sur la base du domicile). Il adopte le fonctionnement centralisé défini par les 21 conditions et, surtout, constitue un noyau de « permanents » — les « révolutionnaires professionnels » du léninisme — formés à l'école des cadres de Bobigny, avec, pour les futurs dirigeants, stage complémentaire à Moscou. Les effectifs, largement renouvelés, formés d'éléments jeunes et ouvriers, diminuent de façon notable, passant de 120 000 à 55 000 en 1926.

Combinant l'action illégale — le parti lance en 1925 une grande campagne contre la guerre coloniale du Rif — et légale, il se forge une base électorale aux élections de 1924 (800 000 voix) et de 1928 (1 million de voix), dans les zones ouvrières (banlieue parisienne, avec des mairies comme Saint-Denis et Ivry), mais aussi en milieu rural (ouest du Massif central, Sud-Ouest). Il a peu d'élus, le parti refusant tout accord avec les socialistes, en application de la doctrine « classe contre classe », mais il dispose de relais par des organisations proches, la CGTU en milieu ouvrier, le Secours rouge, l'Association républicaine des anciens combattants.

La bolchevisation, menée brutalement par Albert Treint jusqu'en 1926, puis par Henri Barbé, Pierre Célor et Maurice Thorez, se termine par l'exclusion des trois premiers, accusés de « sectarisme gauchiste » quand l'Internationale décide de stabiliser la situation. Quand Thorez est nommé secrétaire du bureau politique en juillet 1930, le parti compte 30 000 membres. Par sa structure et ses méthodes, calquées sur le modèle soviétique, par son caractère messianique et « sectaire » — au sens étymologique —, il représente alors un phénomène radicalement nouveau, unique dans l'histoire politique française et, au début des années 1930, fort mal assimilé par la classe ouvrière, au sein de laquelle son influence reste encore marginale.

La scission du Parti socialiste accentue les tensions au sein du syndicalisme. Les communistes, alliés aux syndicalistes révolutionnaires, se regroupent au début de 1921 dans des Comités syndicalistes révolutionnaires. Inquiète de la progression de leur influence, la direction de la CGT s'emploie à les faire exclure. En décembre 1921, prenant les devants, les minoritaires créent une nouvelle confédération : la Confédération générale du travail unitaire (CGTU). Désormais, une lutte acharnée allait opposer les « unitaires », proches des communistes, et les « confédérés » de la CGT qui, sous la direction de Jouhaux, évoluent vers un réformisme modéré, tout en observant une distance prudente à l'égard du Parti socialiste.

L'Union nationale et la recherche d'une modernité républicaine (1926-1931)

L'échec du Cartel des gauches entraîne le retour de la seule formule qui reste possible, la concentration républicaine, largement souhaitée du reste chez une grande partie des radicaux. Seul à même de la réaliser, Raymond Poincaré est appelé par le président de la République, quelques heures après la chute du deuxième gouvernement Herriot, dans la nuit du 21 au 22 juillet 1926.

L'Union nationale (1926-1928)

Poincaré et l'Union nationale. — Vieux républicain, ministre pour la première fois trente-trois ans plus tôt, promoteur de l'Union sacrée, auteur du « Verdun financier » de 1924, Raymond Poincaré, qui s'est soigneusement tenu à distance de Millerand, rassure les patriotes, les épargnants et les laïques. Le gouvernement qu'il forme comprend sur 13 ministres, 7 membres de l'ancienne majorité, dont 2 républicains socialistes (Briand aux Affaires étrangères, Painlevé à la Guerre) et 3 radicaux-socialistes (dont Albert Sarraut à l'Intérieur et Herriot à l'Instruction publique). Cinq portefeuilles sont réservés aux modérés (dont Barthou, Leygues, André Tardieu). Un seul est attribué à la droite, celui des Pensions, confié à Louis Marin, président de l'URD. A la Chambre, une très forte majorité (358 voix contre 131) appuie le nouveau gouvernement qui ne rencontre d'opposition déclarée que chez les socialistes et les communistes, une fraction des radicaux manifestant sa réticence par son abstention.

La stabilisation financière. — Les problèmes monétaires et financiers se trouvaient à l'origine de la chute du Cartel et du retour de Poincaré. Pour l'opinion publique le ministère d'Union nationale doit se donner pour première tâche la défense de la monnaie et le retour à l'équilibre financier. Poincaré oriente son action dans deux directions, l'assainissement financier et la redéfinition de la valeur de la monnaie.

Pour mener à bien la première de ces tâches, il augmente les recettes budgétaires par l'accroissement des impôts indirects (droits sur les boissons, transports, automobiles), complété par la création d'une taxe de mutation sur le capital immobilier, qui frappe plus particulièrement les classes moyennes, tout en allégeant la fiscalité sur les revenus, pour favoriser le rapatriement des capitaux. Une réforme administrative supprime des centaines de postes de fonctionnaires devenus inutiles. L'amortissement de la dette publique est confié à une caisse autonome dotée de ressources propres (bénéfices des tabacs, notamment) — ce qui devrait la mettre à l'abri des brusques crises de confiance des porteurs — et dont l'existence est inscrite dans la Constitution.

La définition de la valeur de la monnaie soulève les plus vives discussions. Sans doute, sur le marché des changes, la formation du nouveau gouvernement entraîne-t-elle aussitôt une remontée de la devise nationale : le 23 juillet, la livre est à 200 F ; en décembre à 125. A cette date, la Banque de France décide d'acheter la livre au cours de 124 F, mais aucune décision légale n'est encore prise sur la fixation officielle de la valeur du franc, qui reste théoriquement inchangée (322,5 mg d'or fin).

Un long débat oppose les « revalorisateurs », partisans d'un retour à cette valeur, aux « stabilisateurs » qui estiment nécessaire de prendre acte de la dépréciation survenue depuis l'avant-guerre, environ les quatre cinquièmes par rapport à 1914. Les premiers mettent l'accent sur la nécessité de restaurer le crédit public ; les seconds sur les difficultés considérables qu'entraînerait une revalorisation des créances, alors que la situation financière de l'Etat est en voie d'amélioration, et sur la gêne causée à l'exportation par le renchérissement des produits nationaux qui en résulterait inévitablement, comme le démontrait nettement l'exemple britannique.

Poincaré, favorable en bon juriste à la revalorisation, hésite, puis se rend aux arguments des stabilisateurs. Promulguée après les élections, la loi monétaire du 25 juin 1928 fixe le « poids du franc » à 65,5 mg d'or, c'est-à-dire 125 livres. Pour renforcer la confiance, la convertibilité est théoriquement rétablie, mais l'échange ne peut porter que sur des lingots d'or — et non des pièces — pour un montant très élevé (215 000 F), hors de portée du Français moyen.

L'opération de 1926-1928 correspond donc à une dévaluation de 80 %, qui aboutit pour les créanciers de l'Etat à une perte de près de 1 000 milliards de francs 1929 (le revenu national se monte alors à 285 milliards). Malgré le triple avantage qu'elle présente en allégeant la dette publique, en restaurant le crédit public par la fixation d'une nouvelle valeur, en facilitant les exportations par le choix d'un cours volontairement bas par rapport au dollar et à la livre, elle ruine définitivement tout espoir de retour à l'avant-guerre sur le plan monétaire. Elle n'en renforce pas moins l'image de Poincaré, stabilisateur et restaurateur du crédit public, dont l'action est massivement approuvée par le Parlement et la majeure partie de l'opinion.

La recherche d'une formule politique (1928-1931)

Les élections de 1928 et la fin de l'Union nationale. — A l'approche des élections se trouve à nouveau posé le problème du mode de scrutin. Si la droite et le centre droit sont favorables au maintien du système en place, les radicaux, appuyés par les socialistes, réclament avec insistance le rétablissement du scrutin uninominal. Poincaré, désireux de maintenir la formule d'Union nationale, cède à leurs sollicitations, et ne s'oppose pas au projet défendu par Albert Sarraut, ministre radical de l'Intérieur, adopté par la Chambre en juillet 1927 malgré l'opposition de la droite. Tirant les conséquences de ce rétablissement, les congrès des partis, radical et socialiste, appellent à un désistement au second tour en faveur du candidat de gauche le mieux placé sans que, pour autant, les radicaux rejettent la participation à l'Union nationale, dont nombre de leurs candidats soulignent la réussite financière.

Si les résultats du premier tour sont favorables à la gauche, avec 4,8 millions de voix contre 4,5 à l'ensemble des droites, les mauvais reports des électeurs radicaux sur les candidats socialistes et l'attitude d'isolement du Parti communiste entraînent au second tour un succès pour les droites.

Répartition de la Chambre de 1928, sur 606 sièges :

Union nationale théorique 494 (4)	Majorité des droites 323	— Non inscrits	37
		— Droite (URD)	102
		— Centre droit (1)	130
		— Radicaux indépendants (2)	54
	— Radicaux et républicains socialistes (3)		171
	SFIO		100
	PC		12

(1) Le centre droit laïque est divisé en trois groupes, les démocrates-chrétiens ont 19 sièges.

(2) Groupe de la « Gauche radicale ».

(3) Le groupe radical compte 125 membres.

(4) La majorité théorique d'Union nationale avec les radicaux se monterait à 494, mais 460 candidats seulement se sont réclamés de Poincaré dans leur profession de foi.

Fort de ces résultats, Poincaré reconduit le gouvernement d'Union nationale et procède à la stabilisation légale du franc. Mais ces élections, si elles représentent un triomphe pour le vieil homme d'Etat, se sont déroulées dans la plus grande ambiguïté. La position des radicaux dont la majorité se réclame officiellement de Poincaré, alors que 86 d'entre eux ont dû leur élection à un apport socialiste, voire communiste, de second tour, devient de plus en plus difficile. Le recul électoral du parti au premier tour, qui l'amène à un niveau légèrement inférieur à celui de la SFIO, accentue la crise dans laquelle il est plongé. Edouard Daladier, porté à sa présidence avant les élections, réclame le retour à l'union des gauches, contre Herriot qui la refuse. Tirant parti d'un projet de Poincaré sur l'autorisation de congrégations missionnaires et l'affectation aux associations diocésaines de biens du culte confisqués, mais non encore affectés, le congrès radical d'Angers, en novembre 1928, condamne le principe de l'Union nationale, entraînant le départ des radicaux du gouvernement.

Appelé par le président de la République à former un nouveau cabinet, Poincaré ne l'élargit pas sur la droite. Ce sont pour la plupart des républicains socialistes amis de Briand et Painlevé qui prennent la relève. Mais dans le courant du premier semestre 1929, il doit renoncer définitivement à son désir d'associer au gouvernement les radicaux, dont l'opposition se fait de plus en plus dure ; fin juillet, il démissionne pour raisons de santé. Son départ marque la fin d'une époque. Briand, président du Conseil pour la onzième fois, tente de poursuivre la formule poincariste en reconduisant le même gouvernement ; il tombe en octobre 1929, victime de la gauche et d'une partie de l'URD, hostile à sa politique étrangère. Il ne devait plus retrouver la fonction de chef du gouvernement, mais garder les Affaires étrangères jusqu'au début de 1932.

Tardieu et Laval (1929-1931). — De la chute de Briand à la fin de la législature, la Chambre donne une apparence de stabilité avec une majorité de droite dominée par le centre droit qui investit trois fois André Tardieu (novembre 1929, mars 1930, février 1932) et Pierre Laval (janvier 1931, juin 1931, janvier 1932). En fait, cette combinaison reste marquée par la persistance de la notion de concentration républicaine. Une fraction du centre, la Gauche radicale, reste favorable à la formule d'alliance des radicaux et des républicains du centre droit ; le Sénat, où les radicaux occupent de fortes positions, tout en refusant la solution cartelliste, n'accepte pas l'existence d'une majorité de droite. La première fait tomber Tardieu en février 1930, le second en décembre, sans que les radicaux pressentis pour le remplacer puissent parvenir à leurs fins.

Tardieu tente de promouvoir sa grande idée, la constitution d'un grand parti conservateur à l'anglaise, qui, regroupant face aux collectivistes les partisans d'une économie libérale gérée de manière moderne, inclurait les gros bataillons du centre droit, de la droite et des radicaux. Elle ne recueille pas l'écho qu'il en attendait : les radicaux redoutent sa tendance à l'autoritarisme technocratique, la droite se méfie de ses tendances « modernisatrices », ni les uns ni les autres n'apprécient le Parisien brillant et sûr de lui. Son échec devait l'amener dans les années 1930 à devenir un chaud partisan de la réforme constitutionnelle.

Son successeur, Pierre Laval, ancien socialiste devenu président du Conseil sous une majorité de centre droit, bien différent à tous égards, d'origine modeste, habile manœuvrier qui a percé grâce à Briand, tente alors de contourner l'obstacle radical en proposant en février 1932 l'établissement du scrutin uninominal à un tour, favorable aux formations modérées. Il est renversé à quelques semaines des élections.

L'économique et le social : tradition républicaine et modernité économique

Le « modèle républicain » comportait un volet social : il s'agissait de favoriser l'avènement d'une société d'hommes libres, travailleurs indépendants et petits producteurs, entre lesquels se noueraient des liens d'entraide et de solidarité. A cet égard, nulle rupture entre le Cartel des gauches et l'Union nationale. Serge Berstein a montré la permanence du projet républicain parfois mis en œuvre par les mêmes hommes, puisque aussi bien il n'y a pas solution de continuité entre les deux formules.

La promotion individuelle par l'excellence scolaire, particulièrement prisée par les républicains, fait l'objet de mesures inspirées par le projet radical, dit de l'école unique, d'unification du cycle d'enseignement primaire, jusque-là séparé en deux filières étanches, l'une « populaire », qui trouvait son terme à l'issue de l'école primaire supérieure, l'autre « élitiste » — et payante — menant au lycée et au baccalauréat. A l'époque du Cartel, Herriot avait préparé leur harmonisation, qu'il mène à bien sous l'Union nationale en unifiant les programmes et les personnels et en introduisant dans la loi des finances pour 1928 la gratuité de l'enseignement en sixième, étendue à l'ensemble du secondaire sous Tardieu.

La solidarité fait l'objet de deux lois essentielles. Sous le Bloc national avait été envisagée l'institution d'un système d'assurances sociales qui faisait défaut à la France. En avril 1928, Poincaré fait aboutir un projet instituant un système de couverture des risques dus à la maladie, la maternité, l'invalidité, le décès, la vieillesse, par des cotisations patronales et ouvrières, gérées par des caisses qui devraient passer des accords avec des groupements de médecins. Définitivement adoptée en 1930, la loi sur les assurances sociales rencontre les réserves de la droite anti-étatiste qui souhaite un système organisé dans le cadre de la profession.

Ces mesures, fidèles à l'état d'esprit républicain, préoccupé de solidarité, préparent un certain type de modernité, tout en conservant une inspiration individualiste. Un accueil beaucoup plus mitigé est réservé en revanche à la tendance « néo-capitaliste » qui prône la concentration et la rationalisation à l'américaine. Un mouvement inspiré par cette préoccupation, le Redressement français de l'industriel Ernest Mercier, ancien membre du cabinet de Loucheur favorable à une transformation des structures politiques par le renforcement de l'exécutif, qui serait partiellement confié à des « techniciens », ne recueille guère de succès quand il prédit la disparition de la petite entreprise.

Au pouvoir, Tardieu se présente comme le porteur de cette modernité. Il vante la rationalisation et la concentration, l'intervention de l'Etat devant favoriser ces évolutions génératrices de progrès social, grâce à une négociation qui s'établirait directement, sans passer par le Parlement, entre les pouvoirs publics et les grands groupes d'intérêts. Mais il y a loin de ces intentions à la réalité : le plan d'outillage national qu'il propose en 1929, destiné à l'agriculture, aux travaux publics et aux dépenses sociales, est un projet d'équipement classique qui favorise les campagnes. Une partie de la droite l'accuse de dilapider les excédents de trésorerie affectés à son financement, les radicaux le soupçonnent de vouloir pratiquer le clientélisme traditionnel grâce à la manne publique. Dans le courant de 1931, la Chambre vote les crédits demandés par Tardieu dans un contexte qui a évolué : l'économie française est entrée dans la crise.

La continuité de la politique extérieure (1924-1931)

La politique extérieure de la France, mise en œuvre tout au long des années 1920, ne connaît pas de rupture entre la période du Cartel des gauches et celle de l'Union nationale.

Herriot, dès l'été 1924, puis Briand, à partir de 1925, inaugurent une nouvelle ère diplomatique, fondée sur la conciliation avec l'Allemagne, dans le but d'obtenir une partie au moins des réparations, avec l'appui allié. Leurs efforts aboutissent au plan Dawes qui assure des versements diminués, pour 1924-1929, et au plan Young de 1929 qui prévoyait des versements jusqu'en 1988 ! Mais, pour eux, la grande affaire est la sécurité. Herriot propose à la Société des Nations, en septembre 1924, un système d'arbitrage obligatoire, assorti de sanctions contre un éventuel agresseur. Briand poursuit dans cette voie de la sécurité collective en lançant un pacte de renonciation à la guerre (pacte Briand-Kellogg de 1928) et l'idée d'une fédération européenne, qui permettraient d'enserrer l'Allemagne dans un réseau d'accords internationaux. La négociation bilatérale lui permet, d'autre part, d'obtenir de l'Allemagne la reconnaissance de ses frontières occidentales par le traité de Locarno (1925). L'année suivante, l'admission de l'Allemagne à la SDN consacre le triomphe du briandisme.

Le locarnisme et l'esprit de Genève procèdent sans doute d'une philosophie généreuse de recours à l'arbitrage. Mais ils sont surtout la conséquence du constat de faiblesse de la France, établi par Briand comme par Herriot. La stratégie militaire de la France, définie par le maréchal Pétain, vice-président du Conseil supérieur de la guerre de 1920 à 1931, essentiellement défensive, économe du sang des soldats, ne permet pas d'asseoir la sécurité du pays sur des alliances extérieures qu'il serait bien difficile d'honorer le cas échéant. Aussi les traités signés avec la Pologne (1921 et 1925) et la Tchécoslovaquie (1925) ont-ils toute chance de rester théoriques. Ce point de vue recueille l'approbation du personnel politique et de l'opinion, désireux d'éviter à tout prix le renouvellement de l'hécatombe, d'autant que la natalité française reste très basse. Le service militaire est donc réduit à dix-huit mois en 1923, puis à un an en 1928, par une forte majorité des députés, cependant qu'en 1929 est commencée l'édification de la ligne Maginot.

Le briandisme recueille une assez large approbation dans les milieux politiques et l'opinion. Les radicaux l'approuvent, le centre droit et Poincaré lui-même entrent dans ses vues, dans la mesure où cette politique conciliante permet d'obtenir partiellement gain de cause sur les réparations. Le rapprochement franco-allemand des années 1926-1929 trouve un certain écho dans les milieux d'affaires : un « comité franco-allemand de documentation et d'information », créé en 1926, se donne pour but une meilleure connaissance réciproque des deux nations. L'opinion publique y voit surtout un signe de consolidation de la paix. Au total les adversaires de Briand, s'ils sont virulents, sont peu nombreux : l'Action française et une fraction de la Fédération républicaine, autour de son président Louis Marin, se déchaînent contre lui, mais restent minoritaires.

Cette politique coïncide avec la phase de prospérité. La crise des années 1930 allait balayer les illusions fondées sur la sécurité collective et mettre fin au climat conciliant qui avait prévalu de 1925 à 1929.

En apparence, les années 1920 aboutissent à la restauration de la situation d'avant-guerre. Le ralliement des catholiques et des conservateurs, la mise hors de cause des lois de laïcité, le prolongement de l'Union sacrée autour de la défense de la monnaie, le rassemblement autour de Raymond Poincaré, synthèse vivante de la République parlementaire, tout autant que le faible écho rencontré par les campagnes des adversaires de cette dernière, pourraient même faire croire à un renforcement du régime. Les lois sociales fondées sur la promotion et la solidarité, inspirées par les radicaux et votées par les modérés, semblent conforter ce point de vue.

Cependant, si le système montre encore une remarquable capacité d'adaptation et se révèle partiellement capable de satisfaire les aspirations de l'opinion au retour de l'âge d'or de la Belle Epoque, il est affecté par deux types de déséquilibres. L'un de nature politique : la présence quasi permanente de conservateurs dont la majorité aboutit à contrarier la formule de concentration regroupant le centre droit et les radicaux, plaçant le Parti radical devant le dilemme décrit par Serge Berstein : ou faire de la solidarité avec la gauche « le point d'ancrage essentiel », mais en s'alignant sur les vues socialistes, ou devenir « le ciment d'une force politique de centre droit », mais en renonçant alors à sa nature de parti fédérateur des classes moyennes et des classes populaires, qui avait été à l'origine de son succès.

Ce déséquilibre en cache un autre, d'ordre social : les classes moyennes, au moins pour ce qui concerne les producteurs indépendants et les rentiers, base sociale du régime, sont affaiblies aussi bien par la guerre que par l'évolution à long terme. Seules, la faiblesse du capitalisme français, qui freine l'émergence d'un courant technocratique et d'une droite « modernisatrice », la division du mouvement ouvrier, dont les querelles intestines absorbent toutes les énergies, et l'emprise sur les esprits du modèle social républicain permettent de dissimuler ce phénomène essentiel.

Enfin, dans le domaine extérieur, le patriotisme défensif d'avant 1914, appuyé sur la nation armée et les systèmes d'alliance, évolue vers la conciliation internationale et la sécurité collective. Le briandisme, qui, après la mort de son fondateur en 1932, se transformera aisément en pacifisme, est le fruit de l'hécatombe et du refus de la guerre, considérée désormais comme le mal absolu. Ce fait allait peser lourd durant les années 1930.

BIBLIOGRAPHIE

Agulhon Maurice, *La République*, t. 1 : *1880-1932*, « Pluriel », 1992.

Becker Jean-Jacques, Berstein Serge, *op. cit.* au chapitre 1.

Berstein Serge, *Histoire du Parti radical*, 2 vol., Presses de la Fondation nationale des sciences politiques, 1980-1982.

Berstein Serge, *Edouard Herriot ou la République en personne*, Presses de la Fondation nationale des sciences politiques, 1985.

Berstein Serge, Rudelle Odile, *Le modèle républicain*, PUF, 1992.

Brunet Jean-Paul, *Histoire du PCF*, PUF, 1982.

Brunet Jean-Paul, *Histoire du socialisme en France (de 1871 à nos jours)*, PUF, 1989.

Duby Georges, Wallon Armand (sous la direction de), *op. cit.* au chapitre 1.

Dupâquier Jacques (sous la direction de), *Histoire de la population française*, t. 4 : *De 1914 à nos jours*, PUF, 1988.

Goguel François, *La politique des partis sous la IIIe République*, Le Seuil, 1946.

Jeanneney Jean-Noël, *L'argent caché. Milieux d'affaires et pouvoirs politiques dans la France du vingtième siècle*, Le Seuil, 1984.

Jeanneney Jean-Noël, *Leçon d'histoire pour une gauche au pouvoir. La faillite du Cartel (1924-1926)*, Le Seuil, 1977.

Kriegel Annie, *Le Congrès de Tours (1920). Naissance du PCF*, Gallimard-Julliard, 1964.

Kuisel Richard, *op. cit.* au chapitre 1.

Lefranc Georges, *Le syndicalisme en France*, PUF, 1971.

Lefranc Georges, *Le Mouvement socialiste sous la IIIe République (1875-1940)*, Payot, 1963.

Lequin Yves (sous la direction de), *Histoire des Français, dix-neuvième et vingtième siècles*, 2 t., Armand Colin, 1983-1984.

Mayeur Jean-Marie, *op. cit.* au chapitre 1.

Mayeur Jean-Marie, *Des partis catholiques à la démocratie chrétienne (dix-neuvième et vingtième siècles),* Armand Colin, 1980.
Miquel Pierre, *Poincaré,* Fayard, 1961.
Monnet François, *Refaire la République. André Tardieu, une dérive réactionnaire (1876-1945),* Fayard, 1993.
Moulin Annie, *Les paysans dans la société française de la Révolution à nos jours,* Le Seuil, 1988.
Prost Antoine, *Les anciens combattants et la société française,* 3 vol., Presses de la Fondation nationale des sciences politiques, 1977.
Rémond René, *Les droites en France,* Aubier, 1982.
Sauvy Alfred, *Histoire économique de la France entre les deux guerres,* Fayard, 1965-1967.
Weber Eugen, *L'Action française,* rééd., Fayard, 1985.
Willard Claude, *Socialisme et communisme français,* Armand Colin, 1978.
Zéraffa-Dray Danièle, *D'une République à l'autre, 1918-1958,* Hachette, 1992.

3. La France de l'entre-deux-guerres. Culture et société

La première guerre mondiale, on l'a vu, a eu des effets différentiels sur la société française : toutes les catégories qui composent cette dernière n'ont pas enregistré les mêmes retombées. Bien plus, si, dans le domaine du comportement collectif, les effets induits par la guerre sont indéniables et durables, la morphologie même de la société française connaît après 1919 une évolution qui s'était amorcée avant 1914. De surcroît, cette évolution est progressive et, globalement, l'adéquation entre la société et la sphère politique ainsi que le consensus sur les institutions — deux éléments d'équilibre qui contribuent à ce que l'historien américain Stanley Hoffmann a appelé la « synthèse républicaine » — se trouvent maintenus. Somme toute, malgré l'ébranlement profond entraîné par la guerre, les équilibres de l'avant-guerre semblent maintenus : ce qui, du reste, contribuera à entretenir l'idée d'un retour possible à l'avant-guerre, promu, de ce fait, au statut enjolivé par la mémoire — et donc relevant en partie du mythe — de « Belle Epoque ». Cela dit, en profondeur, et dans tous les domaines, cette apparence du temps retrouvé est largement une illusion : les ferments de changement sont à l'œuvre.

D'autant que la crise des années 1930 viendra frapper cette société française, pour laquelle ces années 1930 prennent donc, rétrospectivement, l'apparence d'une sorte d'entre-deux, entre la double onde de choc de la guerre puis de la crise et la double secousse de la défaite de 1940 et de la période de l'Occupation. Entre-deux, aussi, dans le domaine culturel, car durant cette période s'observe le début de la montée en puissance d'une « culture de masse ».

La société française des années 1920 : le temps retrouvé ?

Les années 1920 ont parfois été baptisées les « Années folles » : les modifications entraînées par la guerre dans certains domaines du comportement collectif — la place sociale de la femme, la proclamation d'une certaine liberté sexuelle, par exemple dans *La garçonne* de Victor Margueritte —, un moment avivées par les phénomènes classiques de défoulement dans les lendemains de guerre, la griserie de la musique et de la vitesse — ainsi, dans les romans de Paul Morand —, autant d'éléments — relevant, en fait, largement du cliché — qui sont à l'origine d'une telle étiquette.

Par-delà la part de vérité qu'elle recèle, cette étiquette ne doit pas dissimuler l'essentiel : les « Années folles » sont aussi des années de retour à l'équilibre, avec une certaine langueur démographique, une société encore largement paysanne et dans laquelle domine la moyenne exploitation familiale, et sur le plan politique un « modèle républicain » sorti apparemment renforcé de la guerre.

La langueur de la démographie

A la veille de la première guerre mondiale, le taux de natalité était de 19 ‰ et le taux de mortalité de 18,1 ‰. Le taux d'accroissement naturel restait donc très faible, à la différence, par exemple, de l'Allemagne ou du Royaume-Uni. Après le rattrapage de l'immédiat après-guerre (19,7 ‰ de moyenne annuelle pour la période 1920-1925), le taux de natalité va d'abord retrouver à peu près son niveau d'avant guerre (une moyenne annuelle de 18,2 ‰ pour 1926-1930), avant de connaître un recul marqué au fil de la décennie suivante :

Années	*Taux de natalité (moyenne annuelle)*
1920-1925	19,7 ‰
1926-1930	18,2 ‰
1931-1935	16,2 ‰
1936-1938	14,8 ‰

Certes, on observe un recul concomitant du taux de mortalité, mais le croît naturel se retrouvera tout de même négatif dans la deuxième partie des années 1930. Déjà, en 1929, l'accroissement annuel avait enregistré un déficit de 9 000 unités. A partir de 1935 et jusqu'à la guerre, ce déficit est observé chaque année : 19 000 en 1935, 11 000 en 1936 et 1937, 35 000 en 1938 et 1939.

Années	*Taux de mortalité (moyenne annuelle)*
1921-1925	17,2 %
1926-1930	16,8 %
1931-1935	15,7 %
1936-1938	15,2 %

A la différence de l'avant-guerre, il est vrai, la baisse de la natalité n'est plus une spécificité française : si le nombre moyen des naissances annuelles en France passe de 750 000 au cours des années 1920 à 612 000 au fil de la décennie suivante, la décrue est, en proportions, du même ordre aux Etats-Unis, les naissances passant de 3 millions à moins de 2,4 millions, soit une baisse d'un cinquième. Au milieu de la décennie, le taux de fécondité est de 2,18 aux Etats-Unis, 2,06 en France, 1,72 en Grande-Bretagne.

Les conséquences de cette langueur démographique au fil de l'entre-deux-guerres sont d'une part le vieillissement de la population française, d'autre part une augmentation très lente de la population : celle-ci gagne 2,7 millions de personnes de 1921 à 1936, et la hausse est largement due à l'immigration :

1911	1 160 000	étrangers, soit	2,8 %	de la population totale
1919	1 417 000	—	3,7 %	—
1921	1 532 000	—	3,9 %	—
1926	2 409 000	—	6 %	—
1931	2 715 000	—	7,1 %	—

L'urbanisation progressive

Le recensement de 1931 est important dans l'histoire sociale française : à cette date, pour la première fois, la population urbaine, avec 51,2 % de la population totale, l'emporte sur la population rurale. Vingt ans plus tôt, en 1911, cette population urbaine représentait 44 % de l'ensemble.

Il convient toutefois d'affiner l'analyse et, sinon de relativiser, du moins de nuancer la vision d'une France urbaine prédominante dès cette date :

— Il faut, tout d'abord, rappeler le caractère plus lent et plus tardif en France de ce phénomène d'urbanisation, par rapport aux autres pays industrialisés. Le processus qui conduit, en 1931, au constat d'une population urbaine l'emportant sur la population rurale est le produit d'une évolution continue qui, pour avoir été soutenue, a connu toutefois un rythme beaucoup moins rapide que dans la plupart des autres pays industrialisés. Le tableau qui suit rend compte du rythme français :

Population urbaine en France (% de la population totale)

1846	24,4	1946	53,2
1881	34,8	1954	56,0
1906	42,1	1962	61,6
1936	52,4	1982	73,4

(Source : INSEE, *Annuaire 1966,* p. 23.)

En raison de ce rythme plus lent, le passage, pour la population urbaine, du cap des 50 % de la population totale est plus tardif en France : il a lieu entre le recensement de 1926 et celui de 1931, alors qu'un tel passage s'est effectué en Angleterre dès le milieu du XIXe siècle et en Allemagne en 1890. Et, à la veille de 1914, ce taux de population urbaine atteint 45 % environ en France (44 % au recensement de 1911), 62 % en Allemagne et 75 % en Angleterre.

— D'autre part, la Statistique générale de la France considère, dans ses séries, et comme le fera ensuite jusqu'en 1962 son successeur l'INSEE, que la population urbaine est celle représentant plus de 2 000 habitants agglomérés au sein d'une commune. Une telle définition, si elle permet notamment une mise en perspective chronologique — cette définition prévaut depuis 1846 — et constitue de ce fait une source précieuse pour l'histoire sociale, présente aussi des limites évidentes. Quoi de commun, en effet, entre un gros bourg, qui est *de facto* englobé dans la population urbaine et une ville de 30 000 habitants ou, *a fortiori,* une ville plus importante ?

— Il faut, de surcroît, considérer que si l'on observe non plus la répartition villes-campagnes au sein de la population totale, mais la place du secteur primaire — avec, il est vrai, une marge d'incertitude, certains auteurs y incluant les industries extractives — au sein de la population active, force est de constater que les paysans continuent à constituer, au début des années 1930, le groupe social le plus étoffé : avec leurs familles, ils représentent alors 14 millions de Français.

	1906	1926	*1931*
Secteur primaire	43 %	39 %	36 %
Secteur secondaire	30 %	33 %	34 %
Secteur tertiaire	27 %	28 %	30 %

Une société rurale encore solide

Que conclure des observations qui précèdent ? Assurément, cette date de 1931 est révélatrice d'un mouvement de fond de la société française : la montée d'une France urbaine et son corollaire, l'affaiblissement progressif de la société rurale. Cela étant, on fausserait la perspective en faisant de cette date symbolique de 1931 une date réellement charnière où tout, désormais, se serait brusquement inversé. D'une part, on vient de le voir, l'analyse du chassé-croisé de 1931 est à relativiser — à la baisse —, pour trois raisons au moins. D'autre part, l'évolution, déjà lente avant 1931, semble ensuite se ralentir davantage encore jusqu'à la Libération. Entre 1931 et 1946, en effet, la population rurale reste pratiquement stable, passant de 48,8 % à 46,8 % de la population totale (et 47,6 % en 1936). Et pour ce qui est de la population active, la part du primaire reste d'ailleurs stable, à 36 % pour les deux dates.

Nous le verrons dans un autre chapitre, c'est donc seulement sous la IVe République que l'affaissement de la société rurale prend une réelle dimension, par son rythme autant que par son ampleur. La période 1914-1945 apparaît bien, ainsi remise en perspective chronologique, non comme une date charnière mais comme une période pivot, durant laquelle l'inversion de tendance se fait progressivement.

Cette inversion est d'autant plus progressive que le second conflit mondial a contribué momentanément à geler une telle évolution. On a pu, du reste, interpréter la période de l'Occupation, en termes sociaux, comme une « revanche des ruraux » (Antoine Prost). D'une part parce que Vichy s'est montré favorable à cette catégorie sociale, d'autre part parce qu'en une période de pénurie l'agriculture redevient naturellement la clé de coûte de l'économie et la campagne retrouve momentanément une suprématie sur les villes, dont les habitants ont faim.

Cela étant, observer le tassement momentané d'un rythme d'évolution n'est pas conclure pour autant à une situation figée. Même à un rythme plus lent, l'exode rural va continuer durant l'entre-deux-guerres. Cet exode rural et la saignée de la guerre entraînent un vieillissement progressif du monde rural. De surcroît, avant même la crise des années 1930, un malaise économique et social touche ce monde rural, et sera encore accru au fil de la décennie suivante.

D'autant que, si le recul du monde rural ralentit durant cette même décennie — le chômage urbain rend la ville moins attractive —, le modèle culturel et les valeurs qui peu à peu s'imposent à la communauté nationale deviennent progressivement ceux du monde urbain. Longtemps centre de gravité socioculturel de l'ensemble de cette communauté, le monde rural est en train à cette époque de perdre cette fonction : la ville non seulement rayonne et attire, mais progressivement elle va imposer ses modes de vie, ses comportements et ses normes. A cet égard, l'entre-deux-guerres apparaît bien, pour le monde rural, comme une phase de temps suspendu plus que comme une période de temps retrouvé : apparemment, ce monde reste central dans la société française ; dans la réalité, des ferments d'évolution sont à l'œuvre et le ralentissement alors observé n'en rendra que plus massive la mutation des décennies d'après guerre.

Classes moyennes et « modèle républicain »

De surcroît, si la répartition villes-campagnes est un paramètre déterminant pour l'observation de l'évolution de la société française, elle ne doit pas dissimuler pour autant l'élément probablement essentiel de cette évolution sociale : les travaux de Serge Berstein, notamment, l'ont bien montré, la société française du premier tiers du XXe siècle est déjà une société fondée sur les classes moyennes, rurales aussi bien qu'urbaines. Ces classes moyennes constitueraient dès le début du siècle la moitié de la population active française : 49 % précisément, selon les calculs de Serge Berstein, au moment du recensement de 1906. Chiffre confirmé en appel vingt-cinq ans plus tard : 50 % au recensement de 1931. Entre les deux dates, les classes moyennes constituent bien le socle sociologique du régime républicain. Certes, cette société de classes moyennes est, par essence, très hétérogène : salariés et travailleurs indépendants y cohabitent, et si les seconds y restent longtemps prépondérants, s'amorce dès cette époque — surtout après la première guerre mondiale — l'irrésistible ascension des couches moyennes salariées. Malgré cette hétérogénéité, les classes moyennes constituent bien la « couche sociale nouvelle » dont « la venue et la présence, dans la politique », avaient été annoncées en 1872 par Léon Gambetta dans un discours à Grenoble.

Au fil de la IIIe République, ces classes moyennes se trouveront, en effet, cimentées par des valeurs et des aspirations communes, avec, notamment, une mobilité sociale permettant la promotion intra- ou intergénérationnelle. Or, cette mobilité sociale est bien une réalité, proclamée et encouragée par l'Etat républicain. Si l'on examine, par exemple, l'origine sociale des candidats au baccalauréat de 1932, la part des classes moyennes apparaît importante :

Profession des parents des candidats	*Paris (en %)*	*Province (en %)*
Fonctionnaires	21,80	37,25
Industriels	7,67	4,35
Petits industriels et artisans	1,95	1,98
Commerçants	11,45	8,65
Petits commerçants	1,65	2,85
Agriculteurs	0,70	3,26
Professions libérales	15,40	10,63
Propriétaires et rentiers	1,70	2,86
Employés supérieurs	11,75	7,55
Employés subalternes	14,73	9,46
Ouvriers industriels	2,22	2,45
Gens de maison	0,21	0,68
Sans profession et divers	8,77	8,03

(Cf. Jean-François Sirinelli, *Génération intellectuelle,* Fayard, 1988, p. 181.)

Certes, cette part des classes moyennes allait augmenter par la suite, d'autant que ce n'est qu'à partir des années 1928-1933 que l'on va passer d'un enseignement secondaire payant à la gratuité générale de cet ordre d'enseignement. Mais dès cette époque — alors même que les bacheliers de 1932 n'étaient pas encore le produit des lycées en train de devenir gratuits —, lycées et collèges ne sont donc pas l'apanage des seules classes dirigeantes.

Il faut, du reste, ajouter que la promotion par l'Ecole ne se faisait pas seulement à cette date par ces lycées et collèges : l'Ecole primaire supérieure assure aussi, en dehors de ces établissements, un second cycle d'études après le certificat d'études et permet aussi une mobilité sociale par le diplôme.

Au bout du compte, cette mobilité par l'Ecole est l'un des aspects majeurs de « l'assimilation aux classes moyennes du projet républicain » et cette assimilation est bien « l'un des éléments qui assurent la solidité du régime » (Serge Berstein, *Le modèle républicain*, p. 204). Malgré l'ébranlement de la guerre, le « modèle républicain » a connu un véritable « âge d'or » entre 1900 et 1930, au point d'avoir constitué à cette époque une « sorte d'écosystème social ». A partir des années 1930 commencera pour lui une « longue période de contestation, de mise en cause, de troubles divers » (Serge Berstein et Odile Rudelle, *op. cit.*, p. 7-10) jusqu'à ce que, sous la Ve République, se mette progressivement en place un nouvel écosystème.

A cet égard, l'historien américain Stanley Hoffmann a lui aussi insisté, dans ses travaux, sur ce point d'équilibre qu'a été, dans notre histoire nationale, l'apogée de la IIIe République : « synthèse républicaine » et « consensus social » — dont seule était exclue la classe ouvrière. Cette France tertio-républicaine allait être ébranlée par la crise des années 1930, avec notamment, observe Stanley Hoffmann, une « société en crise » et la « confusion du système politique ».

La culture française des années 1930 : la montée d'une culture de masse

La crise française des années 1930, dans ses différentes facettes, sera traitée au chapitre suivant. On s'en tiendra donc ici, dans le domaine socioculturel, à l'étude d'un autre aspect de ces années 1930 : l'observation de la montée d'une culture de masse.

Les domaines de la création culturelle

Sur le plan de la création culturelle, les années 1920 avaient vu à la fois l'affirmation et l'épanouissement de tendances nées avant la guerre et l'apparition de nouveaux courants :

— Dans le domaine de la littérature, par exemple, le groupe de la *Nouvelle Revue française* (revue née en 1909) parvient à l'âge mûr — André Gide a 50 ans en 1919 — et va dominer le monde des lettres, imposant une sorte de classicisme qu'incarne par exemple un Roger Martin du Gard. On fausserait, de ce fait, la perspective en ramenant ces années 1920 au surréalisme, dont *Le Manifeste* paraît en 1924. Cette révolte esthétique, mélange de subversion du langage et de dérision, même si elle engendre des œuvres et fait s'éveiller des talents, resta sur le moment très circonscrite.

— En peinture, plusieurs styles avaient stratifié avant la guerre. Le fauvisme (Matisse, Derain, Vlaminck, Dufy), qui conservait la représentation figurative et s'attachait avant tout à exalter la couleur et la lumière, et le cubisme (Braque, Picasso, Léger), qui insistait sur la conceptualisation de la forme et de la composition, conservaient l'un et l'autre la figuration de la réalité, quitte, dans le cas du cubisme, à la déformer pour tenter de mieux l'exprimer encore. Au contraire, l'abstraction se voulait une déconnexion délibérée par rapport à cette réalité et elle était apparue pour la première fois dans une aquarelle de Kandinsky en 1910. Cet art abstrait — qui se scinde bientôt en une tendance « lyrique », qui puise dans le fauvisme et qui exalte la couleur, et une tendance « géométrique » qu'influence le cubisme — est loin encore d'être dominant après 1919 : ce qui domine, en fait, c'est la diversité de l'inspiration et de l'expression, avec, semble-t-il, une tendance au « retour à l'ordre », fondé sur le figuratif.

Aussi bien en littérature qu'en peinture, ce qui l'emporte, au bout du compte, et qui définit aussi le reste de la création culturelle de l'époque, est bien la diversité : une culture foisonnante où s'enchevêtrent les genres, les styles et les générations et qui tire son originalité d'un mélange de classicisme et d'audace, d'une volonté de modernité et d'une nostalgie de la Belle Epoque, d'une prise en compte du réel et d'une fascination pour l'illusion.

Dans les années 1930, cette création culturelle française demeurera très brillante, à tel point que l'on a pu parler alors d'une « Ecole de Paris ». La culture nationale semble avoir trouvé alors un point d'équilibre entre passé et avenir, entre culture consacrée et avant-gardes turbulentes. En quelques années, Proust, mort en 1922, est devenu un classique et Picasso a déjà acquis une grande notoriété.

Mais, en termes macrohistoriques, les années 1930, pour ce qui est de l'histoire des pratiques socioculturelles, constituent surtout une étape essentielle de la montée en puissance d'une culture de masse : les supports et les vecteurs de cette culture de masse sont, les uns, déjà anciens à cette date — ainsi la presse écrite —, les autres, en pleine et récente expansion — le cinéma et la radio. Tous concourent, en tout cas, à faciliter un brassage culturel.

La presse écrite

La presse nationale présente quelques belles réussites, dans le domaine de la presse d'information :

— *Le Petit Parisien,* principal quotidien du matin, connaît de forts tirages : presque 1,5 million d'exemplaires jusqu'en 1936, 1 million en 1939. Les trois quarts de sa diffusion se font en province. Il est concurrencé — et dépassé dans les années 1930 — par :

— *Paris-Soir,* qui utilise largement l'illustration, et s'assure un grand prestige et un fort écho par ses grands reportages, sportifs ou d'information, et par la rapidité de diffusion des nouvelles : l'exemple resté célèbre est celui, le 9 octobre 1934, de la sortie de l'édition sur l'attentat à Marseille contre Alexandre de Yougoslavie une heure à peine après l'événement. Ce quotidien — qui, contrairement à ce que semble indiquer son titre, n'assure que le tiers de ses ventes à Paris — connaît une hausse foudroyante de ses tirages dans les années 1930 : de 0,5 million à l'automne 1932, il passe à 1,4 million au début 1934 et 2,3 millions au moment des élections législatives de 1936, pour repasser à 1,8 million en 1939.

La presse régionale compte 175 quotidiens en 1938, dont 9 ont des tirages supérieurs à 200 000 exemplaires. Certains de ces titres sont devenus de véritables institutions dans leurs régions respectives : ainsi *La Dépêche de Toulouse,* radicale, avec 270 000 exemplaires en 1939, *L'Echo du Nord,* avec 300 000 exemplaires à la même date, modéré, ou *Le Progrès* de Lyon, radical, *La Petite Gironde,* sans opinion politique marquée, avec 22 éditions régionales, ou *Ouest-Eclair,* à Rennes, qui, avec un tirage de 350 000 exemplaires dans les années 1930, était le premier quotidien de province.

Si la presse quotidienne d'opinion recule au profit de la presse d'information, la presse politique hebdomadaire connaît des tirages importants, plus forts à droite — *Candide* et *Gringoire,* avec respectivement 400 000 et 600 000 exemplaires en 1936, *Je suis partout* — qu'à gauche — *Marianne, La Lumière, Vendredi,* avec 100 000, 75 000 et 100 000 exemplaires en 1936. L'une des particularités de ces hebdomadaires est que, malgré un engagement politique marqué — et parfois aux extrêmes : ainsi *Gringoire* et *Je suis partout* —, ils ont toujours consacré à la culture, et notamment à la littérature, une large place.

Mais ce ne sont probablement pas ces hebdomadaires politiques qui contribuent le plus à un brassage socioculturel. D'autres périodiques, en revanche, doivent être signalés, d'autant qu'ils connaissent alors une expansion spectaculaire : *Marie-Claire* (1937) et *Confidences* (1938) atteignent en quelques mois un tirage d'un million d'exemplaires et leur succès annonce la vogue des magazines féminins après la Libération. De même, *Match,* fondé par Jean Prouvost, symbolise l'essor de la photographie de presse devenue le support essentiel de certains hebdomadaires : dès 1938, *Match* tire à 800 000 exemplaires et après la guerre, *Paris Match* connaîtra, dans les années 1950, une réussite exceptionnelle.

L'image et le son

A travers le succès de la photographie de presse, on assiste, en fait, au rôle croissant de l'image. Jean Prouvost le constatait, qui déclarait en 1932 : « L'image est devenue la reine de notre temps. »

La remarque est valable aussi pour l'affiche, que l'urbanisation rend plus présente auprès d'un nombre croissant de Français. Elle vaut aussi pour la bande dessinée qui, avec la généralisation progressive de la « bulle » dans les années 1930, devient un support d'autant moins négligeable que le genre connaît un succès croissant à cette époque. Malgré le succès de quelques personnages créés en France — ainsi Bécassine, de Caumery et Pinchon, apparue dans *La Semaine de Suzette* en 1905, les Pieds Nickelés, de Louis Forton, dans *L'Epatant* à partir de 1908, Bibi Fricotin, du même, en 1924, Zig et Puce, créés en 1925 par Alain Saint-Ogan, Tintin, à qui Georges Rémi, dit Hergé, donne le jour en 1929 mais qui restera jusqu'à la guerre essentiellement lu par le public belge —, la production américaine occupe vite de solides bastions : *Le Journal de Mickey,* lancé en 1934, et dans lequel on trouve, outre le héros éponyme, Pim, Pam, Poum et Jim la Jungle, atteint bientôt un tirage de 400 000 exemplaires ; *Robinson,* de son côté, accueillait Guy l'Eclair, Mandrake et Popeye.

Mais, outre la photographie de presse, l'image va avoir pour principal support le cinéma, dont le succès sera massif. Le passage progressif au « parlant » à partir de 1928 va encore augmenter l'impact socioculturel d'une forme de spectacle qui devient à cette époque une véritable industrie : 130 longs métrages français produits en 1922, 158 en 1933, 171 en 1937. En 1938, plus de 4 700 salles accueilleront 250 millions de spectateurs. Qualitativement aussi, la croissance est indéniable : la période 1935-1939 est considérée rétrospectivement comme l'une des grandes phases du cinéma français. Nombre de « classiques » — ceux, par exemple, de Renoir, Carné, Grémillon — datent de cette époque.

Outre les films, du reste, « documentaires » et « actualités » contribuent à nourrir et donc à rapprocher mentalités et sensibilités. Les « actualités », notamment, jouent un rôle important : Pathé-Journal et Gaumont Actualités en sont les pourvoyeurs, ainsi que Fox Movietone, firme américaine qui diffuse aussi en France.

Cela étant, autant que la presse et le cinéma, c'est la radio qui va jouer un rôle déterminant dans cette standardisation croissante des pratiques culturelles, qui s'amorce alors. Dans ce domaine, l'essor est spectaculaire : le nombre des récepteurs triple une première fois entre 1927 (600 000) et 1934 (1 750 000), puis une seconde fois entre cette date et 1939 (5 200 000). Le statut juridique de la radiodiffusion est celui du monopole de l'Etat mais assoupli, par un décret-loi du 28 décembre 1926, de concessions précaires et révocables à des postes privés : cohabitèrent donc jusqu'à la seconde guerre mondiale des stations d'Etat (15 en 1939) et des stations privées (par exemple le Poste Parisien, Radio-Cité, ou Radio-Luxembourg, créée en 1931).

A côté de l'information — le premier « Journal Parlé » est créé en 1925 —, la radio joua rapidement un rôle essentiel dans le domaine de la distraction, avec notamment une grande place accordée à la musique (sur Radio-Paris, celle-ci occupe en 1936 environ 50 % du temps d'antenne) et l'importance prise par le sport-spectacle, également répercuté par la presse écrite.

Après la guerre, la montée en puissance de la radio se poursuivit : 6 millions de postes déclarés en 1950, 8,8 millions à la fin de 1954. Comme on estime à 20 % environ le nombre de postes non déclarés, ce sont plus de 10 millions de postes de radio qui sont alors utilisés : l'immense majorité des foyers français est donc alors équipée de postes de radio ; un sondage de 1953 avance même le chiffre pour cette date de 88 %.

A la Libération, une ordonnance du 23 mars 1945 avait rétabli le monopole absolu de l'Etat : les autorisations aux postes privés que permettait le décret-loi du 28 décembre 1926 étaient annulées. Le monopole de l'Etat sera désormais assuré par la Radiodiffusion-télévision française (RTF). Mais la loi pourra être tournée par la création de postes privés « périphériques », émettant de l'extérieur du territoire français : à Radio-Luxembourg, Radio-Monte-Carlo, Radio-Andorre s'ajoute en 1955 Europe n° 1.

La télévision, en revanche, fut un phénomène relativement tardif. Certes, une première émission officielle de télévision avait eu lieu le 26 avril 1935. Mais la pratique était alors expérimentale. Après la guerre et un changement de définition de l'image en 1948, le nombre de postes de télévision s'élèvera d'abord très lentement : 3 800 récepteurs en 1950, 23 954 en 1952. La hausse se fait ensuite plus rapide, atteignant 920 000 récepteurs en octobre 1958. Malgré cette hausse, la télévision resta jusqu'à la fin de la IVe République un phénomène statistiquement marginal.

Tous ces facteurs, on le voit, vont dans le même sens : une homogénéisation croissante de l'univers mental des Français. Au moment même où le rail et l'autocar contribuaient au désenclavement géographique, la radio, la presse et le cinéma commençaient — ou, pour la presse, continuaient — le désenclavement socio-culturel.

Le rôle croissant des intellectuels

Dans l'entre-deux-guerres, les hommes de création culturelle vont, pour certains d'entre eux, afficher des positions politiques publiques : commence pour eux l'ère de l'engagement. Le phénomène, qui s'était amorcé avec l'affaire Dreyfus, prendra surtout de l'ampleur dans les années 1930, durant lesquelles ces intellectuels s'engageront dans le débat politique, les uns au nom de l'antifascisme, les autres par anticommunisme.

Sur ces intellectuels, le choc de la première guerre mondiale avait laissé une empreinte profonde et durable :

— D'une part, le milieu intellectuel avait été touché dans ses forces vives. Les étudiants, par exemple, pour des raisons d'âge, avaient été dans leur immense majorité touchés par la mobilisation. En proportion, les pertes en leur sein furent donc considérables : Universités et grandes Ecoles payèrent un lourd tribut du sang ; ainsi les promotions de l'Ecole normale supérieure en scolarité dans l'établissement comptèrent 50,71 % de morts. L'empreinte laissée fut d'autant plus profonde qu'à ces étudiants et élèves des grandes Ecoles fauchés par la guerre vinrent s'ajouter les pertes dans le milieu des écrivains et des artistes : dans ce domaine, les statistiques sont plus difficiles à établir — où commence la notion de créateur culturel ? — et à analyser — bien des talents potentiels furent fauchés avant même d'avoir produit. Mais les exemples ne manquent pas de créateurs tués avant d'avoir atteint le sommet de leur art : Louis Pergaud, Alain-Fournier, Charles Péguy, Guillaume Apollinaire (blessé, puis mort de la « grippe espagnole » à la fin de la guerre)... C'est, au bout du compte, la pyramide des âges du milieu intellectuel qui allait se trouver durablement déséquilibrée : la strate des 20-30 ans fut, comme dans les autres milieux, la plus cruellement touchée ; du coup, cette strate devenant ainsi moins épaisse, la guerre accusa les clivages de génération, par l'amincissement du nombre de ceux qui auraient eu entre 40 et 50 ans dans les années 1930 et par l'affaiblissement indirect de cette génération, placée entre les plus jeunes, qui, n'ayant pas connu la guerre comme combattants, s'éveilleront à la politique dans les années 1920 et 1930, et les aînés, parvenus à la soixantaine à la même époque. Les phénomènes de circulation intellectuelle et idéologique entre générations s'en trouveront profondément perturbés : cela sera sensible notamment au sein de l'Action française, où l'écart entre les sexagénaires Charles Maurras et Léon Daudet (respectivement 68 ans et 60 ans en 1936) et leurs cadets venus en politique à la fin des années 1920 (ainsi Robert Brasillach, né en 1909) entraîna souvent une incompréhension croissante après le 6 février 1934 et, parfois, une dérive des seconds vers le fascisme.

— D'autre part, le milieu intellectuel fut durablement touché dans ses visions du monde : le pacifisme, par exemple, jusqu'ici surtout cantonné aux mouvances socialistes et syndicalistes, allait s'ancrer profondément dans ce milieu. Ce qui, du reste, au moment des grandes crises des années 1930 et des débats qui, nous le verrons, en découlèrent, entraîna des fidélités devenues contradictoires entre ce pacifisme enraciné et l'attitude à adopter face aux provocations hitlériennes.

L'ébranlement des esprits entraîna aussi des attitudes de révolte qui revêtirent, par exemple, des aspects esthétiques : le courant surréaliste prend ainsi sa source dans la guerre — notamment à travers le mouvement Dada — et nombre de ses animateurs étaient d'anciens combattants.

La secousse de la guerre facilita aussi, avant même que s'exerçât la séduction idéologique du marxisme, une pénétration — dans un premier temps statistiquement limitée — du communisme dans le milieu intellectuel français. A certains, en effet, le communisme apparut comme le seul rempart contre de nouvelles guerres, en abattant le capitalisme, responsable, dans la vision marxiste-léniniste, des chocs d'impérialismes et donc du déclenchement des conflits modernes.

La démocratie libérale, sortie pourtant historiquement victorieuse de la guerre — dans la mesure où son aire géographique se trouvait, au moins dans l'immédiat après-guerre, dilatée, du fait de l'écroulement des Empires —, se retrouvait donc dans une situation paradoxale : cette guerre qui consacrait son avènement créait, dans le même temps, des modèles concurrents, dont certains allaient séduire les intellectuels : le communisme, donc, mais aussi le fascisme.

Pour l'heure, il est vrai, ces ferments d'évolution sont masqués par un retour apparent à l'avant-guerre : à l'extrême droite, l'Action française connaît ainsi une nouvelle flambée, continuant comme avant 1914 à séduire intellectuellement une partie de la jeunesse étudiante ; à gauche, la victoire du Cartel des gauches en 1924 apparaît comme l'avènement de la « République des professeurs » — pour reprendre le titre d'un livre d'Albert Thibaudet, publié en 1927 — et la victoire politique de la génération des dreyfusards, devenus quinquagénaires : ainsi Léon Blum ou Edouard Herriot. Héritage de l'affaire Dreyfus d'un côté, nouvelle jeunesse de l'Action française de l'autre : le paysage idéologique semble s'être reproduit sur les bases d'avant 1914 plutôt que s'être recomposé.

Et pourtant, au fil de ces années 1920, des facteurs nouveaux sont à l'œuvre, avivés par les ferments d'évolution déjà signalés :

— Une nouvelle génération, née dans la première décennie du siècle — et que l'on peut appeler, pour cette raison, « génération de 1905 » (cf. J.-F. Sirinelli, *Génération intellectuelle,* 1988) —, n'adhérera pas forcément aux mêmes modèles idéologiques que ceux de ses aînés. C'est une observation classique de la sociologie historique que le constat qu'une relève de génération ne s'accompagne pas, le plus souvent, d'une passation de relais idéologique. En d'autres termes, chaque nouvelle génération fait son propre apprentissage politique et porte donc en elle-même des germes d'évolution.

— D'autant que l'apprentissage politique de la « génération de 1905 » se fait au moment de la crise des deux modèles qui semblaient incarner, on l'a vu, la continuité avec l'avant-guerre : l'Action française et la « République des professeurs ». La condamnation pontificale de la première en 1926 et l'échec politique du Cartel des gauches, à la même date, font, en effet, de ces modèles apparemment dominants des modèles, en fait, désormais déclinants. D'où, pour nombre de jeunes clercs, l'attraction exercée par d'autres modèles.

— Or, on l'a dit, si le régime parlementaire est sorti victorieux de la guerre, celle-ci a vu aussi la naissance de nouveaux modèles, concurrents du modèle parlementaire : le communisme et le fascisme. Certes, ces modèles concurrents ne sont pas encore conquérants dans les esprits à cette date et il faudra attendre la crise des années 1930 pour qu'ils soient significativement activés, mais cette double crise de 1926 qu'est la condamnation pontificale de l'Action française doublée de l'échec du Cartel des gauches change dès cette date la donne idéologique. Dans ce domaine idéologique, on le voit, la crise des années 1930 amplifiera un mouvement plus qu'elle ne le créera.

— En toile de fond, en fait, c'est donc la question de l'ébranlement originel qui se pose. C'est bien la guerre de 1914-1918 qui, malgré l'apparent retour à la normale après 1918, a ébranlé en profondeur le système de valeurs et de références des intellectuels français. En apparence, la stabilisation politique, économique et financière des années 1920 semble avoir gommé par la suite le choc de la guerre, mais celui-ci reste latent. La crise de 1929, dans nombre de domaines, fera rejouer des failles engendrées par la guerre. Au bout du compte, les années 1920 sont déjà grosses de la décennie suivante et de la crise qui la parcourra. Et l'ampleur même de cette crise s'explique par ce phénomène de rejeu : ce sont, en fait, deux ondes de choc qui se superposent alors, celle, structurelle, issue de la guerre, et celle, davantage conjoncturelle, créée par les retombées de la crise américaine de 1929.

Ce constat n'enlève rien au contraste indéniable entre les deux décennies de l'entre-deux-guerres : c'est dans les années 1930, et sous le signe de la crise, que les intellectuels auront un rôle croissant dans le débat civique. Ce débat va se réarticuler autour de nouveaux pôles : l'antifascisme et l'anticommunisme.

• C'est une question historiographique majeure que d'évaluer aujourd'hui, rétrospectivement, l'ampleur exacte de l'enracinement du fascisme en France dans les années 1930. L'historien israélien Zeev Sternhell estime que cet enracinement a été profond (*Ni droite ni gauche. L'idéologie fasciste en France,* 1983). La plus grande partie de l'école historique française estime au contraire qu'il est resté superficiel. Par-delà ce débat scientifique toujours en cours, et quelle que soit, au bout du compte, la réponse que l'historien peut apporter, ce qui compte ici pour notre propos est moins la réalité — en termes d'amplitude — du fascisme tel que l'historien peut la reconstituer rétrospectivement que sa perception, sur le moment, par les contemporains. Or, sur ce point, le constat des historiens est unanime : il y eut, parmi les militants et sympathisants de gauche, le sentiment, intensément vécu et dès lors profondément ancré, qu'un danger fasciste endogène existait et qu'il fallait le combattre et l'endiguer.

Dès lors, plus que le fascisme, c'est bien l'antifascisme qui joua un rôle moteur. On verra par ailleurs, au chapitre suivant, son rôle de moteur et de ciment — au moins au début — du Rassemblement populaire. Dans le domaine des intellectuels, il en fut de même. Ainsi, cinq jours après le 6 février 1934, le quotidien socialiste *Le Populaire* publia un texte d'intellectuels — qui fut aussi diffusé sous forme de tract — intitulé « Appel à la lutte » et parlant d'un « danger fasciste immédiat ». Surtout, un mois après les événements, un autre texte intitulé « Aux travailleurs » fut rendu public le 5 mars 1934. Son premier paragraphe, notamment, était significatif :

> Unis, par-dessus toute divergence, devant le spectacle des émeutes fascistes de Paris et de la résistance populaire qui seule leur a fait face, nous venons déclarer à tous les travailleurs, nos camarades, notre résolution de lutter avec eux pour sauver contre une dictature fasciste ce que le peuple a conquis de droits et libertés publiques. Nous sommes prêts à tout sacrifier pour empêcher que la France ne soit soumise à un régime d'oppression et de misère belliqueuses.

Ce texte était cosigné par le philosophe Alain, radicalisant, le physicien Paul Langevin, proche du Parti communiste, et le socialiste Paul Rivet, professeur au Muséum : à travers les trois hommes, ce sont donc les principales sensibilités de la gauche française qui étaient ainsi représentées et les futures composantes du Rassemblement populaire. La mobilisation des intellectuels sur le thème de l'antifascisme se fit rapidement et massivement : ainsi ce texte, qui est le texte fondateur du futur Comité de vigilance des intellectuels antifascistes (CVIA), avait-il recueilli, à la fin de l'année 1934, 6 000 signatures. Nombre d'intellectuels, par engagement auprès de l'une des trois branches du Rassemblement populaire, mais aussi par antifascisme, soutinrent dès lors ce Rassemblement et, après sa victoire, le Front populaire. C'est, du reste, par antifascisme que des hommes comme André Gide ou André Malraux se rapprochèrent du communisme — sans y adhérer : on parle en général, dans ces cas, de « compagnons de route » — et que se constitua de ce fait une mouvance intellectuelle communiste et communisante beaucoup plus étoffée qu'au fil de la décennie précédente, où le Parti, on l'a vu, resta très isolé. Si on lui ajoute les mouvances socialiste et radicale, les années 1930 représentent assurément un moment important de l'histoire de l'intelligentsia de gauche.

• On aurait tort, pour autant, d'imaginer un milieu intellectuel tout entier engagé à gauche à cette date. Les intellectuels de droite et d'extrême droite étaient alors au moins aussi nombreux que ceux de gauche et d'extrême gauche et eux aussi s'engagèrent en nombre. Dans leur cas, c'est bien l'anticommunisme, souvent, qui fut le moteur déterminant d'un tel engagement. C'est moins, en effet, comme avant 1914 et comme dans les années 1920, le combat contre la République — pour ce qui concerne l'Action française — ou, plus largement, la défense du nationalisme qui priment et qui inspirent les grands engagements en faveur de ce camp que la lutte contre un danger communiste supposé massif. Le cas sera net, par exemple, au moment de la guerre d'Espagne, où Franco apparaîtra comme un rempart contre l'installation dans la péninsule Ibérique, « dans son ignominie sans nom, dans son épouvantable férocité, (d')une nouvelle Russie bolcheviste » (Paul Claudel) ; c'est bien grâce aux troupes franquistes, estimera Charles Maurras, que ne s'est pas installée « une jolie petite république soviétique au revers des Pyrénées ».

Même si c'est en conservant parfois la phraséologie de la fin du XIXe siècle, on voit donc que les débats idéologiques entre clercs se sont modifiés à cette date et qu'ils s'articulent très largement autour de l'opposition entre antifascistes et anticommunistes. Et comme de tels débats sont à forte teneur idéologique, le rôle des intellectuels, qui fournissent l'argumentaire aux camps en présence, est alors fondamental.

• Sur les questions de politique intérieure — pour ou contre le Front populaire — comme sur celles de politique extérieure, la bipolarisation fut donc poussée à l'extrême entre intellectuels des deux camps. Sur l'Ethiopie en 1935, sur l'Espagne à partir de l'été 1936, les listes de pétitionnaires s'allongèrent. Au moment du déclenchement de la guerre d'Ethiopie, par exemple, *Le Temps* du 4 octobre 1935 publia une pétition hostile à des sanctions contre l'Italie et invoquant la « défense de l'Occident » et celle de la paix : se profile donc dès cette époque un néo-pacifisme de droite qui tranche avec les positions nationalistes défendues jusque-là et qui s'explique notamment par l'anticommunisme ; une politique extérieure trop ferme vis-à-vis des dictatures fascistes, pensent les tenants de cette analyse, ferait le jeu de Staline et de l'Union soviétique. Cette pétition rassembla plus d'un millier de signatures.

A cette pétition, les intellectuels de gauche répondirent par un texte, lui aussi lesté de nombreuses signatures, publié par *L'Œuvre* du 5 octobre 1935. Ce texte dénonçait la « guerre d'agression » menée par Mussolini.

Quelques mois plus tard, c'est, on l'a dit, sur l'Espagne que le débat allait cristalliser, et les intellectuels des deux bords se mobiliseront sur ce thème en maintes occasions. Mais si le clivage droite-gauche permet de rendre compte globalement des positions des uns en faveur de Franco et des autres en soutien de la République espagnole, des fissures révélatrices apparurent au sein de chacun des deux camps en présence. A gauche, ce sont les modalités de soutien qui divisèrent les intellectuels : soutien purement verbal, au nom du pacifisme, dans un cas — et, de ce fait, appui à la politique de non-intervention menée par le gouvernement —, appel à une aide directe dans l'autre cas — ce furent notamment les intellectuels proches ou membres du Parti communiste qui adoptèrent une telle position. Ces débats, qui révèlent l'ampleur du pacifisme dans le milieu intellectuel, firent éclater le Comité de vigilance des intellectuels antifascistes. Ils annoncent aussi la division des intellectuels de gauche, à l'automne 1938, au moment de la crise tchèque et de la signature des accords de Munich. Il y avait, on le voit, accord de principe sur la nécessité du combat antifasciste mais désaccord profond sur les modalités de ce combat.

A droite, derrière le soutien apparemment massif aux troupes franquistes, apparaissent aussi des fissures, notamment chez certains intellectuels catholiques. Ainsi François Mauriac, troublé par les excès commis par ces franquistes, devint, dans *Le Figaro,* un partisan de l'autre camp. De même, Georges Bernanos condamna rapidement la cause franquiste, qu'il avait d'abord soutenue, et publia, en 1938, sur ce thème, *Les grands cimetières sous la lune.*

Déjà, au fil de ces crises d'avant guerre, s'amorçaient parfois des reclassements ou des chassés-croisés que l'on retrouverait durant l'Occupation.

BIBLIOGRAPHIE

Asselain Jean-Charles, *Histoire économique de la France,* t. 2 : *De 1919 à la fin des années 1970,* Le Seuil, 1984.

Bellanger Claude, Godechot Jacques, Guiral Pierre et Terrou Fernand (sous la direction de), *Histoire générale de la presse française,* t. III : *De 1871 à 1940,* PUF, 1972.

Berstein Serge et Rudelle Odile (sous la direction de), *Le modèle républicain,* Paris, PUF, 1992.

Braudel Fernand et Labrousse Ernest (sous la direction de), *Histoire économique et sociale de la France,* t. IV : *L'ère industrielle et la société d'aujourd'hui (1880-1980),* second volume : *Le temps des guerres mondiales et de la grande crise (1914 - vers 1950),* PUF, 1980.

Caron François, *Histoire économique de la France (XIXe-XXe siècles),* Armand Colin, 1981.

Duby Georges et Ariès Philippe, *Histoire de la vie privée,* t. 5, sous la direction d'Antoine Prost et Gérard Vincent, Le Seuil, 1987.

Hoffmann Stanley, *Sur la France,* Le Seuil, 1976.

Rioux Jean-Pierre et Sirinelli Jean-François, *Le temps des masses,* t. IV de l'*Histoire culturelle de la France,* Le Seuil, 1998.

Sirinelli Jean-François, *Intellectuels et passions françaises. Manifestes et pétitions au XXe siècle,* Fayard, 1990.

4. La crise des années 1930

L'incertain équilibre établi à la fin des années 1920 est brutalement remis en cause au cours des années 1930. Alors que le pays s'imagine, en 1929-1931, pouvoir échapper à la dépression économique qui frappe le monde libéral industrialisé, le ralentissement de l'activité, manifeste à partir de la fin de 1931, se prolonge de façon insidieuse et persistante jusqu'à la veille de la seconde guerre, sans que soit jamais retrouvé le niveau atteint au sommet de la prospérité des années 1920. Le désordre moral, social et politique engendre alors une contestation de la République parlementaire, qui parvient, péniblement, à assurer sa survie, tandis que des mutations décisives affectent l'équilibre des forces politiques.

La crise de l'économie et de la société françaises (1929-1935)

Originale par sa chronologie et par son amplitude, la crise économique française, combattue par des moyens traditionnels et inadaptés, provoque par ses effets matériels un trouble profond dans de larges secteurs de l'opinion publique. Perceptible à partir de la fin de 1931, celui-ci s'amplifie et culmine à la veille des élections législatives de 1936.

La singularité de la crise française

Un retournement précoce de la conjoncture, une entrée tardive dans la dépression, une amplitude inférieure à celle des autres nations industrielles, une persistance exceptionnelle, caractérisent de façon spécifique la crise française.

Un précoce retournement, longtemps invisible. — Une présentation traditionnelle de la crise met l'accent sur le « vendredi noir » (29 octobre 1929), date de l'effondrement des valeurs à la Bourse de New York, suivi du ralentissement de l'économie américaine et de la transmission de la crise à l'Europe, jalonnée par la faillite du Kreditanstalt de Vienne (12 mai 1931) et la dévaluation de la livre sterling (21 septembre 1931).

Des recherches menées par Jacques Marseille ont permis de mettre en valeur la précocité du retournement de la conjoncture française. Dès février 1929, les valeurs mobilières amorcent un repli, de même que les prix de gros des matières premières industrielles et des 126 articles de consommation. L'indice de la production industrielle culmine en mai 1930, mais des analyses de détail montrent que le textile est touché dès 1928, l'automobile dans le courant du deuxième trimestre de 1929, le bâtiment et les industries extractives en 1930. L'absence de données sûres relatives au chômage ne permet pas d'apprécier avec exactitude le recul de l'emploi ; les premières statistiques élaborées à partir de 1931 donnent une moyenne mensuelle, encore relativement modeste, de 54 000 chômeurs secourus, chiffre évidemment inférieur à la réalité.

Ces reculs traduiraient les fragilités de l'économie française, liées à la stabilisation du franc, qui aurait réduit l'avantage de change résultant de la dépréciation monétaire, et à l'étroitesse du marché intérieur français, formé pour une majeure partie de paysans et d'ouvriers, incapable d'absorber une production trop orientée vers les produits de luxe. Mais le ralentissement, encore invisible, frappe des secteurs traditionnels, comme le textile, qui, vivant en osmose avec le milieu rural, peuvent aisément réduire le potentiel de main-d'œuvre qu'ils sont en mesure d'employer en période de prospérité.

Une tardive entrée dans la dépression. — Malgré le retournement précoce de conjoncture, alors que la crise se répand dans le monde, les commentateurs et l'opinion présentent la France comme une île heureuse et prospère au milieu de la dépression générale. En effet, pendant que la production industrielle américaine diminue de 20 % durant le deuxième trimestre de 1929, l'indice français, poursuivant son ascension, atteint 144 en décembre 1930. Sans doute l'année 1931 voit-elle apparaître la baisse des prix de gros, de la production industrielle, des valeurs mobilières, mais les finances publiques sont encore en équilibre et le volume global des affaires ne marque qu'un recul modéré.

Une brusque aggravation se produit dans le courant du dernier trimestre de 1931, après la dévaluation de la livre sterling, le 21 septembre. Au net recul de la production industrielle, perceptible entre septembre 1931 et mai 1932, correspond la forte poussée du chômage : 100 000 chômeurs secourus en moyenne pendant les trois derniers mois de 1931, 300 000 durant les quatre premiers mois de 1932. D'autres signes confirment l'entrée dans la crise. Le volume du commerce extérieur diminue considérablement : en juillet-août 1932, les exportations ne représentent plus que la moitié de celles du premier semestre de 1929, alors que les importations n'ont baissé que de 20 %. Le déséquilibre commercial, apparu dès 1929 par suite de la stabilisation monétaire, s'est aggravé après la dévaluation britannique. Enfin, le déficit budgétaire de l'exercice mars 1930 -mars 1931 met fin à plusieurs années d'excédents : il passe de 5 milliards en 1930-1931 à 11 milliards en 1933 pour un total de dépenses avoisinant 50 milliards, soit un rapport respectif de 10 et 20 %.

Une amplitude plus limitée qu'ailleurs. — Ce fait apparaît bien dans le tableau qui suit :

	Indice de la production industrielle	*Indice des prix de gros*	*Nombre de chômeurs secourus (moyenne mensuelle)*
1929	100	100	
1930	99	88	
1931	86	75	54 000
1932	73	66	273 000
1933	81	63	276 000
1934	75	59	341 000
1935	73	56	425 000

(Sources : Jacques Néré, *La crise de 1929*, A. Colin, 1973, et Alfred Sauvy, *Histoire économique de la France entre les deux guerres*, Economica, 1984.)

L'évolution des trois données les plus significatives du niveau de l'activité, l'indice de la production industrielle, celui des prix de gros et le nombre de chômeurs secourus, permet de mettre en valeur la différence d'amplitude entre la France et les autres grandes nations industrielles. De 1929 à 1932 les Etats-Unis et l'Allemagne voient leur production industrielle diminuer de près de la moitié. Le chômage atteint 12,5 millions d'actifs aux Etats-Unis, 6 en Allemagne, plus de 2 dans le Royaume-Uni. La France ne connaît pas de chômage aussi massif, et son dispositif productif, tout en tournant au ralenti, ignore l'arrêt quasi total des énormes machines américaine et allemande.

Ces caractères particuliers ont donné lieu à une série d'interprétations convergentes qui, mettant l'accent sur les faiblesses de l'économie française, expliquent la tardive entrée dans la dépression par le faible rayonnement international des entreprises françaises, tournées pour la plupart vers le marché intérieur, donc assez peu affectées par la rétraction du commerce mondial. Souvent de petite taille, faiblement novatrices, elles se sont peu endettées, ce qui les met à l'abri de l'effondrement du crédit. Cette situation structurelle défavorable aurait encore été aggravée, selon Alfred Sauvy, par le vieillissement de la population, qui accroît le prix du travail, et la stagnation de la natalité, qui ne favorise pas les anticipations des investisseurs.

Une persistance exceptionnelle. — Alors que d'autres pays, comme les Etats-Unis ou l'Allemagne, donnent des signes de reprise, de manière encore incertaine et inégale, vers 1933, la France s'enfonce plus profondément dans la crise. La production industrielle de 1935 représente les trois quarts de celle de 1929, tandis que le chômage connaît une croissance continue. Alors que le textile et le cuir s'effondrent, les fabrications automobiles, électriques, les matériaux de construction reculent de façon marquée. Les bénéfices se maintiennent mieux toutefois dans les secteurs « abrités » par la cartellisation, le charbon ou la chimie. La fabrication de biens d'équipement recule : de 1933 à 1937, elle reste aux deux tiers du niveau atteint en 1929.

Cette persistance inhabituelle trouve en grande partie sa source dans la politique suivie par les différents gouvernements.

Une politique traditionnelle (1931-1935)

Les gouvernements en charge des affaires du pays de septembre 1931 à la veille des élections de 1936 ne sont pas soutenus par la même majorité parlementaire. Les modérés doivent céder la place à une majorité radicale et socialiste lors des législatives de 1932. En février 1934, celle-ci se disloque, remplacée par une formule d'Union nationale, proche de celle de 1926. Cependant les politiques suivies procèdent des mêmes inspirations. Il s'agit avant tout de tenter de protéger l'appareil productif de la vague extérieure et d'enrayer la baisse des prix par des mesures internes, tout en équilibrant le budget de l'Etat et en maintenant le franc à la valeur définie lors de la stabilisation Poincaré.

La protection du marché national. — Les gouvernements tentent dans un premier temps d'enrayer la baisse des prix, génératrice de faillites et de stagnation, en protégeant l'appareil productif français de l'agression extérieure considérée comme l'origine de la crise. Ils ne font que retrouver une technique protectionniste traditionnellement employée par la République pour assurer, en même temps que la survie d'un appareil productif menacé, le maintien d'un équilibre social fondé sur la prédominance d'une classe moyenne indépendante de petits et moyens producteurs.

Aussi les modérés mettent-ils en application cette doctrine dès 1931 en augmentant les droits de douane sur les produits agricoles, puis sur les produits industriels en mars 1932. Une surtaxe de change, fixée à 15 % *ad valorem*, est instituée sur les produits britanniques, pour être ensuite retirée en juin 1934 devant la menace de représailles. Le gouvernement recourt également à la procédure du contingentement, beaucoup plus dirigiste, qui, sans les taxer, limite la quantité des produits à importer. Appliqué systématiquement à partir d'août 1931, ce système est généralisé l'année suivante : présenté comme provisoire, il est encore en vigueur à la veille de la guerre. Véritable retour au dirigisme, il confère un large pouvoir à l'administration qui répartit les autorisations d'importations entre les divers importateurs. Portant sur certains produits de base, tels le charbon ou les produits azotés, il aboutit à priver le pays de matières premières indispensables et par là même à renforcer la stagnation de la production.

Si ces mesures parviennent à réduire le déficit commercial qui diminue de moitié entre 1932 et 1935, elles entraînent également un ralentissement du commerce, un rétrécissement des débouchés et des insuffisances dans le ravitaillement de certaines matières premières. Tout cela va à l'encontre de l'objectif recherché.

La réduction de l'offre intérieure. — Sur le plan interne, des efforts considérables sont entrepris pour freiner la tendance à la baisse des prix, particulièrement accentuée dans le secteur agricole, qui emploie un tiers des actifs. Diverses mesures favorisent la dénaturation du blé (1934) ou la distillation obligatoire de la production viticole, la limitation de l'extension des emblavures (1934) ou des plantations de vignes. Une tentative de taxation est réalisée par la loi du 10 juillet 1933 qui fixe le prix minimum du blé à 115 F l'hectolitre garanti pour une période d'un an. Cette mesure reste totalement inefficace : les paysans, souvent pressés par la nécessité, vendent à un cours inférieur à 100 F, alors que le prix du pain reste fixé par référence à 115 F.

Dans le domaine industriel, l'intervention de l'Etat reste plus discrète. Sans doute intervient-il ponctuellement pour tempérer la concurrence. Un décret de 1935 interdit la construction de nouveaux moulins. Les industriels de la chaussure obtiennent en 1936 le vote d'une loi qui prohibe l'accroissement du potentiel industriel de ce secteur. Mais les autorités préfèrent laisser la cartellisation à l'initiative des professions elles-mêmes : un projet de loi déposé en avril 1935 prévoit la possibilité de rendre obligatoires des accords de cartel, en vue de « provoquer le rajustement entre la production et la consommation, grâce à un effort de discipline et d'organisation professionnelle ». Il n'est pas adopté, par suite des protestations patronales ; mais des accords sont signés dans des secteurs concentrés : les Houillères se répartissent leurs débouchés (1931) ; un cartel de l'acier fixe les prix des demi-produits (1931), de même qu'un comptoir des fontes en 1935.

Les conséquences d'un tel effort sont d'une considérable portée. « La combinaison d'un interventionnisme d'Etat élargi et d'une reprise de la cartellisation aboutit à une quasi-suppression de la compétition, dans une économie où les lois du marché n'étaient pas déjà réputées opérer avec beaucoup de force », a pu écrire Richard Kuisel. Il est indéniable que de tels procédés aboutissent à geler les situations acquises et à freiner l'investissement. Le recul de la production industrielle affecte d'ailleurs les biens d'équipement beaucoup plus que les biens de consommation : l'effet immédiat de la crise est donc encore un peu plus amorti, alors que l'avenir se trouve de plus en plus obéré.

Le refus de dévaluer. — La crise entraîne dans la plupart des pays une dévaluation de la monnaie : cette opération donne aux produits exportés un avantage sur les marchés des pays dont la monnaie n'a pas changé de valeur et permet, par la réévaluation des stocks d'or des banques centrales, une expansion monétaire interne susceptible de provoquer la relance. La dévaluation de la livre sterling, suivie par 40 autres monnaies, introduit entre les prix français et les prix mondiaux un écart de 20 %, qui surenchérit les produits français et rend très compétitives les fabrications étrangères. Le flottement du dollar, décidé le 19 avril 1933, suivi d'une dévaluation en janvier 1934, accroît encore la différence.

En ce domaine, l'attitude de tous les gouvernements, modérés et radicaux, reste rigoureusement identique dans le refus absolu de dévaluer. Les dirigeants de la Banque centrale, et les « experts », tels Charles Rist et Jacques Rueff, professeurs d'économie et hauts fonctionnaires des Finances, partagent et appuient ce point de vue, de même que la majeure partie de l'opinion publique. Une manipulation monétaire est considérée comme une opération dangereuse et malhonnête. Dangereuse, car susceptible de relancer l'inflation et de provoquer à nouveau l'amenuisement du pouvoir d'achat. Malhonnête, car remettant en cause la stabilisation de 1928, qui avait permis aux épargnants d'espérer que la monnaie nationale retrouverait à nouveau son rôle de réserve de valeur. Quand, en 1934, la perspective d'une dévaluation est évoquée à la Chambre, le ministre Louis Germain-Martin s'écrie à la tribune que « dévaluer le franc serait rompre le contrat le plus sacré. Ce que l'Etat promet..., c'est un poids d'or déterminé ».

Ce point de vue, totalement étranger à la perspective instrumentale de type keynésien, qui fait de la monnaie un simple instrument de la relance, traduit une conception culturelle, mais aussi un refus de renouveler l'expérience des années 1920. S'il est admis que la guerre a entraîné d'exceptionnels sacrifices, il doit être bien entendu, pour l'opinion publique, qu'en aucun cas l'Etat ne pourrait renouveler de telles opérations gravement préjudiciables à l'esprit d'épargne considéré comme une vertu majeure par l'Etat républicain.

Aussi la France, en réponse à Roosevelt qui refuse toute solution internationale dans ce domaine, tente-t-elle en juillet 1933 de constituer la zone du « Bloc-or » avec la Belgique, les Pays-Bas, le Luxembourg, l'Italie et la Suisse. L'échec devait être complet. Après la dévaluation du franc belge en mars 1935, tous les signataires de l'accord devaient modifier leur parité au cours de l'année 1936.

La compression budgétaire. — La politique budgétaire relève du même type d'analyse et fait l'objet des mêmes pratiques orthodoxes. Tardieu, pour l'exercice 1930-1931, avait prévu un budget de prospérité, fort dispendieux, mais nullement destiné à combattre la crise. La loi sur les assurances sociales est votée en avril 1930, la retraite du combattant instituée à la même époque, les allocations familiales sont créées en mars 1932. La crise, d'autre part, réduit à partir de 1931 les recettes attendues, par suite de la diminution des revenus et du volume des affaires, qui se répercute sur les rentrées fiscales.

Mais loin de voir dans le déficit une conséquence de la crise, une partie de l'opinion croit en discerner la cause dans l'excès des charges de l'Etat, dû à une législation démagogique et à la bureaucratie proliférante des « budgétivores », qui pèsent lourdement sur le secteur productif. A partir de 1933, les gouvernements cherchent à rétablir l'équilibre du budget en comprimant les dépenses. Il s'agit donc dans un premier temps de trouver les moyens nécessaires pour équilibrer le budget.

Deux possibilités s'offrent aux gouvernementaux radicaux, de 1932 à 1934 : agir sur le traitement des fonctionnaires, qui par suite de la baisse du coût de la vie ont vu leur situation s'améliorer, et contrôler les dépenses relatives aux anciens combattants, considérablement accrues par les mesures de Tardieu. Daladier, en février 1933, réduit les traitements supérieurs et moyens de la fonction publique, mais il chute sur la question financière, ainsi que son successeur Albert Sarraut. Après le changement de majorité survenu en février 1934, Gaston Doumergue, soutenu par une coalition d' « Union nationale », décrète en avril une diminution des effectifs des ministères, un prélèvement progressif (5 % minimum) sur tous les agents de l'Etat, un prélèvement temporaire de 3 % sur les pensions de guerre et la retraite du combattant. Ces mesures soulèvent une vive opposition des intéressés qui se déclarent blessés dans leur dignité et rendus injustement responsables de la crise.

Dans un deuxième temps, à partir de 1935, la compression budgétaire n'est plus inspirée par le seul souci du respect de l'orthodoxie financière. Il s'agit désormais, par la réduction de la masse monétaire engendrée par les excédents attendus, de parvenir à une déflation, c'est-à-dire une baisse du niveau général des prix permettant de réduire l'écart entre les prix français et les prix étrangers. Il revient alors à Pierre Laval, chef du gouvernement à partir de juin 1935, de prendre une série de décrets-lois en juillet, août et octobre de la même année, qui réduisent de 10 % toutes les dépenses publiques, donc les traitements et pensions, et diminuent l'intérêt de la rente. Pour faciliter la baisse des salaires du secteur privé, les prix de l'électricité, du gaz, du pain, du charbon sont baissés autoritairement, ainsi que les loyers et les baux à ferme. Ces mesures qui atteignent les fonctionnaires, mais aussi certaines catégories de producteurs et de propriétaires, provoquent une profonde exaspération contre « les décrets-lois de misère ».

La déflation aboutit à un double échec. Si les dépenses sont contenues, les recettes diminuent par suite de la persistance de la crise, le budget reste donc déséquilibré. L'écart entre les prix français et les prix étrangers ne se réduit guère. De nombreuses critiques ont été avancées contre la déflation, politique contradictoire avec les efforts tendant à maintenir le niveau des prix, et surtout totalement irréaliste, puisque 50 % des dépenses budgétaires étant incompressibles, la réduction des dépenses nécessaires à une déflation d'une telle ampleur aurait dépassé les limites du soutenable. La déflation a été « une véritable torture » infligée à l'économie, selon la forte expression de Paul Reynaud, un des rares partisans de la dévaluation.

La crise et le pouvoir d'achat des Français

La dépression atteint l'ensemble des Français, directement par la baisse des prix, les faillites, la crise de l'emploi, et indirectement par les mesures déflationnistes. Tous, cependant, ne sont pas touchés de la même manière.

Variation des revenus de 1930 à 1935

	Valeur nominale	*Pouvoir d'achat*
Salaires et traitements	— 28,5	— 5,9
Retraites et pensions	+ 11	+ 46
Agriculture	— 48,1	— 31,7
Bénéfices industriels et commerciaux	— 37,7	— 18,1
Professions libérales	— 18,7	+ 6,7
Revenus mobiliers	— 26,6	— 3,4
Revenus fonciers	— 10,5	+ 11,7
Ensemble	— 30,5	— 8,5

(Source : Alfred Sauvy, *op. cit.*)

Trois types de revenus non directement liés au niveau de l'activité économique voient leur position s'améliorer. Les titulaires de pensions et retraites, durement touchés pendant les années 1920, ont vu leur revenu revalorisé en 1931 grâce aux mesures prises par les gouvernements modérés. Ces pensions restent d'un montant modeste, mais le nombre des retraités s'accroît du fait du vieillissement. Les titulaires de revenus fonciers, propriétaires de biens-fonds ou d'immeubles, particulièrement atteints par le premier conflit mondial, se trouvent en position abritée par rapport aux producteurs, les exploitants agricoles, et aux locataires, souvent salariés. La baisse décrétée par Laval est loin de correspondre à l'ampleur des gains réalisés grâce à la baisse du coût de la vie. Les professions libérales échappent aussi aux effets directs de la dépression. La baisse des prix leur procure même un certain gain, alors que les droits et émoluments perçus par l'ensemble de ces professions ne sont pas entraînés dans la baisse générale de l'activité.

Deux catégories de revenus connaissent un recul limité en termes de pouvoir d'achat, les revenus mobiliers et les salaires et traitements. Le premier groupe dissimule sous une moyenne de — 3,4 % de baisse du pouvoir d'achat une grande disparité entre les différents types de titres. Le cours des actions baisse inégalement suivant les secteurs. Les titres à revenu variable des monopoles publics (gaz, électricité) et des grandes entreprises des secteurs cartellisés (chimie, sidérurgie) se maintiennent à un niveau satisfaisant, contrairement à ceux des secteurs à forte dispersion (textile), en forte baisse.

La moyenne de — 5,9 % pour les salaires et traitements masque également de grandes différences entre les traitements de fonctionnaires et les salaires du secteur privé. Si le revenu nominal des premiers est amputé par la compression budgétaire, leur pouvoir d'achat se maintient, mais ils supportent mal la politique déflationniste qui semble les désigner comme les responsables des difficultés. Les salariés de l'industrie, de leur côté, opposent une vive résistance à la baisse du salaire horaire, dont le pouvoir d'achat ne diminue pas. Mais les ouvriers sont atteints par la diminution du temps de travail et la montée du chômage.

Les plus fortes baisses concernent les cultivateurs et le monde du petit commerce et de la petite industrie, dont la perte de pouvoir d'achat atteint 20 à 30 %. Les faillites et les cessations d'exploitations se multiplient. Le fait est d'autant plus grave que ces classes de producteurs indépendants représentent une forte proportion de la population française. Leur ruine est aussi celle de la politique sociale républicaine, qui avait placé ses espoirs dans l'enrichissement et la promotion individuelle.

La crise sociale et économique débouche alors sur la crise politique.

La crise politique et morale des années 1930 (1931-1936)

La dépression, visible à partir du premier trimestre de 1932, et le déficit budgétaire qu'elle entraîne ne restent pas sans conséquences sur le déroulement de la vie politique. A partir de 1933, on assiste à une véritable crise de l'Etat républicain, accompagnée d'une contestation du système.

La crise du système politique (1932-1934)

Impuissance et instabilité (1932-1934). — Le changement de majorité survenu lors des élections de mai 1932 débouche sur la paralysie, tandis que se développent les ligues antiparlementaires, et que, dans le même temps, les formations politiques traditionnelles connaissent une crise profonde.

— Les élections de 1932 et la victoire des gauches. A la veille des élections de 1932, Tardieu, chef de la majorité sortante, multiplie les appels en direction des radicaux en vue de la réalisation d'une alliance avec la droite et le centre droit face au péril socialiste, mais il se heurte au refus catégorique d'Herriot. Cependant, d'un autre côté, les propositions faites par les socialistes aux radicaux en vue de l'élaboration d'un programme commun restent sans effet, et les partis de gauche vont séparément à la bataille du premier tour

Les résultats du scrutin du 1er mai 1932 se soldent par une nette victoire des gauches, qui obtiennent au total près de 4,9 millions de voix, contre 3,8 millions à l'ensemble des droites. A l'intérieur de chacun de ces blocs, on remarque le recul communiste (800 000 voix contre 1 million en 1928), les progrès socialistes (presque 2 millions), la bonne performance radicale (1,8 million de voix), le maintien du centre droit (1,3 million de voix), le médiocre score de la Fédération républicaine (1,2 million de voix). Le deuxième tour voit, grâce à un bon report de voix à gauche, même de la part d'électeurs communistes allant à l'encontre des consignes du parti, le succès des socialistes et des radicaux.

Répartition de la Chambre de 1932, sur 614 sièges

Droites 258	Droite : 91	dont notamment 41 Fédération républicaine (groupe Marin) et 18 Groupe républicain et social (groupe Pernot)
	Centre droit : 167	dont 17 démocrates-chrétiens (PDP), 34 Centre républicain (groupe Tardieu) 116 « républicains de gauche » et radicaux indépendants
Gauche 356	Majorité 345	Radicaux, indépendants de gauche, républicains socialistes : 204 dont 160 radicaux Socialistes SFIO : 132 Socialistes-communistes : 9 [1]
	Communistes : 11	

[1] Dissidents communistes attachés à la « discipline républicaine » ; exclus du parti et fondateurs du Parti d'unité prolétarienne, ils sont souvent élus contre des candidats du PCF.

Au net succès des partis de gauche correspond l'émiettement de la droite et du centre droit. Le groupe URD se divise, par suite de l'opposition d'une partie de ses membres aux prises de position de Marin en politique extérieure. Au centre droit, Tardieu forme un groupe qui se donne pour but d'empêcher toute formation d'une concentration à direction radicale.

— L'instabilité gouvernementale. Edouard Herriot est appelé par le président de la République, Albert Lebrun, un homme de centre droit élu le 10 mai 1932, à former le gouvernement. Peu désireux de faire appel aux socialistes qui, d'ailleurs, ne sont pas favorables, dans leur majorité, à une participation, le nouveau président du Conseil compose son cabinet de radicaux, confiant le ministère des Finances à Louis Germain-Martin, ancien ministre de Tardieu.

Dès lors, les radicaux doivent faire face à une situation insoluble. Toute proposition d'économie ou de rigueur budgétaire se heurte aussitôt à l'hostilité des socialistes. Aucun appui, d'autre part, ne peut être obtenu du centre droit qui, manœuvré par Tardieu, repousse toute solution de concentration à direction radicale. Pour éviter de tomber sur la question financière, Herriot pose à la Chambre le problème des dettes interalliées. Il sait que la majorité des députés n'admet pas que la France soit contrainte d'honorer ses échéances à l'égard des Américains, alors que l'Allemagne a dû cesser ses paiements au titre des réparations. En proposant le 14 décembre 1932 de continuer à rembourser les Etats-Unis, il provoque sa chute : 187 députés seulement contre 482 votent pour lui.

De décembre 1932 à janvier 1934, le républicain socialiste Joseph Paul-Boncour (décembre 1932 - janvier 1933), les radicaux Edouard Daladier (janvier-octobre 1933), Albert Sarraut (octobre-novembre 1933) et Camille Chautemps (novembre 1933 - janvier 1934) tentent de former un gouvernement durable. En vain : aucune majorité ne peut se dégager ; en butte à l'hostilité des socialistes, tous tombent sur la question financière.

La pression de la rue : le renouveau des ligues. — En dehors du cadre de la vie politique parlementaire, limité au Parlement et aux partis traditionnels, des organisations de masse, ou aspirant à le devenir, dont le discours contestataire met en cause non seulement la manière dont le pays est gouverné, mais aussi le régime lui-même, connaissent une forte audience à partir de 1932.

Certaines d'entre elles sont des groupes de pression catégoriels, en principe éloignés de la politique. Ainsi, dans les campagnes, le mouvement dorgériste, du nom de son chef, Henri d'Halluin, dit Dorgères, créé en 1928 pour assurer la défense de la petite paysannerie, en arrive-t-il à contester la République libérale, favorable au capitalisme urbain, et à prôner la restauration, par la voie autoritaire, d'une société rurale corporatiste et traditionaliste. Le discours des organisations d'anciens combattants, et notamment de la principale, l'UNC, manifeste une insistance marquée dans sa réclamation de réforme institutionnelle et dans sa critique de l'impuissance et de l'instabilité, sans que l'on puisse parler, du moins pour la masse des adhérents, fidèles à l'esprit républicain, de dérive factieuse.

D'autres mouvements relèvent plus directement de l'action politique, ce sont les ligues. Des formations de ce type, organisées en dehors du Parlement, visant non pas l'action électorale, mais la pression par la rue, étaient apparues au début du siècle sous les gouvernements du Bloc des gauches, puis sous le Cartel des gauches en 1924-1926. La période 1932-1934 voit à nouveau leur épanouissement. Les Camelots du Roi, groupes de choc de l'Action française, et les Jeunesses patriotes, sont concurrencés par de nouveaux venus.

Ces mouvements, la ligue des Croix-de-Feu, créée en 1928, présidée à partir de 1931 par le colonel François de La Rocque, la Solidarité française, du commandant Jean Renaud, apparue au début de 1933, le Parti franciste dirigé par Marcel Bucard, fondé en novembre de la même année, mobilisent respectivement au début de 1934 quelques dizaines de milliers d'hommes pour le premier (100 000 au début de 1934 ?), des effectifs mouvants de quelques dizaines de milliers pour le deuxième, une petite dizaine de mille pour le troisième.

Ces organisations présentent des traits communs : une structure autoritaire, centrée sur la personne du chef ; l'existence de services d'ordre étoffés, soumis à une discipline de type militaire (les « dispos » des Croix-de-Feu), distincts de la masse des militants ; une préférence marquée pour les démonstrations de rues, les défilés en uniforme et les parades motorisées. Les partis de gauche, quand ils dénoncent le « fascisme » des ligues, se réfèrent essentiellement à cette réalité extérieure.

Mais ces ligues apparaissent, à l'examen, fort différentes dans leurs inspirations et dans leurs visées. La plus puissante, celle des Croix-de-Feu, est issue d'une association d'anciens combattants, élargie ensuite aux « fils et filles des Croix-de-Feu », enfin aux sympathisants regroupés dans la ligue des Volontaires nationaux. L'analyse de son idéologie montre que, tout en prônant un exécutif fort, elle emprunte au traditionalisme anti-étatiste défenseur de la famille et de l'entreprise, conçues comme des unités patriarcales, avec référence appuyée aux thèmes du catholicisme conservateur. Ce christianisme social patriotique ne manifeste guère de racisme, ni de xénophobie.

La Solidarité française et le mouvement franciste tiennent un discours différent, qui ajoute à l'antiparlementarisme une thématique anticapitaliste, xénophobe et antisémite. Le francisme ne recule pas devant les objectifs totalitaires. Ainsi, les critères du fascisme retenus par René Rémond, la visée « révolutionnaire » (remplacer les élites en place par des élites nouvelles, surgies du « peuple ») et la perspective d'un encadrement totalitaire ne se retrouvent à cette date que dans deux organisations largement minoritaires. Le francisme semble largement inspiré par un esprit d'imitation « servile » (Pierre Milza) du fascisme mussolinien. Incontestablement le terreau français, caractérisé par l'absence de frustration nationaliste, au contraire des cas allemand et italien, et par le respect des élites traditionnelles, ne se prêtait pas à la greffe fasciste.

La crise des forces politiques. — Les forces politiques traditionnelles, qu'il s'agisse des modérés, des radicaux ou des socialistes, subissent le contrecoup du désarroi politique et moral. Aucune n'est épargnée par les dissensions, certaines connaissent même exclusions et scissions.

La droite parlementaire s'est scindée, on l'a vu, sur le briandisme. Alors que Louis Marin, président de la Fédération républicaine, combat avec acharnement toute politique de conciliation avec l'Allemagne, une fraction plus modérée dirigée par Georges Pernot, catholique briandiste et ministre de Tardieu en 1930, quitte la Fédération après les élections de 1932, alors que d'autres rejoignent Tardieu et son Centre républicain.

Cet affaiblissement du parti sur les questions de politique extérieure coïncide avec un renouvellement de son personnel dirigeant. En 1933, Philippe Henriot, député de la Gironde, orateur de la Fédération nationale catholique, devient un des 14 vice-présidents du parti : sa rhétorique antiparlementaire tranche avec les vieilles traditions de la formation créée par Jules Méline. La même année, Xavier Vallat, militant venu de l'Action française, adhère à la Fédération républicaine où son discours « national », très apprécié, l'amène à l'une des vice-présidences en 1936. Autre dérive, moins accentuée : au centre droit, Tardieu, déçu par ses échecs successifs, considère avec un intérêt croissant les démonstrations de la rue, qui lui paraissent pouvoir être intégrées dans une stratégie de pression susceptible d'aboutir à un renversement de la majorité de gauche.

Le radicalisme évolue, lui aussi. Dès la fin des années 1920, s'était manifesté en son sein le mouvement des « Jeunes-Turcs ». Ce courant d'idées devait son existence aux efforts convergents d'un proche de Joseph Caillaux, Emile Roche, fondateur de *La République*, de jeunes intellectuels, tels Bertrand de Jouvenel et Jacques Kayser, de jeunes parlementaires, comme Pierre Cot, élu en 1928, Jean Zay, Pierre Mendès France, élus en 1932. Favorables à un renforcement de l'exécutif, à une meilleure représentation des forces socio-économiques, à une intervention accrue de l'Etat en matière économique, à une confédération européenne, les Jeunes-Turcs se manifestent lors des congrès du début des années 1930, mais ne proposent pas de formule politique claire permettant d'opter nettement pour l'union des gauches ou la concentration avec les modérés. Il n'en reste pas moins que leurs idées modernisatrices représentent une tentative d'adaptation du vieux radicalisme à une réalité économique et sociale de type nouveau, caractérisée non plus par la prédominance des petits producteurs, mais par l'accroissement des forces productives, la concentration industrielle et les rapports entre patrons et salariés.

Le Parti socialiste SFIO connaît quant à lui une double crise, stratégique et doctrinale. Le premier point concerne l'attitude à adopter vis-à-vis des alliés radicaux au pouvoir. La participation au gouvernement est toujours rejetée par une majorité de militants lors des congrès. Mais la crise est aussi doctrinale. Dès 1930, Marcel Déat, brillant théoricien du parti, avait contesté les thèses marxistes traditionnelles en mettant l'accent sur la solidarité du prolétariat et des classes moyennes, menacées par l'évolution du capitalisme et tentées par le fascisme. Cette alliance d'un nouveau type pouvait, selon lui, déboucher sur une action autonome de l'Etat, susceptible d'aboutir à un contrôle du système et à une socialisation du profit.

Ce néo-socialisme semble donc, sous prétexte de lutter contre le fascisme et bien que Déat s'en défende, mener à l'apologie d'un Etat autoritaire : Adrien Marquet, en juillet 1933, envisage « un pouvoir fort qui se (substituerait) à la bourgeoisie défaillante » dans le cadre national, et résume ces thèses par la formule lapidaire : « Ordre, autorité, nation. » Il suscite la réprobation de Blum, « épouvanté » devant une telle perspective. En octobre 1933, les « néos » sont exclus, ainsi que Pierre Renaudel et Paul Ramadier, qui ont montré de nettes préférences pour l'entrée des socialistes au gouvernement. Les dissidents (néos et participationnistes) devaient créer le Parti socialiste de France - Union Jean Jaurès, qui n'allait guère dépasser les 20 000 adhérents, un grand nombre de militants qui partageaient leurs idées préférant conserver leur fidélité à la SFIO.

Les remises en cause institutionnelles et idéologiques

La crise qui affecte le système politique traduit l'impuissance des forces politiques traditionnelles à proposer une formule de renouvellement. Aussi, en marge de ces forces, des clubs, des revues, des cercles qui foisonnent dans les années 1930, proposent-ils des voies nouvelles. Rien n'est épargné par leurs critiques : les institutions, le système économique, la philosophie du libéralisme rationaliste.

La remise en cause des institutions : la réforme de l'Etat. — La campagne pour la « réforme de l'Etat » n'est pas propre aux années 1930. Le poids excessif du Parlement dans l'équilibre général des pouvoirs était depuis longtemps contesté. En 1920-1924, Alexandre Millerand avait tenté, bien en vain, de valoriser l'institution présidentielle. L'instabilité des années 1932-1934 ranime le débat. La réflexion des constitutionnalistes, Raymond Carré de Malberg, Joseph Barthélemy, René Capitant, est alors relayée par des publicistes et des hommes politiques, tout particulièrement André Tardieu (*L'heure de la décision,* 1934).

Toutes leurs propositions visent à atténuer « le parlementarisme absolu » (Carré de Malberg) en proposant, soit une révision constitutionnelle, soit un changement des méthodes de travail politique.

Les premières envisagent de restaurer le droit de dissolution, prévu par les textes de 1875, mais soumis à l'autorisation préalable du Sénat, devenu le véritable gardien du temple de la République parlementaire. Le collège des électeurs présidentiels pourrait être élargi à d'autres catégories que les parlementaires. La procédure référendaire permettrait de donner la parole au peuple. Le rééquilibrage des pouvoirs pourrait passer par la promotion d'institutions assurant la représentation économique, en augmentant notamment la compétence du Conseil national économique, créé en 1925 par Herriot.

Les secondes se contentent de réclamer pour la présidence du Conseil, institution jusque-là coutumière et non prévue par le textes de 1875, un statut officiel et des moyens administratifs propres. Le travail parlementaire serait réglementé par la réforme du droit d'interpellation et de l'initiative en matière de dépenses. Les pouvoirs des commissions, devenues omnipotentes, spécialement celle des Finances, seraient limités.

L'idée de réforme institutionnelle gagne le Parlement lui-même. En décembre 1933 apparaît au Palais-Bourbon un groupe d'études de la réforme administrative et de la révision des méthodes de travail parlementaire, dont on devait reparler après le 6 février 1934.

La critique du système économique libéral. — La crise entraîne la mise en question du libéralisme économique. Face aux évidents déséquilibres qui affectent les finances publiques et les divers marchés des biens, des capitaux et du travail, les propositions de réorganisation de la société, émanant d'un grand nombre de cercles et d'organisations, se multiplient au cours des années 1930.

Ces propositions gravitent autour de deux axes : réguler la vie économique, et, par-delà ce souci immédiat, parvenir à atténuer, voire à faire disparaître les conflits du travail et les antagonismes sociaux. Cette double perspective correspond à deux courants, le planisme et le corporatisme.

Le souci de régulation domine dans un premier groupe, les planistes néo-libéraux. Ces derniers, hauts fonctionnaires et cadres supérieurs, souvent issus de l'Ecole polytechnique, sont regroupés dans le Centre polytechnicien d'études économiques (X-crise, fondé en 1931), présidé par l'industriel Jean Coutrot, et autour d'Auguste Detœuf, fondateur des *Nouveaux Cahiers*. Ils préconisent, devant les défaillances des mécanismes du marché, un type d'économie fondé sur les ajustements *a priori*, au moins pour le secteur cartellisé de la grande industrie, qui permettrait une croissance régulière fondée notamment sur l'introduction massive de la rationalisation. Cette planification souple, subordonnée à la formation d'ententes économiques, devrait aboutir à confier une place croissante aux dirigeants de l'économie dans la conduite des affaires publiques. Cette conception « technocratique » du pouvoir devait s'épanouir au lendemain de la deuxième guerre mondiale et, auparavant, dans certains cercles de Vichy.

Les planistes néo-libéraux n'envisagent pas de réformer la propriété des entreprises, mais souhaitent l'apparition d'un complexe associant les grandes entreprises et l'Etat, dans le cadre du plan. Il n'en va pas de même pour les planistes de gauche, socialistes et syndicalistes. Ceux-ci, en effet, sont fortement influencés par les thèses du Belge Henri de Man, théoricien d'une économie mixte, divisée en trois secteurs, nationalisé, contrôlé, libre. A la CGT, tout un courant planiste, animé par Georges Lefranc, s'impose à partir de 1935, prônant une nationalisation du crédit et des secteurs clés et l'instauration d'une planification sous le contrôle d'un conseil économique, où siégeraient les représentants des milieux professionnels.

Le souci d'harmonie sociale prédomine dans un deuxième courant, le corporatisme. Les tenants de cette formule se déclarent favorables à des associations professionnelles mixtes, constituées dans chaque branche de l'activité économique, qui seraient chargées de réglementer les prix et la production, tout en assurant le renouveau de la solidarité sociale à l'intérieur de chaque corps de métier. Ces thèses, hostiles à l'individualisme égoïste et au marxisme, dont le moteur, selon elles, est la haine des classes, prennent appui sur la doctrine sociale catholique et s'inscrivent dans le courant traditionaliste. Elles adoptent, en général, une attitude anti-étatiste, qui met l'accent sur l'autonomie des professions, bien que certains de ces théoriciens se réfèrent au modèle mussolinien d'intégration à l'Etat par le biais des corporations.

La contestation spiritualiste de la philosophie libérale. — Au-delà des remises en cause du fonctionnement institutionnel et économique, les années 1930 voient le développement d'un « esprit nouveau », soucieux de se démarquer des écoles traditionnelles, conservatrices, libérales ou marxistes. Ces « non-conformistes » (Jean-Louis Loubet del Bayle), dont l'influence reste limitée à quelques cercles, s'interrogent sur les finalités mêmes de la société occidentale, dont ils soulignent la tendance au matérialisme égoïste et jouisseur. Leur réflexion, antérieure à la crise, est née de l'ébranlement provoqué par la Grande Guerre, mais elle trouve son épanouissement au milieu du désarroi des années 1930.

Un premier groupe se situe dans la mouvance traditionaliste, avec Jean-Pierre Maxence (*Les Cahiers,* 1928-1931), Jean de Fabrègues (*Réaction,* 1930-1932) et Thierry Maulnier (*Combat,* né en 1936). Issus de l'Action française, ils s'en séparent après 1934. Leur analyse antilibérale, anticapitaliste et antilaïque les conduit à prôner le retour aux communautés naturelles et à l'organisation de l'ancien régime.

Bien différents, les catholiques de la revue *Esprit,* fondée en 1932 par Emmanuel Mounier, inspirés par le philosophe thomiste Jacques Maritain, entendent engager une réflexion sur la nature et les modalités de l'engagement du chrétien dans la cité. Mounier repousse l'individualisme libéral, ses visées à courte vue, son rationalisme desséchant, tout autant que l'étatisme jacobin et le capitalisme immoral et oppressif. Il se fait l'apologiste du « personnalisme » — opposé à l'individualisme —, d'une société communautaire — mais non collectiviste —, d'une « économie organisée sur les perspectives totales de la personne », c'est-à-dire centrée sur la consommation au lieu de l'être sur la production. *Esprit* devait s'opposer à Franco et aux accords de Munich. L'influence de Mounier se révélera considérable dans de larges secteurs de l'opinion catholique.

Dans la revue *Ordre nouveau,* fondée en 1933 par Robert Aron et

Arnaud Dandieu, on retrouve la même recherche d'une « troisième voie » entre le capitalisme et le communisme, au-delà des jeux surannés du parlementarisme. On y remarque les préoccupations spiritualistes, le personnalisme et l'idée d'une société formée de communautés naturelles. Les non-conformistes allaient toutefois se trouver confrontés à partir de 1934 à une vie politique en voie de bipolarisation.

Le communisme et les intellectuels — Le communisme, radicalement critique à l'égard de la société « bourgeoise », fait aussi partie du paysage contestataire des années 1930. Le Parti communiste, soucieux d'élargir dans les milieux intellectuels une audience jusque-là limitée à quelques philosophes (Henri Lefebvre, Georges Friedmann) et écrivains (André Breton, Louis Aragon, Paul Eluard), crée en 1932 une Association des écrivains et artistes révolutionnaires (AEAR) et lance en 1933 un Comité de lutte contre la guerre et le fascisme, dit Comité Amsterdam-Pleyel. Henri Barbusse, compagnon de route depuis les débuts du parti, et Romain Rolland rallient l'AEAR ; André Gide, André Malraux en sont proches.

Beaucoup de ces compagnons de route devaient par la suite prendre leurs distances : Gide s'éloigne du parti en 1936, à la suite d'un voyage en URSS dont il rentre profondément déçu. Le communisme a pu ainsi bénéficier d'appuis prestigieux, mais dont le caractère individuel ne permet pas de conclure à une poussée dans l'opinion. Le Front populaire va tirer le parti de son isolement et lui conférer une certaine respectabilité auprès des intellectuels.

Le 6 février 1934 et sa portée

Le « 6 février » représente à la fois l'aboutissement du malaise institutionnel et idéologique, une émeute comme le régime n'en avait pas connue depuis le début du siècle, au temps de l'affaire Dreyfus, enfin un renversement de la majorité parlementaire, analogue à celui de 1926, mais dans un contexte et selon des modalités bien différentes.

La journée du 6 février 1934. — Il convient d'en reconstituer l'enchaînement :

— Les origines : l'affaire Stavisky. A l'origine du 6 février se trouve une vulgaire affaire d'escroquerie qui aboutit à la mise en cause du personnel politique. Le 24 décembre 1933 la police appréhende le directeur du Crédit municipal de Bayonne, accusé d'avoir détourné une somme considérable, près de 200 millions, provenant du montant de souscriptions, anormalement élevées, de bons à intérêt, placés auprès de banques et de compagnies d'assurances. Le 7 janvier, le député-maire de Bayonne est arrêté à son tour ; le lendemain, alors que la police s'apprête à mettre la main sur le fondateur de ce Crédit municipal, Serge Alexandre *alias* Alexandre Stavisky, auteur et bénéficiaire de l'escroquerie, ce dernier se donne la mort dans un chalet de Chamonix.

La presse, qui émet de manière générale de graves doutes sur la réalité du suicide, fait alors une série de révélations. L'escroc, qui menait grande vie à Paris, Deauville et Chamonix, avait bénéficié depuis plusieurs années d'une inexplicable indulgence de la part de la justice, qui n'avait jamais donné suite aux plaintes déposées contre lui, procédant à dix-neuf reprises au renvoi de son procès. La presse extrémiste souligne que le procureur de la République auprès du tribunal de la Seine, qui ne s'était jamais opposé à ces pratiques, est le propre beau-frère de Camille Chautemps, président du Conseil.

Aussi le scandale éclabousse-t-il rapidement le pouvoir en place, c'est-à-dire les radicaux. Le député-maire de Bayonne est un radical, de même qu'Albert Dalimier, ministre du gouvernement Chautemps, qui, accusé d'avoir signé des lettres de recommandation en faveur des bons du Crédit de Bayonne, démissionne le 9 janvier. Le gouvernement de Camille Chautemps subit alors un double harcèlement : les ligueurs, principalement d'Action française, multiplient les échauffourées dans les rues de la capitale, au cri de « à bas les voleurs ». A la Chambre, la droite parlementaire mène l'assaut contre le président du Conseil. Le 28 janvier, Chautemps remet sa démission au président de la République.

Alors que les Camelots du Roi, renforcés par les Jeunesses patriotes et la Solidarité française, redoublent d'agitation, le président Lebrun désigne le 29 janvier Edouard Daladier pour assurer la succession. Réputé intègre et énergique, le nouveau chef du gouvernement constitue un cabinet radical renforcé par la présence de trois membres du centre droit. Désireux d'assainir la situation, il ordonne de faire la lumière sur l'affaire Stavisky et, dans le dessein de réprimer les mouvements de rue, déplace le 3 février le préfet de police de Paris, Jean Chiappe, dont la sympathie pour les ligues était notoire. Cette décision met le feu aux poudres.

— L'émeute du 6 février. Chiappe refuse le poste de résident général au Maroc que lui offre Daladier, les ministres modérés démissionnent. L'Action française, la Solidarité française, les Jeunesses patriotes, l'UNC et les Croix-de-Feu lancent un appel à manifester pour le 6 février, jour où le gouvernement doit se présenter devant la Chambre. Ils sont rejoints par l'ARAC (Association républicaine des anciens combattants), proche du Parti communiste, soucieux de ne pas laisser le monopole du mécontentement populaire aux ligues de droite. Mais ces organisations convoquent leurs troupes en ordre séparé.

La journée du 6 février apparaît en fait comme la juxtaposition de trois types d'action différents. Il y eut, en premier lieu, des actes de violence sur la place de la Concorde, où étaient attendus les cortèges. La foule l'envahit dans le courant de l'après-midi, tandis que les forces de l'ordre prennent position pour fermer le pont de la Concorde et barrer l'accès de la Chambre des députés. Vers 19 h 30, l'agitation grandit, un autobus est incendié, les forces de l'ordre sont lapidées et doivent, pour se dégager, tirer sur les émeutiers. D'autres tentatives de franchissement sont repoussées entre 22 heures et 2 h 30 du matin. Le bilan des violences, dont sont responsables les militants des ligues antiparlementaires (Action française, Jeunesses patriotes, Solidarité française), auxquels se sont mêlés individuellement des anciens combattants, s'élève à 15 morts (dont 1 policier) et 1 435 blessés (dont 780 policiers).

Par ailleurs, des manifestations plus classiques, avec défilés et pancartes, se déroulent dans un calme relatif. Les anciens combattants de l'UNC, parvenus sur la place de la Concorde vers 20 h 45, ne participent pas à l'émeute. De leur côté, les troupes du colonel de La Rocque, restées à l'écart de la place, se dispersent en bon ordre vers 20 h 45, sur l'ordre de leur chef. Enfin, à la Chambre, la droite parlementaire prend l'offensive contre Daladier, au cours de la séance d'investiture du gouvernement entre 15 heures et 20 h 30. Malgré une évidente obstruction et une série d'agressions verbales et même physiques, la Chambre accorde sa confiance au gouvernement radical par 343 voix contre 237 : la majorité ne s'est pas disloquée, contrairement à ce que souhaitaient visiblement de nombreux éléments de la droite.

La signification des mouvements du 6 février n'a pas été totalement élucidée. Le caractère apparemment désordonné des diverses initiatives paraît exclure un complot concerté en vue de renverser le régime. De nombreux anciens combattants sont simplement venus clamer leur colère et leur indignation, alors que les militants les plus exaltés de l'Action française ou de la Solidarité française imaginaient, peut-être, en finir avec la République parlementaire. La Rocque entendait surtout, selon ses propres dires, « effectuer une opération démonstrative et non un raid offensif ».

Cela n'exclut pas, toutefois, toute manœuvre politique : au plus fort de l'émeute, vers 20 h 30, une délégation de conseillers municipaux parisiens, conduite par le colonel des Isnards, un des dirigeants des Jeunesses patriotes, parvient à la Chambre pour y demander la démission de Daladier. Il s'agirait alors d'une manœuvre politique tendant à obtenir, par la pression de la rue, le départ du président du Conseil et la formation d'une nouvelle majorité parlementaire, éventualité qui avait été fréquemment évoquée dans la presse de droite au cours des derniers mois de 1933.

— La portée du 6 février : le départ de Daladier et le changement de majorité. Au soir du 6 février cet objectif n'est pas atteint, bien au contraire : Daladier, politiquement conforté, envisage dans la nuit d'instaurer l'état de siège. Mais il se heurte aux réticences des plus hautes autorités judiciaires et militaires. Alors que, dans la matinée du 7, la presse de droite, le rendant responsable du sang versé la veille, demande son départ, le président du Conseil consulte les plus hauts dignitaires de la République. Jules Jeanneney, président du Sénat, de manière nuancée, Fernand Bouisson, président de la Chambre, beaucoup plus catégoriquement, lui recommandent le retrait. Dans son propre parti, Herriot, et même les jeunes radicaux qui figurent dans son gouvernement, notamment Pierre Cot, craignant sans doute de nouveaux troubles, font de même. Le 7 février, à 13 h 30, Edouard Daladier remet sa démission au président Lebrun. Evénement considérable et sans précédent : un gouvernement légalement investi par le Parlement conformément à la loi républicaine a capitulé devant l'émeute.

L'expérience Doumergue et son échec. — Lebrun doit désigner un successeur à Daladier. Déjà, au plus fort de la crise, il avait pensé à Gaston Doumergue, qui vivait retiré sur son domaine de Tournefeuille, dans son Midi natal. L'ancien président de la République, homme souriant et consensuel, semble l'homme le mieux désigné pour mener à bien une opération analogue à celle de 1926.

Le gouvernement qu'il constitue le 9 février, dit « de trêve, d'apaisement et de justice », se compose d'une majorité d'hommes du centre droit (7 ministres, dont André Tardieu, Louis Barthou aux Affaires étrangères, Pierre-Etienne Flandin, Pierre Laval) et de radicaux (6 ministres, dont Herriot, Sarraut et le Dr Queuille, ancien ministre de Daladier, nommé à l'Agriculture). Marin, à la Santé, représente la droite, Adrien Marquet, néo-socialiste, est ministre du Travail. La présence du maréchal Pétain, du chef d'état-major de l'armée de l'Air et du secrétaire général de la Confédération générale des anciens combattants, Georges Rivollet, s'adresse visiblement au mouvement ancien combattant. Le 15 février, les députés votent la confiance par 402 voix contre 125, socialistes et communistes essentiellement ; 70 députés s'abstiennent, dont 28 radicaux et la plupart des néo-socialistes.

Doumergue tente de répondre aux espoirs que son arrivée a soulevés. En matière économique et financière, son ministre, Louis Germain-Martin, intensifie la politique de compression budgétaire et refuse la dévaluation. La réforme de l'Etat est cependant la grande affaire puisque les troubles et le malaise sont attribués au premier chef à la crise du régime parlementaire. Le moment semble favorable, mais Doumergue, par crainte de mécontenter les ministres radicaux, ne révèle ses projets qu'en septembre. Il propose alors la suppression de l'avis conforme du Sénat pour la dissolution de la Chambre, la création d'une véritable présidence du Conseil dotée de moyens propres et la limitation de l'initiative parlementaire en matière de dépenses. Ce projet n'est même pas discuté : en butte aux critiques des sénateurs et des ministres radicaux, le président du Conseil démissionne le 8 novembre 1934.

Pierre-Etienne Flandin, un des principaux dirigeants de l'Alliance démocratique, reconduit un gouvernement semblable à celui de son prédécesseur, dont ne font plus partie cependant le maréchal Pétain et André Tardieu, avant de céder la place à Pierre Laval en juin 1935. La réforme de l'Etat est abandonnée, à deux réserves près. Flandin fait insérer dans la loi de finances de décembre 1934 un dispositif financier légalisant l'existence d'une présidence du Conseil, installée à l'Hôtel Matignon, rue de Varennes, dotée de services administratifs par un décret de janvier 1935. Les chefs des gouvernements successifs, Doumergue, Flandin, puis Laval, se font conférer d'autre part une délégation législative (décrets-lois), dont ils usent essentiellement dans le domaine financier. Enfin, l'usage de la radio par Doumergue en septembre 1934, puis par Laval en juillet 1935, fortement critiqué par les tenants du parlementarisme traditionnel, amorce une évolution, encore peu marquée, vers l'établissement de contacts directs entre gouvernants et gouvernés.

Ainsi, le 6 février 1934 n'a pas abouti à la réforme de l'Etat. Mais sous la pression des circonstances, l'exécutif parvient à grand peine à se soustraire partiellement à la tutelle législative. Cette évolution devait se confirmer dans les dernières années de la IIIe République.

L'expérience du Front populaire

La formation du Front populaire (1934-1936)

Demi-succès sur le moment, mais échec à terme pour ses promoteurs, le 6 février 1934 est à l'origine d'un ébranlement considérable : dans une large partie de l'opinion se répand l'idée que des forces « fascistes » menacent le régime parlementaire. Une recomposition politique de première importance fait suite à la journée d'émeutes et à la constitution du gouvernement de « trêve ».

Le rassemblement antifasciste. — Communistes et socialistes réagissent au 6 février en ordre dispersé. Le 9 février, les communistes appellent à manifester contre le fascisme et le « fusilleur » Daladier. La répression policière, particulièrement brutale, provoque la mort de neuf personnes et fait des centaines de blessés. La CGT et le Parti socialiste lancent pour le 12 un mot d'ordre de grève générale et de manifestation, dirigé essentiellement contre les ligues, « pour les libertés publiques et les libertés ouvrières ». La grève est largement suivie, notamment par les postiers, les cheminots, les fonctionnaires, tandis qu'un cortège socialiste fusionne place de la Nation avec des manifestants communistes, au cri d' « unité ! unité ! ». Mais, quelle que soit la forte charge symbolique de cette scène, elle reste sans lendemain.

Le 6 février cependant provoque des initiatives extrapartisanes chez les intellectuels. Le Comité Amsterdam-Pleyel, créé en 1932 à l'instigation des communistes, ne joue guère son rôle d'unification des forces antifascistes, par suite de la méfiance persistante des socialistes à l'égard d'une organisation étroitement liée au PCF. Mais la menace des ligues donne naissance à une structure unitaire, le Comité de vigilance des intellectuels antifascites (CVIA). Résultant d'une initiative d'un auditeur à la Cour des comptes et des responsables du Syndicat national des instituteurs, le CVIA lance le 5 mars un manifeste appelant à l'unité des forces antifascistes, signé par trois personnalités du monde intellectuel, Paul Rivet, directeur du Musée d'ethnographie du Trocadéro, membre du Parti socialiste, Paul Langevin, professeur de physique au Collège de France, proche du Parti communiste, et le philosophe Alain (Emile Chartier), auteur des *Eléments d'une doctrine radicale.* Le comité édite un bulletin, *Vigilance,* et patronne en province la création d'environ 200 comités locaux. Il joue un rôle précurseur dans le rassemblement antifasciste.

Mais cette dynamique n'aurait pu suffire à déclencher un processus unitaire de grande ampleur si une initiative déterminante n'était venue du Parti communiste et de l'Internationale. Le parti, jusqu'en juin 1934, reste fidèle à la stratégie d'isolement en vigueur depuis sa fondation : il ne peut y avoir avec les socialistes d'autre unité qu' « à la base », c'est-à-dire en ralliant les militants de la formation rivale au Parti communiste. Le PC va jusqu'à exclure Jacques Doriot, député-maire de Saint-Denis, coupable d'avoir prôné dès 1933 le rapprochement des forces antifascistes.

Mais au printemps de 1934 les dirigeants de l'Internationale décident d'abandonner la politique d'opposition frontale aux socialistes et de lui substituer une stratégie d'alliance antifasciste. En clôturant la conférence d'Ivry le 26 juin 1934, Thorez, pressé sans doute par un télégramme de Moscou, proclame la nécessité de pratiquer « à tout prix » « l'unité d'action » avec les socialistes. Cette initiative trouve un terrain favorable, les Croix-de-Feu ne cessant depuis février de multiplier leurs démonstrations. Le 27 juillet, la SFIO signe avec le Parti communiste un « pacte d'unité d'action » par lequel les deux formations s'engagent à mettre fin aux attaques réciproques et à combattre le fascisme et les décrets-lois du gouvernement d'Union nationale. En octobre et novembre, Thorez lance les formules de « Front commun », puis de « Front populaire du travail, de la liberté et de la paix ». Dès cette époque le dirigeant communiste propose d'élargir le rassemblement aux « classes moyennes », ce qui le conduit à lancer des appels répétés en direction du Parti radical.

Celui-ci participe alors aux gouvernements de « trêve », au sein desquels figure Herriot, au titre de ministre d'Etat. Mais certains rénovateurs du parti, tels Jean Zay, Pierre Cot, Pierre Mendès

France, voient dans le Front populaire l'occasion de cette rénovation ; tout naturellement Daladier prend la tête de ce courant de gauche. Sous sa pression, le Comité exécutif du parti décide le 3 juillet 1935 de répondre favorablement à l'invitation lancée par les organisations de la journée du 14 juillet, qui devait marquer la naissance officielle du Rassemblement. Les élections municipales de mai 1935, révélatrices d'une pratique électorale unitaire, au moins dans les centres urbains, la puissance du mythe de la « défense républicaine », ainsi que la déception née de la participation aux gouvernements d'Union nationale, jugés trop complaisants à l'égard des ligues de droite, expliquent cette évolution des radicaux, qui se précipite à la fin de l'année.

Le Congrès d'octobre 1935 approuve la constitution du « front défensif », perçu comme « un élargissement de la discipline républicaine », tandis que, deux mois plus tard, Herriot quitte la présidence du parti. En janvier 1936, après un vote hostile de la majorité des députés radicaux à la politique extérieure de Pierre Laval, les ministres radicaux se retirent, provoquant le 22 janvier la chute de son gouvernement. Il devait revenir à Albert Sarraut de présider de janvier à mai 1936 un cabinet à direction radicale, où figurent Flandin, Chautemps et Paul-Boncour. Dépourvu d'autorité véritable, ce gouvernement, destiné à assurer la gestion des affaires courantes, allait devoir faire face, le 9 mars, à la remilitarisation de la Rhénanie.

Organisation et programme du Rassemblement populaire. — La formation du Front populaire est illustrée par une cérémonie à forte charge affective, la manifestation du 14 juillet 1935, et se concrétise ensuite par la mise sur pied d'une structure souple et d'un programme de gouvernement.

Le 14 juillet 1935 s'affirme la mystique de gauche. Dans la matinée, au stade vélodrome Buffalo à Montrouge, les délégués des formations adhérentes prêtent le serment du Rassemblement par lequel ils s'engagent à « défendre les libertés démocratiques conquises par le peuple de France, ... (à) donner du pain aux travailleurs, du travail à la jeunesse, et au monde la grande paix humaine ». L'après-midi, un immense cortège de 500 000 personnes, parmi lesquelles figurent Daladier, Cot et Zay aux côtés de Thorez, Blum et Jouhaux, défile de la Bastille au cours de Vincennes. L'effet psychologique est considérable : il semble que la rue, arrachée aux ligues de droite, appartienne désormais au Paris populaire et banlieusard.

Le lendemain, le comité d'organisation de la manifestation se transforme en structure permanente, qui reçoit les adhésions des organisations qui se réclament de l'antifascisme, une centaine à la fin de 1936. A son comité directeur figurent les représentants des 10 grandes formations : 4 partis (PC, SFIO, socialistes indépendants, Parti radical), 2 syndicats (CGT, CGTU), 3 mouvements d'intellectuels (Ligue des droits de l'homme, Amsterdam-Pleyel, CVIA), un collectif d'anciens combattants. Le comité n'est qu'un simple organe de liaison entre les groupes antifascistes, la crainte d'un noyautage par les communistes ayant fait exclure toute procédure d'adhésion directe, les organisations adhérentes tenant à conserver leur entière souveraineté. Il se produit cependant dans le domaine organique une évolution importante : en septembre 1935, un accord d'unification est conclu entre la CGT et la CGTU, concrétisé en mars 1936. Désormais, dans la CGT réunifiée, vont s'affronter les « confédérés » (ex-CGT) et les « unitaires » (ex-CGTU).

Les négociations entre les organisations, engagées au cours du troisième trimestre de 1935, aboutissent à la rédaction d'un programme ayant valeur de contrat de gouvernement, mais sur lequel les candidats ne sont pas tenus de prendre d'engagement personnel. Dans le domaine de la politique intérieure, les mesures envisagées, acceptées par toutes les formations, concernent la dissolution des ligues et le renforcement des libertés syndicales. Les références en politique extérieure restent le briandisme, la sécurité collective et le désarmement ; la seule proposition originale porte sur la nationalisation des industries d'armement et la suppression du commerce privé des armes.

Dans le domaine économique et social, l'institution d'un fonds national de chômage, l'amélioration des retraites, la réduction du travail hebdomadaire sans diminution du salaire, un plan de travaux publics, la revalorisation des produits agricoles, mesures inspirées par le New Deal de Roosevelt, tendent à la restauration du pouvoir d'achat, ou « reflation ». Ce programme prend le contrepied de la déflation, mais exclut de recourir à la dévaluation. Les plus sévères discussions portent sur les réformes de structure : les planistes de la CGT, préoccupés par la régulation du système économique, et les socialistes, désireux d'affaiblir le pouvoir de l'oligarchie économique, sont favorables à des nationalisations massives (chemins de fer, mines, contrôle du crédit et du comité des forges), auxquelles sont opposés les radicaux et les communistes, également soucieux de ne pas effaroucher les classes moyennes. Les partenaires finissent par s'entendre sur un compromis prévoyant la transformation de la Banque de France et la création d'un office destiné à régulariser le marché des céréales.

Le programme du Front populaire, souvent résumé par la formule lapidaire « le pain, la paix, la liberté », se présente sous la forme d'un compromis extrêmement modéré. Les radicaux, méfiants à l'égard des réformes de structure à caractère dirigiste, n'acceptent guère que « la réalisation des tâches immédiates » telles que la protection des libertés et la reflation. Les communistes voient dans le Rassemblement l'occasion de promouvoir une dynamique à leur profit, ce que redoute au plus haut point la SFIO. Mais la mystique d'unité l'emporte alors largement sur ces divergences, appelées à reparaître rapidement.

La victoire électorale. — La période préélectorale est marquée par un attentat perpétré contre Blum par des éléments extrémistes, membres ou anciens membres de l'Action française, dont Sarraut ordonne la dissolution en vertu d'une loi sur les milices armées, votée le 10 janvier par la Chambre. Toutefois la campagne électorale ne se présente pas exclusivement comme un affrontement entre adversaires et partisans du Front. Si la droite parlementaire déploie un discours alarmiste, essentiellement axé sur les catastrophes qui découleraient d'une victoire du Rassemblement, les trois partis de gauche, souvent rivaux au premier tour, font campagne sur leur programme. Les socialistes et les radicaux développent leur discours traditionnel, tandis que le PCF, abandonnant plus que jamais la rhétorique révolutionnaire, lance par la voix de son secrétaire général, Maurice Thorez, un appel aux catholiques et aux anciens combattants des ligues de droite.

Le premier tour se déroule le 26 avril 1936. Le recul des droites n'est pas considérable (80 000 voix), le progrès des gauches relativement modeste (300 000 suffrages), l'écart entre les deux blocs passant de 800 000 à 1,2 million de voix (5,4 millions pour les gauches, 4,2 millions pour les droites). Le changement le plus spectaculaire réside dans la nouvelle répartition des voix entre les forces de gauche : le Parti communiste double ses suffrages, la SFIO conserve les siens, alors que les radicaux perdent 350 000 voix. Le deuxième tour, âprement disputé, concerne 424 circonscriptions sur 598 ; les formations adhérentes au Front appellent à faire bloc sur le candidat de gauche le mieux placé au premier tour ; elles sont entendues, à quelque 60 exceptions près. Le deuxième tour, le 3 mai, voit la victoire du Front populaire.

Répartition sur 612 sièges

Gauche 389	Majorité du Front populaire 389	dont communistes 72 SFIO 149 Divers gauches 57 Radicaux 111
Droites 223	Centre droit 95 (radicaux indépendants, républicains de gauche, démocrates populaires) Droite 128 (dont Fédération républicaine 59)	

Les communistes passent de 10 à 72 députés, les socialistes de 97 à 149, alors que les radicaux perdent 50 sièges. De même le centre droit modéré recule, alors que les formations de droite progressent, mais leurs quelque 128 députés se divisent en cinq groupes différents. Les élections de 1936 accentuent donc la bipolarisation en renforçant les tendances les plus dures des deux blocs antagonistes ; elles représentent une incontestable victoire pour le Parti communiste et marquent définitivement le déclin électoral du Parti radical.

L'été 1936

Le 4 mai, *Le Populaire,* constatant que le Parti socialiste est devenu le groupe le plus puissant de la majorité victorieuse et de la Chambre entière, avance la vocation de cette formation à constituer le gouvernement. Blum, cependant, se refuse à remplacer sur l'heure le cabinet Sarraut, les pouvoirs de la Chambre élue en 1932 n'arrivant à expiration qu'à la fin du mois de mai. Mais entre le 4 mai et le 4 juin, date de la formation du gouvernement à direction socialiste, un élément inattendu modifie les données du problème, le mouvement social de 1936.

L'irruption des masses. — De 1931 à 1934, la crise économique, le chômage, la misère n'avaient guère provoqué de vastes mouvements revendicatifs. Quelques « marches de la faim » en 1933-1934 et l'action des comités de chômeurs de la CGTU n'avaient recueilli qu'un faible écho parmi les masses ouvrières : de 1930 à 1935, le nombre de grèves va diminuant, le syndicalisme recule. La classe ouvrière, craignant de s'exposer à une impitoyable répression patronale, se préoccupe surtout d'assistance et de soulagement des misères concrètes. Néanmoins la mobilisation populaire de 1934-1936, sur le thème de l'antifascisme, reçoit un accueil largement favorable parmi les ouvriers. la victoire électorale d'avril-mai 1936 provoque une véritable explosion sociale, d'une portée considérable.

Le mouvement social de mai-juin 1936, souvent présenté comme une explosion brutale, déjà perceptible en fait au cours de la campagne électorale, se manifeste sporadiquement dès le lendemain du second tour. Les 11 et 13 mai, des grèves éclatent au Havre, à l'usine Bréguet, et à Toulouse, chez Latécoère, où les grévistes recourent à une formule originale, sinon inédite, l'occupation des usines. A partir du 25 mai, les troubles, jusque-là circonscrits, gagnent l'ensemble de la métallurgie de la région parisienne. Dans les premiers jours de juin, ils s'étendent à la province, à l'ensemble de la vie industrielle (bâtiment, chimie, textile, industries alimentaires), et aux grands magasins parisiens (La Samaritaine). Fait remarquable, ils n'affectent ni les postiers, ni les enseignants, ni les cheminots. Quantitativement, 20 départements seulement sont relativement épargnés ; on décompte en juin 1936 12 142 grèves (pour 45 par mois en moyenne pour les cinq premiers mois de 1936) et 1 688 en juillet : 1,5 million de personnes ont pu être concernées par la vague de grèves au plus fort de la crise.

L'origine de ce raz de marée a soulevé de multiples interprétations. Le Parti communiste, accusé par la presse de droite d'avoir monté l'opération, semble être resté étranger à son déclenchement sinon à son déroulement, toute sa stratégie le conduisant en effet à redouter toute dérive « aventuriste » du mouvement. Les syndicats non plus ne peuvent en être tenus pour responsables, bien que quelques minorités, syndicalistes révolutionnaires, trotskystes, socialistes d'extrême gauche, liées à la tendance de la gauche révolutionnaire de Marceau Pivert, aient joué un rôle dans l'extension et l'essaimage du conflit. L'explosion sociale provient essentiellement des réactions spontanées de la base ouvrière.

En effet, la victoire électorale des partis « ouvriers » met fin à une période humiliante pour les salariés de l'industrie, caractérisée par des pressions permanentes, facilitées par le chômage, et par l'introduction brutale de la rationalisation dans les secteurs modernes. Simone Weil, normalienne, agrégée de philosophie, employée comme ouvrière chez Alsthom et Renault les années précédentes, a pu écrire : « Cette grève est en elle-même une joie. Une joie pure, une joie sans mélange... Joie de passer devant les chefs la tête haute... Joie de vivre parmi les machines muettes, au rythme de la vie humaine. » La forme particulière prise par le mouvement, la grève sur le tas, révèle le double souci d'inciter l'Etat à peser en faveur des salariés en usant de son poids arbitral, et d'empêcher les patrons de recourir à un lock-out collectif, suivi d'une réembauche sélective, au cours de laquelle pourraient être éliminés les « meneurs ».

Le déroulement des grèves revêt un aspect festif. Décrivant ces « kermesses », ces « pique-niques prolongés », les observateurs relèvent l'absence de violences, la discipline des grévistes, le respect de l'outil de travail, non exclusifs parfois d'une atmosphère obsidionale, née des rumeurs circulant à propos d'une hypothétique attaque « fasciste ». Remarquable est, par ailleurs, le sérieux avec lequel les comités de grève, composés de syndiqués comme de non-syndiqués, élaborent les cahiers de revendications.

L'affirmation ouvrière de mai-juin 1936, dénuée, semble-t-il, de véritable visée révolutionnaire, sauf pour de petits groupes de militants, n'est pas perçue comme telle par la presse de droite, le patronat et les formations de l'opposition qui dénoncent avec violence la soviétisation de la société française. A l' « immense espérance » (Georges Lefranc) correspond une véritable panique sociale, répandue dans une large partie des couches moyennes, qui voit la France sur le point de sombrer dans la révolution et le bolchevisme.

Les réformes du Front populaire : l'intervention arbitrale et législative de l'Etat. — Le 6 juin 1936, le président Lebrun appelle officiellement Léon Blum à former le gouvernement. Celui-ci lui présente aussitôt la liste de ses 20 ministres et de ses 14 sous-secrétaires d'Etat.

— Le gouvernement Blum. Les communistes avaient décliné l'invitation à participer au gouvernement, alléguant les risques d'affolement des classes moyennes et espérant peut-être tirer profit d'une position ambiguë qui pourrait permettre au parti d'accroître son implantation populaire, ce que Paul Vaillant-Couturier appelait « exercer du dehors une sorte de ministère des masses ». Mais il est probable que le veto opposé à la participation par l'Internationale communiste, en décembre 1935, avait joué un rôle déterminant dans ce choix du soutien sans participation.

La répartition politique au sein du ministère aboutit à confier un nombre de portefeuilles sensiblement égal aux radicaux (14) et aux socialistes (16), les socialistes indépendants de l'Union socialiste républicaine devant se contenter de la portion congrue (2). Les premiers ont plus spécialement en charge la défense nationale et la diplomatie avec Daladier à la Guerre, Cot à l'Air, Yvon Delbos aux Affaires étrangères, tandis que Jean Zay est chargé de l'Education nationale. Les seconds prennent en main le secteur économique et social avec Vincent Auriol aux Finances, Charles Spinasse à l'Economie nationale, Georges Monnet à l'Agriculture ; l'Intérieur est confié à Roger Salengro, député-maire de Lille.

Sur le plan technique, Blum réalise ses projets de réforme gouvernementale, présentés dès 1918 et repris au cours des débats sur la réforme de l'Etat : il est président du Conseil sans portefeuille et dispose à ce titre d'un service particulier, le secrétariat général de la présidence du Conseil, confié à Jules Moch. Alors que la proposition, formulée depuis longtemps, du vote féminin n'a toujours pas abouti, Blum confie des sous-secrétariats d'Etat à trois femmes, Mme Léon Brunschvicg (Education nationale), Irène Joliot-Curie (Recherche scientifique) et Suzanne Lacore (Protection de l'enfance).

Le nouveau gouvernement, investi par la Chambre le 6 juin par 384 voix contre 210, doit aussitôt faire face à la situation dramatique née de l'explosion sociale survenue au mois de mai.

— L'accord Matignon. Dès le 5 juin une délégation de patrons, soucieuse de mettre fin aux occupations, demande à être reçue par Blum et lui suggère d'intervenir auprès de la CGT. Le président du Conseil fait contacter les responsables de la centrale, eux-mêmes désireux de trouver une issue à la grève. Aussi, le dimanche 7 juin, à 15 heures, à l'Hôtel Matignon, 4 représentants du patronat — dont le président de l'organisation patronale, la Confédération générale de la production française, René Duchemin, président de Kulhmann, et Alexandre Lambert-Ribot, secrétaire général du Comité des Forges —, 6 responsables syndicaux — dont les 3 membres du secrétariat de la CGT, Léon Jouhaux, René Belin et Benoît Frachon — se réunissent en présence de Blum, assisté de Salengro, Jules Moch et Marx Dormoy, sous-secrétaire d'Etat à la présidence du Conseil.

L'accord, signé le 8, à minuit quarante, prévoit dans ses 7 articles que des contrats collectifs de travail seront établis immédiatement. Le patronat s'engage à respecter le droit de libre appartenance des travailleurs à un syndicat, à procéder à des hausses de salaires échelonnées entre 7 et 15 % et à ne prendre aucune sanction pour fait de grève. La CGT s'engage à inciter les travailleurs à la reprise du travail après acceptation de l'accord par les directions des établissements et admet la demande patronale tendant à l'institution de délégués ouvriers élus par l'ensemble du personnel.

L'accord représente une nouveauté capitale, non par son contenu, mais par les modalités de la conclusion : l'Etat, pour la première fois, s'est érigé en arbitre entre les grandes forces sociales. Mais le patronat n'a signé que sous la contrainte, pour éviter le pire. Du reste, une grande partie du petit et moyen patronat ne se reconnaît pas dans l'accord signé par les représentants des grandes entreprises. Les salariés, de leur côté, restent méfiants ; les militants « révolutionnaires » (trotskystes et syndicalistes révolutionnaires) semblent vouloir profiter du flottement. Aussi, le 11 juin, le Parti communiste jette-t-il tout son poids dans la balance. « Il faut savoir terminer une grève », déclare alors Thorez. Rejetant toute idée de « contrôle direct » des ouvriers sur la production, il condamne la formule des pivertistes : « Tout est possible. » Le mouvement s'éteint progressivement durant la seconde quinzaine de juin et les premiers jours de juillet. On compte encore cependant vers la mi-juillet plusieurs centaines d'usines occupées.

— Les lois sociales. L'initiative revient désormais au gouvernement. Dans le courant de l'été, Blum dépose une série de projets de loi, votés par la Chambre à une large majorité. Trois d'entre eux portent sur la condition des salariés, trois autres concernent les réformes de structure.

Le 11 juin, les députés votent l'institution de quinze jours de congés payés annuels, par 563 voix contre 1, et la loi précisant les procédures des conventions collectives, qui prévoit la possibilité pour l'Etat de transformer l'accord contractuel en texte réglementaires, par 528 voix contre 7. Le 12 juin, la loi limitant à quarante heures la durée du travail hebdomadaire, mesure non prévue par le programme du Rassemblement populaire, rencontre une plus forte opposition : elle est adoptée par 385 voix contre 175. Cette dernière disposition, qui assure le maintien du salaire pour une durée inférieure de travail, poursuit le double objectif de résorber le chômage et de provoquer la relance par l'accroissement du pouvoir d'achat.

Trois lois portant sur les réformes de structure concernant le statut de la Banque de France, l'Office des céréales et la nationalisation des industries de guerre sont votées le 24 juillet, le 15 et le

11 août. Ce programme limité, respectueux des termes du contrat qui liait la coalition majoritaire, ne peut être situé dans le cadre d'une « socialisation » des biens de production. Il s'agissait avant tout de combattre le pouvoir de l'oligarchie financière, d'assurer de meilleures conditions de vie à la paysannerie et de moraliser le secteur dominé par les « marchands de canons », depuis longtemps dénoncés par les gauches.

La gestion de la Banque de France était confiée, selon les termes de son ancien statut, aux 200 plus gros actionnaires (représentant les « 200 familles »). Ceux-ci avaient fait l'objet de vives attaques de la part des hommes du Front populaire. Il leur était reproché leur gestion de 1924-1926, dirigée contre le Cartel, leurs choix systématiques en faveur de la grande entreprise au détriment de la petite et leur participation à la compression économique de 1932-1936. La loi du 24 juillet remplace le Conseil de régence de 15 membres, émanation des « 200 familles », par un Conseil général où siégeront des personnalités nommées par l'Etat, représentant les divers usagers du crédit. La Banque reste privée, mais les représentants des actionnaires, tous habilités désormais à participer à l'assemblée générale, sont très minoritaires au Conseil général : l'Etat n'a pas pris la propriété, mais le contrôle de la Banque.

La création d'un Office du blé procède de la volonté de freiner la misère croissante des masses paysannes, particulièrement touchées par l'effondrement des cours des produits agricoles. L'ONIB (Office national interprofessionnel du blé) reçoit la mission de déterminer le prix du blé, avec pouvoir de contrôler le commerce extérieur et de faire varier l'offre par l'intermédiaire de coopératives de stockage auxquelles le blé doit être livré. Le conseil de l'ONIB est composé de représentants des producteurs, des consommateurs, de l'industrie, du commerce et de l'administration. Il s'agit d'un organe de régulation et non de planification : la propriété des biens de production reste naturellement inchangée, mais l'ONIB s'assure le contrôle du marché. Le projet est accueilli par les critiques de la droite parlementaire, des agrariens, des dorgéristes qui souhaitaient confier la fixation du prix à un organe purement corporatif. L'amélioration du pouvoir d'achat est cependant indéniable dans les années qui suivent.

La nationalisation des industries de guerre, dont le principe est décrété le 11 août, concerne plusieurs dizaines d'établissements relevant jusque-là de groupes privés, tels Renault, Hotchkiss, la Pyrotechnie française, ou Schneider. Les anciens propriétaires sont indemnisés et les activités regroupées dans six sociétés nationales, placées sous la surveillance d'un service de centralisation et de coordination. Dans cette affaire, la préoccupation du gouvernement n'est pas de « socialiser », mais de satisfaire un impératif moral, la lutte contre les « marchands de canons », et sans doute aussi d'obéir aux nécessités techniques de rationalisation, afin d'aboutir à une meilleure efficacité du dispositif productif, souvent inadapté.

Education, loisirs, culture. — Le Front populaire, au-delà des améliorations matérielles, déploie largement ses efforts, dès l'été 1936, dans le domaine de la promotion intellectuelle et culturelle des masses.

En matière scolaire, dans un champ d'intervention traditionnel de l'Etat républicain, la loi du 13 août 1936, conformément aux promesses du Rassemblement, prolonge d'un an la scolarité en portant à l'âge de 14 ans la limite de l'obligation scolaire. Le ministre de l'Education nationale, Jean Zay, envisage une réforme tendant à unifier les divers cycles de l'enseignement primaire des écoles et des lycées. Dans ce domaine, le Front populaire poursuivait la tradition républicaine d'élévation du niveau scolaire des masses et complétait les vieux projets du radicalisme, partiellement concrétisés par Tardieu.

En d'autres secteurs, en revanche, le Front populaire engage des actions d'un type nouveau. Un sous-secrétariat aux Loisirs, rattaché en juin 1936 à la Santé, est confié à l'avocat Léo Lagrange, député du Nord. L'institution des congés payés et l'organisation plus poussée des loisirs dans d'autres pays d'Europe provoquent une série de mesures. Les départs en vacances sont favorisés par l'instauration des billets réduits (40 %) pour les bénéficiaires des congés payés, qui permettent le départ de 600 000 personnes en 1936. Le sous-secrétariat d'Etat s'efforce également d'aider au développement du réseau des auberges de la jeunesse. Le Centre laïque des auberges de la jeunesse (CLAJ), bénéficiant des subventions et de l'appui de Léo Lagrange, compte 229 auberges en 1936. Lieux de loisir, elles sont aussi des centres de sociabilité culturelle.

Le Front populaire s'efforce également d'encourager le sport. Léo Lagrange envisage un développement massif du sport scolaire, mais Jean Zay se borne à quelques expérimentations. Dans son domaine propre, il met en chantier de nombreux terrains de sport (253 en 1936), crée un Conseil supérieur des sports, où siègent des représentants des fédérations professionnelles. Avec l'aide de ces dernières, il met sur pied le brevet sportif populaire en mars 1937. Toutes ces mesures procèdent d'une double préoccupation, tendant à promouvoir une véritable pratique populaire face au « sport-spectacle », mercantile et parfois mystificateur, et à assurer « la vitalité française, le salut de la race », comme l'écrivait Jean Zay, à l'heure où l'on estimait le pourcentage de réformés dans une classe d'âge française à 33 %, contre 17 % en Allemagne.

Dans le domaine culturel proprement dit, la politique du Front populaire, élaborée par des intellectuels, tels l'écrivain et critique Jean Cassou, conseiller de Jean Zay, ou l'ethnographe Georges-Henri Rivière, vise à répandre parmi le peuple « une culture réservée à une élite de privilégiés », comme l'écrivait alors l'ethnologue Jacques Soustelle, membre du CVIA. L'Association populaire des amis des musées (APAM) organise des visites-conférences populaires, en accord avec les syndicats. Pour encourager la fréquentation des musées, Léo Lagrange élargit les horaires d'ouverture et pratique une politique de tarifs modiques pour les associations. L'Association pour le développement de la lecture publique (ADPL), créée en juillet 1936, tente d'étoffer un réseau régional de bibliothèques populaires.

Cette politique est doublement originale. Par son champ d'intervention, tout d'abord, qui englobe des domaines laissés jusque-là en dehors des responsabilités collectives. Par son pragmatisme, ensuite. Reposant sur l'incitation, elle encourage les initiatives des associations : sans l'engagement généreux des intellectuels, la politique culturelle du Front populaire n'aurait pas été possible.

L'expérience Blum : le difficile exercice du pouvoir (septembre 1936 - juin 1937)

Rôle des masses populaires placées à l'avant-scène, poids accru de l'Etat, arbitre et législateur, dans les relations sociales, intérêt nouveau porté aux domaines de la culture et des loisirs : l'été 1936, à tous égards, est révolutionnaire. Mais, dès le mois de septembre, surgissent de nombreuses difficultés tenant à la gestion économique. S'ajoutant à l'intensification des luttes politiques, elles entraînent la chute du gouvernement Blum en juin 1937.

Les difficultés de la gestion économique et sociale. — La gestion du gouvernement Blum est alors appréciée d'après l'aspect le plus visible, la monnaie et les finances, la situation réelle de l'économie, production et emploi, restant mal connue, ou connue avec un certain décalage. Blum est conduit à prendre deux décisions capitales, en liaison avec la situation monétaire et financière : la dévaluation de septembre 1936 et la « pause » de février 1937.

— La dévaluation et la « pause ». En septembre 1936, devant la montée des prix (+ 12 % de juin à septembre pour les prix de gros), le déficit du commerce extérieur, l'exportation de capitaux et les sorties d'or, sous l'effet conjugué d'une hausse des prix « compensatrice » de celle des salaires et de la fuite à l'étranger du capital, réponse à la pression sociale de juin, le président du Conseil se résout le 26 à dévaluer le franc Poincaré, contrairement aux promesses de la campagne électorale. La valeur du franc fluctue désormais entre 43 et 49 mg d'or, ce qui représente une dévaluation de 25 à 34 %.

L'amplification de l'inflation, au cours du dernier trimestre de 1936, les sorties de capitaux toujours persistantes, de graves problèmes de trésorerie amènent Blum à annoncer dans un discours radiodiffusé le 13 février 1937 la « pause » des réformes. Il s'agit en réalité d'abandonner le train de mesures sociales qui avait été prévu, la constitution d'un fonds national de chômage et la retraite des vieux travailleurs. Quelques jours plus tard, mettant l'accent sur la nécessité de respecter l'équilibre budgétaire, il réduit le programme de grands travaux et crée un comité d'experts chargés de gérer un fonds de stabilisation des changes, où figurent notamment les théoriciens libéraux Charles Rist et Jacques Rueff. C'est là un tournant capital : prenant le parti de rassurer les épargnants et les investisseurs, Blum abandonne la politique de réformes.

Mais, durant le premier semestre de 1937, les exportations de capitaux font subir une véritable hémorragie à l'encaisse métallique de la Banque de France et au fonds de stabilisation des changes, tandis que le Trésor se retrouve à court de moyens. Le 15 juin, le président du Conseil demande au Parlement les pleins pouvoirs financiers pour empêcher la fuite des capitaux. Il se heurte à deux reprises à un refus du Sénat et doit, le 22 juin 1937, présenter sa démission.

— Bilan économique de l'expérience Blum. Le mouvement de la production et de l'emploi, mal connu à l'époque, révèle que la reprise espérée n'a pas véritablement eu lieu, même si des améliorations ont pu être constatées. De juin à septembre 1936, la production industrielle reste stagnante ; l'indice de la production industrielle par rapport à la base 100 en 1928 se situe en septembre 1936 au même niveau qu'au printemps (88), alors que le nombre total de chômeurs passe de 660 000 à 750 000. Les grèves et les congés payés se conjuguent pour expliquer ce ralentissement. La dévaluation est suivie d'une légère reprise, à l'époque inaperçue : la production industrielle atteint l'indice 94 en mars 1937 ; les chômeurs sont au nombre de 600 000 en décembre. Mais il s'agit d'un plafonnement : en juin 1937, l'indice est à 89, le nombre de chômeurs, situé autour de 500 000, ne devait plus diminuer jusqu'en 1938.

En définitive l'expérience Blum se solde, en termes de conjoncture, et abstraction faite des modifications structurelles, par un échec, au moins apparent : la production ne retrouve pas son niveau de 1928, les grands équilibres, commercial et budgétaire, sont mis en cause, la monnaie a été dévaluée, mais dans une proportion qui semble encore insuffisante. Sur un seul point, le Front populaire connaît un relatif succès : le chômage a partiellement reculé, passant de 430 000 chômeurs secourus en 1935 à 350 000 en 1937.

Plusieurs interprétations ont été avancées pour expliquer cet « insuccès » de l'expérience Blum.

Certains mettent en cause le comportement des acteurs. Les adversaires du Front populaire ont dénoncé les occupations d'usines, génératrices de troubles qui perturbaient la production. Pour tenter d'y mettre fin, une loi du 31 décembre 1936 pose le principe d'un arbitrage obligatoire, confié à des médiateurs désignés par les parties, ou à défaut par le ministre. Texte remarquable et de grande portée : en 1937-1938, près de 12 000 conflits devaient être soumis à cette procédure. Mais, en tout état de cause, ce facteur de perturbation n'a joué qu'un rôle limité dans la médiocrité de la reprise. Les partisans du Front populaire, d'autre part, ont mis en cause la hausse « compensatoire » des prix, la sortie massive des capitaux et le refus d'investir des entreprises. Mais ce type de comportement ne saurait être imputé à la « mauvaise volonté », malgré l'opposition effectivement forcenée de la classe patronale : il s'agit là de décisions économiques, étroitement dépendantes, non de l'humeur subjective, mais d'une situation de marasme mal corrigée par des mesures peu adaptées.

Une deuxième catégorie d'explications prend pour cible la principale des mesures du Front populaire, la loi des quarante heures. Alfred Sauvy et après lui de nombreux commentateurs ont souligné la contradiction entre l'accroissement du pouvoir d'achat et la réduction de la capacité de production que suppose la baisse de la durée du travail. Blum et ses conseillers pensaient que l'embauche de chômeurs permettrait de résoudre le problème. Mais le manque de qualification de beaucoup d'entre eux vient démentir cet espoir et les entreprises, privées d'un personnel indispensable par la réduction du temps de travail, doivent se résoudre à diminuer leur production, phénomène visible à partir du début de 1937. Cette réduction de l'offre s'ajoute au gonflement de la demande pour intensifier la hausse des prix, la dépréciation de la monnaie et sa conséquence inévitable, l'exportation des capitaux. La validité d'une telle interprétation ne semble pas douteuse, mais il faut souligner que la résorption partielle du chômage a incontestablement résulté de la réduction de la durée du travail.

Une troisième série de critiques porte sur la thèse même de la relance par le pouvoir d'achat. L'appareil économique pouvait-il répondre à la demande supplémentaire ? Il y aurait eu là une erreur d'appréciation sur la capacité de l'appareil productif à créer une offre supplémentaire. L'industrie française, déjà archaïque et atomisée avant 1930, souffre depuis 1931 de la situation d'immobilisme provoquée par la crise et la politique suivie de 1931 à 1935 : l'investissement a diminué, les machines ont vieilli, le protectionnisme a figé les unités de petite taille dans leur dispersion et leur manque de moyens. L'appareil productif ne peut donc répondre sur-le-champ à cette injection de pouvoir d'achat supplémentaire, qui se résorbe en inflation : on aborde, ici, le domaine resté invisible aux observateurs contemporains.

Un quatrième type d'analyse met l'accent sur les contraintes extérieures. Rompant en matière de défense nationale avec la politique de restriction budgétaire menée par les gouvernements d'Union nationale de 1934 et 1935, Blum et Daladier décident en septembre 1936, après le déclenchement de la guerre d'Espagne, de lancer le réarmement. L'effort budgétaire sans précédent alors consenti aboutit à la restriction drastique des dépenses sociales annoncées par la « pause » de février 1937. Il ne devait porter ses fruits que deux ans plus tard, en 1938, grâce à un travail considérable d'amélioration de la productivité des industries de guerre, facilité par les nationalisations. Ainsi, loin de désarmer le pays, le Front populaire, par un effort énorme mais tardif, contribue à combler le retard existant. Mais, par là même, il se condamne à abandonner ses visées sociales : « En réarmant le pays, il se désarmait lui-même » (Robert Frank).

Ainsi le recul du temps a-t-il permis de mettre en valeur, au-delà des facteurs visibles, perçus et parfois surévalués par les contemporains, le poids des structures profondes et des contraintes extérieures. Ces analyses nuancent les « explications » cent fois reprises dans les polémiques du moment sur la désorganisation due aux grèves ou la « mauvaise volonté » d'un patronat, il est vrai, profondément hostile. Elles permettent d'incliner à penser que, soumis à de telles contraintes, le Front populaire, compte tenu de ses acquis sociaux définitifs, les congés payés et l'aménagement des relations du travail, a géré le pays de manière plus efficace que les gouvernements qui l'avaient précédé.

L'intensification des luttes politiques. — Les difficultés économiques ne peuvent être dissociées des luttes politiques. En proie à une opposition particulièrement virulente, le gouvernement du Front populaire doit faire face à de graves divergences au sein même de sa majorité.

— La virulence de l'opposition. La victoire du Rassemblement, la vague de grèves qui l'accompagne, la formation du nouveau gouvernement suscitent des campagnes de presse d'une violence rarement égalée. Même une partie de la presse à gros tirage, *Le Matin, Le Journal,* au contraire du *Petit Parisien* et de *Paris-Soir,* se déprend de son tour ordinairement modéré pour dénoncer le désordre et l'incapacité gouvernementale. La presse périodique d'extrême droite voit ses tirages augmenter, comme celui de *Gringoire,* qui passe à 600 000 exemplaires. Spécialisée dans l'attaque des membres du gouvernement, cette feuille prend à partie, en août 1936, le ministre de l'Intérieur, Roger Salengro, qu'elle accuse d'avoir déserté durant la Grande Guerre. L'affaire connaît un dénouement tragique : malgré sa mise hors de cause par un jury d'honneur, le ministre, profondément atteint par la campagne acharnée dont il continue d'être l'objet, se donne la mort le 17 novembre 1936.

Les attaques antisémites, depuis longtemps une spécialité de la presse d'extrême droite, héritière des ligues antidreyfusardes, se déploient avec une ampleur accentuée et une violence surmultipliée, prenant à partie « le juif Blum » et sa « tribu rabbinique ». Ces agressions quasi quotidiennes s'insèrent dans une vague générale qui déferle au long des années 1930. Ralph Schor, analysant la montée du mouvement, a montré que la moitié des publications les plus représentatives de cette littérature publiées dans les années 1930 sont concentrées sur la période 1937-1939. Les pamphlétaires d'extrême droite, tels Léon Daudet ou Henri Béraud, trouvaient à cette date un terrain favorable : l'afflux d'étrangers, sous le double effet de la faiblesse de la natalité française et de la recherche d'une terre d'asile par des persécutés fuyant les régimes de terreur, réveille alors les pires fantasmes xénophobes et racistes. A l'image de l'escroc apatride, Stavisky, se superpose celle de l'intellectuel dilettante à l'esprit dissolvant, fourrier du communisme, Léon Blum.

• Les forces organisées : la droite extraparlementaire. Parmi les forces politiques organisées, l'extrême droite antiparlementaire connaît de profondes transformations. Le 18 juin 1936, le gouvernement décrète la dissolution des Croix-de-Feu, des Jeunesses patriotes (devenu en 1935 le Parti national populaire), de la Solidarité française et du mouvement franciste. La configuration de la droite extraparlementaire s'en trouve modifiée, ses composantes évoluant de manière divergente, soit vers une radicalisation accentuée, soit vers une intégration au système.

Plusieurs de ses fractions affichent, en effet, un discours et des comportements plus radicaux. Certains intellectuels se réclament ouvertement du fascisme : c'est le cas de la nouvelle équipe rédactionnelle de *Je suis partout,* qui, dirigée par Robert Brasillach, assisté de Lucien Rebatet, Pierre-Antoine Cousteau, Alain Laubreaux, oriente le journal vers des positions de plus en plus profascistes puis prohitlériennes, en alignant de plus en plus ses choix de politique extérieure sur ceux de politique intérieure.

Dans une perspective bien différente, une poignée de militants venus, comme les précédents, de l'Action française, jugée décidément dépassée et inadaptée, crée en juin 1936 une organisation clandestine, appelée par la suite « Cagoule », bien que la véritable dénomination ait été le MSAR (Mouvement social d'action révolutionnaire) ou l'OSARN (Organisation spéciale d'action régulatrice nationale). La Cagoule, dirigée par un polytechnicien, Eugène Deloncle, vise à provoquer un coup de force militaire, en usant de la violence (assassinats d'émigrés antifascistes italiens en juin 1937), de la provocation (attentat contre le siège du patronat, septembre 1937) et du noyautage dans les forces armées. L'insuffisance d'appui au sein de ces dernières entraîne l'échec de ces projets et le démantèlement de l'organisation dix-huit mois plus tard, en novembre 1937.

A l'opposé de ce mouvement clandestin, un parti de masse apparaît à l'extrême droite, le Parti populaire français (PPF), fondé en juillet 1936. Dominé par la personnalité de son fondateur, Jacques Doriot, communiste exclu du parti pour avoir appliqué trop tôt l'unité d'action avec la SFIO, sans doute aussi parce qu'il apparaissait à Thorez comme un dangereux rival, le PPF recrute dans les milieux les plus variés : ouvriers de Saint-Denis, fidèles à leur chef, anciens communistes, tel Henri Barbé, intellectuels comme Alfred Fabre-Luce, Bertrand de Jouvenel, Pierre Drieu La Rochelle, anciens militants des Croix-de-Feu, comme Pierre Pucheu, proche des milieux patronaux qui financent Doriot pour faire contrepoids au péril communiste en milieu populaire. Le PPF, cependant, connaît un succès relatif : il compte peut-être 100 000 membres au début de 1937, beaucoup moins que le Parti social français, successeur des Croix-de-Feu. Sa propagande, anticommuniste, nationaliste, antilibérale, prônant un Etat plébiscitaire, peut sembler proche de celle d'un parti fasciste. Il ne parvient pas à conquérir durablement un terrain qu'occupe déjà largement le PSF.

La dissolution des Croix-de-Feu a précipité, en effet, une évolution prévisible et inverse : le colonel de La Rocque annonce aussitôt la transformation de la ligue en parti, répondant à l'appellation de Parti social français (PSF), dont le succès est considérable : dès septembre 1936, la nouvelle organisation revendique 600 000 adhérents. Sa propagande vise la clientèle conservatrice traditionnelle, la paysannerie, les petites entreprises, les classes moyennes, sans négliger pour autant les milieux ouvriers, en jouant sur la peur du collectivisme, l'anticommunisme, parfois l'hostilité des classes moyennes à l'oligarchie économique. Fidèle à l'inspiration patriotique, sociale et chrétienne des Croix-de-Feu, le PSF entend se présenter en parti loyal à l'égard des institutions républicaines. Il multiplie les efforts d'implantation par l'action sociale, pratiquant l'assistance et l'entraide, disposant de son propre organe de presse grâce au rachat du *Petit Journal* en 1937. Mais il rencontre rapidement l'hostilité des formations parlementaires qui voient en lui, à juste titre, un dangereux rival.

• Les forces parlementaires et l'opposition des milieux professionnels. Si la droite et le centre droit dénoncent avec vigueur le désordre social, la poussée communiste et les « erreurs » économiques, ces deux forces ne parviennent pas à réaliser l'unité dans l'action parlementaire. Le centre droit se refuse à l'obstruction, Paul Reynaud se pose en opposant constructif, alors que la droite adopte un ton proche des ligues extraparlementaires. Xavier Vallat déplore à la tribune de la Chambre, le 6 juin 1936, que « le vieux pays gallo-romain » soit « pour la première fois gouverné par un juif » ; le 13 novembre 1936, Henri Becquart renouvelle ses accusations contre Salengro. Cette radicalisation de la Fédération républicaine, à laquelle appartiennent Vallat et Becquart, l'isole au Parlement : l'organisation d'un intergroupe mis sur pied par Marin pour coordonner l'action des « nationaux » tourne court.

Mais une opposition beaucoup plus pugnace et d'une plus grande efficacité allait venir des forces professionnelles. Mécontentés par les lois sociales, affolés par les grèves avec occupation, qui semblent remettre en cause le droit de propriété, les petits et moyens entrepreneurs contestent la validité de l'accord Matignon. Leur attitude provoque une crise de la CGPF, qui devient, le 4 août 1936, la « Confédération générale du patronat — et non plus de la production — français », dont la présidence est confiée à l'universitaire Claude-Joseph Gignoux. La CGPF n'est pas étrangère au net durcissement patronal de la fin de l'année 1936.

— Les dissensions de la majorité. Si la coalition qui soutient le gouvernement reste dans ses votes fidèle à la formule du Front populaire, de nombreuses dissensions surgissent dès l'été 1936, qui aboutissent à distendre les liens majoritaires, à propos de deux problèmes majeurs : la guerre d'Espagne et le maintien de l'ordre.

Victime le 18 juillet 1936 d'un soulèvement militaire, le gouvernement de la République espagnole, issu lui aussi d'une majorité de Front populaire, demande au gouvernement français une aide en matériel militaire. Blum, personnellement favorable à cette requête, doit tenir compte de l'inquiétude d'une partie de l'opinion française, du refus des Britanniques d'aider la République espagnole, de la division au sein même du gouvernement et des forces de gauche. Après de longues hésitations, le Conseil des ministres décide d'adopter le 2 août le principe d'une convention internationale de non-ingérence, et le 8 août, après réponse positive des puissances, de suspendre toute livraison directe d'armes. La violation de la non-intervention par l'Allemagne et l'Italie devait par la suite amener Blum à procéder à quelques livraisons clandestines (« la non-intervention relâchée »).

Cette affaire soulève deux problèmes de taille. La cohésion des gauches, tout d'abord, sort ébranlée de l'épreuve. La plupart des ministres radicaux, tels Delbos ou Chautemps, sont contre l'aide, au contraire de Jean Zay. Au Parti socialiste, une tendance minoritaire avec Jean Zyromski s'oppose à Blum. Jouhaux et la majorité de la CGT sont favorables à l'aide, rejoignant par là le Parti communiste, qui, vigoureusement hostile à la non-intervention, va jusqu'à refuser la confiance au gouvernement lors du vote sur la politique étrangère à la Chambre, le 5 décembre 1936. L'affaire d'Espagne, d'autre part, pose de façon très nette le dilemme soulevé par la contradiction entre le pacifisme, qui, tout autant que le souci de maintenir la cohésion franco-britannique et un minimum d'unité nationale française, a inspiré Blum en cette occasion, et l'antifascisme, ciment et raison d'être du Rassemblement.

Dans le domaine intérieur, l'attitude des radicaux pose le problème majeur. Membres de la coalition par antifascisme, ces derniers trouvent leurs appuis parmi les classes moyennes, chez les petits producteurs, les rentiers, les fonctionnaires, précisément atteints par les troubles sociaux ou la hausse des prix, et apeurés par la perspective d'une poussée communiste. Une minorité du parti, dont de nombreux sénateurs autour de Joseph Caillaux, se déclare très vite hostile au Front populaire. Daladier lui reste favorable, mais adresse une mise en garde à ses alliés socialistes en faisant voter au Congrès de Biarritz, en octobre 1936, une motion condamnant les occupations et l'agitation de rues « d'où qu'elle vienne ». La « pause », décrétée par Blum sous cette pression, ne suffit guère à calmer les inquiétudes. Au printemps de 1937, Daladier, conscient de l'hostilité croissante au sein du parti, n'épargne plus ses critiques au gouvernement dont il est membre, prônant le rétablissement de l'ordre et la relance de la production. Et ce sont les sénateurs radicaux qui, en juin 1937, prennent l'initiative de renverser Léon Blum.

La fin du Front populaire (juin 1937 - novembre 1938)

La chute de Blum n'entraîne pas pour autant la dislocation de la majorité du Front populaire. Celui-ci persiste officiellement encore pendant dix-huit mois, jusqu'à la dissolution du Comité national du Rassemblement le 12 novembre 1938. Mais le renversement définitif de majorité, irréversible à la date du 30 novembre 1938, est précédé de longs mois d'agonie, marqués par l'immobilisme et l'impasse politique.

L'impasse politique : les ministères Chautemps (juin 1937 - mars 1938). — Au lendemain de la chute de Blum, Lebrun fait appel au radical Chautemps pour présider un gouvernement qui s'appuie toujours sur une majorité de Front populaire. Dans le cabinet de coalition radicale et socialiste qui est constitué, Blum est vice-président du Conseil, Daladier conserve la Guerre, mais Auriol cède les Finances à un radical, Georges Bonnet, réputé pour ses conceptions orthodoxes. Homme affable et esprit conciliant, Chautemps, peu soucieux de poursuivre la reflation et les réformes de structure, n'exclut pas de revenir sur certains acquis de 1936. Mais sa marge de manœuvre est singulièrement étroite.

Dans le domaine économique, il laisse Georges Bonnet dévaluer à nouveau le franc en juillet 1937, mais dans une proportion encore insuffisante par rapport à la valeur des autres grandes devises. Un train d'économies budgétaires et de relèvement des impôts marque l'abandon de la reflation, mais ne parvient pas à freiner les sorties d'or et à diminuer le déficit du budget, particulièrement grevé par les dépenses militaires. Une seule réforme, plus économique que sociale, non prévue par le programme du Rassemblement, est mise en œuvre en août 1937 : la nationalisation des chemins de fer. La SNCF (Société nationale des chemins de fer français) succède à des compagnies privées souvent en déficit et très endettées à l'égard de l'Etat. Il s'agit essentiellement d'un réaménagement technique d'une importance considérable pour le secteur des transports.

En matière sociale, la création en août 1937 d'une « Commission d'enquête sur la production » soulève l'opposition de la CGT, des socialistes et des communistes, qui la perçoivent comme une démarche tendant à remettre en cause la loi des quarante heures. D'octobre à décembre 1937, la pression des salariés s'intensifie ; les grèves avec occupations se multiplient dans la métallurgie, puis gagnent les transports et les services publics. Chautemps doit subir les critiques de son propre parti, où l'on envisage de plus en plus une majorité de concentration, les réserves du Parti socialiste, où progressent les partisans d'une rupture, enfin, le 13 janvier 1938, l'opposition des communistes qui déclarent s'abstenir quand le président du Conseil pose la question de confiance. Chautemps leur ayant répondu qu' « il leur (rendait) leur liberté », les socialistes, estimant que ces propos mettent en cause l'existence du Front populaire, se retirent du gouvernement dont ils entraînent la chute.

L'impasse est alors totale. Chautemps accepte de reconduire un ministère exclusivement radical que les socialistes, après de longs débats internes, veulent bien soutenir, mais sans y participer. Le cabinet est investi par une majorité de Front populaire, renforcée par le centre droit : 506 voix pour, 1 contre, 106 abstentions (la droite). Il est clair qu'une telle situation ne peut être que transitoire et qu'entre la majorité d'Union des gauches et le retour de la concentration, le choix va devoir s'imposer à bref délai. Le 9 mars, le refus des socialistes de voter les pleins pouvoirs financiers amène Chautemps à présenter sa démission, au moment où Hitler engage la phase terminale du processus de l'Anschluss.

L'échec de l'Union nationale (mars-avril 1938). — Lebrun, désireux de démontrer que la majorité parlementaire n'existe plus, appelle aussitôt Blum. Mais, précisément, le dirigeant socialiste envisage une autre solution majoritaire en dehors de celle du Front populaire, l'Union nationale, de Thorez à Reynaud, voire Marin. Ses propositions se heurtant à un refus de l'Alliance démocratique et des sénateurs radicaux, notamment de Joseph Caillaux, il ne lui reste plus qu'à constituer un dernier gouvernement de Front populaire, condamné d'avance. Le programme économique qu'il a élaboré avec l'aide de Georges Boris et de Pierre Mendès France, inspiré par la pensée keynésienne, prévoit une politique de relance par la dépense et le crédit, assortie du contrôle des changes et d'un impôt sur le capital, préconisés à des fins de régulation. Ce programme dirigiste, adopté par la Chambre malgré le vote hostile de la droite, est rejeté par le Sénat. Le 7 avril 1938, Léon Blum démissionne et, avec lui, le dernier gouvernement composé suivant une formule de Front populaire.

La dislocation du Front populaire (avril-novembre 1938) et l'expérience Daladier. — Edouard Daladier semble alors l'homme tout désigné pour succéder à Blum : membre depuis juin 1936 de tous les gouvernements successifs, il a tenté de l'intérieur une stratégie, souvent réussie, d'infléchissement. L'échec définitif des projets socialistes ne lui cause aucun déplaisir, mais il souhaiterait vivement pouvoir réaliser l'Union nationale de Blum à Marin. Le refus des socialistes le conduit à renoncer à demander l'appui de la droite, d'ailleurs peu enthousiaste.

Mais le gouvernement qu'il forme le 10 avril, s'il est dominé par les radicaux, avec Chautemps à la vice-présidence, Sarraut à l'Intérieur, Bonnet aux Affaires étrangères, Paul Marchandeau aux Finances, réalise un double élargissement vers les socialistes indépendants, avec Ludovic-Oscar Frossard (Travaux publics) et Paul Ramadier (Travail), et vers le centre droit avec Paul Reynaud (Justice), Georges Mandel, ancien collaborateur de Clemenceau (Colonies) et le démocrate-chrétien Champetier de Ribes (Anciens Combattants). Le nouveau gouvernement bénéficie d'un vote favorable de la quasi-unanimité de la Chambre : 575 voix contre 5. Deux majorités sont possibles : les partisans du Front populaire espèrent la pérennisation de la formule du rassemblement des gauches, les formations de droite, au contraire, œuvrent à sa rupture.

Cette dernière allait s'opérer à un quadruple niveau, gouvernemental, parlementaire, partisan et social, dans le courant de l'année 1938. La définition d'un nouveau cours économique est engagée dans le courant du printemps de 1938. En mai, Marchandeau procède à une nouvelle dévaluation qui, accompagnée d'une majoration d'impôts et du lancement d'un emprunt, met fin, cette fois-ci, à l'écart entre les prix français et les prix mondiaux. L'assainissement monétaire entraîne la remise en cause des quarante heures, considérée comme nécessaire à la reprise de la production. Le débat, qui, au sein du gouvernement, oppose Reynaud, favorable à l'assouplissement, à Frossard et Ramadier, aboutit en août au départ des deux derniers représentants de la tendance socialiste.

La crise internationale de septembre 1938, dénouée par les accords de Munich, entraîne la rupture parlementaire par l'entrée sans équivoque des communistes dans l'opposition. Lors du vote sur les accords, qui intervient début octobre, les 73 députés du Parti communiste manifestent massivement leur désaccord, alors que leurs anciens alliés radicaux et socialistes votent pour.

Le PC tente alors de réactiver le Rassemblement populaire sur le thème de l'antifascisme, abandonné selon lui par le président du Conseil. Le congrès du Parti radical, tenu à Marseille fin octobre 1938, constate que le Parti communiste a « rompu la solidarité qui l'unissait aux autres partis du Rassemblement populaire ». Le 12 novembre, estimant que « toute collaboration » est « désormais impossible » avec le PC, les radicaux quittent le Comité national du Rassemblement populaire — en sommeil depuis des mois —, suivis par les socialistes. Ce départ scelle définitivement le sort de la coalition créée au soir du 14 juillet 1935.

La quatrième rupture intervient dans l'ordre social à la fin du mois de novembre. Daladier décide, début novembre, d'opter nettement pour une restauration libérale ; Reynaud, nommé ministre des Finances en remplacement de Marchandeau, décide de stimuler la reprise en favorisant le profit, en attirant les capitaux et en atténuant les réglementations. La loi des quarante heures, principal obstacle, estimait-on, à la reprise, est sérieusement amendée par un décret du 13 novembre, selon lequel la durée du travail hebdomadaire pourra être portée à quarante-huit heures, la majoration due au titre des heures supplémentaires se trouvant diminuée.

Cette décision provoque aussitôt la réaction de la CGT qui lance un mot d'ordre de grève générale pour le 30 novembre. Mais, désorientés par la lutte intestine opposant communistes et socialistes et par des mots d'ordre ambigus visant à la fois la politique extérieure et les mesures économiques, les salariés ne répondent que faiblement à l'appel du syndicat. L'échec total de la grève entraîne l'affaiblissement durable du mouvement ouvrier et une répression patronale qui prend des allures de revanche. Lors de la session parlementaire de décembre, le gouvernement obtient 315 voix contre 241 (155 socialistes, 73 communistes, et quelques divers gauche) : la rupture est cette fois consommée.

La France devant la montée des périls extérieurs (1931-1939)

Les bouleversements politiques nés de la crise économique et sociale remettent en cause, dès le début des années 1930, le fragile équilibre difficilement réalisé à la fin des années 1920 dans le domaine international. A partir de 1934, le rejet par Hitler de l'ordre européen issu des traités de l'après-guerre pousse la France à rechercher de nouvelles formules de sécurité, différentes des solutions de type briandiste.

Les derniers feux du briandisme (1931-1933)

La crise économique mondiale modifie les rapports financiers entre les puissances : en juin 1931, le président américain Hoover annonce un moratoire des versements effectués au titre des dettes intergouvernementales. Cette décision précède l'annulation des réparations, décidée à Lausanne en juillet 1932, suivie par le refus du Parlement français, en décembre 1932, de poursuivre les versements effectués au titre des dettes de guerre inter-alliées. Les dévaluations successives et l'isolement protectionniste achèvent de fractionner le système économique mondial.

Mais les rapports politiques ne s'en trouvent pas immédiatement modifiés. Les deux problèmes majeurs qui se posent en Europe dans les années 1931-1933, la politique de désarmement et la révision des traités, sont encore abordés par les dirigeants français dans un esprit proche du briandisme. Le gouvernement de gauche issu des élections de 1932 reconnaît à l'Allemagne l' « égalité des droits » en matière d'armement, c'est-à-dire le droit pour le Reich de réarmer en cas d'impossibilité de réaliser le désarmement général. En juin 1933, la France, l'Angleterre, l'Allemagne et l'Italie signent le « pacte à quatre », ultime tentative pour instaurer un esprit de conciliation internationale. Mais en octobre, Hitler, tirant prétexte du piétinement des négociations sur le désarmement, quitte la SDN, et le pacte à quatre n'est pas ratifié.

L'échec du retour à la politique des alliances (1934-1935)

L'infléchissement de la politique française intervient après le 6 février 1934 et l'arrivée aux Affaires étrangères de Louis Barthou. Persuadé que le retour aux alliances est préférable à la sécurité collective, le vieil homme d'Etat entreprend une triple démarche : renforcer les liens de la France avec les alliés d'Europe orientale (Pologne, Tchécoslovaquie, Roumanie, Yougoslavie), conclure une alliance avec la Russie et se rapprocher de l'Italie, dont la méfiance à l'égard de l'Allemagne hitlérienne est éveillée par la tentative de coup d'Etat nazi en Autriche en juillet 1934. Mais le ministre tombe sous les balles d'un terroriste croate, le 9 octobre 1934, aux côtés du roi de Yougoslavie qu'il est venu accueillir à Marseille.

Officiellement, Pierre Laval, son successeur au Quai d'Orsay, continue sa politique. Le rapprochement avec l'Italie est réalisé au cours de l'année 1935, après une rencontre avec Mussolini en janvier, au cours de laquelle Laval s'engage à laisser au Duce « les mains libres » en Ethiopie, sur laquelle l'Italie a des vues de conquête ; sans doute le ministre français n'entendait-il par cette formule qu'une mainmise économique, alors que son interlocuteur lui attribuait un sens évidemment plus large... La rencontre tripartite de Stresa, au lendemain de la décision allemande de réarmer, réunit en avril 1935 les dirigeants français, britanniques et italiens, et débouche sur un accord condamnant toute répudiation unilatérale des traités. Les négociations franco-soviétiques aboutissent, d'autre part, à la signature, le 2 mai 1935, d'un traité d'alliance défensive.

Mais cette politique ne parvient nullement à atteindre l'objectif recherché par Barthou, l'isolement diplomatique de l'Allemagne. L'invasion de l'Ethiopie par l'Italie en octobre 1935 entraîne aussitôt la condamnation de l'agresseur par la SDN, à laquelle s'associe la France. En vain Laval s'efforce-t-il de négocier en sous-main la cession des deux tiers de l'Ethiopie à l'Italie qu'il persiste à ménager : l'indignation de l'opinion le contraint à quitter le pouvoir, tandis que l'Italie, déçue par le vote des sanctions, s'éloigne de la France pour se rapprocher d'Hitler. Le pacte franco-soviétique n'est, par ailleurs, suivi d'aucun effet pratique : aucune convention militaire ne vient préciser les obligations des signataires et Laval ajourne à plusieurs reprises la ratification par la Chambre, dont le vote n'intervient qu'à la fin de février 1936.

Il apparaissait clairement à cette date que la France n'avait pas pu élaborer une politique susceptible d'assurer sa sécurité. Trois raisons convergeaient pour empêcher le retour à la politique d'alliances : la politique militaire française, l'influence grandissante des facteurs idéologiques sur les choix de politique extérieure et le climat général pacifiste.

La doctrine militaire de la France prône depuis 1920 une stricte défensive. Elaborée par le Conseil supérieur de la guerre et ses vice-présidents successifs, le maréchal Pétain de 1920 à 1931, le général Weygand de 1931 à 1935, puis le général Gamelin après cette date, cette conception privilégie la défense à l'abri des positions fortifiées : cette perspective statique exclut toute mise en mouvement des masses armées en vue de pénétrer sur le sol ennemi. L'édification, de la Suisse aux Ardennes, de la ligue fortifiée « Maginot », de 1930 à 1935, correspond à cette vision, elle-même conforme aux vœux de l'opinion et des gouvernements, essentiellement préoccupés d'économiser le sang français après la terrible saignée de 1914-1918. Or cette doctrine est radicalement incompatible avec la constitution d'un système d'alliances, le choix défensif privant d'avance de crédibilité et d'efficacité le dispositif militaire français.

Alors que les systèmes d'alliances mis en place avant la Grande

Guerre ne tenaient guère compte des affinités politiques des régimes concernés, les considérations idéologiques jouent dans les années 1930 un rôle considérable. La droite condamne le traité conclu avec les « bolcheviks » et ne vote pas la ratification. La politique pro-italienne de Laval soulève de vives oppositions de la gauche antifasciste. Aussi l'agression contre l'Ethiopie divise-t-elle le monde intellectuel en adversaires et partisans des sanctions, les premiers, admirateurs de l'œuvre mussolinienne, comme Henri Massis ou Pierre Gaxotte, se recrutant en grand nombre parmi la droite maurrassienne.

Enfin le pacifisme inspire largement les gouvernements au même titre que l'opinion. Laval, ancien socialiste minoritaire pendant la première guerre, est plus proche de Briand que de Barthou. Il exclut la possibilité même d'une guerre et préfère, sans l'avouer ouvertement, un rapprochement avec les puissances fascistes, qui lui paraît le meilleur garant du maintien de la paix.

La France devant les coups de force hitlériens (1936-1939)

En une série de coups de force, Hitler met fin à l'Europe des traités de l'après-guerre. Le 7 mars 1936, il fait pénétrer ses troupes dans le secteur démilitarisé de la zone rhénane, en violation des stipulations du traité de Versailles. Puis il commence l'exécution de ses plans de conquête en procédant en mars 1938 à la réunion *(Anschluss)* de l'Autriche à l'Allemagne. En septembre 1938, il annexe le territoire tchécoslovaque, peuplé d'une population majoritairement germanophone, des monts Sudètes, au nord-ouest de la Bohême.

Ces coups de force ne suscitent guère de résistance de la part des gouvernements français. La remilitarisation de la Rhénanie en 1936 ne provoque qu'une simple réaction verbale de Sarraut. L'Anschluss se déroule en mars 1938 alors que la France est privée de gouvernement. Les revendications d'Hitler sur les Sudètes aboutissent à la tenue d'une conférence à quatre (Allemagne, Italie, France, Royaume-Uni) qui, réunie à Munich en septembre 1938, approuve le rattachement de ce territoire au Reich, cédant ainsi aux exigences du Führer. Une telle incurie relève, certes, en grande partie, de l'attitude britannique face à Hitler : jusqu'en mars 1939, date du démembrement de la Tchécoslovaquie, le Royaume-Uni se refuse à envisager de résister par la force aux agressions perpétrées par le dictateur. Mais elle procède également de facteurs d'une autre nature, spécifiquement français, l'impréparation militaire et les croissantes interférences entre la politique intérieure et la politique extérieure.

L'impréparation militaire relève, au premier chef, de la persistance d'une conception purement défensive. Un officier supérieur, le colonel de Gaulle, propose dès 1934 la création de corps blindés motorisés, constitués dans une perspective offensive. Malgré le soutien de Paul Reynaud, il ne rencontre que peu d'échos dans les milieux politiques, alors que la remilitarisation de la Rhénanie démontre clairement les limites d'une théorie qui rend à l'avance toute offensive impossible. A cette sclérose doctrinale s'ajoutent les difficultés matérielles. La crise économique atteint les fabrications de guerre, victimes dans un premier temps de la compression budgétaire de 1934-1935. Le Front populaire, au cours de l'été 1936, sous l'effet de l'ébranlement de la guerre d'Espagne, décide de lancer l'effort de réarmement, abandonnant ainsi son briandisme préélectoral. Mais les difficultés sociales et les nécessités des adaptations techniques ne permettent à cet effort de porter ses fruits qu'à partir de la fin de 1938.

D'autre part, à l'ancienne opposition entre pacifistes et « bellicistes » s'ajoutent de manière croissante les prises de positions liées à l'antifascisme et à l'anticommunisme. L'analyse des réactions aux accords de Munich, accueillis sur le moment très favorablement par l'immense majorité de la presse et par les députés qui, le 4 octobre 1938, les approuvent par 535 voix contre 75 (les 73 communistes, celles d'Henri de Kerillis, député de droite, et de Jean Bouhey, SFIO), en offre l'exemple le plus caractéristique. En réalité, l'opinion est partagée : 57 % des personnes interrogées par sondage en octobre 1938 portent un avis favorable sur les accords, alors que 37 % émettent un avis négatif. Quant à la classe politique apparemment favorable, elle se divise profondément : les votes parlementaires, inspirés soit par les principes, soit par l'opportunité, n'ont pas tous revêtu la même signification.

Au sein des gauches non communistes s'opposent les partisans de la résistance au fascisme et les pacifistes doctrinaux. En décembre 1938, le congrès du Parti socialiste voit s'affronter les antifascistes autour de Blum, épaulé par Jean Zyromski, et les pacifistes et leur chef de file Paul Faure, appuyé par des syndicalistes comme Belin et André Delmas, secrétaire général du Syndicat des instituteurs. Les premiers représentent 53 % des mandats, les seconds 37 %. Chez les radicaux, il existe une tendance favorable au compromis, avec Georges Bonnet et Emile Roche, mais il apparaît clairement en janvier 1939 que Daladier est partisan de la fermeté, avec Edouard Herriot et Yvon Delbos. L'antifascisme inspire aux démocrates-chrétiens de nettes réserves à l'égard de la conciliation, notamment sous la plume de Georges Bidault, éditorialiste de *L'Aube*.

Au centre droit et à droite, les termes du problème ne sont pas les mêmes : le nationalisme germanophobe traditionnel et l'anticommunisme se trouvent confrontés en un dilemme insoluble. Au centre droit, une forte tendance pacifiste se manifeste à l'Alliance démocratique, dont le président, Pierre-Etienne Flandin, fait afficher le 28 un appel dénonçant la pression communiste en faveur de l'intervention et « l'escroquerie au patriotisme ». Tous ne le suivent pas : Paul Reynaud et plusieurs autres personnalités abandonnent l'Alliance qui, dans sa majorité, semble gagnée au pacifisme. La droite parlementaire ne connaît pas de crise apparente, mais se divise entre les partisans du nationalisme germanophobe traditionnel de Louis Marin et les tenants de l'anticommunisme pour qui les accords reviennent à laisser à Hitler « les mains libres » à l'Est.

A l'extrême droite, l'approbation des accords est générale et bruyante. Thierry Maulnier, dans *Combat*, résume le mieux la position d'une droite de plus en plus radicalisée, au point d'en oublier totalement sa germanophobie : « Une défaite de l'Allemagne signifierait l'écroulement des systèmes autoritaires qui constituent le principal rempart à la révolution communiste et peut-être à la bolchevisation immédiate de l'Europe. » L'opposition absolue et sans faille des communistes à Munich peut ici se lire symétriquement : l'argumentation antifasciste du parti coïncide ici parfaitement avec le souci de défendre la sécurité de l'Etat socialiste.

Au début de 1939, l'illusion persiste chez certains munichois : si Daladier, avec lucidité, considère Munich comme un simple « sursis », Bonnet estime possible une véritable entente franco-allemande. Le ministre des Affaires étrangères, soucieux de relancer le pacte à quatre, signe, en décembre, avec son homologue allemand, Ribbentrop, un pacte franco-allemand de non-agression. Tout un milieu « munichois » — Déat, Paul Faure, Pierre-Etienne Flandin — approuve cette initiative. Mais en janvier 1939, Daladier, passant de l'esprit de conciliation à la fermeté, réagit vigoureusement aux revendications italiennes sur la Corse, la Tunisie et Djibouti.

Cependant, Hitler, prenant pour prétexte les tensions interethniques opposant les Tchèques et les Slovaques, anéantit le 15 mars 1939 la République tchécoslovaque, transforme la Bohême et la Moravie en *Protektorat,* et laisse se créer une Slovaquie indépendante, mais vassalisée. Ce coup de force, cyniquement perpétré en violation des accords de Munich, met en évidence l'échec total de la politique munichoise. Le revirement britannique est complet. La France et la Grande-Bretagne décident d'accorder leurs garanties à la Pologne, à la Roumanie et à la Grèce, menacées par l'expansion allemande ou italienne. Le 18 mars, Daladier obtient de la Chambre des députés l'autorisation de prendre par décrets toutes mesures nécessaires à la défense du pays.

Hitler, après avoir resserré ses liens avec Mussolini, qui s'empare le 7 avril de l'Albanie, demande le 28 avril la restitution à l'Allemagne de la ville libre de Dantzig et l'exterritorialité des voies de communication reliant le Reich à la Prusse orientale à travers le corridor polonais. Appuyée par la France et la Grande-Bretagne, la Pologne lui oppose un refus total. Dès le début du mois, des négociations militaires s'étaient engagées entre l'URSS et la France, appuyées par la Grande-Bretagne. Ces premiers contacts butent vite sur le refus des Polonais d'accorder aux Soviétiques un droit de passage sur leur territoire. Staline, méfiant, contacte secrètement les Allemands dès la fin du mois d'avril.

La partie décisive se joue en juillet-août. Fin juillet, les Soviétiques acceptent le principe d'une alliance avec les Franco-Britanniques en la subordonnant à la conclusion d'un accord militaire. Alors que les discussions militaires tripartites engagées à Moscou se heurtent au problème du passage en Pologne et en Roumanie, les Soviétiques, le 17 août, répondent favorablement à une demande allemande de conclusion d'un pacte de non-agression. Le 23 août 1939, Ribbentrop pour l'Allemagne et Molotov pour l'URSS signent le pacte germano-soviétique, traité de non-agression assorti de clauses secrètes portant sur le partage de l'Europe orientale. Hitler a désormais les mains libres.

Les années 1930 revêtent en France un aspect spécifique. Le régime démocratique y est l'objet, comme ailleurs, d'une contestation sur sa droite, qui met en cause l'efficacité, voire la validité, du parlementarisme. Mais l'influence fasciste est restée marginale, les contestataires s'accommodant d'une transformation du système, qui finit par se produire dans les dernières années de la République, avec le renforcement de l'exécutif. Le mouvement socialiste, de son côté, s'appuie sur une tradition du régime, la défense républicaine, quand il arrive au pouvoir en 1936. Sans doute sa venue aux affaires engendre-t-elle un climat de discorde civile et, en définitive, en 1938, un reclassement définitif du radicalisme au centre droit ; mais la manière dont il pose la primauté de l'Etat en matière de relations du travail illustre l'évolution, et non la disparition, du régime.

Dans le domaine de la politique extérieure cependant, l'adaptation à la réalité ne s'est faite que lentement et trop tard. En réarmant tardivement en septembre 1936, en s'attachant obstinément à une stratégie défensive rassurante mais illusoire, en refusant de préparer les esprits à la probabilité d'un conflit, les dirigeants de la République ont été dominés par le souvenir fascinant de l'hécatombe de la Grande Guerre. Celui-ci restait plus que jamais présent dans les esprits en septembre 1939.

BIBLIOGRAPHIE

Agulhon Maurice, *La République,* t. 2 : *De 1932 à nos jours,* Hachette, Pluriel, 1992.
Azéma Jean-Pierre, *De Munich à la Libération (1938-1944),* Le Seuil, 1979.
Azéma Jean-Pierre, Winock Michel, *La Troisième République,* Calmann-Lévy, 1970.
Berstein Serge, *La France des années 30,* Armand Colin, 1988.
Berstein Serge, *Le 6 février 1934,* Gallimard-Julliard, 1975.
Bodin Louis, Touchard Jean, *Front populaire, 1936,* rééd., Armand Colin, 1985.
Borne Dominique, Dubief Henri, *La crise des années 30 (1929-1938),* Le Seuil, 1989.
Brunet Jean-Paul, *Histoire du Front populaire,* PUF, 1991.
Dard Olivier, *Le rendez-vous manqué des relèves des années 30,* PUF, 2002.
Doise Jean, Vaïsse Maurice, *Diplomatie et outil militaire. Politique étrangère de la France (1871-1969),* Imprimerie nationale, 1987, rééd., Le Seuil, 1992.
Du Réau Elisabeth, *Edouard Daladier,* Fayard, 1993.
Duroselle Jean-Baptiste, *La décadence, 1932-1939, politique étrangère de la France,* Imprimerie nationale, 1979, rééd., Le Seuil, 1983.
Frank Robert, *Le prix du réarmement français, 1934-1939,* Publications de la Sorbonne, 1982.
Lefranc Georges, *Histoire du Front populaire,* Payot, 1964.
Lefranc Georges, *Juin 1936. « L'explosion sociale » du Front populaire,* Gallimard-Julliard, 1966.
Machefer Philippe, *Ligues et fascismes en France,* PUF, 1974.
Milza Pierre, *Fascisme français. Passé et présent,* Flammarion, 1987.
Néré Jacques, *La crise de 1929,* Armand Colin, 1973.

Nobécourt Jacques, *Le colonel de La Rocque ou les pièges du nationalisme chrétien,* Fayard, 1996.

Ory Pascal, Sirinelli Jean-François, *Les intellectuels en France, de l'affaire Dreyfus à nos jours,* Armand Colin, 1986.

Ory Pascal, *La Belle illusion,* Paris, Plon, 1994.

Paxton Robert, *Le Temps des chemises vertes. Révoltes paysannes et fascisme rural (1929-1939),* Le Seuil, 1996.

Rémond René, Renouvin Pierre (sous la direction de), *Léon Blum, chef de gouvernement, 1936-1937,* Presses de la Fondation nationale des sciences politiques, 1967.

Rémond René, Bourdin Janine (sous la direction de), *Edouard Daladier, chef de gouvernement, avril 1938-septembre 1939,* Presses de la Fondation nationale des sciences politiques, 1977.

Rémond René, Bourdin Janine (sous la direction de), *La France et les Français en 1938-1939,* Presses de la Fondation nationale des sciences politiques, 1978.

Robrieux Philippe, *Histoire intérieure du Parti communiste,* t. 1 : *1920-1945,* Fayard, 1980.

Schor Ralph, *L'antisémitisme en France pendant les années trente,* Bruxelles, Complexe, 1991.

Tartakowsky Danielle, *Les manifestations de rue en France (1918-1968),* Publications de la Sorbonne, 1998.

Vallette Geneviève, Bouillon Jacques, *Munich 1938,* Armand Colin, 1986.

Winock Michel, *Histoire politique de la revue « Esprit »,* Le Seuil, 1975.

Winock Michel, *La fièvre hexagonale, les grandes crises politiques, 1871-1968,* Le Seuil, 1986.

Ouvrage collectif, *Les années trente. De la crise à la guerre,* Le Seuil, 1990.

5. La France dans la deuxième guerre mondiale (1939-1945)

La signature du pacte germano-soviétique provoque du 23 août au 3 septembre 1939 l'ultime crise, qui mène au déclenchement de la guerre : après que, le 23 août, les ministres et hauts responsables français de la Défense nationale réunis à Paris eurent décidé de soutenir militairement la Pologne, dans le cas désormais probable d'une attaque allemande, Hitler, à l'annonce, le 25, du refus italien d'entrer en guerre à ses côtés et de la signature d'une alliance anglo-polonaise, diffère son offensive, et tente un dernier effort pour obtenir par la pression la satisfaction de ses revendications polonaises.

Devant le refus des Alliés, tirant prétexte d'un incident de frontières monté de toutes pièces par ses services secrets, il fait pénétrer ses troupes en Pologne sans déclaration de guerre le 1er septembre à 4 h 45. Le jour même, le gouvernement français décrète la mobilisation générale et le 2 la Chambre vote les crédits de guerre. Puis, le 3 septembre, l'ambassadeur de France à Berlin informe le ministre des Affaires étrangères du Reich que la France honorera ses engagements à l'égard de la Pologne, à dater de ce jour à 17 heures.

La débâcle et la fin de la IIIe République (septembre 1939 - juillet 1940)

Les Français devant la guerre

Il faut distinguer les sentiments de l'opinion globale, les réactions des forces organisées, avant d'examiner les mesures prises par les pouvoirs publics.

L'opinion globale. — L'entrée en guerre se fait dans la résignation générale, mais le nombre des désertions reste infime. L'influence du pacifisme ne doit pas être surestimée. Dès les accords de Munich, une forte minorité s'était déclarée hostile à la conciliation avec Hitler. La tendance de l'opinion à la résistance s'était accentuée dans les mois suivants : en décembre 1938, 70 % des personnes interrogées par l'IFOP se déclarent favorables à un refus à toute nouvelle exigence d'Hitler. En juillet 1939, 76 % estiment qu'il faut l'empêcher de s'emparer de Dantzig, « au besoin par la force ». 17 % seulement suivent Marcel Déat qui, dans *L'Œuvre* du 4 mai, avait jugé absurde de « mourir pour Dantzig ».

Si le souvenir de la tuerie de 1914-1918 rend la guerre répulsive et redoutable, le patriotisme traditionnel a sans nul doute conservé une grande emprise sur les esprits : voilà qui infirme l'image répandue d'un défaitisme généralisé. Mais, sur deux points, la situation diffère de celle de la première guerre. Aucun thème mobilisateur, comme « Les provinces perdues », ne vient réactiver le sentiment patriotique. L'attaque allemande, d'autre part, vise en septembre 1939 la Pologne et non la France : l'urgence née du danger n'est pas ressentie comme immédiate comme en 1914.

Les forces organisées. — Les forces hostiles à la guerre restent dans l'ensemble discrètes. Le pacifisme de la gauche intellectuelle se manifeste par la diffusion d'un tract sur la « paix immédiate », signé notamment par l'anarchiste Louis Lecoin, le philosophe Alain, l'écrivain Jean Giono, mais son influence reste très limitée. L'extrême droite munichoise, décontenancée par le pacte Molotov-Ribbentrop, observe un mutisme prudent. Il subsiste surtout en milieu parlementaire, dans toutes les fractions munichoises des diverses formations, des hommes qui ne désespèrent pas d'arriver à un accord avec Hitler sans passer par des hostilités déclarées, mais qui ne se manifestent pas dans la période de l'entrée en guerre : la classe politique semble alors unanime dans la résolution.

Le cas du Parti communiste, surpris par l'annonce du Pacte germano-soviétique, se situe évidemment à part. La stupeur des dirigeants, qui n'avaient pas été prévenus du changement d'orientation de la politique soviétique, est à son comble au lendemain du 23 août 1939. La signature du pacte provoque une crise d'une ampleur considérable marquée par une série de défections ; aussi les dirigeants mettent-ils très vite l'accent sur la nécessité d'assurer la sécurité du pays, comme le déclare Thorez le 25 août. Le 2 septembre, les parlementaires du parti votent les crédits de guerre.

Mais deux éléments font évoluer la situation : l'interdiction de la presse communiste, le 26 août, amène les militants à resserrer les rangs. Surtout, des instructions transmises vers le 20 septembre par l'Internationale communiste amènent la direction à définir clairement sa position : la guerre contre l'Allemagne, voulue « par les banquiers de Londres », doit être considérée comme « impérialiste » et non comme antifasciste. Il convient donc de s'y opposer résolument, en appelant à la fraternisation avec les ouvriers allemands et à une paix immédiate. L'invasion de la Pologne orientale par les troupes soviétiques, le 17 septembre, entraîne dix jours plus tard la dissolution du PCF et des organisations obéissant « aux mots d'ordre de la IIIe Internationale ». Une répression anticommuniste particulièrement sévère débute alors : elle va durer de longs mois.

Les pouvoirs publics. — Le gouvernement, dès avant l'entrée en guerre, disposait des plus larges pouvoirs, notamment grâce à la délégation de la compétence législative au gouvernement, systématiquement mise en œuvre depuis Doumergue en 1934 dans le domaine économique et financier. Après l'anéantissement de la Tchécoslovaquie, la loi du 20 mars 1939 avait autorisé le gouvernement à prendre par décrets toute mesure nécessaire à la défense du pays. Le 30 novembre, les pouvoirs spéciaux sont renouvelés pour la durée des hostilités, les décrets étant soumis à une ratification ultérieure des Chambres.

La composition du gouvernement subit le 13 septembre de légères modifications : Bonnet est écarté des Affaires étrangères, prises directement en main par Daladier. Sa composition politique, majoritairement radicale et modérée, reste la même. Les socialistes se refusant à y participer, l'Union sacrée n'est pas réalisée. Le gouvernement, d'autre part, se divise en partisans de la conciliation, autour d'Anatole de Monzie, et en tenants de la fermeté, comme Paul Reynaud, Georges Mandel ou Champetier de Ribes. A sa tête, aucune volonté politique ferme ne s'affirme de la part de son chef Edouard Daladier. Absence d'Union sacrée, refus de définir une politique claire : la situation diffère bien évidemment de celle de 1914.

La « drôle de guerre » (septembre 1939 - mai 1940)

Pendant huit mois, le pays est juridiquement en état de guerre, mais l'absence d'opérations militaires aboutit à une situation étrange, caractérisée par l'immobilisme, la « drôle de guerre ».

L'attentisme militaire. — La France de 1939 dispose d'une puissance militaire réelle qui lui permet d'aligner avec son allié britannique des forces sensiblement égales à celles de son adversaire.

Forces en présence en septembre 1939

	Forces allemandes	*Forces alliées*
Hommes mobilisés	3 500 000	5 000 000 Français 1 500 000 Britanniques
Hommes aux armées	2 600 000	2 800 000 Français
Nombre de divisions	103	110
Pièces d'artillerie	15 006	16 850
Chars	2 977	2 946
Bombardiers	1 620	346 Français 497 Anglais
Chasseurs	900	560 Français 605 Anglais

L'effort de réarmement lancé par le Front populaire à partir de 1936 a porté ses fruits, mais tardivement. Ainsi dans le domaine aérien, point faible de l'équipement français, la construction en série n'a commencé qu'en mars 1938, le temps de mettre en place un dispositif productif adapté. De manière générale, le matériel français, sauf pour les tanks, présente une conception moins moderne que celui des Allemands.

Mais la différence essentielle réside dans l'utilisation de ces masses armées. Alors que les Allemands privilégient le mouvement et l'offensive, la doctrine française fixe comme objectif prioritaire la défense du territoire national, rendu inviolable par un réseau de fortifications édifié de 1930 à 1935 le long de la frontière de l'Est, depuis la Suisse jusqu'à la frontière belge. Le plan D *bis* de 1935 prévoit la concentration sur cette ligne « Maginot », sans exclure une éventuelle contre-offensive, « le moment venu », longuement préparée à l'abri des énormes blockhaus bétonnés. Au-delà, le haut commandement compte sur les difficultés de franchissement du massif ardennais et prévoit qu'en cas d'attaque sur la Belgique ou les Pays-Bas les Alliés se porteraient en avant sur la ligne Anvers-Namur (plan Dyle) ou vers Breda (plan Breda).

Cette doctrine, élaborée par le maréchal Pétain et reprise par les généraux Weygand et Gamelin, ce dernier occupant en septembre 1939 le poste de chef d'état-major, vise à éviter les effrayants massacres de 1914-1918 et correspond parfaitement aux préoccupations des milieux politiques et de l'opinion publique. Elle se place résolument dans la perspective d'une guerre longue : la maîtrise des mers permettrait de pratiquer un blocus économique qui amènerait l'Allemagne à l'asphyxie économique et au désordre intérieur, tandis que les réserves métalliques de la France lui permettraient de « tenir » dans la longue durée.

Cette conception défensive est rigoureusement mise en œuvre en septembre 1939. Alors que la Pologne succombe le 28 sous les assauts conjugués des Allemands et des Soviétiques, une « offensive » symbolique (quelques reconnaissances et coups de main) est menée en Sarre, mais début octobre toutes les troupes engagées sont rétrogradées en deçà de la ligne Maginot. Alors qu'Hitler, en novembre 1939, diffère pour des raisons météorologiques l'attaque sur le front occidental, celui-ci reste immobile, le seul problème étant d'occuper les soldats en proie au désœuvrement. On se contente d'y remédier par la distribution de ballons de football, la plantation de rosiers sur la ligne Maginot ou les prestations du théâtre aux Armées.

Plus sérieusement, l'état-major envisage dès le début de la guerre, devant l'évidente insuffisance du blocus économique, des opérations « périphériques » visant l'allié et principal fournisseur de pétrole de l'Allemagne, l'Union soviétique. L'invasion de la Finlande par les armées de Staline le 30 novembre 1939 et la surprenante résistance finnoise viennent ranimer ces projets, abandonnés après l'armistice soviéto-finnois du 12 mars 1939. Mais l'idée demeure de s'emparer des mines de fer de Suède, ou tout au moins de couper la « route de fer », exporté par le port norvégien de Narvik, libre de glace toute l'année.

En avril 1940, alors que Paul Reynaud a remplacé Daladier, une expédition en Norvège est décidée conjointement avec les Britanniques. Mais Hitler, mis au courant, lance le 9 avril une offensive foudroyante sur le Danemark et la Norvège qui tombent en quelques heures entre ses mains. L'opération navale franco-britannique qui se déroule à partir du 16 avril à Narvik permet d'aboutir après de durs combats à la prise de la ville le 27 mai, alors qu'en France la défaite est consommée : le corps expéditionnaire reçoit l'ordre de rembarquer.

La vie politique durant la « drôle de guerre ». — La vie politique est dominée par une vigoureuse offensive anticommuniste. La dissolution du parti, prononcée le 26 septembre 1939, est suivie d'une répression particulièrement sévère. Alors que la presse communiste est saisie, les députés communistes sont, par la loi du 20 janvier 1940, déchus de leurs mandats s'ils n'ont pas renié leur parti ; 317 municipalités communistes sont suspendues. La répression, qui touche près de 18 000 personnes, entraîne des défections, qui restent peu nombreuses, mais concernent un tiers des députés. Les 44 restés fidèles passent en jugement en avril 1940 pour avoir reconstitué un groupe « ouvrier et paysan » après le 26 septembre. Les cadres de l'appareil restent dans l'ensemble remarquablement fidèles. La répression ne fait pas disparaître le parti, mais le désorganise durablement.

La direction de la CGT fait expulser massivement les adhérents, très nombreux, qui refusent de désavouer le Pacte germano-soviétique. Cette vague anticommuniste, d'une exceptionnelle ampleur, s'accompagne d'une répression antisyndicale menée par un certain nombre de patrons dans leur entreprise : l'opération politique se double ici d'un mouvement de revanche sociale, qui prend ses racines dans l'exaspération et la peur provoquées dans certains milieux par le Front populaire.

Cependant, dans les milieux parlementaires, l'apparente unanimité des premiers jours de guerre se lézarde très vite. Les adversaires de la guerre, Paul Faure chez les socialistes, Georges Bonnet chez les radicaux, Pierre-Etienne Flandin au centre droit, sont toujours partisans d'une paix de compromis. Pierre Laval, le 14 mars, met en cause la manière dont la guerre est conduite et en appelle au rapprochement avec l'Italie. D'autres reprochent à Daladier son manque d'énergie, mais surtout à propos de l'affaire finlandaise. Le 19 mars, l'ordre du jour de confiance du gouvernement n'obtient que 239 voix, alors que 300 députés s'abstiennent, dont la totalité des socialistes : le président du Conseil remet alors sa démission.

Les partisans de la fermeté mettent alors en avant Paul Reynaud, un homme du centre droit qui bénéficie du soutien des socialistes : trois d'entre eux participent à son gouvernement, mais les radicaux exigent le maintien de Daladier au ministère de la Défense. Ce cabinet, majoritairement formé de radicaux et de modérés, reste cependant divisé en « attentistes », autour de Daladier, et partisans d'une conduite plus dynamique de la guerre. La Chambre n'investit ce gouvernement qu'avec une extrême réticence par 268 voix contre 156 et 111 abstentions : Reynaud reçoit le soutien des socialistes et d'un tiers des radicaux, alors que la majorité du centre droit et la droite votent contre lui. Sans doute Reynaud conclut-il le 28 mars avec la Grande-Bretagne un accord qui exclut tout armistice séparé et s'engage-t-il dans l'expédition de Narvik, mais le gouvernement est en réalité divisé et hésitant.

Les Français dans la « drôle de guerre ». — Les civils, l' « arrière » aurait-on dit en 1914, commencent à éprouver les effets de l'état de guerre, même en l'absence d'opérations militaires. Mais le couvre-feu, les distributions de masques à gaz et les exercices d'alerte ne représentent que les aspects les plus superficiels du nouvel état de choses. La population, touchée par le rationnement du savon, de l'huile, du café, du charbon, à partir de janvier 1940, et l'établissement de cartes générales de rationnement en mars, commence à ressentir les conséquences concrètes de l'économie de guerre. Alors que le déséquilibre financier oblige l'Etat à couvrir ses dépenses pour un tiers par les avances de la Banque de France, l'indice des prix dérape, passant pour les produits industriels, sur la base 100 en 1938, à 128 en décembre 1939 et 154 en avril 1940. La pénurie de main-d'œuvre entraîne le retour à l'arrière de deux millions d'ouvriers, « affectés spéciaux », avec les inévitables tensions psychologiques qu'entraîne ce type de mesure.

Mais la détérioration matérielle représente peu de chose à côté de la dégradation morale : la résolution du début de la guerre paraît s'être singulièrement émoussée, faute d'une volonté et d'un projet politique précis, susceptibles de mobiliser les esprits.

La défaite

Les forces en présence. — Dans le courant du mois d'avril, le haut commandement allemand décide de déclencher à l'Ouest la grande offensive reportée à plusieurs reprises les mois précédents. A la date du 10 mai 1940, choisie en fonction des prévisions météorologiques favorables à l'assaut aérien qui devait la précéder, les forces en présence sur le front ouest sont toujours équilibrées :

	Allemands	*Alliés*
Divisions	114	104 (94 françaises)
Divisions blindées	10	3
Chars d'assaut	2 800	3 000
Nombre total d'appareils aériens	2 918	1 435
dont bombardiers	1 562	242

Dans le domaine du matériel, la supériorité allemande est évidente en matière aérienne, en nombre comme en qualité : la Luftwaffe dispose de 340 bombardiers d'attaque en piqué (Stukas), conçus pour mener une action étroitement coordonnée avec les forces terrestres. Les armées alliées, significativement, présentent de graves faiblesses dans le domaine de l'artillerie antiaérienne et antichars. Mais la disproportion n'est pas évidente pour les autres types d'équipement.

La vraie différence est ailleurs. Les deux forces, sensiblement équivalentes, sont dirigées par des hommes aux conceptions tactiques radicalement opposées. Les Allemands, sous l'impulsion notamment du général Guderian, ont adopté le principe de l'utilisation de la division blindée comme « bélier stratégique ». Les chances de réussite d'une offensive basée sur l'artillerie et de l'infanterie étant considérées comme très faibles, cette conception mettait en valeur la mobilité de l'arme, qui rendrait inefficace le dispositif défensif adverse et permettrait un assaut en profondeur susceptible d'ébranler l'adversaire. Aussi, à la veille de l'offensive, les 2 800 chars allemands sont-ils regroupés en 10 divisions cuirassées *(Panzerdivisionen)*, formant trois corps d'armée autonomes.

L'état-major français, on l'a vu, n'a pas écouté les mises en garde du colonel de Gaulle, qui, dès 1934, avait souligné l'intérêt de la formation « d'une masse autonome, organisée et commandée en conséquence ». Les 3 000 chars alliés sont dispersés dans les diverses unités d'infanterie, avec pour mission d' « appuyer » l'action des fantassins. La France dispose donc de trois divisions blindées seulement, composées de 150 chars en moyenne contre 280 pour une Panzerdivision. Elle n'a pas prévu la forte organisation logistique en matière de ravitaillement en carburant et de télécommunication que suppose l'utilisation de ce type d'arme.

La stratégie allemande, indissolublement liée à ces conceptions tactiques, prône l'offensive. L'état-major allemand avait envisagé une reprise du vieux plan Schlieffen : une aile droite puissamment renforcée traverserait la Belgique et attaquerait la France par le Nord. Mais la crainte de tomber sur une aile gauche alliée trop forte amène Hitler à adopter un autre plan, prévoyant la fixation des Français sur la ligne Maginot au sud, l'invasion des Pays-Bas au nord, et au centre l'assaut de 7 divisions blindées, soit 2 000 chars, sur les Ardennes et la Meuse.

Le commandement allié reste fidèle pour sa part à sa conception défensive : de la Suisse à l'Ardenne, s'étend l'infranchissable ligne Maginot ; au centre, les Ardennes ont été décrétées par Pétain « imprenables ». La frontière belge restant sans défense fortifiée et la violation du royaume étant considérée comme probable, l'état-major allié avait prévu à la fin de 1939 que les troupes franco-britanniques s'avanceraient sur la ligne Anvers-Namur, matérialisée par le Dyle, puis au sud des Pays-Bas, vers Bréda. Bien involontairement, ce projet facilitait l'exécution du plan allemand d'encerclement.

Les opérations : la guerre éclair de mai-juin 1940. — Le 10 mai à l'aube, les Allemands déclenchent la guerre éclair *(Bliztkrieg)* ; les aérodromes belges, néerlandais et français du Nord et de l'Est sont bombardés, pendant que la Wehrmacht lance ses forces à l'assaut des Pays-Bas qui capitulent au bout de cinq jours de combats. Dès l'attaque allemande, le généralissime Gamelin déclenche les manœuvres « Bréda » et « Dyle » : les Alliés parviennent à grand-peine à freiner l'avance allemande en Belgique le 14 mai sur la ligne Anvers-Louvain.

Mais la partie essentielle se joue dans les Ardennes, où 7 divisions blindées, après avoir franchi le 13 mai la Meuse entre Dinant et Sedan, attaquent le dispositif français à la jonction de la IXe armée (Corap) et de la IIe (Huntziger). Le 15 mai, en quelques heures, la percée est réalisée, dans un secteur défendu par des réservistes peu entraînés, mal équipés, peu nombreux. Outre l'effet de surprise, la maîtrise aérienne et la rapidité des engins ennemis contribuent à provoquer la panique et la désorganisation. Le 15, au matin, les chars allemands s'engouffrent dans une brèche de 80 km ouverte par la dislocation du dispositif français et se dirigent vers la Manche, balayant sur leur passage les éléments des trois divisions cuirassées françaises qui tentent de s'opposer à eux.

Désormais, du 15 au 28 mai, la Wehrmacht procède à la destruction de l'aile gauche du dispositif français. Malgré les efforts de la 4e division cuirassée du colonel de Gaulle à Montcornet, dans l'Aisne, le 17 mai, la force blindée allemande parvient à isoler l'aile gauche alliée : le 20 mai, au soir, les avant-gardes de Guderian atteignent la Manche dans la région de Montreuil-sur-Mer. Le nouveau commandant en chef français, le général Weygand, successeur de Gamelin, envisage de ressouder vers Bapaume les deux tronçons du dispositif allié, séparés à cet endroit par seulement 30 km, mais la tentative tourne court. Après un échec britannique au sud d'Arras le 21, une nouvelle tentative de la 4e division cuirassée sur Abbeville les 28-30 et la capitulation belge dans la nuit du 27 au 28, l'encerclement des armées du Nord s'avère définitif.

Pris au piège, 500 000 soldats français et britanniques refluent à partir du 25 mai vers la côte. La capitulation belge accélère le rembarquement, effectué à Dunkerque, du 28 mai au 4 juin, sous les bombardements de la Luftwaffe, de 230 000 Britanniques et 110 000 Français. Hitler, confiant, semble-t-il, dans la seule action aérienne, soucieux peut-être de ne pas épuiser sa force blindée, ne l'a pas lancée sur le réduit, laissant les Britanniques tirer le bénéfice moral de l'opération.

Désormais, les forces françaises sont laissées à elles-mêmes. Weygand reconstitue un front continu sur la Somme, l'Ailette et l'Aisne, mais le rapport des forces s'établit de 1 à 2. Le 5 juin, le groupe d'armées A attaque sur la Somme, enfonçant l'aile gauche française dès le lendemain, cependant que l'aile droite recule. Le 9, le groupe d'armées B attaque dans l'Aisne où le dispositif français est crevé en quarante-huit heures. Le 12, le commandant en chef donne l'ordre de repli général, mais la dislocation a précédé cette directive. Les Allemands entrent à Paris le 14, à Rennes et Nantes le 19, à Brest et Lyon le 20, à La Rochelle le 22, malgré la résistance des élèves-officiers de Saumur, au passage de la Loire. Prises à revers, les fortifications de la ligne Maginot tombent à partir du 17 juin.

Le 10 juin, Mussolini avait cru devoir faire entrer l'Italie dans la guerre contre la France, mais c'est bien vainement que ses armées tentent à partir du 17 de percer le front des Alpes.

Bilan : la défaite et l'exode. — Militairement, le succès allemand est total : à la veille de l'armistice, les troupes allemandes ont atteint la Charente, le Bourbonnais, le couloir rhodanien. Les forces françaises, tronçonnées, sans aucune possibilité de formation d'un front, épuisées par des journées de combat sans relève, sont en fuite ou tombent entre les mains des vainqueurs.

A la dislocation militaire s'ajoute la panique civile. Dès le début de l'offensive, des milliers de frontaliers des régions septentrionales, effrayés par l'arrivée des Allemands, dont l'occupation de 1914-1918 avait laissé un cruel souvenir, font marche vers le sud. Après la rupture de la ligne Weygand, l' « exode » s'amplifie : près de 2 millions de personnes quittent la région parisienne pour tenter de gagner le sud de la Loire, sous l'effet conjugué d'une propagande décrivant les envahisseurs comme de nouveaux Huns et de la peur de bombardements massifs sur la population civile, analogues à ceux de Madrid ou de Rotterdam. Au total, 8 millions de personnes forment de pitoyables cortèges de vieillards, d'enfants, de femmes, fuyant par tout moyen de transport individuel ou collectif, sous les bombardements de l'aviation ennemie. La transformation du pays en « un gigantesque camp de nomades errants » (Jean-Pierre Azéma) n'a pas peu contribué à désorienter davantage les esprits, à disloquer les familles et à faire souhaiter qu'au plus vite il soit mis fin aux hostilités.

La défaite de 1940 n'est pas le fruit de l'absence de matériel, pas plus que du manque de bravoure des hommes : en l'espace d'un mois, l'armée française a perdu 92 000 hommes tués au combat et 200 000 blessés, alors que les pertes de la Wehrmacht se sont élevées à 27 000 tués et 18 000 disparus. Au-delà du commandement plus que médiocre de Gamelin, toute une conception de la guerre, fondée sur la primauté de l'infanterie et de la défensive, a été surclassée par une méthode prônant le mouvement et l'utilisation du couplage chars/avions. Cette conception était celle des plus grands hommes de guerre du pays, en parfait accord du reste avec la classe politique et l'opinion publique.

L'armistice. — Paul Reynaud et son gouvernement avaient assisté, stupéfaits et désemparés, à cette accumulation de désastres. A plusieurs reprises, à partir du 10 mai, le président du Conseil avait modifié la composition de son gouvernement, en élargissant encore la représentation de l'éventail politique (entrée de Louis Marin, 10 mai) et en appelant le maréchal Pétain à la vice-présidence du Conseil, le 18 mai, pour renforcer l'autorité morale de son cabinet aux yeux de l'opinion. D'autres modifications avaient abouti à la promotion de Georges Mandel, nommé à l'Intérieur le

18 mai, à l'éviction de Daladier le 5 juin et à l'entrée au gouvernement de personnalités proches du président du Conseil, Paul Baudouin (sous-secrétaire d'Etat aux Affaires étrangères), Yves Bouthillier (Finances) et le général de Gaulle (sous-secrétaire à la Guerre), spécialement chargé des relations avec les Britanniques. Ce cabinet reste uni jusqu'au 10 juin, date de la rupture définitive du front et de l'évacuation de Paris par les autorités gouvernementales.

Du 12 au 22 juin, se joue une partie décisive en deux phases : du 12 au 16, la victoire des partisans de l'arrêt des combats aboutit au départ de Reynaud, remplacé le 16 au soir par Pétain ; du 17 au 22, le processus engagé le 12 mène le 22 à la signature de l'armistice, dont la mise en vigueur est fixée au 25.

Les discussions sur l'opportunité d'une demande d'armistice s'ouvrent par la demande du généralissime Weygand qui fait valoir le 12 juin, lors d'un Conseil des ministres tenu à Cangé, dans la banlieue de Tours, la nécessité d'arrêter les combats. Dès lors, sur la route de Bordeaux, du 12 au 14, et à Bordeaux même, du 14 au 16, partisans et adversaires de l'armistice s'affrontent au sein du Conseil. Les partisans de la poursuite de la lutte, notamment Mandel et le général de Gaulle, forts de l'appui de Churchill qui va jusqu'à proposer le 16 juin la constitution d'une union franco-britannique, évoquent la possibilité d'un repli en Afrique du Nord.

Leurs adversaires, avant tout les militaires, le maréchal Pétain et le généralissime Weygand, font valoir le caractère déshonorant d'une capitulation, qui s'imposerait dans le cas où les autorités quitteraient la métropole : en outre, cet acte purement militaire priverait le peuple vaincu de toute garantie politique, contrairement à un armistice, arrêt des combats assorti de conditions négociées. Pétain insiste sur l'impossibilité morale d'abandonner les Français. Lui-même et Weygand ne sont pas dénués de craintes devant la perspective de troubles pouvant aboutir à la dislocation du pays, voire à sa « soviétisation ».

Ils trouvent au sein du Conseil l'appui de Baudouin, Bouthillier, Frossard et Chautemps, qui, le 15 juin, propose de demander au Reich les conditions de conclusion d'un armistice sans que le Conseil se prononce encore sur le fond de la question. Cette solution de compromis reçoit l'appui de la majorité des ministres, mais le 16 juin, dans la soirée, nerveusement épuisé, Paul Reynaud, après une résistance somme toute assez faible, présente sa démission à

Lebrun. Le président de la République demande alors au maréchal Pétain de former le nouveau gouvernement.

Le 17, Pétain annonce à la nation qu' « il faut cesser le combat », ce qui accélère la déroute militaire, puis il fait transmettre aux Allemands une demande des conditions d'armistice. Mais les plus hauts dignitaires de l'Etat, les présidents des assemblées, Herriot et Jeanneney, le président de la République lui-même, envisagent de quitter la France pour gagner l'Afrique du Nord. Pétain fait mine d'accepter, puis temporise, après l'acceptation allemande, le 19, d'engager des discussions ; un groupe d'ultrapacifistes, autour de Laval, exerce alors une forte pression sur Lebrun pour annuler le départ. En fin de compte, le 21 juin, le navire *Massilia* appareille de Bordeaux avec seulement 27 parlementaires, dont Daladier, Mandel, Delbos, Zay et Mendès France. Arrivés à Casablanca le 24 après la signature de l'armistice, ils sont arrêtés : l'affaire est aussitôt exploitée par Pétain contre ces hommes de la IIIe République publiquement mis en cause pour leur « fuite ».

La seule protestation contre l'armistice parvient d'Angleterre le 18 juin, vers 18 heures. Le général de Gaulle, qui a quitté la France la veille, lance alors à la BBC un appel à poursuivre la lutte. La défaite, due à la supériorité de « la force mécanique, terrestre et aérienne » de l'ennemi, n'est nullement définitive, car la guerre « n'est pas tranchée par la bataille de France », elle est « une guerre mondiale », qui, au-delà du territoire national, met en cause l'Empire, la Grande-Bretagne et l'industrie américaine. Malgré l'ampleur et la justesse de la vision, l'appel reste, sur le moment, peu entendu.

L'Allemagne accepte le 19 le principe de l'armistice et transmet deux jours plus tard ses propositions à la délégation française, à la tête de laquelle se trouve le général Huntziger, convoquée à Rethondes, sur les lieux mêmes de l'armistice du 11 novembre 1918. Après une journée de discussion et à la suite d'un ultimatum allemand, le texte est signé le 22 juin, à 18 h 50. Après la signature de l'armistice franco-italien, deux jours plus tard, l'entrée en vigueur est fixée le 25 à 0 h 30.

L'armistice franco-allemand du 22 juin désarme la France qui doit démobiliser ses troupes et livrer la plus grande partie de son matériel de guerre, les pièces d'artillerie, les chars, les « armes d'infanterie », de même que les forteresses et les aérodromes. Il est prévu, cependant, que la clause de désarmement ne pourra s'appliquer « aux troupes nécessaires au maintien de l'ordre intérieur » (art. 4). La flotte de guerre, désarmée sous contrôle allemand, regagnera « les ports d'attache des navires en temps de paix ». Le Reich s'engage à ne pas l' « utiliser pendant la guerre, à ses propres fins » (art. 8). Les prisonniers de guerre français ne seront libérés qu'à la conclusion de la paix.

La convention prévoit en outre l'occupation d'une zone située au nord d'une ligne Genève, Dôle, Bourges, Tours, complétée par une bande de territoire longeant la côte atlantique jusqu'à la frontière espagnole. « Le Reich allemand (y) exerce tous les droits de la puissance occupante... Le gouvernement français invitera immédiatement toutes les autorités et tous les services administratifs français du territoire occupé à se conformer aux réglementations des autorités allemandes et à collaborer avec ces dernières d'une manière correcte » (art. 3). Le gouvernement français se trouve, en outre, mis dans l'obligation de livrer « tous les ressortissants allemands désignés par le gouvernement du Reich ».

Des stipulations d'ordre économique complètent le dispositif : le trafic maritime commercial est soumis au contrôle des vainqueurs, de même que les mouvements aériens, les transports de valeurs ou de marchandises. Les frais d'entretien des troupes d'occupation allemandes sur le territoire français sont mis à la charge du gouvernement français (art. 18).

Sans doute l'armistice laisse-t-il subsister un Etat français qui conserve sa flotte, désarmée, et son empire colonial. Mais l'occupation des régions situées au nord de la Loire fait passer sous le contrôle allemand 55 % du territoire national, 62 % de la population et 73 % des ouvriers d'industrie. Les clauses portant sur la collaboration de l'administration française et des autorités militaires se révéleront lourdes de conséquences. Draconien pour la France, l'armistice permet à Hitler de retourner ses forces contre l'Angleterre, puisqu'il neutralise la flotte française et garantit la mise hors de combat de la France, dont le gouvernement n'a pas gagné Londres. L'existence d'une zone non occupée, qui peut sembler un avantage pour elle, épargne à l'Allemagne les unités nécessaires à son occupation. Enfin, les prisonniers de guerre français représentent près de 1 800 000 otages tombés aux mains du Reich.

La signature de l'armistice est suivie de la rupture franco-britannique. Churchill redoute que la flotte française ne tombe entre les mains du vainqueur, car il n'accorde guère de valeur à l'engagement allemand de ne pas s'en emparer. Le 3 juillet, les bâtiments de guerre français mouillés dans le port d'Alexandrie et dans les ports anglais sont saisis. Une puissante escadre se présente au large de Mers-el-Kébir, l'amiral français est sommé de conduire ses navires vers un port britannique ou un port français des Antilles pour y être désarmés, à défaut de les saborder. Sur son refus, les Anglais ouvrent le feu et détruisent 3 cuirassés et 3 contre-torpilleurs, provoquant la mort de près de 1 300 marins. Les relations diplomatiques sont rompues. Mers-el-Kébir crée une situation nouvelle, sinon de belligérance, au moins de forte tension, entre la France et le Royaume-Uni, à l'heure où celui-ci doit résister aux assauts aériens d'Hitler.

La fin de la IIIe République

Le gouvernement formé par Pétain le 16 juin comprend, sur un total de 18 membres, 11 anciens ministres de Reynaud, nommés en fonction de leur choix en faveur de l'arrêt des combats, notamment Camille Chautemps et Ludovic Frossard. Le cabinet, composé de représentants de la totalité de l'éventail politique, du PSF aux socialistes, approuve les conditions de l'armistice, signé le 22 juin.

Mais les indices de changement apparaissent avant cette date. Dans le gouvernement formé le 16, le Maréchal a fait entrer l'un de ses familiers, Raphaël Alibert, maître des requêtes honoraire au Conseil d'Etat, proche de l'Action française, comme sous-secrétaire d'Etat à la présidence du Conseil. Autre élément de rupture : le cabinet est composé pour moitié de non-parlementaires, « techniciens », généraux et hauts fonctionnaires. Aussitôt après la signature de l'armistice, Pétain nomme Pierre Laval ministre d'Etat et vice-président du Conseil. Celui-ci revient au pouvoir assoiffé de revanche, car il a ressenti sa mise à l'écart, en janvier 1936, comme un congédiement immérité. La marche à la guerre, puis la débâcle lui ont semblé apporter une confirmation de la justesse de sa politique, tournée vers la conciliation avec l'Italie, voire le rapprochement avec l'Allemagne.

Au-delà de ces changements cheminait l'idée d'une rénovation nationale, qui supposait la remise en cause du régime existant. Pétain, au cours des cinq allocutions prononcées du 17 juin au 11 juillet, attribue la défaite au désordre social (« On a revendiqué plus qu'on a servi. L'esprit de jouissance l'a emporté sur l'esprit de sacrifice », 20 juin), aux tromperies des hommes politiques (« Je hais les mensonges qui vous ont fait tant de mal », 25 juin) et à l'irresponsabilité collective (« N'espérez pas trop de l'Etat, il ne peut donner que ce qu'il reçoit »). Le Maréchal annonce, le 25, qu'un ordre nouveau commence et convie les Français à une tâche de « redressement intellectuel et moral ». Plus brutalement, Weygand, dans une note du 28 juin, dénonce l'ancien ordre des choses, « un régime politique de compromissions maçonniques, capitalistes et internationales », qui a permis la lutte des classes, la dénatalité, l'afflux d'étrangers, l'abandon des valeurs traditionnelles — Dieu, la Patrie, la Famille, le Travail —, et conclut que les réformes indispensables ne pourront être mises en œuvre que par des hommes nouveaux.

Le souvenir de la Grande Guerre et son passage au gouvernement en 1934 ont rendu Pétain très réservé à l'égard du parlementarisme. Le Front populaire ne lui a inspiré qu'une exécration soigneusement dissimulée, mais il s'est toujours tenu prudemment à l'écart de toute tentation subversive. En juin 1940, il n'a pas de projet politique précis, mais souhaite se prémunir contre le personnel parlementaire et mener à bien son projet de « redressement » qui lui tient particulièrement à cœur. Il reste soucieux, d'autre part, de ne pas nuire au climat d'unanimité nationale qui s'attache à son nom. Aussi accueille-t-il favorablement la proposition émise par Laval le 29 juin : les sénateurs et députés, réunis en Assemblée nationale, voteraient un texte autorisant le Maréchal à promulguer une nouvelle loi constitutionnelle.

La partie décisive se joue à Vichy, où le gouvernement s'installe le 1er juillet : la cité thermale a été choisie pour le grand nombre de ses hôtels, mais aussi pour éviter Lyon, la ville d'Herriot, ou Marseille, trop éloignée de la zone occupée dont Vichy n'est distant que de quelques kilomètres. Le 4 juillet, Laval présente aux ministres le texte de l'article unique du projet de réforme de l'Etat : « L'Assemblée nationale donne tous pouvoirs au gouvernement de la République, sous la signature et l'autorité du maréchal Pétain, président du Conseil, à l'effet de promulguer par un ou plusieurs actes la nouvelle constitution de l'Etat français. Cette constitution devra garantir les droits du Travail, de la Famille et de la Patrie. Elle sera ratifiée par les Assemblées qu'elle aura créées. »

Le vice-président du Conseil allait devoir, les jours suivants, s'employer à convaincre les parlementaires, unanimes sur la question du transfert des pleins pouvoirs à Pétain, mais réticents, pour certains d'entre eux, sur la réforme constitutionnelle. Plusieurs contre-projets sont avancés : 25 sénateurs anciens combattants demandent la participation des commissions parlementaires à la révision de la constitution ; Pierre-Etienne Flandin propose que le Maréchal remplace Lebrun à la présidence de la République ; 27 parlementaires, autour de Vincent Badie, déclarent se refuser à approuver un projet qui « aboutirait inéluctablement à la disparition du régime républicain ». Mais tous acceptent que soient confiés les pleins pouvoirs au Maréchal.

Dès lors, du 4 au 9, Laval utilise toutes les ressources de son habileté manœuvrière. Tour à tour rassurant, menaçant, séduisant, le vice-président du Conseil, tout en soulignant la faillite de la démocratie parlementaire, insiste sur le caractère de transition légale que représente la délégation du pouvoir constituant au Maréchal, bien préférable au coup de force qu'il n'hésite pas à évoquer. Il obtient des ralliements de poids : Pierre-Etienne Flandin et le socialiste Charles Spinasse, ancien ministre de l'Economie nationale de Blum. Une centaine de parlementaires signent d'autre part un texte, rédigé par l'ancien radical Gaston Bergery, qui réclame « un ordre nouveau, autoritaire, national et social » : parmi eux figurent des représentants de la droite dure, comme Xavier Vallat, des pacifistes de gauche, dont bon nombre de « paul-fauristes », et des hommes autrefois rejetés par leur parti, tel Marcel Déat.

Le 9 juillet, quand la procédure officielle s'engage, la partie est déjà gagnée. La Chambre et le Sénat, réunis séparément, votent à l'unanimité, moins trois députés et un sénateur, le principe de la révision. Le matin du 10, Laval, devant les parlementaires réunis en séance non officielle, donne l'assurance que la nouvelle constitution sera ratifiée par la nation et procède aux ultimes mises en garde. L'après-midi, après avoir annoncé le texte nouveau — « (la constitution) sera ratifiée par la nation et appliquée par les assemblées qu'elle aura créées » —, il précise que les chambres existantes seront maintenues jusqu'à l'entrée en vigueur de la nouvelle constitution. Des manœuvres de procédure permettent d'asseoir le calcul de la majorité sur le nombre des suffrages exprimés par les quelque 700 parlementaires présents et non sur le total des 932 sièges, dont certains titulaires sont déchus, comme les communistes, absents, prisonniers ou empêchés. Le projet gouvernemental reçoit la priorité du vote, ce qui élimine tout contre-projet ; la discussion générale et les explications de vote sont supprimées.

Le projet reçoit l'approbation de 569 parlementaires ; 20 d'entre eux, dont les présidents Jeanneney et Herriot, s'abstiennent. Il s'en trouve 80 pour refuser la mise à mort de la République : 36 socialistes dont Léon Blum, Vincent Auriol, Jules Moch, 13 députés radicaux et 14 sénateurs de la Gauche démocratique, le reste se répartissant ponctuellement sur l'ensemble de l'éventail, de l'Union socialiste républicaine (Paul Ramadier) à la droite (Laurent Bonnevay, le marquis de Moustier), en passant par les démocrates-chrétiens (Champetier de Ribes). Beaucoup plus qu'à la peur, à la menace ou à la pression, l'écrasante majorité cédait avant tout au sentiment de l'inéluctable — voter contre aurait pu entraîner l'annulation de l'armistice, pensaient beaucoup d'entre eux — et à un profond complexe de culpabilité. Les parlementaires ressentaient péniblement l'atmosphère d'hostilité générale dont ils étaient entourés alors que le pays, dans son immense majorité, se tournait vers le sauveur, le maréchal Pétain.

L'abîme : Vichy, l'Occupation, la collaboration (de juillet 1940 à novembre 1942)

Tandis qu'à l'intérieur s'établit un régime nouveau, l'Etat français et sa Révolution nationale, la destinée du pays est désormais liée au sort des armes allemandes. Le tournant décisif semble avoir été l'installation de l'Allemagne dans la guerre longue au début de 1942, après l'échec de la guerre éclair menée dans le courant du 2e semestre de 1941 contre l'Union soviétique. Le printemps 1942 voit en France un net infléchissement de la politique franco-allemande, tandis que s'opèrent des reclassements décisifs vers la Résistance.

En novembre 1942, le débarquement en Afrique du Nord aboutit à la recomposition définitive de la situation politique française.

Vichy et la Révolution nationale

Le régime né au lendemain du désastre se donne pour tâche de transformer les structures politiques, économiques et sociales du pays : cet ensemble de mesures constitue la « Révolution nationale ».

Un régime personnel et autoritaire. — Le régime, incarné par son chef, remanie les structures du pouvoir dans un sens totalement contraire à celui du régime républicain et s'appuie sur un personnel partiellement nouveau.

— Pétain et ses ministres. Le vote du 10 juillet 1940 avait porté délégation du pouvoir constituant au maréchal Pétain. Le 11 juillet, le Maréchal promulgue les trois premiers actes constitutionnels, rédigés par Raphaël Alibert. L'acte constitutionnel n° 1 évoque « les fonctions de chef de l'Etat français », ce dernier terme remplaçant celui de « République française » dans les actes officiels. La formule inhabituelle utilisée dans cet acte : « Nous, Philippe Pétain, ... déclarons assurer les fonctions de chef de l'Etat », suggère d'autre part un pouvoir personnalisé (pluriel de majesté), ce que confirme l'acte constitutionnel n° 7 de janvier 1941, qui exige des ministres et des hauts fonctionnaires un serment de fidélité au chef de l'Etat. Cette obligation sera étendue par la suite aux magistrats, aux militaires, puis à l'ensemble des fonctionnaires.

Le chef de l'Etat cumule les pouvoirs exercés dans les régimes libéraux et démocratiques par des organes différents. Il a « la plénitude du pouvoir gouvernemental », il nomme et révoque les ministres et secrétaires d'Etat, « qui ne sont responsables que devant lui ». « Il exerce, d'autre part, le pouvoir législatif en Conseil des ministres », au moins jusqu'à la formation des nouvelles assemblées (acte n° 3). Ainsi le Maréchal n'est-il limité par aucune autre instance. Les assemblées « subsisteront » jusqu'à la promulgation de la nouvelle constitution, mais « sont ajournées jusqu'à nouvel ordre » par l'acte constitutionnel n° 3. Elles ne peuvent se réunir que sur convocation du chef de l'Etat. Dans un tel système, le Conseil des ministres n'est pas un organe délibératif. La solidarité ministérielle n'existe pas et il n'y a pas de fonction de chef de gouvernement distincte de celle de chef de l'Etat.

Reposant sur le chef de l'Etat, objet d'un véritable culte, le régime connaît nécessairement les faiblesses de ce type de pouvoir concentré à l'extrême. Le grand âge du Maréchal (84 ans) et sa surdité ont pu être invoqués pour diminuer la responsabilité du vieillard. Mais, dans l'ensemble, celle-ci reste pleine et entière. La faiblesse majeure du caractère monarchique de ce pouvoir réside ailleurs : l'extrême concentration aboutit nécessairement à sa dilution. Dès le début du régime, un dualisme s'établit entre deux centres du pouvoir : le cabinet personnel du chef de l'Etat et les ministres, rarement réunis au grand complet, le Maréchal préférant convoquer quotidiennement quelques-uns d'entre eux dans un petit Conseil.

Enfin, entre le chef de l'Etat et ses « premiers ministres », la division des tâches, malgré les soins jaloux du Maréchal pour tout ce qui concernait son pouvoir, aboutit au printemps de 1942 à l'instauration d'une véritable dyarchie. Dans le régime de Vichy, les fonctions de chef de l'Etat et de chef du gouvernement ne sont pas distinctes ; mais il existe, dès le départ, un vice-président du Conseil, successeur désigné du chef de l'Etat. Pierre Laval, titulaire de cette fonction, entreprend dès l'automne de 1940 des démarches de plus en plus personnelles dans le domaine de la politique extérieure. Le 13 décembre 1940, Pétain, irrité par ces initiatives, le met en demeure de démissionner, avant d'ordonner sa mise en résidence surveillée, à laquelle met fin une intervention allemande. Contrairement à certaines interprétations, l'épisode du 13 décembre ne résulte pas d'une divergence entre Pétain et Laval à propos de la politique extérieure, mais d'une rivalité de pouvoir. Le Maréchal lui-même avait, dès octobre, donné le branle à la politique de collaboration mise en œuvre par Laval.

Pierre-Etienne Flandin, ancien dirigeant parlementaire de premier plan, munichois et pacifiste notoire, choisi pour lui succéder, mais avec qui les Allemands refusent d'entrer en contact, doit démissionner le 9 février 1941. François Darlan, amiral de la Flotte — une flotte restée intacte —, accède alors à la vice-présidence. L'acte constitutionnel n° 4 *quater* lui confère personnellement la qualité de successeur du Maréchal, alors que l'acte n° 4 du 12 juillet 1940 l'avait conféré à Laval en tant que vice-président du Conseil. Plus proche de Pétain par le milieu d'origine commun, l'amiral sait, de plus, déployer une grande habileté, manifestant en toute occasion une grande déférence envers le Maréchal. Mais l'échec de la Révolution nationale, l'impasse dans laquelle s'est engagée la politique de collaboration, la pression exercée par Laval et les menaces allemandes poussent le chef de l'Etat à se séparer de lui le 17 avril 1942.

Le retour de Laval, le 18 avril 1942, marque une rupture : l'acte constitutionnel n° 11 lui confère le titre, désormais officiel, de chef du gouvernement et donc des prérogatives propres dans le domaine gouvernemental, bien qu'il demeure responsable devant le chef de l'Etat. L'engagement de l'Allemagne dans la guerre totale, sans que les acteurs le réalisent de façon parfaitement claire, allait peser de plus en plus lourd dans les jeux politiques à Vichy.

— La mise en sommeil du système représentatif. Le nouveau régime marque d'emblée sa méfiance à l'égard du système électif fondé sur le suffrage universel. En matière politique, il étouffe, épure, encadre. La mise en sommeil des assemblées, l'épuration des collectivités locales, la création de la Légion des combattants sont dans ce domaine les grandes orientations du régime.

Les chambres de la IIIe République « subsistent » théoriquement, mais Pétain se garde bien de jamais les convoquer. Leurs organes permanents, les bureaux, sont supprimés en août 1942. La suppression en août 1941 de l'indemnité parlementaire réduit les députés et sénateurs à la condition commune. Les plus notoires représentants du régime parlementaire sont mis en résidence surveillée, tels Reynaud, Mandel, Auriol, en application d'un décret-loi pris pendant la période de l'état de guerre en novembre 1939. L'acte constitutionnel n° 5 du 30 juillet 1940 crée une Cour suprême de justice, instituée pour juger les ministres qui ont « trahi les devoirs de leurs charges ». Blum et Daladier sont incarcérés en novembre 1940, avant d'être traduits devant la Cour, à Riom, en février 1942, avec Reynaud et Gamelin. Le procès, qui tourne à la confusion de ses initiateurs, puisqu'il permet aux accusés de mettre en cause la responsabilité des militaires les plus haut placés, dont Pétain lui-même, est interrompu en avril 1942. Les accusés retournent alors en prison, Pétain les ayant déjà condamnés préventivement en octobre 1941.

Cependant, au début de 1941, pressé par Flandin, lui-même soucieux de se prémunir contre Laval, désireux peut-être de faire bonne impression auprès des Américains, le Maréchal décide la création d'un Conseil national de 213 membres nommés, parmi lesquels siègent 77 parlementaires et 136 représentants des élites sociales, économiques et culturelles. Si les parlementaires de droite et du centre droit sont majoritaires parmi les anciens élus, la gauche pacifiste (Georges Bonnet, Paul Faure) n'est pas absente. La présence des « élites » procède manifestement de l'idée d'une représentation non politique, largement évoquée dans les années 1930. Le Conseil national, purement consultatif, sans aucune latitude d'action — il siège toujours en commissions temporaires, jamais en séance plénière —, élabore au cours de l'été 1941 un projet de constitution, d'inspiration organiciste, dont l'application est subordonnée à la signature du traité de paix. Le Conseil national ne sera plus réuni après avril 1942.

Les assemblées locales sont surveillées et épurées. Le régime éprouve à l'égard des notables qui les peuplent un sentiment ambivalent : un tel réseau de notabilités forme en effet l'ossature du pays, mais leur légitimité reposant sur le suffrage populaire les rend suspectes à ses yeux. Vichy décide par la loi du 12 octobre 1940 de remplacer les conseils généraux élus par des commissions administratives nommées, composées pour un tiers environ d'anciens conseillers généraux : cette mesure permet d'éliminer discrètement le personnel de gauche. De même, en matière municipale, si le pouvoir ne modifie rien en milieu rural, il procède immédiatement à la suspension de 363 conseils municipaux, dans des localités importantes, dont Lyon, Marseille et Toulouse. La loi du 16 novembre 1940 confère au préfet le droit de désigner les maires des communes de plus de 2 000 habitants et de choisir avec eux les membres de la « délégation municipale » qui remplace les conseils. La mesure permet d'écarter les élus de gauche, mais les notables désignés, de droite ou « apolitiques », conservent leurs habitudes d'autonomie dans la gestion.

— Le personnel politique et administratif. L'avènement du régime entraîne un renouvellement des « élites » politiques. Les hommes qui parviennent au pouvoir ne sont pas nécessairement de nouveaux venus. Laval et Flandin ont appartenu au personnel de la IIIe République ; 11 des 35 ministres de Vichy sont d'anciens parlementaires. Mais, dans l'ensemble, Vichy regroupe d'abord, sur la base du rejet de la démocratie républicaine, des éléments par ailleurs fort hétérogènes.

Deux groupes principaux ont été mis en valeur. Les réactionnaires de l'Action française, représentés par Raphaël Alibert, garde des Sceaux jusqu'en décembre 1940, auteur des lois antirépublicaines, antisémites et antimaçonniques de l'été 1940, et par Maxime Weygand, écarté à la fin de 1941 sur l'ordre des Allemands, sont présents à Vichy. L'influence de l'Action française ne saurait toutefois être surestimée : si son inspiration n'est pas niable, les représentants de cette mouvance n'occupent qu'une place limitée et temporaire dans les sphères du pouvoir.

Le groupe des « technocrates », soucieux de gestion rationalisée, efficace et moderniste, joue en revanche un rôle considérable, surtout avec l'arrivée au pouvoir de Darlan, au début de 1941 ; 18 des 35 ministres de Vichy relèvent de cette catégorie. Héritiers de certains aspects de l' « esprit des années 1930 », partisans d'une économie dirigée par les soins d'une élite compétente, Pierre Pucheu,

François Lehideux, Jean Bichelonne, Jacques Barnaud, gèrent l'Etat et l'économie vichystes sans souci d'humanisme, ni de libéralisme. D'un état d'esprit différent, des libéraux à la mode du XIXe siècle, tels Jacques Bardoux, publiciste écouté, ou Lucien Romier, conseiller personnel de Pétain, se rallient à Vichy par méfiance à l'égard de la démocratie et refus de l' « ère des masses » inaugurée en 1936.

Enfin, Vichy recueille des adhésions disparates de personnalités d'origines diverses séduites par son projet social : des catholiques traditionalistes, adeptes du corporatisme (Louis Salleron, Jean Le Cour-Grandmaison) ou des syndicalistes venus de la gauche, souvent animés par l'anticommunisme, comme l'ancien secrétaire général adjoint à la CGT, René Belin, ministre du Travail de juillet 1940 à avril 1942, à qui succède Hubert Lagardelle, autrefois théoricien du syndicalisme révolutionnaire.

Dès les premiers jours, le régime s'engage par ailleurs dans une tâche d'épuration administrative. La loi du 17 juillet 1940 permet au gouvernement de relever de ses fonctions par simple décret ministériel tout fonctionnaire de l'Etat. Dans les six mois qui suivent, certains corps de hauts fonctionnaires sont lourdement frappés : près de la moitié des cadres supérieurs de l'administration préfectorale sont révoqués (49 préfets, 58 sous-préfets et secrétaires généraux). Le Conseil d'Etat, épargné par cette épuration, est touché par l'application des lois antisémites qui entraînent l'exclusion de 17 de ses 120 membres. Si Vichy entend s'en remettre aux « compétences », il lui semble nécessaire de procéder préalablement à un « tri » politique.

La société. — La devise du régime, contenue dans le texte de la loi portant délégation du pouvoir constituant au maréchal Pétain, « Travail, Famille, Patrie », allait bien au-delà d'une banale exhortation moralisante. Elle sous-entendait une refonte du système social qui, délaissant les principes républicains de l'individualisme libéral, serait désormais régi par une conception organiciste de la société. Cette réforme en profondeur, qui constitue, au sens propre, la « Révolution nationale », n'allait épargner aucun domaine, l'éducation, la famille, le travail. Elle allait aboutir à la remise en cause des droits individuels garantis par les principes de la Révolution française.

— Morale et éducation. Le Maréchal, dans ses premières allocutions, avait attribué la défaite au déclin moral et à l'abandon des valeurs traditionnelles. Le régime tente d'œuvrer à la restauration de ces valeurs familiales et religieuses.

La politique éducative du régime se donne pour premier objectif de combattre la néfaste influence des instituteurs réputés socialistes et pacifistes. La suppression des Ecoles normales départementales et le transfert dans les lycées de la formation des futurs maîtres d'école relèvent du désir de détruire les « séminaires laïques » beaucoup plus que du souci d'améliorer le contenu scientifique de l'enseignement qui leur était dispensé. Vichy, hostile par ailleurs à l'extension de la scolarisation secondaire, revient partiellement sur la gratuité du lycée en rétablissant les frais de scolarité pour le deuxième cycle.

Vichy fait aussi porter ses efforts sur les aspects extrascolaires de l'éducation. L'hostilité de l'Eglise à tout mouvement de jeunesse unique l'amène à limiter ses efforts en ce domaine : les Compagnons de France, le mouvement officiel, ne recrute que quelques milliers d'adhérents. Le rôle principal est dévolu aux Chantiers de jeunesse, qui, à partir de janvier 1941, remplacent le service militaire pour les jeunes gens de 20 ans, astreints, pendant une durée de neuf mois, à des travaux d'intérêt collectif, agrestes ou forestiers, dans un esprit proche de celui du scoutisme. Enfin, le souci de formation des cadres entraîne la création de l'Ecole nationale des cadres, décidée en décembre 1940. Implantée à Uriage, il y règne l'état d'esprit des non-conformistes des années 1930, soucieux de former des « chefs » animés d'un esprit communautaire et spiritualiste, davantage portés vers le service que vers le pouvoir. L'école est dissoute en décembre 1942 et ses membres passent à la Résistance.

La famille est considérée comme la cellule de base de la vie française. Outre son rôle dans le maintien de la cohésion sociale et de la hiérarchie — le père y exerce l'autorité sur la femme et les enfants —, elle est considérée comme un facteur essentiel du redressement du faible taux de natalité. Aussi le divorce est-il rendu plus difficile, l'avortement sévèrement réprimé, les pères de famille nombreuse particulièrement honorés. Une loi d'octobre 1940 tente d'inciter les femmes à rester au foyer en instituant notamment l'allocation de salaire unique. En tenant compte fiscalement des charges de famille, le régime poursuit les efforts entrepris tardivement par les gouvernements de la IIIe République, auteurs en janvier 1939 du Code de la famille.

Le régime, comme tous les traditionalismes, considère l'Eglise comme le pilier de l'ordre moral qu'il veut promouvoir, même si les dirigeants de l'Etat français sont souvent éloignés de la pratique et de la foi. Des subventions sont accordées aux écoles libres, les congréganistes reçoivent le droit d'enseigner, les associations diocésaines sont pourvues des biens encore non dévolus. L'Eglise, le clergé, comme les fidèles, sont sensibles à l'officialisation des valeurs qui sont les leurs et à la présence de catholiques dans les instances du nouveau pouvoir.

Mais l'entente du début, parfois soulignée de façon appuyée par le haut clergé, n'allait pas se révéler durable. Le régime, dirigé par des hommes de la IIIe République, comme Laval, ou par les technocrates qui entourent Darlan, rejette tout « cléricalisme ». La majorité des catholiques s'en détourne à partir de 1942, tout en gardant leur estime, sinon leur confiance au Maréchal, au fur et à mesure que s'affirment la tendance au totalitarisme et la collaboration. Par ailleurs, les pratiques de Vichy en 1942, la répression antirésistante et la persécution antisémite achèvent de conforter la minorité démocrate-chrétienne dans sa totale opposition au régime, qu'elle combat au même titre que les Allemands et les nazis.

— Travail et métiers. Le projet social de Vichy vise à réorganiser la société dans un sens traditionaliste : la primauté officielle donnée à l'agriculture (« La terre, elle, ne ment pas..., elle est la Patrie elle-même, un champ qui tombe en friche, c'est une partie de la France qui meurt », avait proclamé Pétain le 25 juin 1940), le souci avoué de faire disparaître les antagonismes sociaux, le rejet simultané de l'individualisme égoïste et du collectivisme sans âme entraînent la mise en place de nouvelles structures d'encadrement.

La paysannerie, durement éprouvée par la première guerre et par la crise des années 1930, avait critiqué l'Office du blé, croyant y discerner l'amorce d'un système étatiste, et réclamé une organisation professionnelle autonome et indépendante. La loi du 2 décembre 1940 semble, en établissant la Corporation paysanne, lui donner satisfaction. Le syndicat corporatif local regroupe tous ceux qui vivent de la terre, exploitants, salariés et propriétaires, et fixe les rapports professionnels ; le syndicat régional a des attributions relatives à l'organisation de la profession et détermine, à certaines conditions, les prix et la production. Au sommet siège une Commission nationale d'organisation corporative. Le système, conçu par un corporatiste chrétien, Louis Salleron, devait laisser aux agriculteurs une large autonomie par rapport à l'Etat. En réalité, la nécessité du ravitaillement incita l'Etat à transformer la Corporation en instrument du pouvoir.

La réorganisation du monde industriel procède au premier chef du souci de mettre un terme aux antagonismes de classes : la peur de la révolution née à l'époque du Front populaire est encore présente dans les esprits. Cette préoccupation, jointe au désir de renforcement de l'unité nationale, se nourrit des projets corporatistes des années 1930, qui renvoyaient dos à dos le libéralisme anarchique et le collectivisme oppresseur. Une loi de novembre 1940 liquide l'ordre ancien en ordonnant la dissolution des organisations professionnelles existantes, qu'il s'agisse des syndicats de salariés (CGT, CFTC) ou des associations patronales (Comité des houillères, Comité des forges, CGPF).

Mais l'effet de symétrie se révèle bien vite illusoire. Si, dans l'ordre économique, la loi sur les Comités d'organisation renforce le pouvoir patronal, la Charte du travail n'instaure qu'une protection très relative des droits des salariés. Créés par la loi du 16 août 1940, les Comités d'organisation, chargés d'évaluer la capacité de production de la branche de l'industrie ou du commerce qui relève de leur compétence, de répartir les matières premières, d'établir les programmes de fabrication et de proposer les prix aux services ministériels, sont en fait gérés par les anciens dirigeants patronaux. Cette liaison entre les oligarchies économiques et la bureaucratie d'Etat relève d'ailleurs davantage des impératifs du rationnement et de la productivité que des idéaux corporatistes.

Dans le domaine social, la Charte du travail, promulguée en octobre 1941, un an après la création des Comités d'organisation, se borne à interdire la grève et à créer des comités sociaux d'entreprise, chargés de représenter les intérêts purement professionnels des salariés. Cette initiative, qui semble régler les rapports entre patrons et salariés sur une base inégalitaire, recueille peu d'adhésion chez les ouvriers.

— Exclusions et persécutions. La dénonciation de l' « anti-France » figurait depuis longtemps parmi les principaux thèmes de l'extrême droite traditionaliste. Une politique, qui relève de fantasmes permanents, comme la peur de l'étranger ou la hantise de la conspiration, juive ou maçonnique, est alors mise en œuvre en dehors de toute pression allemande.

La République avait durement traité les réfugiés allemands et espagnols, soupçonnés d'être des fauteurs de guerre et de révolution, faisant interner certains d'entre eux dans des « camps de concentration ». Le régime, non content de conserver ces possibilités répressives, décide de revenir sur les naturalisations opérées depuis 1927, jugées trop « laxistes » : 15 000 personnes sont privées de la nationalité française, dont 6 000 juifs, sur un total de 500 000 dossiers examinés. Les réfugiés politiques allemands sont livrés aux occupants, conformément à l'armistice.

L'antisémitisme de Vichy prétend s'appuyer sur la soi-disant inaptitude d'un groupe à se fondre dans l'ensemble français. Le statut du 3 octobre 1940, rédigé par Alibert, relatif aux juifs de nationalité française, définit cependant la nature juive par l'ascendance : trois grands-parents de « race juive ». La haute administration, l'armée, l'enseignement, la magistrature, la presse, l'édition, la radio, le théâtre, le cinéma sont désormais des domaines qui leur sont interdits. Au printemps de 1941, Darlan crée un Commissariat aux questions juives compétent pour les deux zones, confié à Xavier Vallat, qui est aussi germanophobe qu'antisémite. Plusieurs lois de juin et juillet 1941 imposent aux juifs un *numerus clausus* pour les professions libérales et commerciales, limitent leur accès à l'enseignement secondaire et supérieur, et permettent d'imposer à chaque entreprise juive un administrateur qui pourra la liquider.

Quant aux juifs étrangers, une loi permet, dès octobre 1940, leur internement dans des « camps spéciaux ». A Gurs, Rivesaltes, aux Milles, en l'absence de ravitaillement et de soins, les conditions de vie deviennent rapidement déplorables ; la plupart des 40 000 internés n'en sortiront que pour être livrés aux Allemands, à partir du printemps de 1942.

Le régime désigne également, dès l'été 1940, un autre ennemi, la franc-maçonnerie, qu'une opinion largement répandue à l'extrême droite accusait depuis longtemps de constituer un Etat dans l'Etat. Mais, là encore, il s'agissait d'une vue largement fantasmatique : l'influence des loges, indéniable sur le plan des mentalités, était dans le jeu proprement politique infiniment moins grande que ne le croyaient leurs adversaires. La loi du 13 août 1940 dissout les « sociétés secrètes » et oblige les fonctionnaires maçons à se déclarer. Un an plus tard, la fonction publique est interdite aux anciens dignitaires de la franc-maçonnerie.

Ces mesures, censées contribuer au redressement français, n'atteignent bien évidemment pas ce but. Bien au contraire : en distinguant, contrairement à une tradition nationale bien ancrée depuis la Révolution française, des catégories d'exclus et de persécutés, elles éloignent le régime de son but affiché, le maintien de la cohésion nationale.

L'opinion. — Le régime, dès le départ, assure sa mainmise sur l'information, prolongeant d'ailleurs en cela la situation de l'état de guerre. Un secrétariat général à l'Information et un service de censure surveillent étroitement la presse, qui ne se fait plus guère l'écho de l'opinion. Les partis politiques ne sont pas dissous, mais progressivement étouffés. Placés en liberté surveillée, ils peuvent tenir des réunions privées jusqu'en août 1941 : le durcissement du régime entraîne alors la suspension de leurs activités. Un dense réseau de propagande enserre la population française, par le biais des divers médias, la presse, la radio, le cinéma, mais aussi par les affiches et les tracts, et impose partout le culte du Maréchal, dont l'image calme et majestueuse devient omniprésente. Le rituel des voyages renforce encore la vénération dont le chef de l'Etat est l'objet.

Le régime ne croit pas devoir recourir à la technique du parti unique. Le Maréchal et ses conseillers conservateurs préfèrent utiliser les associations d'anciens combattants, dont l'affection se porte naturellement vers Pétain, en créant par une loi d'août 1940 la Légion française des combattants. Cette organisation, qui regroupe 650 000 membres au début de 1941, reçoit la mission de diffuser l'esprit de la Révolution nationale par sa presse et l'organisation de cérémonies, mais également d'assurer une mission d'ordre public, en éclairant les autorités sur ce qui « leur paraît se développer contrairement aux instructions du maréchal Pétain sur les plans civique, social et moral », ce qui implique surveillance, pression, voire dénonciations.

Il est malaisé d'appréhender l'état de l'opinion en 1940-1941. Mais si le régime peut compter sur le vichysme des partisans de la Révolution nationale, une bonne fraction des notables et des anciens combattants, la majorité de l'opinion n'est affectée que par un sentiment beaucoup plus éphémère et fragile, le « maréchalisme », simple attachement à la personne du Maréchal, sans doute assez puissant en 1940, mais qui décline en 1941. A la fin de 1941, l'échec de Vichy est patent sur le terrain même qu'il avait choisi, la rénovation nationale. Déjà, Pétain, dans un discours du 12 août (« Je sens se lever depuis quelques semaines un vent mauvais »), avait évoqué l'inquiétude et le doute « qui s'emparent des âmes ». Le poids du problème principal, les relations franco-allemandes, se fait alors de plus en plus sentir.

L'Occupation

La convention d'armistice laisse à l'Etat français les signes de la souveraineté : un territoire, le droit d'avoir une représentation diplomatique, le droit de légiférer, les prérogatives attachées au maintien de l'ordre public. Dans la réalité, le régime d'occupation aboutit à un contrôle étroit de ce qui reste d'un Etat souverain.

L'Occupation : l'emprise allemande. — Dès l'été 1940, les structures de l'Occupation sont mises en place. Une commission d'armistice allemande, siégeant à Wiesbaden, surveille l'application de la convention d'armistice et transmet ses observations, la plupart du temps impératives, à la délégation française. A Paris, l'autorité allemande est exercée par le Gouverneur militaire (Militärbefehlshaber in Frankreich), installé avec son administration à l'hôtel *Majestic*. Les liaisons politiques entre le gouvernement français et les autorités allemandes sont assurées par un représentant du ministère des Affaires étrangères du Reich, Otto Abetz, nommé au début d'août 1940, et un délégué général du gouvernement français, résidant à Paris, poste confié en décembre 1940 au journaliste Fernand de Brinon, connu de longue date pour sa germanophilie.

L'Occupation, dès 1940, allait se traduire par le démembrement territorial, le pillage économique et la mainmise politique.

Dès l'été de 1940, la France est divisée en cinq zones. La ligne de démarcation qui sépare la *zone occupée* de la *zone libre* permet aux autorités allemandes de limiter éventuellement le passage des personnes et des marchandises, dont la zone non occupée a un besoin vital. Une ligne du nord-est, de la Somme au Jura, délimite une *zone interdite,* où les réfugiés de l'exode ne peuvent revenir ; à l'intérieur de ce périmètre, les départements du Nord et du Pas-de-Calais sont détachés de la juridiction du Commandement militaire de Paris et rattachés à celle de Bruxelles *(zone rattachée)*. Enfin, en août 1940, le gouvernement du Reich procède, *de facto,* à l'*annexion* des trois départements de la Moselle, du Haut-Rhin et du Bas-Rhin, d'où sont expulsés les juifs et les personnes originaires d'autres régions de France installées en Alsace-Lorraine depuis le 11 novembre 1918.

Le pillage économique est réalisé par la mise en place d'une série de mécanismes. Le montant de l'indemnité destinée à couvrir les frais d'occupation est évalué par la commission de Wiesbaden à

20 millions de marks par jour, de quoi entretenir plusieurs millions de soldats (!). L'Allemagne fixe le taux de change à 20 francs pour 1 mark, soit une surévaluation du mark de 50 % par rapport à la valeur du dollar en juin 1940. En novembre 1940, un accord de « compensation », permettant d'éviter le transfert de devises, est signé entre la France et l'Allemagne, mais le large excédent des achats allemands sur les ventes en pervertit le fonctionnement : alors que les Français accumulent à Berlin un crédit inutile, la Banque de France doit avancer les fonds pour désintéresser les exportateurs français et, par là, financer le déficit allemand.

Les occupants peuvent, avec ces sommes énormes, se procurer les denrées et marchandises disponibles, soit officiellement, soit, par l'intermédiaire de bureaux d'achat clandestins, sur le marché noir. Ils peuvent acheter, en exerçant une pression politique sur le gouvernement, les titres français dans des sociétés étrangères, comme les mines de Bor en Yougoslavie. En zone occupée comme en zone libre, ils passent des commandes aux entreprises, notamment aux fournisseurs de bauxite et d'aluminium de la zone sud, de même qu'aux fabricants d'avions, à la fin de 1940.

La mainmise politique résulte de l'extension démesurée de l'article 3, selon lequel le Reich devait exercer « tous les droits de la puissance occupante ». La censure s'exerce sur le *Journal officiel* de l'Etat français qui ne peut publier ses décisions en zone occupée, où les Chantiers de jeunesse et la Légion des combattants n'ont jamais pu être organisés. Les nominations des hauts fonctionnaires sont soumises à l'approbation du Commandement allemand. Dès septembre 1940, celui-ci édicte des ordonnances relatives aux juifs propres à la zone nord, telles que l' « aryanisation » des entreprises appartenant à des juifs, mesure reprise par Vichy en juin 1941. D'autres dispositions, l'interdiction de fréquenter un grand nombre de lieux publics, l'obligation de porter un signe distinctif, l'apposition de la mention « juif » sur la carte d'identité en septembre 1940, restent propres à la zone occupée, au moins dans un premier temps.

Les moyens d'information sont directement pris en main. Alors que *Le Figaro, L'Action française* et *La Croix* se sont repliés en zone sud, la presse demeurée à Paris est entièrement dépendante de l'occupant, dont elle reçoit les informations, le papier, les moyens de financement. La « Propaganda Abteilung », qui relève du ministère de l'Information du Reich, contrôle la presse écrite, la radio, le cinéma, dresse des listes de livres interdits. Abetz favorise l'essor d'une presse entièrement favorable à l'Allemagne, représentée soit par des gros tirages, comme *Paris-Soir* ou *Le Petit Parisien*, soit par des organes qui militent ouvertement en faveur de la collaboration, comme *L'Œuvre* de Marcel Déat, qui reparaît en septembre 1940.

L'Occupation et la vie quotidienne des Français. — Pour la plus grande partie des Français, l'Occupation se marque par l'adoption de l'heure allemande, la multiplicité des interdits administratifs, le couvre-feu, les recensements en tout genre (vélos, radios...), parfois, surtout à Paris, la germanisation de la topographie urbaine. Mais le problème majeur reste celui des restrictions.

Le rationnement alimentaire est institué à partir d'août 1940, il est total à l'automne 1941, s'étendant au pain, au sucre (août 1940), au beurre, au fromage, à la viande, au café, à l'huile (octobre 1940), au chocolat, au poisson frais (juillet 1941), aux pommes de terre, au lait, au vin. Les rations sont modulées en fonction de l'âge et de l'activité, qui permettent de distinguer 8 types de rationnaires (ex. J3 : adolescent de 13 à 21 ans ; T : travailleur de force de 21 à 70 ans ; A : adulte de 21 à 70 ans, ni travailleur de force, ni travailleur agricole). Elles sont évidemment très inférieures aux rations « normales ».

Exemple de ration A

	Consommation en septembre 1939	*Rations en janvier 1942*
Pain	450 g/jour ([1])	285 g/jour ([1])
Viande	875 g/semaine	180 g/semaine
Vin	12 l/mois	4,5 l/mois

([1]) Taux de blutage du pain :
— en 1939, 100 kg de blé donnent 75 kg de farine ;
— en janvier 1942, 100 kg de blé donnent 90 kg de farine (d'après Henri Amouroux, *La vie des Français sous l'Occupation*).

La production est contrôlée au même titre que la consommation. A partir d'octobre 1941, l'administration du Ravitaillement fixe les quantités à fournir par chaque cultivateur ; la taxation des prix est bien entendu générale.

Pour la plupart, il a donc été nécessaire, à partir de 1941, de recourir à un ravitaillement complémentaire, principalement fourni par le recours aux marchés parallèles, le « marché noir » ou le

« marché gris ». Le premier terme se rapporte à des trafics à grande échelle, alors que le « marché gris » se caractérise par des quantités moins importantes et une pratique plus personnalisée. Sur ces circuits parallèles, les prix sont évidemment plus élevés que sur le marché officiel. Ainsi, en 1942, par rapport au marché officiel, le kilo de pommes de terre est trois fois plus cher sur le marché noir, 2,5 fois plus cher sur le marché gris.

Le marché noir est générateur d'inégalités sociales. Les paysans, autoconsommateurs, sont protégés de la pénurie alimentaire. En 1942, ils consomment 25 % du beurre produit, 41 % des pommes de terre récoltées, 50 % de la viande de porc. Ils tirent indéniablement parti de la situation : 35 % du beurre aurait été écoulé sur les circuits parallèles. Mais les profits accumulés sont en grande partie stérilisés sous forme d'épargne, faute de biens disponibles sur le marché. Les commerçants ne sont pas trop défavorisés, grâce au recours au troc.

Pour le reste de la population, un double facteur détermine les possibilités de ravitaillement, les revenus et la possibilité d'établir des liens, directs ou non, avec la ruralité. Les salariés, ouvriers et employés, sont durement frappés par le blocage des salaires. Les titulaires de revenus plus élevés sont relativement protégés, à conditions de pouvoir se brancher sur un circuit de distribution clandestin. Le dénuement des isolés, des vieillards, des malades internés dans les hôpitaux psychiatriques, est atroce. La poussée de la mortalité infantile est liée à l'insuffisance du ravitaillement en lait.

On discerne aisément les raisons d'une telle situation. Les Allemands, par le biais des réquisitions et des achats massifs, diminuent fortement les quantités disponibles. Mais la pénurie résulte également de la diminution des récoltes (qui aurait avoisiné 20 % pour le blé, 40 % pour la pomme de terre, 25 % pour la betterave), de la production de viande (40 à 50 % pour le porc) et de lait (30 %). L'agriculture manque, en effet, de bras (700 000 travailleurs de la terre parmi les prisonniers de la guerre) ; le matériel est mal entretenu, par suite du manque de pièces de rechange ; les engrais chimiques et le carburant font gravement défaut. L'arrêt des importations en provenance de l'étranger ou des colonies aggrave les insuffisances en sucre ou en matières grasses.

Les effets psychologiques sont plus difficilement discernables. Sans doute la recherche de nourriture, devenue une préoccupation vitale et parfois exclusive, a-t-elle pu conduire à négliger tout sentiment de solidarité, voire d'appartenance à une collectivité. A l'inverse, on a pu remarquer que la prise de conscience des responsabilités de l'occupant et de Vichy a pu jouer un rôle dans les retournements ultérieurs.

La collaboration

Le terme de « collaboration » recouvre un ensemble de phénomènes différents : en particulier, une distinction doit être introduite entre la collaboration d'Etat et le collaborationnisme. La première se présente comme une action diplomatique, au sens classique du terme, visant à obtenir des avantages par la négociation. Le second désigne la prise de position de ceux qui prônent l'alignement total, politique et idéologique, sur le Reich hitlérien.

La collaboration d'Etat, de juillet 1940 à avril 1942. — La politique de collaboration avec l'Allemagne repose, au moins jusqu'en 1942, sur deux postulats, la certitude de la victoire allemande et la croyance en la possibilité pour la France de se concilier le vainqueur en prévenant ses exigences, dans le double but d'obtenir, à court terme, des améliorations pratiques, le retour des prisonniers, l'allégement des charges financières et l'assouplissement de la ligne de démarcation ; à long terme, la place la plus honorable possible dans l'Europe allemande. Pétain, Laval et Darlan partagent tous trois ce point de vue, même si le style diplomatique et le contenu donné à la collaboration permettent d'établir entre eux des différences.

De juillet à décembre 1940, c'est la phase de lancement de la collaboration d'Etat. Dès juillet, Vichy lance l'idée d'une négociation. Des contacts noués entre Laval et Abetz aboutissent le 24 octobre 1940 à une rencontre entre Hitler et Pétain, à Montoire, dans le Loir-et-Cher. Pétain, sans avancer de propositions précises, évoque le principe d'une collaboration devant Hitler, qui reste évasif, avant d'annoncer six jours plus tard à la radio l'entrée de la France « dans la voie de la collaboration », « dans le cadre du nouvel ordre européen ». Dès lors, Laval multiplie les efforts dans le domaine économique, en favorisant notamment la cession des avoirs français à l'étranger. Il envisage une opération militaire sur l'Afrique équatoriale française, passée aux mains des partisans de De Gaulle. Son renvoi, le 13 décembre 1940, résulte d'un double mouvement, la crainte de Pétain de se voir dépossédé de son autorité et l'existence à Vichy d'un groupe hostile à la collaboration, formé autour de Weygand, nommé délégué du gouvernement en Afrique du Nord.

Darlan, qui n'accède au pouvoir qu'après avoir préalablement rencontré Hitler, est entouré d'hommes nouveaux, des technocrates comme Pierre Pucheu, favorables à l'intégration de la France dans l'Europe hitlérienne, de même que son conseiller pour les affaires étrangères, Jacques Benoist-Méchin. Darlan est inspiré par un grand dessein : laissant à l'Allemagne l'hégémonie sur le continent, la France axerait son développement sur les mers et l'outre-mer, l'Angleterre étant désignée dans cette perspective comme l'ennemi principal. Au printemps de 1941, Darlan va jusqu'à envisager la collaboration militaire. Il s'engage, par les protocoles de Paris, signés le 28 mai 1941, à autoriser des transits nécessités par les opérations des Allemands contre l'Angleterre par les bases d'Alep, de Bizerte et de Dakar. Darlan fait préciser que les risques de conflit franco-anglais impliqués par un tel accord supposent de la part de l'Allemagne des « concessions politiques et économiques » pouvant justifier devant l'opinion une telle éventualité. Les accords ne furent jamais ratifiés — dès le début de juin, Weygand s'y oppose vigoureusement en Conseil des ministres — mais partiellement exécutés : ainsi Alep, au printemps de 1941, est mis à la disposition des Allemands. Le projet de collaboration militaire tourne court malgré tout : Hitler, après l'invasion de l'URSS en juin 1941, se désintéresse du théâtre méditerranéen et du Moyen-Orient, où, du 8 juin au 14 juillet 1941, les Français libres, appuyés par les Britanniques, s'emparent de la Syrie, défendue militairement par les troupes de Vichy.

Au total, le bénéfice de l'opération demeure réduit. Sans doute, dans le domaine des concessions immédiates, les Allemands ramènent-ils l'indemnité à 15 millions de marks par jour et libèrent-ils une partie des prisonniers, anciens combattants de 1914-1918. Mais l'échec est cinglant sur les perspectives à long terme. Il apparaît, à la lumière des sources allemandes, que les offres françaises reposaient sur une illusion, entretenue par Abetz : les intentions d'Hitler n'étaient nullement de traiter d'égal à égal avec la France, mais bien de la démembrer, et, ultérieurement, de réduire son rôle à celui de pourvoyeur de denrées agricoles et de Luna Park de l'Europe nouvelle. Dans l'immédiat, aucune concession ne devait être accordée à la France dans l'application de l'armistice : elle n'avait pas à connaître d'autre sort que la dure loi des vaincus.

Au début de 1942, l'échec de Darlan, qui a perdu la confiance des Allemands, est patent. Pétain envisage de le remplacer, et, quoique ce choix ne l'enthousiasme guère, accepte de rappeler Laval, qui lui semble avoir les meilleures chances de relancer la collaboration, à laquelle il croit toujours. La collaboration va connaître un nouvel essor, mais dans un contexte tout différent, celui de l'engagement de l'Allemagne dans la guerre totale.

Laval et le nouveau cours de la collaboration. — Laval revient aux affaires le 18 avril 1942, doté cette fois du titre de « chef du gouvernement ». Dans sa nouvelle équipe, il fait figurer des collaborationnistes vichyssois, mais non parisiens, tels Benoist-Méchin et Marion, des pétainistes d'inspiration « Révolution nationale » (Lucien Romier), des hommes venus de la gauche : l'ancien radical Pierre Cathala ou le théoricien du syndicalisme Hubert Lagardelle.

Laval se préoccupe peu de la Révolution nationale qui lui paraît à bout de souffle et à laquelle il n'a jamais cru. Sa grande affaire est la relance des rapports franco-allemands, placés dans une optique anticommuniste. « Je souhaite la victoire allemande, déclare-t-il le 22 juin 1942, parce que, sans elle, le bolchevisme demain s'installerait partout. » La France, ajoute-t-il en substance, ne peut rester à l'écart de l'édification de l'Europe nouvelle, dans laquelle elle doit prendre place.

Cette Europe, l'Allemagne en dessine plus nettement les contours au début de 1942. Le Reich, après l'échec de sa guerre éclair en URSS, s'installe dans la guerre longue. La décision, prise antérieurement, de mettre à mort les populations juives d'Europe, est mise à exécution sur la totalité du continent à partir du printemps de 1942. Enfin, dans le domaine plus spécifiquement français, les troubles de la fin de 1941 ont convaincu les Allemands de confier en avril 1942 les tâches de répression aux seuls SS et à la Gestapo.

Que peut, dans ces conditions, négocier Laval ? Dans le domaine policier, le chef du gouvernement reprend les pratiques de Pucheu tendant à obtenir en zone occupée une large autonomie des services français par rapport à l'autorité allemande. Les « accords » conclus en juillet 1942 entre René Bousquet, secrétaire général à la Police, et le général SS Oberg tendent à limiter la compétence allemande aux actes commis contre les troupes d'occupation, la police française pouvant déployer de façon autonome son action contre « l'anarchie, le terrorisme, le communisme... toutes activités d'étrangers susceptibles de perturber l'ordre ». La coopération s'étend même à la zone sud : en septembre 1942, des agents allemands reçoivent le droit de venir y saisir les émetteurs clandestins.

Dans le domaine de la « question juive », Laval, désireux de donner des gages aux Allemands, remplace Vallat, trop indocile à leurs yeux, par Louis Darquier de Pellepoix, antisémite frénétique totalement acquis aux nazis. En juin, il doit faire face à la demande de Berlin portant sur la déportation de 100 000 juifs. Au cours des négociations menées entre le responsable SS Dannecker et Laval, représenté par Bousquet, il est décidé que la police française participera en zone nord aux rafles de juifs étrangers. A Paris, les 16 et 17 juillet 1942, 13 000 personnes — sur les 28 000 prévues — sont arrêtées par 9 000 policiers et gendarmes français, concentrées au Vélodrome d'Hiver, dans des conditions affreusement précaires, puis transférées à Drancy, d'où partent les trains de déportation vers la Pologne orientale. Les juifs étrangers de la zone sud, déjà détenus dans des camps d'internement ou raflés par la police française, sont également livrés aux Allemands en septembre. Au total, durant l'année 1942, 42 655 juifs ont été déportés.

Sans doute Laval, qui proposa le départ des enfants avec les parents, ignorait-il leur sort réel. Il n'en reste pas moins que les responsables de l'Etat français, aussi bien par la mise en œuvre de leur politique de discrimination et de fichage que par l'aide directe de la police, ont participé à l'opération de destruction des juifs d'Europe.

Les rafles massives de l'été 1942, pratiquées au grand jour, soulèvent l'indignation de larges secteurs de l'opinion. Les Eglises catholique et protestantes font savoir leur condamnation. Les évêques de Toulouse et de Montauban publiquement, d'autres officieusement, expriment leur réprobation. Aussi, en 1943-1944, le régime montre-t-il davantage de circonspection. Laval et Pétain, qui se sont toujours opposés à la déportation des juifs français, refusent les demandes allemandes de révision des naturalisations. La mise en place, par des organisations juives, chrétiennes, résistantes de toute obédience, de réseaux d'entraide, fait tomber le nombre des déportations à 17 000 en 1943 et 16 000 en 1944. Le nombre total de déportés raciaux s'est élevé pour les trois années à 75 721, soit 23 % des 330 000 juifs vivant en France en 1940. La quasi-totalité, transférée à Auschwitz, a été mise à mort par gazage ; 3 % seulement — 2 500 — sont revenus en 1945. Les deux tiers des victimes étaient des juifs étrangers.

Dans le domaine de la main-d'œuvre, la prolongation de la

guerre entraîne des exigences nouvelles des nazis. Les départs volontaires, encouragés depuis 1940, n'avaient guère concerné que 130 000 travailleurs, dont une moitié seulement se trouvait encore en Allemagne au printemps de 1942. Fritz Sauckel, nommé par le gouvernement du Reich responsable de la main-d'œuvre en mars 1942, annonce en mai ses exigences au gouvernement français : 250 000 travailleurs, dont 150 000 qualifiés. Ses discussions avec Laval aboutissent au système de la « relève » : pour trois travailleurs volontaires, un prisonnier serait libéré. Laval promulgue, le 4 septembre, une loi sur l'utilisation de la main-d'œuvre, qui lui donne la possibilité de mobiliser tout Français de 18 à 50 ans et toute Française de 21 à 35 ans, pour tous travaux d'intérêt public. Ainsi, selon un procédé qui semble être devenu un principe de gouvernement, pour ne pas laisser les Allemands prendre en main la réquisition, Laval l'organise lui-même.

Le collaborationnisme. — Le collaborationnisme se démarque du vichysme aussi bien sur la question des rapports franco-allemands que dans le domaine de la politique générale. Les collaborationnistes poursuivent de leurs sarcasmes le Vichy ruralisant, corporatiste, traditionaliste, voire passéiste. Ils se proclament résolument « révolutionnaires », c'est-à-dire partisans de l'Europe sous hégémonie allemande, favorables à une société « socialiste », autrement dit dirigiste, et structurée par un parti unique. La plupart se trouvent à Paris, mais pas tous : Benoist-Méchin ou Pucheu, titulaires à Vichy de postes importants, peuvent prendre place parmi eux.

Abetz, fort habilement, comprend vite le rôle que peuvent jouer ces hommes. Aussi finance-t-il leur presse : *Les Nouveaux Temps* de Jean Luchaire, *La Gerbe* d'Alphonse de Châteaubriant, *Je suis partout*, qui reparaît en février 1941 et compte parmi ses collaborateurs Lucien Retabet et Robert Brasillach. Ces feuilles tirent respectivement, en 1943, à 60 000, 120 000 et 220 000 exemplaires. Conscient de l'importance de la vie littéraire dans un pays comme la France, l'ambassadeur place Drieu La Rochelle à la tête de la *Nouvelle Revue française*.

Les Allemands tolèrent par ailleurs et accordent, à Paris, leur appui financier à des groupes politiques collaborationnistes. Parmi ceux-ci émergent le Parti populaire français de Jacques Doriot (20 000 membres en 1942 ?) et le Rassemblement national populaire (20 000 à la même date ?), fondé en janvier 1941 par Marcel Déat, dans lequel viennent se fondre pour quelques mois les maigres troupes d'Eugène Deloncle. L'invasion de l'URSS donne aux chefs collaborationnistes l'occasion de manifester leur sympathie active à la cause « européenne ». A leur initiative, se constitue en juillet 1941 une Légion des volontaires français contre le bolchevisme (LVF) ; Vichy, d'abord réticent, devait l'officialiser par la suite, mais seulement en février 1943. La participation de la LVF à la campagne de Russie est réduite (2 300 hommes engagés ?), mais elle sert la propagande de Doriot, fréquemment présent sur le front russe.

Au total, les collaborationnistes parisiens ne devaient jamais atteindre leur objectif, la prise du pouvoir : leurs maîtres allemands les utilisaient comme moyen de pression sur Vichy, mais, conscients des limites de leur influence, préféraient le maintien du Maréchal, dont le prestige auprès des Français, infiniment supérieur au leur, était un bien meilleur garant de la neutralisation et de la docilité du pays.

Le sursaut national : la France libre, la Résistance, le tournant de la guerre et la Libération

La France libre et la Résistance jusqu'en 1942

Si la collaboration d'Etat et le collaborationnisme ne font pas recette, le vichysme et le maréchalisme contribuent, tout autant que les difficultés matérielles, à freiner les mouvements de refus de la défaite, la France libre et la Résistance intérieure.

La France libre du 18 juin 1940 à novembre 1942. — L'appel lancé par de Gaulle le 18 juin 1940 rencontre sur le moment peu d'écho. A la fin de 1942, cependant, le mouvement de la France libre représente une force réelle.

Le lancement est difficile. Si l'appel du 18 juin, renouvelé les 19 et 22 juin, provoque l'adhésion de quelques aviateurs et des 130 hommes de l'île de Sein, qui gagnent l'Angleterre du 24 au 26 juin, parmi les forces françaises stationnées en Angleterre, les évacués de Dunkerque et les troupes revenues de Narvik, de Gaulle n'obtient que 15 % de ralliement dont celui, collectif, de la 13e demi-brigade de la Légion étrangère, le 29 juin. Fin juillet, le mouvement dispose d'une petite armée de 7 000 hommes. Parmi les hommes qui l'entourent, très peu jouissent de quelque notoriété, sauf, par exemple, le professeur de droit René Cassin ou le général Catroux, ex-gouverneur général de l'Indochine.

Le gouvernement britannique, après avoir reconnu le général de Gaulle comme « chef des Français libres », accepte, par l'accord du 7 août, l'existence d'une force française autonome, distincte de l'armée britannique. Mais les tentatives pour donner au mouvement une base territoriale ne sont pas toutes couronnées de succès. Si le Tchad se rallie le premier, le 26 août, suivi du Cameroun (27 août), du Congo (29 août), de l'Oubangui (septembre), les autorités vichystes du Gabon résistent jusqu'en novembre. Plus grave : une opération visant Dakar, montée conjointement avec les Anglais, échoue le 24 septembre, par suite de la résistance des autorités de l'Afrique occidentale française. Ces ralliements permettent toutefois de renforcer les Forces françaises libres (FFL) qui atteignent 35 000 hommes à la fin de 1940.

Désormais, de décembre 1940 à la fin de 1942, la France libre allait affirmer sa présence sur le double terrain militaire et politique. Les FFL combattent sur mer (3 600 marins et une quarantaine de navires en 1942), dans les airs (quatre groupes aériens spécifiquement français), sur terre, contre les Italiens, en Erythrée et en Ethiopie (début 1941), en Libye (prise de l'oasis de Koufra par Leclerc le 1er mars 1941, puis des oasis du Fezzan, au début de 1942). En juin-juillet 1941, ce sont les forces vichystes qu'il faut affronter en Syrie. La bataille de retardement de Bir-Hakeim, en Libye, qui met aux prises les FFL de Koenig et l'Afrika Korps, en juin 1942, a un retentissement considérable. En métropole même, dès 1941, le 2e bureau de la France libre organise, depuis Londres, ses propres réseaux de renseignement.

Politiquement, le mouvement se définit et s'organise. Très tôt la France libre, mouvement patriotique, affirme aussi son engagement républicain : de Gaulle prend l'engagement, le 27 octobre 1940, de rendre compte de ses actes devant les représentants librement élus du peuple français. Dans l'immédiat, les nécessités imposent un pouvoir largement centralisé et personnalisé, exercé par le Général au sein du Conseil de défense de l'Empire, créé en octobre 1940, à qui succède en septembre 1941 un Comité national français. Adversaire sans concession de Vichy et du Maréchal (« triste enveloppe d'une gloire passée »), le mouvement affirme sa présence en métropole avant tout par la radio : de Gaulle intervient à la BBC une ou deux fois par mois. Mais les liens avec les mouvements de résistance intérieure restent ténus jusqu'à la fin de 1941. La prise de contact et le travail de coordination allaient être l'œuvre de Jean Moulin, parachuté en France dans la nuit du 1er au 2 janvier 1942.

De Gaulle s'affirme face aux Britanniques soupçonnés de vouloir, en Syrie en juin-juillet 1941, et à Madagascar en 1942, faire prévaloir leurs visées coloniales au détriment de la France, mais aussi face aux Américains. Roosevelt, en effet, jusqu'au retour de Laval en avril 1942, et sur la foi des rapports de son ambassadeur à Vichy, l'amiral Leahy, prend le parti de ménager Pétain. Les mauvaises relations entre de Gaulle et Roosevelt, qui considère le Général comme un apprenti dictateur, allaient peser lourd dans la suite des événements.

La naissance des mouvements de Résistance, de l'été 1940 à l'automne 1942. — La Résistance intérieure n'a pas de date de naissance. Une série d'actes simultanés, mais isolés, attestent dès la fin du mois de juin 1940 la volonté de refuser de mettre bas les armes, dans les milieux les plus divers. Ainsi, le 19 juin, l'ouvrier agricole Etienne Achavanne sabote en Seine-Inférieure les câbles téléphoniques de l'armée allemande. Dès le 16 juin, le général Cochet, commandant la région de Saint-Etienne, exhorte ses soldats à poursuivre le combat. L'analyse des débuts de la Résistance pose le double problème des modalités de l'action et de la structuration des groupes.

L'action des premiers résistants est lancée par des hommes et des femmes démunis de moyens matériels, sans liaison avec l'extérieur, dans un contexte de totale disproportion des forces. Les premières actions de type militaire consistent, en dehors des sabotages, souvent commis par des isolés, à mettre en place des filières d'évasion pour les prisonniers de guerre évadés ou les fugitifs. L'idée de recueillir des renseignements de nature militaire a nécessité la mise sur pied de réseaux en relation avec une centrale extérieure comme l'Intelligence Service (Alliance, de Loustaunau-Lacau), ou le 2e bureau de la France libre (la Confrérie Notre-Dame). Les liaisons se font par « courrier », par radio — le premier opérateur venu d'Angleterre est parachuté en mai 1941 —, par Lysander, avion de petite taille pouvant atterrir sur un terrain de dimensions réduites.

Mais ces actions de type militaire se doublent d'un autre type d'activité, de nature politique. Il s'agit d'éclairer les Français soumis à la propagande de Vichy ou de l'occupant. Dans des conditions rendues particulièrement difficiles par le manque de matériel d'imprimerie et de papier, et par la clandestinité de la distribution, naissent une série de journaux clandestins : en zone occupée, à la fin de 1940, *Pantagruel*, puis *Libération*, *Résistance*, créé par le groupe du Musée de l'Homme ; en zone interdite, *L'Homme libre*, *La Voix du Nord* ; en zone libre, *Combat* et à partir de novembre 1941 *Franc-Tireur*, à la même époque *Témoignage chrétien*. Autour de ces feuilles se développent les mouvements de résistance, distincts des réseaux : alors que ceux-ci sont des organisations constituées en vue d'un objectif technique précis, renseignement, action ou évasion, le mouvement vise à organiser militairement et politiquement la population de manière plus large.

L'année 1940 est celle des prises de contact, 1941 voit l'extension de certains mouvements, puis des regroupements finissent par s'opérer. La ligne de démarcation représente une gêne réelle, puisque dans le courant de 1941 se constituent des mouvements spécifiques à la zone libre, Combat, Libération-Sud et Franc-Tireur, et à la zone occupée, Libération-Nord et l'Organisation civile et militaire.

Ces groupes, dont l'objectif est patriotique, ne s'attribuent bien sûr aucune couleur « politique ». Ils recrutent cependant dans des milieux précis, certains dans les milieux socialistes et syndicalistes (Libération-Nord, fondé par Christian Pineau ; Libération-Sud), d'autres chez les officiers supérieurs et les hauts fonctionnaires (l'Organisation civile et militaire, OCM), d'autres enfin dans les couches moyennes (petits commerçants, cadres administratifs, intellectuels, nombreux à Franc-Tireur). Combat est issu de la fusion d'un groupe fondé par un officier conservateur, Henri Frenay, et d'un noyau d'intellectuels démocrates-chrétiens (Edmond Michelet, Pierre-Henri Teitgen, Georges Bidault). Une forte proportion d'entre eux, issue des milieux socialistes et démocrates-chrétiens, combat tout à la fois l'occupant, l'idéologie hitlérienne et le régime de Vichy. Les nationalistes, précocement mobilisés en zone nord contre l'Allemand, sont en zone sud déconcertés par Vichy : le mythe du « double jeu » de Pétain ne disparaît qu'en 1942.

Si l'année 1942 marque pour Vichy le basculement vers une collaboration accentuée, elle représente pour la Résistance et la France libre une étape décisive. L'intensification et le renouvellement du recrutement de la Résistance sont favorisés par le nouveau cours de la collaboration, le discours du 22 juin de Laval, la persécution des juifs et les débuts de la déportation de main-d'œuvre. Une « deuxième génération » entre en Résistance, parfois critique à l'égard des « chefs historiques ». Les mouvements répandent plus largement leur presse, intensifient leurs activités de renseignement et d'évasion et commencent à mettre sur pied des corps francs.

1942 est l'année du ralliement à la France libre, dont les mouvements attendent des subsides. Leurs chefs, à partir du printemps 1942, se rendent à Londres, Pineau en mars, Emmanuel d'Astier de La Vigerie, dirigeant de Libération-Sud, en mai, Frenay en novembre. En juin 1942, de Gaulle affirme son attachement à la République et sa volonté de réforme sociale. Ce dernier point rassure les socialistes qui forment une composante essentielle de la Résistance non communiste. Jean Moulin parcourt clandestinement le pays durant l'année 1942, tissant les liens entre les mouvements, créant des organes techniques communs, distribuant les subsides, renforçant les liaisons avec la France libre, désormais assurées à Londres par le BCRA (Bureau central de renseignement et d'action). Aussi les mouvements se rallient-ils tour à tour : Libération-Sud en mai 1942, Combat en août, Franc-Tireur en septembre, Libération-Nord en décembre.

Le Parti communiste et la Résistance. — Durant la campagne de mai-juin 1940, le PCF clandestin, dirigé de Moscou par Thorez et à Paris par Jacques Duclos, maintient son attitude de renvoi dos à dos des deux « impérialismes », allemand et allié. Maintenant après l'armistice la ligne « neutraliste », assortie d'une vigoureuse condamnation de Vichy et des « fauteurs de guerre », un « appel au peuple de France », daté du 10 juillet, propose la formation d'un gouvernement populaire, dans la perspective de la paix et du rétablissement de l'amitié franco-soviétique. Cependant, des responsables régionaux du parti, Charles Tillon, Auguste Havez, Georges Guingouin, lancent de leur côté un appel à la lutte patriotique, que ne repousse d'ailleurs pas l' « appel du 10 juillet » qui évoque « la volonté d'indépendance de tout un peuple », sans toutefois donner la priorité à l'action contre l'occupant. En réalité, la direction du PCF ménage ce dernier, aussi bien par conformité à l'esprit du pacte du 23 août 1939 que dans l'espoir d'une légalisation, dont témoignent plusieurs demandes, en définitive repoussées, de reparution de *L'Humanité*.

Dès octobre, l'espoir de légalisation s'évanouit devant la reprise de la répression exercée par la police française, avec l'accord implicite des Allemands. La pression des tenants de la ligne antifasciste, aussi bien des intellectuels de l'Université libre, autour de Georges Politzer, que des partisans isolés de l'action directe, dont les sabotages commencent dès août, s'accentue à la fin de 1940. L'appareil syndical doit prendre en compte la pression revendicative qui mène au déclenchement spontané de la grève des mineurs du Nord et du Pas-de-Calais en mai 1941, ensuite orientée vers des mots d'ordre patriotiques et prise en main par des militants communistes.

Mais la ligne officielle s'infléchit surtout à la suite de la détérioration des rapports germano-soviétiques, qui, visible dès novembre 1940, s'accentue à la mi-mars 1941. Le 15 mai, le PCF lance un « Front national de lutte pour l'indépendance de la France ». Le 22 juin 1941, les Allemands envahissent l'URSS. L'Internationale lance alors le mot d'ordre de lutte armée.

Celle-ci débute en France le 21 août 1941, quand Pierre Georges (le futur « colonel Fabien ») abat sur le quai de la station Barbès l'enseigne de vaisseau Moser. Tandis que Vichy crée des « sections spéciales », tribunaux d'exception incités à faire des exemples, les Allemands ripostent par l'exécution d'otages, choisis parmi les personnes détenues par les Allemands, ou parmi les communistes emprisonnés par la police française, que leur livre le ministre de l'Intérieur Pucheu. D'août à décembre 1941, en représailles à des attentats commis sur des officiers de la Wehrmacht, ont lieu des exécutions massives, 48 otages fusillés à Nantes, 50 à Bordeaux à la fin d'octobre, 95 à Paris, dont les dirigeants communistes Gabriel Péri et Lucien Sampaix, le 15 décembre. L'atrocité de la répression soulève d'horreur l'opinion et met fin au mythe de l'Allemand « correct », mais le doute saisit certains militants quant à la nécessité d'une telle hécatombe. De Gaulle, tout en justifiant le procédé, estime préférable de l'abandonner momentanément, « pour que cesse le massacre de nos combattants désarmés ».

Durant l'année 1942, le PCF, loin de renoncer à la lutte armée, organise et intensifie son action. Le mouvement qu'il a mis sur pied en mai 1941, le Front national, crée une branche armée, les Francs-Tireurs partisans français (FTPF), dirigés par Charles Tillon, qui pratiquent le sabotage et l'attaque directe des soldats ennemis. A la fin de l'année seulement, le parti envisage, dans le cadre du mécontentement social grandissant provoqué par les transferts de main-d'œuvre, une action de masse et un rapprochement avec les autres mouvements et la France libre.

1943 : la renaissance d'un Etat

L'opération Torch (novembre 1942). — Le débarquement en Afrique du Nord française (opération Torch), décidé pour les Anglo-Américains en juillet 1942, dans le cadre de la stratégie périphérique chère à Churchill, est conçu comme une opération d'envergure limitée. Les Alliés estiment en effet qu'ils rencontreront une résistance faible ou nulle de la part des 120 000 Français équipés par les soins de Weygand. Mais, pour parer à l'éventualité d'une réaction trop vive de ces troupes, fortement pétainistes et anglophobes, qui ont reçu de Vichy l'ordre de défendre ces territoires contre tout agresseur, une opération politique est envisagée avec des personnalités pétainistes et royalistes d'Afrique du Nord : le général Giraud, vichyste de conviction, mais qui bénéficie d'un grand prestige à la suite de son évasion d'une forteresse allemande, quelques mois plus tôt, serait placé à la tête du territoire libéré.

Ce plan ne rencontre pas le succès escompté. Alors que, dans la nuit du 7 au 8 novembre 1942, commence le débarquement de trois divisions d'infanterie et de deux divisions blindées américaines et britanniques, en trois points différents, à Alger, dans l'Oranais et au Maroc, la tentative de putsch tourne court. Les militaires français appliquent la consigne de défense contre tout agresseur, les combats font au Maroc près de 3 000 victimes. Un fait inopiné vient compliquer la situation. L'amiral Darlan, toujours « dauphin » officiel de Pétain, se trouve par hasard à Alger. Craignant d'être évincé par Giraud, il donne le 10 au matin l'ordre de cessez-le-feu. Trois jours plus tard, il déclare assumer la responsabilité du gouvernement en Afrique en accord avec les Américains, avec lesquels « il a convenu de défendre l'Afrique du Nord ». Le retournement est complet, puisque les Allemands envahissent alors la Tunisie. Mais Darlan se réclame toujours du Maréchal, alléguant l'impossibilité où se trouverait ce dernier de faire connaître publiquement son appui aux décisions qu'il a prises.

En métropole, dès le début des opérations, redoutant l'invasion de la zone sud, Pétain et Laval donnent l'ordre de « défendre » l'Afrique du Nord. Pétain, tiraillé entre cette crainte et sa sympathie pour les Américains, aurait, par un télégramme aujourd'hui disparu, approuvé le cessez-le-feu, mais il exclut catégoriquement son départ pour l'Afrique. Laval se résout, le 10, à accepter l'arrivée des troupes allemandes en Tunisie, mais la décision d'Hitler est déjà prise : le 11, à 7 heures, la Wehrmacht envahit la zone libre, et, simultanément, prend pied en Tunisie. Le 27 novembre, les Allemands désarment les troupes de l'armée d'armistice et tentent de s'emparer de la flotte de Toulon, dont les chefs appliquent alors la consigne de sabordage : 60 unités sont envoyées par le fond. Vichy a perdu tous ses atouts, alors que deux pouvoirs, à Alger et à Londres, se posent en représentants de la nation française.

Alger en 1943 : de l' « expédient provisoire » au CFLN (novembre 1942 - fin 1943). — Darlan s'empare alors du pouvoir à Alger avec l'appui des Américains, qui voient surtout en lui un « expédient provisoire », qui leur permettra de contrôler l'Afrique du Nord. Devenu dirigeant suprême avec le titre de haut-commissaire de France, il crée un Conseil impérial, composé des hauts fonctionnaires nommés par Vichy. Mais son court proconsulat s'achève brutalement le 24 décembre 1942 : l'amiral tombe alors sous les balles d'un jeune homme de 20 ans, Fernand Bonnier de La Chapelle, dont les inspirateurs n'ont jamais été clairement identifiés. Sa disparition ne provoque pas de bouleversements significatifs. Le 26 décembre, les membres du Conseil, se déclarant « dépositaires du pouvoir », désignent Giraud comme successeur de Darlan. Le général, qui ne cache pas ses sympathies vichystes accentuées, maintient en vigueur les lois antisémites, tandis que les nombreux prisonniers politiques, notamment communistes, restent incarcérés.

Les hommes de Londres et de la Résistance ont assisté, atterrés, à la promotion de Darlan. La disparition du signataire des protocoles de Paris laisse face à face de Gaulle et Giraud. Roosevelt et Churchill provoquent une rencontre des deux généraux à Anfa, banlieue résidentielle de Casablanca, le 17 janvier 1943. Rien ne sort de l'entrevue, hormis une poignée de main devant les photographes de la presse anglo-saxonne. En réalité, deux différends majeurs séparent les deux hommes : de Gaulle veut constituer un véritable pouvoir politique français, Giraud accepte la thèse américaine selon laquelle les Etats-Unis, puissance occupante, n'ont en face d'eux que des « autorités locales ». De Gaulle situe ce pouvoir dans une perspective républicaine ; Giraud refuse de désavouer Vichy. Au lendemain de l'échec d'Anfa, les Anglo-Saxons reconnaissent comme « gérant » des intérêts français le général Giraud, paré le 2 février 1943 du titre de « commandant en chef civil et militaire », tandis que de Gaulle regagne Londres.

Sous la pression américaine, exercée par l'intermédiaire de Jean Monnet, Giraud, le 14 mars, déclare l'armistice nul et non avenu et évoque clairement la perspective d'une restauration républicaine. Mais il est dépassé par la rapide évolution de la situation : de nombreux éléments de l'armée d'Afrique se rallient au général de Gaulle ; le 15 mai, un message de Jean Moulin, au nom du Conseil national de la Résistance en voie de formation, informe le général du refus des mouvements de Résistance d'admettre sa subordination au général Giraud. Aussi, de Gaulle, quand il regagne Alger le 30 mai, se trouve-t-il en position de force.

Les tractations engagées dès l'arrivée de De Gaulle aboutissent, le 3 juin, à la mise sur pied d'un Comité français de Libération nationale (CFLN), responsable de l'effort de guerre et dépositaire de la souveraineté française sur les territoires libérés. Coprésidé par de Gaulle et Giraud, il comprend 5 autres commissaires. Ce dualisme, incommode fonctionnellement et politiquement, disparaît au cours de l'année 1943. Des décrets pris pendant l'été séparent les fonctions politiques, confiées à de Gaulle, et le commandement militaire, assuré par Giraud. Celui-ci, confiné dans ses tâches militaires, est définitivement écarté par un décret du 2 octobre, qui met fin à la dyarchie. De Gaulle l'emporte et, avec lui, la Résistance intérieure, représentée au CFLN à partir de novembre, tandis que le giraudisme, vichysme à peine déguisé, est définitivement évincé. L'évolution s'achève avec l'entrée, en avril 1944, de deux communistes dans le CFLN.

Désormais, à Alger, il existe un Etat. En septembre 1943, le CFLN décide la convocation d'une Assemblée consultative, composée de 84 membres, parlementaires ayant figuré parmi les « 80 », ou communistes, élus locaux d'Algérie, représentants de la Résistance. Au cours du deuxième semestre, le CFLN reconstitue une armée, issue de la fusion des FFL, de l'armée d'Afrique, des conscrits pieds-noirs, des indigènes d'AFN et d'AOF et des volontaires venus de métropole. L'équipement est américain ; les chefs viennent soit des FFL (Leclerc), soit de l'armée d'Afrique (Juin), parfois de l'armée d'armistice dissoute : le général de Lattre de Tassigny, emprisonné par les Allemands après avoir refusé l'invasion du 11 novembre, évadé au début de 1943, avait pu rejoindre l'Afrique du Nord. Le territoire s'agrandit en septembre 1943 de la Corse, libérée par les efforts conjoints de la Résistance intérieure et de l'armée d'Afrique. Trois divisions, sous les ordres de Juin, participent à la campagne d'Italie au cours de l'hiver 1943-1944.

L'unification de la Résistance intérieure. — Les événements de novembre 1942 provoquent l'entrée en résistance d'une dernière « génération », celle des membres de l'appareil d'Etat qui ne se reconnaissent plus dans le Vichy de 1943. Les militaires de l'armée d'armistice forment l'Organisation de Résistance de l'armée (ORA). Dans les administrations civiles, le réseau des NAP (Noyautage des administrations publiques), créé par Combat à la fin de 1942, s'étoffe dans l'administration préfectorale et la police.

Jean Moulin avait, en 1942, œuvré en faveur de la fusion des mouvements de Résistance. Ainsi naissent les Mouvements unis de Résistance (MUR), issus de la fusion des mouvements de zone sud ; ainsi est mis sur pied en zone nord un comité de coordination. Mais, au printemps de 1943, les efforts du délégué du général de Gaulle portent sur la constitution d'un organisme représentatif de toutes les forces de Résistance, mouvements, partis ou syndicats.

La politique, en effet, s'insère de façon plus affirmée dans la lutte patriotique. Le Parti communiste, à partir de novembre 1942, infléchit sa stratégie. Le Front national, réactivé à partir du début de 1943, se développe dans les milieux les plus divers, parfois fort éloignés du communisme. Resté à l'écart des mouvements de fusion, mais soucieux de participer à l'Union nationale, le parti délègue en janvier 1943 un représentant auprès du comité national de Londres. Sa puissance amène les autres forces de la Résistance à faire contrepoids et à affirmer leur rôle spécifique dans la lutte commune : le Parti socialiste clandestin, reconstitué définitivement en mars 1943, avec comme secrétaire général Daniel Mayer, un proche de Léon Blum ; les catholiques, qui envisagent la création d'un grand parti démocrate-chrétien rénové. De Gaulle, de son côté, considère les membres des mouvements comme des soldats aux ordres de la France libre et se méfie des partis politiques, mais il doit faire la preuve de sa représentativité auprès des Alliés. Aussi approuve-t-il le projet.

Les efforts de Jean Moulin aboutissent à la constitution d'un Conseil national de la Résistance (CNR), où siègent huit délégués des mouvements (les MUR, l'OCM, « Ceux de la Résistance », « Ceux de la Libération », Libération-Nord, le Front national), six représentants des partis (le PCF, la SFIO, le PDP, le Parti radical, l'Alliance démocratique et la Fédération républicaine), deux des syndicats (CFTC et CGT, réunifiée par l'accord du Perreux). Réuni le 27 mai 1943 à Paris sous la présidence de Moulin, le CNR émet le vœu de voir le général de Gaulle prendre en charge les affaires politiques de la nation, Giraud assurant le commandement de l'armée. Par la suite, les réunions plénières sont, pour des raisons de sécurité, remplacées par des contacts entre les cinq membres du bureau, mais les commissions du CNR élaborent un programme pour la libération et, dans l'immédiat, renforcent la coordination des mouvements.

L'année 1943 voit la mise sur pied d'un véritable potentiel militaire, mais les actions gardent un caractère limité. Les groupes des FTP — en particulier les FTP-MOI, main-d'œuvre immigrée — pratiquent la guérilla urbaine, comme le groupe Manouchian, décimé à la fin de 1943. La formation de troupes de combattants armés dans les zones rurales, ou maquis, constitue l'originalité de l'année 1943. Les premiers sont des groupes francs chargés de réceptionner les envois d'armes parachutés et de surveiller les caches d'armes ; puis, au début de 1943, ces groupes viennent en aide aux réfractaires au STO.

La formation de ces groupes pose des problèmes de sécurité : le chiffre maximal, permettant de faciles décrochages, est de l'ordre de la cinquantaine. Les trop fortes concentrations sont rapidement détruites, comme le maquis des Glières en février 1944. L'armement, parcimonieusement distribué par des parachutages, reste nettement insuffisant. Le ravitaillement oblige à recourir à des actions contre les mairies ou à réquisitionner chez l'habitant. Nombreux dans les zones montagneuses et boisées, comme dans les Alpes (le Vercors) ou le Massif central, mais aussi en Bretagne, les maquis subissent les premiers chocs au cours de l'automne 1943 et au début de 1944. Les combats demeurent malgré tout exceptionnels : parmi les grandes formations paramilitaires, l'Armée secrète et l'ORA préfèrent attendre le débarquement allié ; les FTP inclinent plutôt vers le harcèlement par petits groupes.

La guérilla urbaine et rurale fait l'objet d'une action de coordination et d'unification. Un délégué militaire national, nommé par Alger, chargé des liaisons avec Londres et Alger à partir de septembre 1943, joue un rôle prédominant dans la répartition des moyens militaires. Une commission du CNR, le Comac (Comité d'action), tend à devenir un état-major issu de la Résistance intérieure. Sous cette double pression, intérieure et extérieure, une unification est imparfaitement réalisée en février 1944 : les Forces françaises de l'intérieur (FFI) absorbent les formations paramilitaires ; cet ensemble est doté d'un état-major national et d'états-majors régionaux. La nouvelle organisation se heurte toutefois à la volonté d'autonomie de certains groupes, comme l'ORA, restée marquée par le giraudisme.

La mise en place de ces structures clandestines a été réalisée dans les conditions, particulièrement difficiles, de la clandestinité, face à un adversaire cruel et sans scrupules. Les tâches de répression sont assurées depuis avril 1942 par la Gestapo et la SS, appuyées depuis 1941 par la police française, puis à partir de 1943 par la Milice. Le travail d'infiltration mené à partir de 1942 permet de procéder à de véritables décapitations de mouvements et de réseaux, particulièrement à la fin de 1943. Arrêté le 21 juin 1943, à la suite d'une trahison, Jean Moulin meurt quelques semaines plus tard sous la torture, sans avoir livré les noms que son bourreau lui réclamait. La répression, devenue particulièrement sauvage en 1943-1944, se caractérise par le recours systématique à la torture, odieusement et scientifiquement raffinée, et la pratique de la déportation, équivalant à une liquidation différée — dans d'atroces conditions — dans les camps de concentration allemands.

Les derniers temps de Vichy (novembre 1942 - printemps 1944). — Vichy, en novembre 1942, a perdu son territoire, son empire, sa flotte, son armée. Pétain et Laval ne croient plus guère à la victoire allemande, mais pensent toujours disposer d'une marge de manœuvre suffisante pour rêver d'une paix de compromis, dont ils pourraient être les médiateurs, entre les Etats-Unis et l'Allemagne, qui pourraient s'unir contre le bolchevisme.

A la fin de 1943, certains des conseillers du Maréchal, dont Lucien Romier, envisagent un rapprochement avec les Américains. Pétain envisage de diffuser le 13 novembre un discours par lequel il annoncerait la promulgation d'un acte constitutionnel qui rendrait à l'Assemblée nationale, dans le cas de vacance du pouvoir, la compétence constituante qu'elle lui avait déléguée le 10 juillet 1940. L'opération permettrait d'écarter Laval, ce qui est depuis longtemps le plus vif désir du Maréchal. Les Allemands, redoutant une opération analogue à celle de l'Italie, s'opposent catégoriquement à la diffusion du discours. Ribbentrop exige, explicitement, que toute loi française soit désormais portée à la connaissance préalable de l'Allemagne. Le « 13 novembre », suivi par la capitulation définitive du Maréchal un mois plus tard, marque la déchéance politique de Pétain, désormais privé de toute initiative. La voie est ouverte vers la fascisation du régime.

Durant les dix-huit derniers mois de l'occupation allemande, l'exploitation économique du pays s'intensifie. Après l'occupation de la zone non occupée, les frais d'occupation sont portés à 25 millions de marks par jour. Les paiements à l'Allemagne représentent en 1943 36 % du revenu national français ; en 1944, 27 % pour huit mois, contre 20 % en 1941 et 1942. Leur montant représente la moitié de la dépense publique.

L'appareil productif est entièrement tourné vers les besoins allemands : en 1943 et 1944, l'industrie automobile aurait fourni au Reich respectivement 60 et 70 % de sa production ; l'industrie aéronautique aurait travaillé en totalité pour les Allemands ces deux années. Globalement, l'économie industrielle s'effondre en 1943-1944, avec les indices 43 en 1944 et 55 en 1943, contre 61 en 1942 et 72 en 1941, sur la base 100 en 1938. L'industrie souffre du manque de matières premières. Les moyens de transport sont prioritairement affectés aux besoins allemands. La baisse de l'investissement dans les secteurs non affectés aux besoins allemands provoque un vieillissement du parc de machines ; la coupure entre l'économie française et le reste du monde aboutit à cumuler les retards techniques.

L'exploitation de la main-d'œuvre est elle aussi intensifiée. Pour répondre aux nouvelles demandes de Sauckel, Laval institue, le 16 février 1943, le Service du travail obligatoire (STO) : les jeunes gens nés entre le 1er janvier 1920 et le 31 décembre 1922 sont mobilisés pour accomplir une période de deux ans de travail en Allemagne. Cette mesure soulève une opposition générale : au printemps de 1943, les réfractaires se multiplient, de même que les techniques multiples destinées à les cacher. Les troisième, quatrième et cinquième « actions Sauckel » en avril et août 1943, et début 1944, n'obtiennent que des résultats limités. Les nazis, d'ailleurs, donnent un infléchissement, sous l'influence du ministre de l'Armement Speer, à leur politique de main-d'œuvre. Pour éviter les problèmes trop aigus d'hébergement et de ravitaillement — même réduits au minimum ! —, Speer propose à Bichelonne, ministre français de l'Industrie, de dispenser du STO la main-d'œuvre employée dans les entreprises travaillant à 80 % pour l'Allemagne, dénommées « Speer-Betrieb ».

Au total, 3,6 millions de Français travaillent au début de 1944 pour l'Allemagne nazie, 40 000 volontaires, 650 000 transférés au titre du STO, 900 000 prisonniers de guerre, 2 millions employés en France dans des entreprises travaillant pour l'Allemagne (dont un million dans des Speer-Betrieb). En contrepartie, 101 000 prisonniers de guerre seulement ont été rapatriés au titre de la relève.

Après le 13 novembre 1943, Vichy aborde la phase ultime de son existence. Sous la pression allemande, Laval, qui n'est pas le vrai vainqueur du « 13 novembre », doit accepter l'entrée dans son gouvernement de trois collaborationnistes, partisans de l'alignement intégral sur l'Allemagne : Joseph Darnand, chef de la Milice, devient secrétaire au Maintien de l'ordre, Philippe Henriot, secrétaire à l'Information, Marcel Déat, secrétaire au Travail. L'entrée au gouvernement de deux représentants d'un organisme armé, qui établit une hiérarchie parallèle au pouvoir d'Etat et investit celui-ci, a pu faire parler de « fascisation » de Vichy, transformé en « Etat milicien ».

La Milice, issue du Service d'ordre de la Légion (SOL), formée des plus activistes parmi les vichystes, a été, par une loi du 31 janvier 1943, reconnue d'utilité publique, et spécialement chargée du maintien de l'ordre et de la lutte anticommuniste. Au début de 1944, elle compte environ 15 000 hommes sur les deux zones, de recrutement varié : les éléments d'origine populaire y côtoient des notables et des officiers, sans parler de recrutements opérés parmi les milieux les plus louches.

Les miliciens participent aux côtés des Allemands, spécialement des SS, à la répression de la Résistance. Ils pratiquent l'infiltration, l'attaque des maquis, le meurtre politique — le radical Maurice Sarraut est assassiné le 2 décembre 1943 ; Victor Basch, ancien président de la Ligue des droits de l'homme, le 12 janvier 1944 ; Jean Zay, le 20 juin ; Georges Mandel, le 7 juillet. Ils torturent, avec d'abominables raffinements. Le noyautage de l'Etat par cette organisation s'accélère au printemps de 1944 : Darnand nomme des miliciens directeurs de l'administration pénitentiaire, intendants de police, voire préfets. Des « tribunaux » miliciens sont créés en janvier 1944, qui permettent de donner une couverture « légale » à de purs et simples assassinats.

La Libération

Les opérations militaires. — A partir du printemps 1944, la France redevient un champ d'affrontements. Dès l'été de 1943, le débarquement en Italie éveille les espoirs du grand nombre et, en même temps, la crainte de nouvelles batailles. De fait, Roosevelt et Churchill avaient décidé, dès mai 1943, l'opération Overlord, sur les côtes septentrionales de la France.

L'intensification des bombardements pendant les six premiers mois de 1944 est le signe le plus évident de l'imminence de l'assaut. A partir de janvier 1944, les bombardiers pilonnent systématiquement les centres industriels, puis, en avril, les gares de triage, les ponts, les terrains d'aviation, les routes, sur une aire très vaste, des Flandres à la Bretagne, le secret du lieu du débarquement étant un facteur essentiel de la réussite. La technique des « tapis de bombes » provoque la mort de nombreuses victimes : 650 à Paris les 20 et 21 avril, 2 000 à Marseille le 27 mai, provoquant critiques et mécontentement des populations à l'égard des Américains.

L'action de la Résistance est prise en compte dans le plan allié. Le général Koenig, nommé à la tête des FFI en mars 1944, participe à Londres à la mise sur pied des divers « plans » d'action de la Résistance : paralysie du réseau ferroviaire (plan « Vert »), sabotage des installations électriques (plan « Bleu ») ou téléphoniques (plan « Violet »), actions de guérilla destinées à retarder l'arrivée des renforts ennemis (plan « Tortue »). Il apparaît cependant que la direction de la Résistance, tout en accordant la priorité à l'exécution de ces directives — les sabotages ferroviaires atteignent en avril une grande ampleur —, envisage une « action de résistance de masse à caractère insurrectionnel » : la Résistance intérieure entend par là la réalisation d'un soulèvement national et patriotique, qui dépasserait le simple rôle de complément que lui attribue l'état-major allié.

Le 6 juin 1944, à l'aube, une armada de 4 200 bateaux de transport, appuyés par 720 navires de guerre, débarque 5 divisions alliées sur un front de côte de 90 km, entre Caen et le Cotentin. La résistance immédiate des Allemands est limitée. Le « mur de l'Atlantique », ensemble de plusieurs milliers d'ouvrages bétonnés construits depuis 1943 par les Allemands, manque de profondeur. Les Alliés parviennent à établir une tête de pont du 6 au 11 juin, tandis que le port artificiel d'Arromanches permet le débarquement de centaines de milliers d'hommes (1 million au début juillet) ; Bayeux est la première ville française libérée. Mais les Allemands opposent une vigoureuse résistance : si Cherbourg tombe le 26 juin, il faut attendre le 10 juillet pour que Caen soit libérée par les Anglais, à l'est du dispositif allié.

A l'ouest de ce dispositif, les Américains parviennent, du 25 au 30 juillet, à percer le front vers Avranches. Le 31, Patton et la IIIe armée, dans laquelle combattent les Français de la 2e division blindée, commandée par Leclerc, s'engouffrent dans la brèche en direction de la Bretagne, de la Loire et du Mans. Le 6 août, les Allemands déclenchent une contre-offensive sur l'axe Avranches-Mortain, mais doivent se replier une semaine plus tard ; la plus grosse partie de leur VIIe armée est encerclée et détruite le 21 août, sauf quelques unités qui parviennent à gagner la Seine. Paris est libéré le 24 août. Du 15 au 17 août, la VIIe armée américaine et la Ire armée française, aux ordres de De Lattre de Tassigny, débarquent en Provence, dans le secteur de Fréjus - Saint-Raphaël ; la Ire armée libère Toulon le 23 août et Marseille le 28, puis fait route vers le nord, à la suite de la VIIe armée américaine.

L'ordre de lancement de guérilla lancé dès le débarquement obéissait à deux motifs, l'un d'ordre militaire, opérer des « fixations » de troupes ennemies, l'autre politique, restaurer l'Etat républicain, sans attendre l'arrivée des troupes alliées et l'éventuelle instauration d'une administration américaine. Les opérations militaires prennent parfois la forme de la concentration : dans le Vercors, 8 000 maquisards se concentrent dès l'annonce du débarquement ; de même, à Saint-Marcel, dans le Morbihan, ou dans la Margeride, au mont Mouchet. Ces groupes sont détruits ou dispersés ; celui du Vercors est totalement anéanti du 21 au 23 juillet 1944.

Le harcèlement produit des effets nettement plus bénéfiques : les guérillas bretonne et alpine favorisent l'avance alliée, tandis que celles du Sud-Ouest libèrent seules l'Aquitaine et le Limousin. Le coût humain a cependant été considérable : au massacre des combattants, traités comme des francs-tireurs, s'ajoutent les atrocités commises contre la population civile. Ainsi, la division SS Das Reich, stationnée à Montauban, rappelée sur le front de Normandie, pend 99 otages à Tulle après la reprise de la ville, avant de massacrer les 642 habitants d'Oradour-sur-Glane deux jours plus tard : ces procédés de terreur massive avaient été largement mis en œuvre dans l'Est européen.

A Paris, la Résistance, dans une capitale en proie à une forte agitation populaire, où les cheminots, les postiers, les policiers se sont mis en grève entre le 10 et le 15 août, donne le 19 août le mot d'ordre d'insurrection, lancé par l'état-major local FFI, le comité de Libération et le CNR. Les bâtiments publics sont occupés, les heurts avec les troupes allemandes, infiniment plus puissantes, se multiplient. Des barricades se dressent. A la demande des responsables de la Résistance, la deuxième DB de Leclerc se dirige sur Paris, qu'elle atteint le 24 août au soir. Le lendemain après-midi, le général allemand commandant la place capitule. A l'Hôtel de Ville, où s'est installé le CNR, Bidault, qui le préside depuis la mort de Jean Moulin, reçoit le général de Gaulle. Le 26 août, de Gaulle et les chefs de la Résistance, au milieu d'une foule innombrable, descendent les Champs-Elysées et assistent à un *Te Deum* célébré à Notre-Dame.

Dès lors, la progression des armées libératrices se poursuit dans l'est et le nord du pays.

Au 31 août, les Alliés contrôlent un vaste quadrilatère compris entre Nantes, Brest, Le Havre et la limite orientale de l'Ile-de-France, et un triangle délimité par Montpellier, Grenoble et Nice. Les FFI ont libéré le Sud-Ouest aquitain, la plus grande partie du Massif central, le Jura et la Savoie. Le 16 septembre, les Allemands n'occupent plus que les départements vosgiens, lorrains et alsaciens. Pendant l'hiver, les troupes françaises, sous le commandant de De Lattre de Tassigny, libèrent la majeure partie des départements de l'Est. Leclerc entre à Strasbourg le 23 novembre. L'ultime contre-offensive allemande lancée dans les Ardennes retarde l'assaut final, mais, le 20 mars, la totalité du territoire est libérée, sauf les poches côtières de l'Atlantique, qui tiennent jusqu'à la fin de la guerre.

La Ire armée participe à l'invasion de l'Allemagne et le 8 mai 1945 le général de Lattre de Tassigny reçoit, au même titre que les commandants en chef alliés, la capitulation allemande. Cet effort militaire final, qui assure à la France une présence parmi les vainqueurs, cinq ans après le désastre, a été rendu possible par l'intégration d'une partie des FFI et l'appel des jeunes du contingent. La victoire permet, dans le courant de l'année 1945, le retour des millions de Français déplacés vers l'Allemagne, prisonniers de guerre, travailleurs transférés au titre du STO, déportés encore en vie, dont le témoignage suscite un profond traumatisme.

La transition politique. — La défaite allemande accélère la décomposition de Vichy. Alors que le dernier carré milicien multiplie les exactions et les atrocités aux côtés des Allemands, Pétain, devant le débarquement, appelle les Français à la neutralité. Les 17 et 20 août, Laval et Pétain sont emmenés par les Allemands et mis en résidence surveillée avec leurs ministres au château de Sigmaringen. Les miliciens sont versés dans la division SS Charlemagne, forte de 7 500 hommes, qui disparaît en Poméranie durant l'offensive soviétique de mars 1945. Doriot, qui tente de former un gouvernement en exil, est abattu en février 1945 par un avion non identifié. La défaite allemande disperse les derniers tenants du pétainisme et du collaborationnisme. Laval, réfugié en Espagne, est livré par Franco, tandis que Pétain, passé en Suisse, se présente spontanément à la frontière.

Le premier souci du général de Gaulle est d'écarter le projet américain d'une administration militaire provisoire. Puis le CFLN, devenu le 3 juin le GPRF (Gouvernement provisoire de la République française), prononce, par l'ordonnance du 9 août, la nullité de l'acte du 10 juillet 1940 et rétablit la légalité républicaine. Le 9 septembre, à Paris, un nouveau gouvernement d'Union nationale est formé, comprenant un tiers de membres issus de la Résistance intérieure.

Le GPRF fait face à une situation difficile dans les provinces. Conformément à un plan établi avant la Libération, le pouvoir local, après la déchéance et l'évanouissement des autorités vichystes, revient aux comités locaux de Libération, coiffés au niveau départemental par des CDL (comités départementaux de Libération), qui n'acceptent pas toujours aisément de reconnaître l'autorité des commissaires de la République nommés par le GPRF. Les CDL ont d'ailleurs du mal à se faire obéir des milices civiques, créées en mars 1944 et chargées des arrestations des traîtres et de la lutte contre le marché noir, théoriquement en collaboration avec la police officielle. Souvent accusées d'être aux mains des communistes, elles sont dissoutes fin 1944.

L'épuration. — Période trouble, l'été 1944 voit se multiplier les exécutions sommaires, de juin à septembre. Il faut retenir le chiffre de 9 000 exécutions au cours de l'été 1944, concernant pour les trois quarts des miliciens et des agents doubles dans les zones où la bataille fait rage. Les cas de vengeance crapuleuse ont naturellement pu se produire, mais en nombre en définitive réduit. Les cours de justice instituées en septembre 1944 instruisent 163 000 dossiers à partir de cette date : elles rendent un non-lieu dans 45 % des cas, et prononcent 26 000 peines de prison, 13 000 peines de travaux forcés, 7 000 condamnations à mort, dont 767 sont exécutées. L'épuration frappe durement la collaboration militaire, un peu moins la collaboration politique, assez peu la collaboration économique (33 % des prévenus sur ce chef d'accusation ont été condamnés). Les grands procès de l'automne 1945 se terminent par la condamnation à mort de Pétain (peine commuée), de Laval, de Darnand, précédée de celle de figures intellectuelles emblématiques comme Robert Brasillach (janvier 1945). Dure pour les humbles et les figures de proue, l'épuration a épargné les nantis suffisamment discrets.

Bilan global

Les pertes pour faits de guerre peuvent être estimées ainsi :

Militaires tués en 1939-1940	123 000
Prisonniers décédés en Allemagne	45 000
Alsaciens-Lorrains tués dans la Wehrmacht	31 000
Pertes des FFL	11 700
Pertes des FFI	8 000
Engagés dans la Wehrmacht	2 000 (?)
Armée de la Libération	43 000
Fusillés	25 000
Résistants morts en déportation	27 000
Total des militaires et assimilés	316 000
Déportés raciaux	83 000
Requis morts en Allemagne	40 000 (?)
Victimes des bombardements	67 000
Victimes des opérations terrestres	58 000
Exécutés à la Libération	10 000 (?)
Massacrés par les Allemands	6 000
Total des civils	264 000

(Source : Alfred Sauvy, in *Histoire de la population française,* J. Dupâquier (sous la direction de).)

Les pertes de la deuxième guerre sont à la fois lourdes et très inférieures à celle de la première. Le nombre élevé de victimes civiles, 44 % du total, caractérise un conflit qui n'a pas épargné les civils. Le chiffre total ne représente que 42 % des tués de la Grande Guerre. Une autre caractéristique capitale de la deuxième guerre est la reprise de la natalité en pleine guerre, à partir de 1942. Cette hausse n'était pas un phénomène provisoire, elle allait se poursuivre durant une trentaine d'années.

En revanche, l'économie sort gravement affaiblie du conflit, sous le double effet du pillage et l'état de guerre. La production industrielle représente en 1944 50 % du niveau atteint en 1938. Les bombardements massifs ont détruit son infrastructure : 82 % des locomotives, 5 000 km de voies ferrées sont hors d'usage. Les récoltes de 1945 représentent 60 % de celles de 1938. Les prix ont quadruplé, alors que les salaires ont été multipliés par 2,7. Le sous-investissement dans la plupart des secteurs, conséquence de la mise à la disposition des Allemands de l'appareil productif français, a entraîné un important retard technique. La reconstruction allait être longue et difficile. L'opinion ne se doute pas en 1944 que le rationnement ne sera supprimé que cinq ans plus tard.

Sur le plan politique, chargée de la responsabilité de la défaite, la IIIe République n'a pas survécu au désastre militaire, lui-même issu davantage d'un « refus » global de la guerre (Sauvy), explicable par le souvenir de la Grande Guerre, que des carences du système : l'analyse de Vichy reposait à cet égard sur des postulats radicalement erronés. Bien au contraire, le sursaut national, incarné par un homme, le général de Gaulle, s'est réalisé grâce au lien indissoluble que la République avait su établir entre les valeurs nationales et les valeurs républicaines.

BIBLIOGRAPHIE

Azéma Jean-Pierre, *De Munich à la Libération (1938-1944),* Le Seuil, 1979.

Azéma Jean-Pierre, *1939-1940. L'année terrible,* Le Seuil, 1990.

Azéma Jean-Pierre, Bédarida François (sous la direction de), *Vichy et les Français,* Fayard, 1992.

Azéma Jean-Pierre, Bédarida Francis (sous la direction de), *La France des années noires,* 2 vol., Le Seuil, 1993.

Baruch Marc Olivier, *Servir l'État. L'administration française de 1940 à 1944,* Fayard, 1997.

Braudel Fernand, Labrousse Ernest (sous la direction de), *op. cit.*

Burrin Philippe, *La France à l'heure allemande (1940-1944),* Le Seuil, 1995.

Cointet Michèle, *Vichy et le fascisme,* Bruxelles, Complexe, 1987.

Cointet Michèle et Jean-Paul, *La France à Londres (1940-1943),* Bruxelles, Complexe, 1990.

Cointet Jean-Paul, *Laval,* Fayard, 1993.

Delperrie de Bayac J., *Histoire de la Milice,* Fayard, 1969.

Dupâquier Jacques (sous la direction de), *op. cit.*

Durand Yves, *Vichy, 1940-1944,* Bordas, 1972.

Durand Yves, *La France dans la deuxième guerre mondiale (1939-1945),* Armand Colin, 1989.

Duroselle Jean-Baptiste, *L'abîme,* Imprimerie nationale, 1982.

Ferro Marc, *Pétain,* Fayard, 1987.

L'Histoire : *Etudes sur la France de 1939 à nos jours,* Le Seuil, 1985.

Kaspi André, *Les Juifs pendant l'Occupation,* Le Seuil, 1991.

Kupferman Fred, *Laval (1883-1945),* Flammarion, 1988.

Laborie Pierre, *L'opinion française sous Vichy,* Le Seuil, 1990.

Michel Henri, *Pétain et le régime de Vichy,* PUF, 1978.

Michel Henri, *Pétain, Laval, Darlan, trois politiques ?,* Flammarion, 1972.

Michel Henri, *Histoire de la France libre,* PUF, 1967.

Muracciole Jean-François, *Histoire de la Résistance en France,* PUF, 1993.

Ory Pascal, *Les collaborateurs (1940-1945)*, Le Seuil, 1977.
Ory Pascal, *La France allemande*, Gallimard-Julliard, 1977.
Paxton Robert O., *La France de Vichy (1940-1944)*, Le Seuil, 1973.
Rioux Jean-Pierre, *La France de la IVe République*, 1 : *L'ardeur et la nécessité (1944-1952)*, Le Seuil, 1980.
Rousso Henry, *La Collaboration, les noms, les thèmes, les lieux*, MA Editions, 1987.

6. La IVe République : espoirs et déceptions (1944-1952)

La IVe République n'a pas d'acte de naissance officiel puisque selon Charles de Gaulle, chef du gouvernement provisoire, « la République n'a jamais cessé d'être... Vichy fut toujours et demeure nul et non avenu ». Ce souci de continuité et de légitimité, par-delà la « parenthèse » de la guerre et de Vichy, traduit bien une volonté qui se manifeste souvent parmi les résistants et qui, dans la mémoire républicaine, persiste aujourd'hui.

Plusieurs dates de naissance sont possibles. Historiquement, le 25 août 1944 s'impose puisqu'il marque la libération de la capitale : mais la guerre traîne et la « victoire s'attarde » (de Gaulle). Sur le plan politique, le départ du général de Gaulle, le 20 janvier 1946, de la présidence du Conseil des ministres souligne que la France entre dans une phase nouvelle où l'épopée de la guerre et de la France combattante tend à s'éloigner. Mais, juridiquement, la mise en place des institutions nouvelles et l'installation du gouvernement Paul Ramadier concrétisent, d'octobre 1946 à janvier 1947, la naissance d'un système constitutionnel nouveau.

Ces quelques rappels chronologiques signifient qu'un long prologue précède la IVe République constitutionnelle, que l'on appelle habituellement « la Libération ». Période de gestation au cours de laquelle les gouvernements doivent non seulement rétablir un fonctionnement normal de l'autorité et du pouvoir politique, mais aussi prévoir les grandes orientations d'avenir et gérer les séquelles politiques, sociales, économiques de la guerre.

Les ambitions sont grandes, les espoirs multiples et complexes : une France nouvelle doit naître. Mais la gestation est difficile ; les tensions politiques et sociales toujours fortes la rendent malaisée.

Enfin, la situation internationale, en se dégradant très vite, contraint à des choix de compromis. Les espoirs déçus de la Libération vont faire de la IVe République un régime souvent mal aimé, qui doit affronter des problèmes auxquels elle n'est pas toujours bien préparée.

Restaurer l'Etat

Les objectifs

Dès son arrivée à Paris, le 25 août, le général de Gaulle lance un vibrant appel à l'unité des Français qui doivent tous, « hormis quelques traîtres », marcher d'un même pas. Quelques jours plus tard, dans un discours radiodiffusé il rappelle la maturité des Français — « un peuple averti de tout » — et souligne la nécessité de « l'ordre républicain sous la seule autorité valable, celle de l'Etat » et de « l'ardeur concentrée qui permet de bâtir légalement et fraternellement l'édifice du renouveau ».

Pour de Gaulle, la situation provisoire qui est celle de la France ne relève pas d'une stratégie insurrectionnelle. La ruine de Vichy ne doit pas aboutir à une démarche révolutionnaire ; l'heure n'est pas aux revanches intérieures, mais à la reconstruction du pays sous l'autorité de l'Etat républicain.

Ces rappels confirment des choix qui ont été effectués pendant la guerre. Depuis l'automne 1941, à Londres ou à Alger, bien des préparatifs politiques sont imaginés pour construire, dans la France libérée, « un pouvoir central français unique ». Il serait chargé d'assurer l'ordre et le retour à une situation politique normale. Les cadres et les moyens juridiques sont définis : une assemblée consultative provisoire, des commissaires de la République et des préfets en province, le contrôle du pouvoir militaire, la réorganisation rapide des pouvoirs civils. Le gouvernement provisoire de la République française (GPRF), formé, on l'a vu, le 3 juin 1944, dirige le retour à la légalité républicaine.

La réorganisation suppose la subordination des mouvements de Résistance intérieure. Les comités locaux de libération (CLL) et les comités départementaux de libération (CDL) qui ont participé à l'insurrection nationale, ne doivent pas maintenir un pouvoir parallèle qui, disposant de moyens militaires, pourrait menacer l'Etat. Cette exigence est d'autant plus forte que l'influence communiste s'est étoffée au sein de la Résistance intérieure. Le jacobinisme de De Gaulle et la crainte des communistes conjuguent leurs effets pour réduire rapidement l'activisme de la Résistance. Le CNR a protesté, mais, comme les partis politiques réorganisés, il se rallie à ces objectifs. Cependant la tentation demeure forte pour certaines organisations et dans certaines régions de mettre en cause l'autorité du commissaire de la République pour imposer une autorité issue de la clandestinité et des combats. C'est le cas du Limousin, de l'Auvergne, mais surtout de la région toulousaine. Dans la France du Nord, les difficultés sont moindres.

Les moyens et les effets

Les commissaires de la République sont les clés de voûte de cette stratégie politique et administrative. Remplaçant les préfets régionaux, nommés par Pétain, ils doivent installer, dans les délais les plus courts et par tous les moyens, le pouvoir légal face à tous les pouvoirs de fait. Issus de milieux divers, ils sont les « mandataires extraordinaires du gouvernement » et commandent toutes les administrations au niveau régional, notamment les préfets qui ont été nommés par le Comité français de libération.

De Gaulle, chef du gouvernement provisoire, multiplie les tournées et les visites en province, notamment dans les régions les plus perturbées ou les plus éloignées de Paris. L'enthousiasme populaire qu'il reçoit lui permet de renforcer l'autorité des représentants de l'Etat et de réduire l'activité sinon l'activisme des CDL.

Un nouveau gouvernement provisoire qualifié de « gouvernement d'unanimité nationale », que préside Charles de Gaulle, est installé le 9 septembre 1944. Il rassemble, dans un subtil dosage politique, 13 représentants des grands partis (2 communistes, 4 socialistes, 3 démocrates-chrétiens, 3 radicaux et 1 modéré) et 9 membres de la Résistance. Pour éviter les tensions, de Gaulle fusionne les résistances au sein de ce gouvernement en faisant appel à des membres de la Résistance intérieure mais aussi à celle de Londres. Parmi ces hommes on doit signaler, entre autres :

— aux Affaires étrangères, Georges Bidault, ancien président au CNR, démocrate-chrétien ;

— à l'Intérieur, Adrien Tixier, socialiste ;
— à l'Economie nationale, Pierre Mendès France, radical ;
— à l'Air, Charles Tillon, chef des Francs-Tireurs et Partisans français (FTPF), communiste. En désignant comme ministre d'Etat, chargé de la réorganisation des pouvoirs publics, l'ancien président du Sénat de la IIIe République, Jules Jeanneney, de Gaulle veut parvenir à réaliser l'amalgame de toutes les traditions et forces politiques françaises. Mais il prétend aussi renouveler le personnel dirigeant en désignant aux côtés des ancien parlementaires des techniciens comme Alexandre Parodi (Travail et Sécurité sociale).

Les résultats

La restauration de l'Etat s'opère assez rapidement même si les tensions persistent pendant plusieurs semaines, voire plusieurs mois. Elle pose le problème de la stratégie du Parti communiste en 1944-1945.

Le Parti communiste français a largement participé à l'action de la Résistance en utilisant des structures diverses et complexes. Si le parti entre en clandestinité, il participe aussi au Front national, mouvement qu'il contrôle, au syndicat CGT où il prend peu à peu la majorité, ou à des organisations qui naissent progressivement comme l'Union des femmes françaises, ou les Forces unies de la jeunesse patriotique. Cette présence très large permet aux communistes d'influencer bien des CDL, notamment en France méridionale, ou de disposer d'une force militaire, les Francs-Tireurs et Partisans français (FTPF), et d'animer les milices patriotiques créées pour organiser le soulèvement national contre les Allemands. En 1944, le Parti communiste représente une grande force politique omniprésente d'autant plus influente que les autres partis sont désorganisés ou en voie de réorganisation.

A-t-il une stratégie de conquête du pouvoir politique ? Cette question demeure l'objet d'un débat historique, car si le Parti communiste participe au gouvernement provisoire, il maintient une grande activité au sein de CDL ou des milices patriotiques.

La résistance des CDL à l'action du pouvoir politique est inégale. En effet, bien des membres du CDL estiment que, l'occupation étant près de se terminer, leur activité doit cesser. Par ailleurs, dans certaines régions, des difficultés sérieuses apparaissent entre CDL et population. Enfin, le Parti communiste parvient à s'imposer dans quelques CDL et à maintenir un certain activisme, notamment lorsqu'il s'agit de l'épuration.

Mais les CDL ne se soumettent pas tous sans lutter pour leur survie. Dans le sud-est du pays, bien des réunions de CDL retentissent de discours d'allure révolutionnaire. De même, à la fin de l'automne 1944, près de quarante CDL décident de convoquer à Paris une assemblée nationale des Comités départementaux pour préparer la tenue des états généraux de la Renaissance française, en juillet 1945.

Cette agitation se développe dans les CDL où les communistes exercent une influence décisive. A travers elle, peut s'exprimer sinon s'imposer un pouvoir populaire face au pouvoir central en reconstruction. Il est possible aussi que ces impatiences traduisent des revendications régionales à un profond renouveau des méthodes administratives et politiques. Il faut souligner que ces tentatives s'essoufflent assez vite. Lorsque se préparent les consultations électorales de 1945, les cadres traditionnels de la vie politique sont pratiquement rétablis. Mais entre-temps, en janvier 1945, le Parti communiste accepte la soumission au GPRF des pouvoirs nés de la Résistance.

Les milices patriotiques posent un problème plus aigu, car elles survivent à la Libération et tendent à se transformer en une force policière parallèle qui, illégalement, procède à des perquisitions, des arrestations et, dans certains cas, à des exécutions.

Le 28 octobre 1944, le gouvernement provisoire qui s'inquiète de cette puissance ordonne le désarmement des milices comme prélude à leur dissolution. Le Parti communiste refuse et engage une vigoureuse campagne d'opinion dans l'ensemble du pays. A vrai dire, le CNR et une large partie de la presse issue de la Résistance protestent aussi contre l'initiative gouvernementale. Le gouvernement contre-attaque en offrant aux résistants miliciens qui refusent d'entrer dans l'armée de participer à l'organisation des Compagnies républicaines de sécurité (CRS). Mais la tension demeure très vive avec le Parti communiste qui n'hésite pas à accuser de Gaulle de mépriser la Résistance.

L'affaire ne trouve sa solution qu'au début de l'année 1945. Le secrétaire général du Parti communiste, Maurice Thorez, de retour d'URSS où il s'était réfugié en 1939, finit par imposer la soumission des milices.

Pourquoi cette évolution en quelques semaines ? S'il est possible que le Parti communiste ait songé à la mise en œuvre de la stratégie du « double pouvoir », il n'en demeure pas moins qu'à la fin de l'hiver 1944-1945, les communistes n'imaginent plus être capables de prendre le pouvoir par des moyens révolutionnaires. Le Parti communiste choisit la restauration de l'Etat républicain. Ce faisant, défend-il les intérêts prioritaires de l'URSS (Annie Kriegel, Jean-Jacques Becker) ou évalue-t-il lucidement la situation particulière de la France libérée par les Alliés occidentaux et l'état réel de l'opinion ? Dans ces conditions, il définit une démarche d'intégration à l'Etat qu'il développe, avec des aléas divers. Il s'agit de rebâtir le Front populaire pour reconstruire l'économie nationale.

Les cadres de la restauration économique

L'impératif martelé par tous — hommes politiques, presse — est de produire. La restauration économique est assimilée à une nouvelle « bataille de France » qu'il importe de gagner rapidement.

Conjoncture et perspectives

Le bilan économique est lourd, car les pertes matérielles sont réparties sur l'ensemble du territoire. Les prélèvements allemands entre 1940 et 1944 ont réduit les capacités de ravitaillement des Français. Par ailleurs, les bombardements de la Libération, les sabotages organisés par la Résistance ont affaibli l'appareil productif : usines, voies de communication, moyens de transport sont particulièrement touchés. A la fin de l'année 1944, la production industrielle représente 40 % de celle de 1938. Elle a fait un bond en arrière de 50 à 60 ans. L'état de l'agriculture n'est pas bien meilleur : faute de main-d'œuvre, de matériel et d'engrais, la production a baissé de plus de 20 % par rapport à 1938.

Cet état économique a de graves conséquences :

— les salaires réels ont baissé entre 1940 et 1944. Pour éviter la montée de la revendication sociale, et les risques de troubles, le gouvernement décide de les augmenter. En moyenne, les augmentations atteignent 50 %, sans compter celle des allocations familiales ;

— la pénurie engendre l'inflation. Certes le gouvernement fait bloquer les prix, mais cette politique dure peu de temps car les producteurs renâclent. Rigueur ou satisfaction des attentes, tel est le dilemme qui s'impose alors au gouvernement. Pierre Mendès France, ministre de l'Economie nationale, choisit la rigueur : blocage des prix et des salaires, blocage des moyens monétaires, en attendant la reprise de l'activité économique. Mais il est désavoué par de Gaulle. Celui-ci se rend aux arguments des ministres qui estiment que l'austérité et la rigueur vont entraîner de « périlleuses convulsions ». Pierre Mendès France démissionne du gouvernement, tandis que l'inflation prend une irrésistible ampleur (+ 40 % en 1945). La France s'installe, pour longtemps, dans la spirale inflationniste puisque les salaires courent pour rattraper les prix.

Le CNR a élaboré un long programme de réformes pour libérer la France de l'influence des trusts. Rénovation de l'économie par les nationalisations et la planification, transformation des rapports sociaux, tels sont les projets ambitieux des mouvements de Résistance.

Les partis politiques présents au gouvernement acceptent ces perspectives avec faveur (Parti socialiste, démocrates-chrétiens, Parti communiste) ou s'y résignent (radicaux, modérés). De Gaulle, qui ne manque jamais de rappeler qu'il n'a pas vu de nombreux patrons à Londres, inscrit ces objectifs dans le programme du GPRF. L'idée prévaut que l'Etat doit assumer la responsabilité de la reconstruction en définissant les orientations et en confiant à la collectivité « les grandes sources de richesses ». Officiellement, les projets suscitent une large adhésion ; les adversaires sont minoritaires et, dans la conjoncture, doivent se taire.

Mais si l'accord se réalise sur une stratégie, le choix de l'économie dirigée n'est pas assumé avec une totale cohérence. Il n'est pas question de nationaliser ni de collectiviser toutes les sources de richesse : le socialisme n'est pas à l'ordre du jour. De même si l'on imagine la nécessité du plan, il n'est pas question de construire une planification autoritaire, obligatoire et générale. La place effective de l'Etat, celle du service public ne sont pas clairement déterminées. Les moyens ne sont pas clairement précisés. Réticences, contradictions, hésitations provoquent d'inévitables ambiguïtés.

Les nationalisations

Si les nationalisations font partie du programme de la Résistance, le climat social de la Libération les impose. Comme le montre l'ampleur de socialisations locales d'entreprises (surtout en France méridionale), les ouvriers révèlent une profonde volonté de participer à la gestion des entreprises. Des raisons patriotiques alimentent souvent ce mouvement nationalisateur « venu d'en bas » qui rencontre un profond écho parmi les employés, les techniciens et les cadres. L'opinion française — comme le soulignent bien des sondages — en approuve le principe. La conjoncture sociale et politique est donc favorable à la réforme des structures économiques. Pourtant, les mesures prises par le gouvernement sont assez limitées.

Deux grandes vagues de nationalisations se développent en 1945-1946. Une troisième vague plus tardive va suivre, mais s'inscrit dans un mouvement différent.

Au cours de l'automne 1944 et de l'hiver 1944-1945, l'Etat nationalise les Houillères du Nord - Pas-de-Calais, les Usines Renault et l'entreprise de moteurs d'avions Gnôme et Rhône. Dans le premier cas, l'Etat modifie la gestion des Houillères mais non la propriété. Dans les second et troisième cas, il s'agit de sanctionner des chefs d'entreprises soupçonnés de collaboration avec l'occupant.

La timidité du gouvernement peut trouver plusieurs explications :

— le gouvernement provisoire n'a pas la légitimité constitutionnelle nécessaire pour s'engager hardiment dans cette voie. C'est le point de vue de Charles de Gaulle, des radicaux, des démocrates-chrétiens ;
— les experts économiques estiment que de telles mesures n'admettent pas l'improvisation. Ils préconisent préparation et prudence ;
— les organisations politiques et syndicales très favorables aux nationalisations se partagent sur leur ampleur et leurs modalités. En effet, si la SFIO s'impatiente, le Parti communiste montre plus de réserve, car il craint que les militants, en confondant nationalisations et socialisme, ne se démobilisent.

L'année 1945 et le premier semestre de l'année 1946 voient se réaliser un projet politique cohérent et ambitieux. L'Etat veut se donner les moyens d'engager une action économique efficace pour accélérer la reconstruction et la modernisation. Les nationalisations touchent cette fois :

— le secteur bancaire : Banque de France, les quatre principales banques de dépôt (Crédit lyonnais, Société générale, Banque nationale pour le commerce et l'industrie, Comptoir national d'escompte de Paris) ;
— les assurances ;
— les ressources énergétiques : toutes les compagnies charbonnières, l'électricité et le gaz.

Ces nationalisations sont longuement discutées. Mais elles ne manquent pas d'ambiguïté ni de contradictions. Ainsi la nationalisation ne concerne pas les banques d'affaires ; toutes les compagnies d'assurances ne sont pas visées. En fait, à travers elles, l'Etat amplifie une tendance au dirigisme économique et cherche assez peu à confier à une nouvelle élite, issue du syndicalisme, la mission d'engager la « bataille de la production ». Par ailleurs, la nationalisation sanction est abandonnée : les anciens actionnaires reçoivent des indemnisations substantielles. A la tête des entreprises nationales sont nommés, le plus souvent, des hauts fonctionnaires qui, d'ailleurs, en se transformant en véritables managers, vont moderniser l'économie et contribuer à l'évolution des méthodes et des conditions de travail.

Cependant, le climat politique et social change rapidement. Si 70 % des Français approuvent les nationalisations au début de 1945, moins de 45 % maintiennent leur approbation un an plus tard.

Les nationalisations réalisées intéressent moins. Les ouvriers et les employés, que préoccupent la vie quotidienne et l'inflation, manifestent moins d'enthousiasme à l'égard de la gestion des entreprises, car les nationalisations ne leur ont pas donné le pouvoir. Les chefs d'entreprise commencent à relever la tête et se préparent à constituer le Conseil national du patronat français (CNPF). Par ailleurs, la puissance supposée des syndicats et la recrudescence des grèves commencent à inquiéter une population qui veut reprendre une vie meilleure, alors que persistent rationnement et pénurie.

La troisième vague de nationalisations, au cours du premier semestre de 1948, n'a pas les ambitions de la précédente. La création de société d'économie mixte dans les transports (Air France, RATP, Marine marchande) relève d'une tradition nationale des services publics contrôlés par l'Etat. Le temps des expropriations est passé. Les quelques nationalisations locales et sauvages engagées à l'automne 1944 ne sont pas régularisées. Néanmoins, les choix de 1944-1946 sont maintenus, preuve que l'objectif de reconstruction économique et de modernisation persiste.

La planification

Le 3 janvier 1946, un décret signé par le président du gouvernement provisoire crée, sans consultation de l'Assemblée, un « premier plan d'ensemble pour la modernisation et l'équipement économique de la métropole et des territoires d'outre-mer ». Il reçoit pour missions de « développer la production nationale et les échanges extérieurs », d' « accroître le rendement du travail, d'assurer le plein emploi de la main-d'œuvre », d' « élever le niveau de vie de la population ». Un commissaire au plan, Jean Monnet, est nommé ; il est aidé par un « Conseil du Plan » qui est chargé de faire toutes les propositions utiles au gouvernement.

L'idée de planification a germé en France dans les années 1920. En effet, après la première guerre mondiale, la CGT en a fait une des références de son programme de revendications économiques. Dans les années 1930, le mouvement s'est élargi à des ingénieurs, à des économistes, à des fonctionnaires qui se réfèrent aux interventions de l'Etat en temps de guerre. La crise économique impose, selon eux, à l'Etat d'organiser et de rationaliser la production économique. Dans une certaine mesure, le régime de Vichy avait repris quelques-unes de ces préoccupations.

Jean Monnet ne partage pas tous ces points de vue. Homme d'affaires impliqué dans le commerce international, il définit une planification expérimentale et pragmatique. Le plan doit permettre, dans un premier temps, d'organiser le ravitaillement des Français et des industries, programmer les aides financières venues de l'étranger. Mais dans un deuxième temps, il doit préparer la reconstruction d'entreprises capitalistes. La planification, selon Jean Monnet, doit permettre à l'économie de marché de mieux fonctionner et de mieux répondre à la nouvelle conjoncture internationale. Elle doit aussi coordonner l'effort national et favoriser l'adhésion de tous les partenaires du renouveau indispensable. Entouré de quelques hauts fonctionnaires, d'experts économiques et de techniciens brillants, Jean Monnet élabore le premier plan français et contribue à donner à l'Etat les instruments d'une politique économique active et efficace.

Prévu pour quatre années, ajustable à tout moment, le plan sélectionne et hiérarchise les priorités économiques. L'objectif principal consiste à produire et à moderniser de manière simultanée ; il faut rattraper en 1949 le niveau de production atteint en 1929. Le plan impose ses contraintes dans les entreprises nationalisées et le secteur public ; mais il n'est qu'incitatif pour les entreprises du secteur privé qui peuvent négocier des contrats avec l'Etat.

Pourtant, le plan ne dispose pas de grands moyens d'action et, notamment, manque de moyens financiers. Néanmoins, le consensus initial, le pragmatisme de ses créateurs et l'aide américaine favorisent son succès.

Vers l'Etat-providence ?

La conjoncture de la Libération favorise l'adoption de réformes qui modifient les rapports sociaux dans la vie quotidienne comme dans l'organisation du travail. L'espérance de changements profonds qui anime les salariés, les engagements de la Résistance et le programme du CNR, la volonté du général de Gaulle d'atténuer les conflits sociaux, comme la force politique des partis de réforme sociale et la pression des syndicats réorganisés, la marginalisation du patronat et des milieux conservateurs poussent à l'adoption de réformes sociales qui définissent de nouvelles règles du jeu et un nouveau statut du salarié. Trois directions principales sont retenues :
— le salarié et l'entreprise ;
— la Sécurité sociale ;
— l'organisation professionnelle.

Le salarié et l'entreprise

Une ordonnance publiée le 22 février 1945 impose la création de comités d'entreprises dans les établissements industriels commerciaux qui emploient plus de 100 salariés.

Cette mesure n'est pas entièrement nouvelle. Elle complète la loi de 1936 sur les délégués du personnel et reprend certaines dispositions mises en œuvre à l'époque du gouvernement de Vichy. Elle répond aussi aux exigences de l'actualité puisque dans de nombreuses entreprises se sont créés, au second semestre 1944, des comités de gestion qui prennent en charge l'administration d'établissements d'où les patrons ont été chassés. Certes, le projet est inscrit dans le programme du CNR, mais l'adoption rapide de cette mesure vise aussi à mettre un terme à l'agitation dans les usines et les ateliers.

L'ordonnance de 1945 ne met pas en cause l'autorité du chef d'entreprise ni sa fonction de direction. Le comité a un rôle consultatif, sauf en ce qui concerne les affaires sociales qu'il gère. Composé d'élus sur listes syndicales, il a un droit de regard sur la comptabilité de l'entreprise, donne des avis sur son fonctionnement. Cet organe de contrôle peut introduire une nouvelle conception de la gestion, mais le chef d'entreprise est libre de retenir ou de refuser les avis.

Une loi adoptée le 16 mai 1946 élargit les effets de l'ordonnance à tous les établissements de plus de 50 employés. Deux autres mesures concernent le statut du salarié :

— la loi du 23 décembre 1946 rétablit les conventions collectives et ouvre, à nouveau, le dialogue social. Mais les problèmes que posent la reconstruction et la crainte d'une accélération de l'inflation incitent le gouvernement à exclure les salaires des discussions entre patrons et salariés ;
— la loi du 30 octobre 1946 sur la prévention des accidents du travail marque le point de départ d'un nouveau droit de la santé du travail puisqu'il s'agit de prévenir et non plus seulement de réparer.

Ces réformes tendent à établir un meilleur équilibre entre les chefs d'entreprises et les employés. Elles visent à remplacer les conflits par la négociation et la coopération. Opportunité politique et sociale et volonté de rénovation conjuguent leurs effets pour compléter l'évolution des rapports sociaux.

La Sécurité sociale

C'est une idée nouvelle qui finit par s'imposer. Alors que les dispositifs créés dans les décennies antérieures (mutualité, assurance maladie, retraites) cherchent à réduire les difficultés de la vie quotidienne, la Sécurité sociale impose la conception du droit de vivre et du bien-être. En ce sens, elle contribue à construire ce que l'on a appelé l'Etat-providence. Ce droit est inscrit dans le préambule de la Constitution de 1946.

La mise en place de cette politique sociale s'effectue en plusieurs étapes :

— des ordonnances du 30 décembre 1944 augmentent les cotisations des assurances sociales ;
— les ordonnance d'octobre 1945 rattachent les assurances à un organisme unique et inscrivent tous les salariés à la Sécurité sociale. Le financement de cet organisme est assuré par les cotisations des employés et des employeurs ;
— la gestion des caisses régionales et nationales de la Sécurité sociale est assurée par les salariés qui élisent leurs administrateurs sur listes syndicales.

La Sécurité sociale couvre les risques de la maladie, de l'invalidité et de la vieillesse ; elle gère les prestations familiales qui retrouvent leur autonomie en 1948. L'Etat garde à sa charge les risques du chômage, tandis que les entreprises doivent couvrir les risques des accidents de travail.

Le principe d'une généralisation de la Sécurité sociale à tous les Français est acquis en 1946. En effet, les salariés sont les seuls assujettis initiaux et ne représentent pas la majorité de la population. Mais l'application de cette ambition tarde vingt ans. Par ailleurs, subsistent des « régimes particuliers » : mineurs, fonctionnaires, cheminots gardent leur organisation. L'obligation éventuelle soulève débats dans les catégories sociales plus individualistes comme les paysans, les artisans ou les commerçants. La charge financière immédiate peut apparaître, pour certains, d'autant plus lourde que la Sécurité sociale organise un véritable transfert des revenus. En effet, en organisant une forme de solidarité sociale, elle répartit le coût des risques sur l'ensemble des salariés inscrits.

Si des critiques surgissent en 1945-1946, la population va manifester rapidement son attachement à une politique sociale qui permet de s'affranchir des inquiétudes du lendemain.

L'organisation professionnelle

Dès avant son installation à Paris, le gouvernement provisoire abolit la Charte du travail et rétablit les syndicats dans leurs droits, leurs attributions et leurs biens de 1939. La liberté syndicale est donc restaurée selon les termes des lois de 1884 et de 1920.

Mais l'immédiat après-guerre se caractérise aussi par une évolution sensible, à terme, du syndicalisme. En effet, ses principes fondamentaux en faisaient un instrument de contestation du pouvoir économique et de défense des salariés. Or, en 1944-1945, le besoin se fait sentir de disposer d'interlocuteurs efficaces auprès des salariés. C'est pourquoi le gouvernement provisoire décide de reconnaître les organisations syndicales qui ont des états de services patriotiques et qui expriment leur loyauté à l'égard de la politique sociale. Ainsi s'établit un système où le syndicalisme devient un acteur sinon un partenaire principal dans l'application des mesures sociales.

Cette décision gouvernementale prend acte d'un phénomène né avant guerre, mais amplifié à la Libération : les professions veulent s'organiser pour pouvoir être représentées. Toutes les catégories professionnelles sont concernées par ce mouvement :

— le syndicalisme ouvrier bénéficie d'une forte poussée comme à d'autres moments cruciaux (1936). En 1945-1946, les effectifs de six millions de syndiqués semblent être dépassés ;
— les cadres et les techniciens fondent la Confédération générale des cadres (CGC) en 1944 avec l'ambition de définir une voie intermédiaire entre les revendications ouvrières et les exigences patronales ;
— pour disposer de moyens de pression sur les pouvoirs publics, les anciens syndicats agricoles fusionnent dans une Confédération générale de l'agriculture (CGA). La Fédération nationale des syndicats d'exploitants agricoles (FNSEA) est constituée en 1946.

Mais cette organisation des professions demeure fragile. En effet, les discordes et les tensions persistent. C'est le cas notamment du syndicalisme ouvrier qui, sous couvert d'un accord officiel, cache mal des divisions et son émiettement. La CFTC, qui a sensiblement progressé depuis les années 1930, continue de défendre ses références chrétiennes dans le monde du travail. La CGT, où les communistes sont devenus les maîtres, et qui exerce une forte puissance (environ 5 millions d'adhérents), se prépare à l'éclatement. Le syndicalisme n'est pas en état de devenir un partenaire décisif dans la définition d'une politique économique et sociale. La rénovation est donc limitée.

La mise en place d'un nouveau régime constitutionnel (1944-1946)

Les ambitions de la Résistance vont à un renouvellement profond des règles et de l'organisation de la vie politique nationale. Les résistants rejettent le retour de la IIIe République et le régime parlementaire inefficace et bavard qu'elle peut représenter, mais réprouvent aussi le système de Vichy pour ses atteintes profondes à la démocratie et à la légalité républicaine. Dès lors, la majorité des hommes de la Résistance se prononce pour une République libérale dotée d'un gouvernement fort et cohérent, qui parvienne à s'imposer à un Parlement dont l'activité serait tempérée. Cette exigence initiale préside à la réorganisation progressive des pouvoirs publics. Mais, assez vite, l'aspiration au renouveau est compensée par le retour en force des pratiques traditionnelles dans la vie politique française.

Le renouvellement et ses limites

Beaucoup de parlementaires qui ont abdiqué leurs pouvoirs entre les mains du maréchal Pétain, en juillet 1940, sont exclus de leur parti ou sont frappés d'inéligibilité. Cette circonstance impose un véritable renouvellement du personnel politique et la promotion d'une génération de la Résistance.

De nombreux hommes politiques commencent leur carrière dans la Résistance et la poursuivent ultérieurement, à droite comme à gauche, au Parlement comme au gouvernement. C'est le cas, notamment, chez les communistes, de Charles Tillon, chez les socialistes de Daniel Mayer, chef du Parti socialiste clandestin, ou de Christian Pineau, de Georges Bidault ou Maurice Schumann chez les démocrates-chrétiens, de Joseph Laniel chez les modérés, ou de Jacques Chaban-Delmas* et Maurice Bourgès-Maunoury chez les radicaux. Les partis politiques, les assemblées sont renouvelés en profondeur au moment de la Libération. Mais, peu à peu, avec le retour à une situation normale réapparaissent des hommes qui ont joué un grand rôle avant 1939 : Léon Blum chez les socialistes, Edouard Herriot ou Edouard Daladier chez les radicaux, Paul Reynaud chez les modérés, Maurice Thorez chez les communistes. Très vite l'amalgame permet la fusion entre les deux groupes au point que la distinction devient difficile à faire.

La Résistance a proposé de rétablir dans leurs compétences les partis politiques qui souvent cherchent à se rénover.

- La SFIO est le premier à se réorganiser dès l'automne 1944 en procédant, sous la direction de Daniel Mayer, à une épuration vigoureuse de tous ceux qui ont appuyé le régime de Vichy. Par ailleurs, Daniel Mayer propose une réforme de la vie politique et du jeu des partis afin de rajeunir la démocratie. Des discussions ont lieu avec le Parti communiste, mais aussi avec des acteurs de mouvements de résistance comme Libé-Nord ou l'OCM pour bâtir un grand mouvement de transformation sociale dans le cadre d'une Union travailliste.
- Le Parti radical, identifié aux échecs de la IIIe République, a du mal à renaître car, même si certains de ses animateurs ont participé à la Résistance (Henri Queuille, M. Bourgès-Maunoury), son image est très dégradée.
- Les modérés cherchent à réapparaître, mais ils sont souvent compromis avec Vichy et se montrent discrets. Cependant, Joseph Laniel puis, à son retour, Paul Reynaud essaient de rassembler les modérés.
- Le Parti communiste bénéficie d'une influence croissante, qu'il exploite habilement par l'intermédiaire de mouvements de Résistance comme le Front national. Il accueille de nombreux hommes nouveaux qui ont été séduits par l'efficacité des communistes après 1941 et par la propagande qu'il a développée.
- Les démocrates-chrétiens se sont organisés à l'automne 1944, dans le Mouvement républicain populaire. Le MRP souhaite se différencier des partis classiques en se dotant d'une organisation souple. S'il se défend d'être un parti confessionnel, il recrute surtout parmi les catholiques sociaux et les syndicalistes chrétiens et réunit des militants issus, pour la plupart, des mouvements de jeunesse

catholique. Le MRP, en se constituant, achève l'intégration des catholiques à la République. Mais si le mouvement représente une novation intéressante, il assume aussi l'héritage du Parti démocrate populaire des années 1920-1930. Georges Bidault, Maurice Schumann, Pierre-Henri Teitgen en sont les animateurs principaux.

• Au début de 1945, une force politique représentant effectivement la Résistance cherche à naître à travers la fusion du Front national et du Mouvement de libération nationale. Mais cette fusion échoue, car l'influence des communistes au sein du Front est trop importante. En fait, l'association de membres du MLN à ceux d'autres réseaux (Libé-Nord, OCM) va aboutir à la création d'un parti composite, l'Union démocratique et socialiste de la Résistance (UDSR), qui occupe une place marginale même si ses leaders exercent une influence indéniable (René Pleven, François Mitterrand).

Par-delà ces efforts de renouvellement, persistent des lignes de clivage plus classiques. Ainsi le souhait de bâtir une Union travailliste entre SFIO et MRP se heurte au principe de la laïcité sur lequel les deux partis ne parviennent pas à s'entendre. La SFIO soulève le problème du financement des écoles privées accordé par Vichy et demande, soutenue par les communistes, l'abrogation des subventions. Le MRP ne peut que s'opposer à cette démarche. De même, les projets de rencontres ou d'union entre les communistes et les socialistes soulèvent bien des contraintes et des arrière-pensées.

L'influence grandissante du Parti communiste qui se présente comme le parti des « fusillés » réveille les souvenirs de l'avant-guerre pour limiter la portée de ces projets.

Premiers efforts pour sortir du provisoire

Selon les principes républicains, le gouvernement provisoire engage le processus électoral pour réorganiser l'administration et la gestion de l'Etat.

Au printemps 1945, les électeurs sont appelés à renouveler les municipalités. Dans la conjoncture politique difficile, cette première consultation permet d'évaluer l'importance des changements politiques depuis l'avant-guerre. Radicaux et modérés, fort influents en 1935, subissent un échec sensible. En revanche, les partis de gauche progressent, mais cette poussée profite plus aux communistes qu'aux socialistes qui éprouvent un net tassement. Le MRP réalise une percée honorable puisqu'il s'agit d'une nouvelle formation. Mais, dans bien des régions, les électeurs d'une droite désorientée y ont trouvé une excellente structure d'accueil. Le vote féminin (établi par l'ordonnance du 21 avril 1944), les perturbations politiques apportées par le Front populaire et Vichy et l'aspiration au renouvellement expliquent, dans une large mesure, la distribution des suffrages.

L'élection de l'Assemblée a lieu à l'automne. Selon la tradition libérale et démocratique, les députés doivent avoir la mission de discuter et de voter les projets constitutionnels. Mais de Gaulle se méfie du parlementarisme et, s'il admet l'élection d'une assemblée constituante, il impose le recours au référendum — pratique inutilisée depuis 1870 — pour préciser et limiter les compétences de l'assemblée élue. Cette exigence soulève l'inquiétude des partis politiques ; ils craignent une dérive plébiscitaire. Les controverses laissent des traces et tendent les relations.

Le 21 octobre 1945 (le gouvernement a jugé nécessaire d'attendre le retour des prisonniers et des déportés d'Allemagne), les Français sont appelés à émettre deux votes. Par le premier, ils choisissent les députés. Par le second, ils répondent à deux questions du référendum sur la nature des pouvoirs qu'ils accordent aux élus, constituants ou non, sur la durée du mandat de l'assemblée et sur les compétences du chef du gouvernement provisoire. La procédure complexe provoque bien des remous au sein des partis politiques. Le MRP et la SFIO proposent une réponse affirmative aux deux questions du référendum, tandis que les radicaux et les modérés appellent à une réponse négative. Pour les communistes, l'assemblée doit être constituante, mais les électeurs ne doivent pas réduire les compétences du Parlement.

Avec des nuances, les électeurs confirment leurs votes du printemps. Radicaux et modérés se maintiennent à un niveau modeste (10 % des voix pour chacun). Communistes, socialistes, MPR sont les principales forces politiques. Le Parti communiste confirme sa prééminence, mais le MRP le talonne d'assez près en engrangeant toujours une bonne partie des voix conservatrices. Mais la SFIO — troisième parti — obtient un résultat décevant puisqu'elle est devancée. Pourtant, l'audience du socialisme progresse légèrement auprès d'un électorat modéré qui tente de limiter l'hégémonie possible du Parti communiste.

Même si les références sont mouvantes, les élections de 1945 soulignent la forte poussée des formations politiques qui préconisent une rénovation. Plusieurs majorités politiques sont possibles. Les valeurs traditionnelles permettent de construire un nouveau Front populaire ; mais, marginalisés, les radicaux ne sont plus indispensables. Communistes et socialistes ont obtenu ensemble une courte majorité absolue ; mais les socialistes ne veulent pas d'un tête-à-tête permanent avec un Parti communiste plus puissant qu'eux. La raison impose l'union des partis et des hommes issus de la Résistance derrière de Gaulle. Mais les germes de division ne manquent pas : la laïcité, la place du Parti communiste, les problèmes constitutionnels.

L'Assemblée désigne de Gaulle comme chef du gouvernement. Le prestige de Charles de Gaulle, la volonté d'union pour la reconstruction, l'absence d'alternative crédible imposent de poursuivre la stratégie adoptée depuis août 1944. Pourtant, fort de ses succès électoraux répétés, le Parti communiste revendique des responsabilités conformes à son influence électorale. De Gaulle refuse de lui laisser les ministères réclamés. Une première crise éclate qui, malgré une solution habile (diviser le ministère de la Défense nationale), laisse des traces. Les partenaires du Parti communiste s'interrogent sur ses objectifs. Mais, plus généralement, les partis s'inquiètent des méthodes gaullistes qui semblent faire peu de cas des formations parlementaires. Et la crainte du communisme ne l'emporte pas sur les menaces supposées du gaullisme. Les accrochages se multiplient. De Gaulle apprécie peu les débats parlementaires, les interpellations dont il est l'objet. Il s'agace de la volonté tatillonne des élus d'exercer un contrôle permanent de l'action gouvernementale. Les députés sont rebutés par la hauteur, voire le mépris du chef du gouvernement, par son refus d'expliquer et de justifier. En fait, de Gaulle et les partis ont du mal à s'entendre parce que les projets et les ambitions sont de moins en moins communs.

Soudainement, le 20 janvier 1946, Charles de Gaulle donne sa démission. Dans un message au pays, il expose des raisons officielles : sa mission est remplie puisque la libération est faite et que la reconstruction s'engage. Devant les ministres, il dénonce le poids excessif des partis. Si les motifs de la démission sont clairs, ses objectifs le sont moins. De Gaulle choisit-il de faire pression sur les parlementaires et notamment ceux du MRP ? Sa décision est-elle provisoire ? définitive ? Selon Jean Charlot, l'historien, notamment, du gaullisme d'opposition, le départ n'est pas une retraite mais une tactique mûrie. De Gaulle veut un sursaut de ses partisans et particulièrement du MRP, il attend un rappel très rapide. Or, cette tactique échoue. Le MRP n'effectue aucune démarche auprès du chef du gouvernement démissionnaire et ne manifeste aucun regret public. D'ailleurs, il confirme très vite son alliance politique et gouvernementale avec les socialistes et les communistes. Ces derniers se gardent de toute intervention.

Les Français, pour leur part, apparaissent très surpris, mais n'affichent aucune inquiétude. Les sondages révèlent une opinion critique et une image de Charles de Gaulle dégradée. La population se préoccupe de la vie quotidienne, du ravitaillement, de la hausse des prix, tandis que de Gaulle passe pour songer d'abord au rang de la France dans le monde. S'il n'est pas consommé, le divorce est proche car, au moment de sa démission, de Gaulle n'obtient plus l'approbation d'une majorité de Français. Le chef du gouvernement a déçu ; son départ ne marque pas un coup de tonnerre. Le retour au pouvoir espéré va exiger un délai de douze ans.

La « charte de collaboration » des trois partis de la majorité — le tripartisme — est signée le 23 janvier 1946. Mais comme la confiance entre les organisations politiques au pouvoir se dégrade, il s'agit plus d'un pacte de non-agression que d'un programme de gouvernement. En effet, les trois partis, par contrat écrit, s'engagent à soutenir collectivement les décisions prises en commun et affirment une ambition commune : désigner un chef de gouvernement plus arbitre que capitaine qui puisse ne faire aucune ombre aux chefs des partis respectifs.

Le premier successeur de Charles de Gaulle, le socialiste Félix Gouin, se borne à partager les ministères avec équité, mais se garde bien de construire une véritable équipe ministérielle. Les responsabilités sont partagées : aux communistes et aux socialistes, les ministères économiques et sociaux, aux élus du MRP les ministères politiques (Affaires étrangères, Justice) ; les ministères de l'Intérieur et de l'Education nationale reviennent à des socialistes. Le second successeur de De Gaulle, le MRP Georges Bidault, accepte des modalités très voisines en dirigeant le gouvernement jusqu'à la mise en place des nouvelles institutions, en janvier 1947.

Dans le cadre provisoire de l'Assemblée constituante se met en forme la pratique d'un gouvernement des partis. En effet, ce sont moins les ministres ou les députés qui prennent les décisions essentielles que les chefs de partis, qui les répercutent dans les instances gouvernementales. Ce phénomène est d'autant plus important que ce sont souvent des militants de ces partis qui constituent désormais les cadres administratifs des ministères.

Les débats constitutionnels

Le référendum d'octobre 1945 a montré qu'une très forte majorité des électeurs et des électrices (96 %) rejette le système de la IIIe République. Ce vote des Français exprime donc une large victoire de De Gaulle. Mais le projet gaulliste de réduire le pouvoir parlementaire et d'imposer l'autorité gouvernementale divise l'opinion ; il obtient une majorité sensiblement affaiblie. La démission de De Gaulle trouve son origine aussi dans cette situation politique très complexe.

La discussion et l'élaboration de la nouvelle Constitution vont connaître plusieurs phases.

Au cours du premier semestre 1946, d'intenses débats se développent au sein de l'Assemblée. Les socialistes et les communistes se séparent du MRP pour essayer d'imposer un projet qui leur convienne. Une assemblée élue pour cinq ans disposerait de très larges pouvoirs. Elle élirait le président de la République et le président du Conseil que, par ailleurs, elle pourrait renverser par un vote de censure ; la dissolution de l'Assemblée, en ce cas, pourrait être prononcée. Les communistes et leurs alliés socialistes reprennent la tradition révolutionnaire : une assemblée unique très puissante, que leurs forces électorales conjuguées permettraient de contrôler.

Ce premier projet soulève une double opposition. Radicaux et modérés, favorables au retour à une IIIe République rationalisée, poursuivent leur stratégie du référendum : ne rien modifier aux textes constitutionnels antérieurs. Le MRP refuse d'approuver une Constitution qui réduirait les compétences de l'exécutif et imposerait l'omnipotence d'une assemblée unique. Les maigres concessions qu'il obtient au terme de négociations tendues l'encouragent à ne pas modifier sa position.

Soumis à l'Assemblée, ce projet est adopté par la majorité constituée par les communistes et les socialistes. Mais, selon les termes du référendum d'octobre 1945, les Français doivent ratifier le texte parlementaire. Le 5 mai 1946, à une majorité de 53 % des suffrages, les Français repoussent la Constitution. Si le débat semble opposer la gauche et la droite, il partage aussi la SFIO où certains militants s'interrogent publiquement sur le poids communiste à l'Assemblée.

La première Assemblée constituante est dissoute ; une nouvelle assemblée doit être élue pour élaborer un nouveau texte. Les élections du 2 juin 1946 permettent au tripartisme de conserver la majorité. Mais l'équilibre interne des forces politiques se modifie. Le MRP dépasse le score du Parti communiste et devient, avec plus de 28 % des suffrages exprimés, le premier parti de France. Les communistes se maintiennent tandis que les socialistes régressent légèrement et gardent la troisième place. La gauche perd la majorité absolue ; une majorité de Front populaire n'est plus envisageable. En revanche, les progrès du MRP qui amorce une orientation à droite et la stabilité des modérés permettent d'imaginer une coalition centriste. Le MRP exploite la nouvelle situation parlementaire pour obtenir des concessions significatives de ses partenaires.

Un projet est mis en chantier qui restaure une deuxième assemblée ; le Conseil de la République est créé de même que le Conseil de l'Union française. Le président de la République, élu par le Congrès, retrouve des compétences proches de celles de ses prédécesseurs de la IIIe République.

Au moment où les députés commencent la discussion du nouveau projet, Charles de Gaulle intervient publiquement. Le 16 juin, dans son discours de Bayeux, il dénonce les tractations et les compromis, critique sévèrement le projet et soumet au pays ses propositions. Pour de Gaulle, il est essentiel que le gouvernement ne procède pas du Parlement afin que l'on ne confonde pas les pouvoirs et que l'exécutif puisse disposer de l'autorité dont il a besoin. La clé de voûte du système gaulliste serait le président de la République élu non par les assemblées, mais par un collège électoral élargi ; il recevrait la mission d'être le gardien de l'intérêt national et l'arbitre suprême.

Le discours de Bayeux cherche à exploiter la situation politique et à obliger le MRP à se séparer des socialistes et des communistes. Pourtant, loin de contribuer à rapprocher le MRP de De Gaulle, le discours de Bayeux l'éloigne encore plus. Car le MRP, à l'instar des socialistes, juge l'intervention du général de Gaulle comme une « sommation ». Par ailleurs, tous les partis réprouvent la proposition qui réduirait trop fortement les pouvoirs parlementaires. Dans ces conditions, loin de favoriser le retour de De Gaulle au pouvoir, le discours de Bayeux laisse croire que des menaces se profilent et qu'il faut les endiguer. Georges Bidault comme Léon Blum sont d'accord pour estimer nécessaire d'écarter ce « projet dangereux et inviable ». La rupture est consommée entre de Gaulle et les partis politiques.

Le discours de Bayeux a donc un effet inattendu : ressouder les partis au pouvoir et élargir leur influence parlementaire. Car ce sont les défenseurs du Parlement qui peaufinent le texte voté à une très forte majorité. La Constitution est soumise à référendum le 13 octobre 1946. Si un tiers des électeurs s'abstiennent, une majorité étroite mais réelle (53 % des suffrages) l'adopte, malgré une nette condamnation de De Gaulle.

La Constitution de 1946 est un compromis entre les partis attachés à la prépondérance du Parlement ; en ce sens, elle restaure le régime parlementaire. Mais ce régime parlementaire est très déséquilibré, car l'Assemblée nationale devient la clé de voûte des institutions. Le Conseil de la République ne retrouve pas les pouvoirs du Sénat de la IIIe République. Le président de la République, élu en Congrès par les deux chambres, dispose de pouvoirs modestes même s'il désigne le président du Conseil. Cependant, la durée de sa magistrature (sept ans) peut lui permettre d'exercer sinon un rôle du moins une influence politique indéniable.

En revanche, la vie d'un gouvernement est suspendue au vote de la censure ou de la confiance par l'Assemblée nationale.

La mise en route de la IVe République

Elle se déroule en quatre étapes principales.

La logique institutionnelle impose le préalable de l'élection de l'Assemblée nationale. Les Français sont appelés à désigner leurs représentants le 10 novembre 1946. Cette cinquième consultation en un an exprime un certain malaise. La campagne manque d'enthousiasme ; l'abstentionnisme continue de progresser.

		% Inscrits	% Exprimés
Inscrits	25 053 233		
Abstentions	5 488 157	21,9	
Parti communiste	5 524 799	22	28,8
Parti socialiste (SFIO)	3 480 773	14	18,1
Radicaux	2 190 712	8,7	11,4
MRP	5 053 084	20,2	26,3
Indépendants	2 953 692	11,8	15,4

Comparativement aux élections de juin 1946, les résultats soulignent que le paysage politique demeure sans grands changements.

Les trois principaux partis, PCF, socialistes, MRP, gardent leur primauté. Mais les équilibres internes sont à nouveau modifiés puisque le Parti communiste, en léger progrès, redevient le premier parti de France et devance le MRP, en léger recul. Les socialistes subissent une nouvelle érosion ; le refus de choisir entre la gauche et la droite est sanctionné par le corps électoral. Les radicaux associés à l'UDSR dans le Rassemblement des gauches républicaines (RGR) gardent leur stabilité mais à un niveau toujours modeste. Les modérés constituent le quatrième parti et sauvegardent leurs positions antérieures. Ils gagnent quelques sièges aux dépens du MRP et de la SFIO.

Cependant, le climat politique change assez sensiblement :

— le MRP et le PCF se sont affrontés directement pendant la campagne en annonçant qu'ils s'excluaient mutuellement. Le maintien du tripartisme devient plus malaisé ;
— la nouvelle perte d'influence de la SFIO interdit toute majorité absolue à gauche. D'ailleurs, désorienté, le Parti socialiste cherche sa voie. Léon Blum soutenu par Daniel Mayer souhaite renouveler en profondeur l'idéologie et l'organisation du parti, pour mieux répondre aux vœux des électeurs. Mais la majorité des militants, séduite par le rappel de la tradition marxiste, porte à la tête de la SFIO un nouveau secrétaire général, Guy Mollet, qui gardera ses fonctions pendant vingt-trois ans. La rigueur idéologique n'interdit pas un grand pragmatisme politique.

Le Conseil de la République est élu les 24 novembre et 8 décembre 1946. Le Parti communiste et le MRP obtiennent une majorité écrasante.

Le 16 janvier 1947, réunies en Congrès, les deux assemblées procèdent à l'élection du président de la République. Dès le premier tour de scrutin, elles élisent Vincent Auriol, le président de l'Assemblée nationale.

Celui-ci, qui est âgé de 63 ans, appartient à la SFIO. D'origine modeste, il exerce la fonction d'avocat avant de devenir l'expert financier du Parti socialiste dans les années 1930. Ministre des Finances du gouvernement Léon Blum en 1936, il doit décréter la dévaluation du franc en septembre 1936. Dans le gouvernement présidé par Camille Chautemps en 1937, il assume la responsabilité de ministre de la Justice et de garde des Sceaux. Il rejoint la Résistance très tôt après avoir refusé les pleins pouvoirs à Pétain le

10 juillet 1940. L'Assemblée constituante le désigne comme président en février 1946. Vincent Auriol est un fidèle de Léon Blum. Il souhaite en 1945-1946 la rénovation du parti afin de mieux l'adapter à la nouvelle société. Homme d'Etat, convaincu de la prééminence de la fonction présidentielle, il va exercer ses fonctions en étirant les compétences que lui accorde la Constitution. Une présidence fort active lui permet d'imposer une magistrature d'influence efficace. L'Assemblée nationale désigne pour lui succéder à la présidence le cacique de la IIIe République, le leader radical Edouard Herriot.

Le nouveau président de la République propose à l'investiture de l'Assemblée, comme président du Conseil, Paul Ramadier, membre de la SFIO. A l'unanimité, celui-ci obtient l'investiture sollicitée.

Agé de 59 ans, avocat, animateur de coopératives ouvrières dans l'Aveyron, Paul Ramadier a été député sous la IIIe République. Membre de la SFIO, puis de l'Union socialiste et républicaine, il devient sous-secrétaire d'Etat aux Mines dans les gouvernements Léon Blum et Camille Chautemps, puis ministre du Travail dans le gouvernement Daladier en 1938. Le 10 juillet 1940, il refuse les pleins pouvoirs à Pétain qui le fait révoquer de ses fonctions de maire de Decazeville pour appartenance à la franc-maçonnerie. Membre de l'Assemblée consultative provisoire en 1944, il réintègre la SFIO.

Cet homme intègre, estimé de tous les parlementaires, est un humaniste très cultivé. Sa pensée politique peut se résumer en une formule : République et socialisme sont étroitement liés. Socialiste pragmatique, gestionnaire sérieux, Paul Ramadier est confronté à une conjoncture politique intérieure et internationale qui évolue rapidement.

La nomination des principaux responsables politiques de la IVe République montre que le choix s'est porté sur des hommes d'expérience, rompus à la pratique du pouvoir politique. C'est le résultat de l'amalgame qui donne à la Résistance toute son influence politique. Mais elle révèle aussi que la rénovation est tempérée et que les risques de retour aux pratiques de la IIIe République sont grands. D'ailleurs, investi par l'Assemblée, le nouveau président du Conseil sollicite des parlementaires la confiance qu'il croit nécessaire. Ce choix, que n'impose pas la Constitution, restaure la suprématie de l'Assemblée et affaiblit l'autorité gouvernementale. Ce faux pas initial va marquer l'évolution ultérieure du régime.

La fin du tripartisme puis la Troisième Force (1947-1952)

Cette étape, qui marque la première législature de la IVe République (1947-1951), liquide en partie l'héritage de la guerre et fait entrer la France dans une nouvelle configuration politique.

1947 : l'année de tous les dangers

Paul Ramadier compose un gouvernement qui, par certains aspects, peut paraître d'union nationale. En effet, aux côtés des ministres issus du tripartisme et qui assument les responsabilités principales, le président du Conseil fait appel à des modérés et à des radicaux. Mais Paul Ramadier refuse les dosages demandés par les partis en considérant qu'un gouvernement démocratique n'est pas nécessairement le gouvernement des partis politiques. A la tête d'un gouvernement qu'il veut solidaire, il prétend gouverner, c'est-à-dire régler les problèmes qui se posent au pays. Or, en 1947, ces problèmes sont multiples et difficiles.

• La situation économique est désastreuse ; la production plafonne à un niveau modeste ; la reprise industrielle se fait attendre, tandis que le ravitaillement demeure très malaisé. La France dépend toujours de l'étranger ; elle doit importer blé, charbon, matières premières, machines, sans pouvoir exporter, car la demande intérieure est plus forte que l'offre. Du fait de ses moyens financiers et budgétaires réduits, elle doit emprunter auprès des Etats-Unis. La tendance inflationniste, loin de s'atténuer, s'aggrave et maintient un pouvoir d'achat médiocre.

• La crise sociale se rapproche car la lassitude et le découragement gagnent la population. La baisse de la ration quotidienne de pain, la montée rapide des prix et la stagnation des salaires provoquent le désenchantement des milieux populaires. Les appels au civisme demeurent sans écho, tandis que des grèves spontanées éclatent un peu partout et débordent les organisations syndicales dès la fin de l'hiver 1946-1947.

• La montée des tensions internationales. La mainmise de l'URSS sur les pays de l'Europe centrale qu'elle a libérés, le maintien d'une armée soviétique nombreuse et mobilisée, les malentendus entre Américains et Soviétiques dégradent le climat international. Dès le mois de mars 1946, Churchill, le premier ministre britannique, parle du rideau de fer. L'Allemagne devient publiquement une pomme de discorde entre les vainqueurs de la guerre, tandis que les Etats-Unis définissent en mars 1947 la doctrine de l'endiguement du communisme (doctrine Truman).

- A toutes ces difficultés s'ajoutent les premiers incidents sérieux en Indochine ; de surcroît, l'insurrection gagne Madagascar.

La crise multiforme que le pays traverse en 1947 se nourrit de ce climat dégradé. Plusieurs étapes la caractérisent et additionnent leurs effets.

- La révocation des ministres communistes et la rupture du tripartisme constituent la première phase. Depuis la constitution du gouvernement Ramadier, les escarmouches se multiplient entre le Parti communiste et les partenaires de la coalition ministérielle. Si les ministres communistes manifestent leur solidarité (Maurice Thorez, François Billoux, Charles Tillon, Ambroise Croizat, Georges Marrane), les députés communistes se montrent plus critiques. Une première escarmouche éclate sur la politique indochinoise le 22 mars 1947 ; les députés communistes ne votent pas la confiance. Mais c'est la politique économique et sociale qui provoque la rupture. Le blocage des prix et des salaires, dans le cadre de l'austérité nécessaire, soulève le mécontentement des salariés qui s'exprime à travers la flambée des grèves. La CGT hésite à apporter son soutien au mouvement mais, devant son ampleur, s'y rallie, fin avril 1947. L'Assemblée nationale est appelée à débattre de la situation et à renouveler sa confiance au gouvernement. Le 4 mai, les communistes — députés et ministres — refusent d'approuver la politique de rigueur économique du gouvernement.

Même si le tripartisme développe une conception assez vague de la solidarité ministérielle, le vote des ministres communistes crée une situation politique sans précédent dont le parti évalue mal la gravité symbolique. Le président du Conseil, plutôt que de démissionner, préfère révoquer les ministres communistes le 5 mai 1947 et reconstituer un gouvernement axé un peu plus à droite. Cette démarche est approuvée par les instances de la SFIO qui semblent y voir une décision ponctuelle sans portée d'avenir, une péripétie politique plus qu'un tournant déterminant. C'est en partie le point de vue des militants et des élus communistes.

Les communistes portent une responsabilité essentielle dans le déclenchement de la crise. Mais leur stratégie de parti de la classe ouvrière les contraint à tenir compte des réactions populaires ; à ce titre, il leur est difficile d'approuver une politique économique trop impopulaire. Par ailleurs, il faut rappeler que, depuis le référendum d'octobre 1946, le MRP cherche à récupérer une partie des voix qu'il a perdues et, pour y parvenir, n'hésite pas à souligner qu'il constitue le meilleur barrage contre l'influence du communisme. La création par de Gaulle, un mois plus tôt, en avril, d'un nouveau parti, le RPF, convainc les dirigeants du MRP qu'ils doivent élargir leur audience et réduire cette concurrence. Enfin, le chef du gouvernement qui prétend promouvoir la solidarité ministérielle ne peut admettre une telle indiscipline parce qu'il doit sauvegarder l'avenir.

Bien des préoccupations tactiques déterminent donc les choix des principaux acteurs qui peuvent partager la conviction d'un accident réparable. La conjoncture internationale et la situation intérieure vont imprimer un autre cours à ce qui aurait pu n'être qu'une péripétie.

• L'entrée en guerre froide aggrave la rupture du tripartisme. En effet, depuis la fin de la guerre, les gouvernements français se sont efforcés de maintenir des liens avec les Américains et les Soviétiques. De par la nature des rapports entre l'URSS et le Parti communiste, la présence au gouvernement de ministres communistes et non communistes garantit un équilibre qui persiste après le déclenchement de la brouille entre les deux Grands. L'annonce par les Etats-Unis, au début du mois de juin 1947, d'une aide économique et financière à l'Europe — le plan Marshall — perturbe la stratégie internationale de la France. Refusé par l'URSS et par les communistes européens, le plan Marshall provoque la rupture officielle entre les Grands, mais aussi entre les partis communistes et les autres. Il fait naître, en France et dans toute l'Europe occidentale, de nouvelles tensions internes. En l'acceptant, le gouvernement français espère bénéficier des moyens de poursuivre sa politique économique de modernisation et d'équipement en limitant les risques sociaux et politiques. Par ce choix, il s'aligne sur les positions américaines et choisit le camp occidental dont il est plus proche idéologiquement et dont, de surcroît, il peut attendre blé, matières premières et investissements nécessaires à la survie et à la reconstruction françaises. Mais il rompt avec le Parti communiste qui s'aligne sur l'URSS et Staline. La guerre froide impose une nouvelle majorité politique.

• La crise sociale de l'automne 1947 est d'une exceptionnelle gravité. Au début de l'été, une vague de grèves, souvent spontanées, se développe en France. Après une certaine accalmie, l'agitation reprend à l'automne. Les fonctionnaires réclament un « rattrapage des salaires » avant que les mineurs et les ouvriers métallurgistes ne prennent le relais en novembre 1947. Dans certaines régions, l'agitation prend des formes proches de l'émeute comme à Marseille ou dans certaines villes du Sud-Est. La flambée des prix et le mécontentement profond qu'elle suscite sont à l'origine du mouvement. Mais en s'élargissant, celui-ci obtient le soutien très actif de la CGT — contrôlée par les communistes — et du Parti communiste lui-même qui invitent les salariés à intensifier la lutte sociale et à combattre avec fermeté le plan Marshall. La peur de l'insurrection, entretenue par une tension persistante, notamment dans le Nord, gagne les milieux ministériels ; les forces de l'ordre ne semblent pas en état de réduire l'agitation. Paul Ramadier doit démissionner le 19 novembre ; son successeur, Robert Schuman, qui appartient au MRP, ne réussit pas mieux. Pourtant, le 9 décembre, la CGT, contre toute attente, donne l'ordre de cesser la grève et de reprendre le travail.

Qu'ont prétendu faire le PCF et la CGT à l'automne 1947 ? La réponse n'est pas simple, mais quelques remarques peuvent éclairer l'analyse. En effet, les grèves ont été politiques ; la nature des slogans et la résistance des non-communistes le soulignent clairement. Il est donc probable que les choix communistes relèvent d'une tactique adoptée par l'URSS. Mais ces grèves n'expriment pas une ambition insurrectionnelle. Les communistes ont exploité, à des fins politiques, une situation sociale tendue pour réaffirmer une vocation révolutionnaire. D'ailleurs, le parti retrouve ses accents de parti de classe et adopte une opposition systématique à tous les gouvernements et particulièrement au Parti socialiste.

Les conséquences de la crise sociale jouent un rôle déterminant sur la vie politique des années ultérieures :

— le Parti communiste perd, en quelques semaines, la respectabilité acquise depuis la guerre. Si dans l'immédiat, il n'y voit aucun inconvénient, à moyen et long terme le choix de 1947 lui est fort dommageable puisqu'il sera, de fait, écarté de la vie politique nationale pendant plus de trente ans ;

— une vague d'anticommunisme déferle et s'amplifie dans le pays. Elle affecte le personnel politique et l'électorat. Elle touche aussi le syndicalisme puisque la CGT perd à la fin de 1947 ses syndiqués hostiles aux communistes qui forment la CGT-Force ouvrière ; l'anticommunisme cimente cette nouvelle sécession. D'autre part, le refus de choisir amène les enseignants à fonder un syndicat autonome, la Fédération de l'Education nationale, dans laquelle les communistes occupent une place minoritaire ;

— le centre de gravité des majorités gouvernementales glisse vers la droite. Ces majorités reposent sur une coalition des socialistes, du MRP et des modérés ou radicaux. L'unité de la Résistance est donc rompue au profit d'équilibres politiques renouvelés jusqu'en 1951 : la « Troisième Force ».

Cette « Troisième Force » aura, en fait, à lutter sur deux fronts. L'année 1947 voit surgir une autre opposition que celle des communistes. En effet, le 7 avril 1947, Charles de Gaulle fait sa rentrée en invitant, à Strasbourg, les Français à créer un vaste mouvement en dehors des partis politiques organisés. Il s'agit d'engager l'action nécessaire au salut national et à la réforme de l'Etat.

D'emblée, l'opinion montre une grande faveur à l'égard de cette tentative. Les enquêtes d'opinion soulignent que plus du quart des Français se sentent proches des positions et des préoccupations gaullistes. Le Rassemblement du peuple français (RPF) se veut mouvement de masse, populaire ; en fait, il séduit d'abord les classes moyennes et les agriculteurs. Si de Gaulle prêche l'union nationale, il n'en demeure pas moins que son mouvement se nourrit peu à peu de l'anticommunisme ambiant et du malaise politique et social. Au fil des voyages et des discours en province, le flot des adhésions au RPF a tendance à gonfler. Il atteint environ 400 000 personnes au début de 1948. Sans engagements politiques antérieurs, ces adhérents nouveaux se recrutent de plus en plus dans les milieux modestes (fonctionnaires, ouvriers, artisans et petits commerçants).

Que faire de ce mouvement naissant ? De Gaulle croit pouvoir ébranler les partis politiques. Ceux-ci ripostent en rejetant la double appartenance politique. De Gaulle tente alors d'intervenir au Parlement en créant un groupe avec des députés sympathisants : c'est à nouveau l'échec. En octobre 1947, de Gaulle lance le RPF dans la bataille des élections municipales et obtient des résultats inespérés. En effet, le RPF recueille près de 40 % des suffrages exprimés dans les villes. Les principales villes passent sous la direction de maires gaullistes (Marseille, Bordeaux, Lille, Strasbourg, Grenoble, Nancy, Paris, etc.). Les électeurs de De Gaulle sont des mécontents du fonctionnement de la IVe République et attendent le retour au pouvoir du général et la réforme de la Constitution.

Le RPF multiplie les efforts de séduction en direction des parlementaires. Le MRP, qui apparaît comme le parti de la fidélité à de Gaulle, subit de multiples pressions. Mais les revendications gaullistes limitent les débauchages à quelques individualités comme Edmond Michelet ou Louis Terrenoire.

La politique de la Troisième Force

Combattue par les communistes et les gaullistes, la majorité ministérielle tente de résister. Mais elle est fragile parce que plusieurs lignes de clivage la traversent.

- Les problèmes économiques et sociaux peuvent rapprocher, sur certains thèmes, socialistes et MRP, mais les séparent des radicaux et des modérés. Les relations avec les syndicats, CGT-FO et CFTC, peuvent être déterminantes.
- En revanche, l'école et la laïcité continuent à rapprocher les socialistes et les radicaux, tandis que le MRP doit prendre ses distances avec ses partenaires. Le RPF utilise, comme les communistes, cette querelle politique classique pour tenter de dissocier la coalition.
- Les problèmes de l'outre-mer, et notamment ceux que soulève l'Indochine, contribuent à émietter la majorité. Si les socialistes et certains élus du MRP souhaitent une politique nouvelle, adaptée aux conditions politiques, les radicaux et les modérés auxquels se joignent la majeure partie des parlementaires MRP parlent de fermeté et de défense de l'Union française.

Dès lors, les gouvernements de Troisième Force sont contraints d'élaborer des compromis provisoires longs à bâtir ou de retarder une décision difficile. Les partis politiques qui pensent au maintien, sinon au progrès de leur influence électorale, songent aux moyens de reporter des solutions ou des mesures impopulaires. La durée de vie des gouvernements est courte, car bien souvent un problème sérieux (les crédits militaires, la politique indochinoise) provoque l'implosion de la coalition. Les mêmes hommes se succèdent à eux-mêmes, à des responsabilités différentes.

Parmi ces gouvernements de Troisième Force dirigés par des

parlementaires MRP (Robert Schuman ou Georges Bidault), radicaux (André Marie, Henri Queuille) ou UDSR (René Pleven), se distingue celui que préside le Dr Queuille. Député radical et ministre sous la IIIe République, le « Bon Dr Queuille » estime que l'homme d'Etat doit être capable de « retarder la solution des problèmes jusqu'à ce qu'ils aient perdu leur importance ». Prudent mais ferme, il préside le gouvernement le plus long de cette période (treize mois). En usant habilement ses adversaires communistes et gaullistes, il parvient à limiter et à réduire les tensions politiques.

Malgré leur faiblesse politique, les gouvernements de Troisième Force ne sont pas immobiles et se révèlent capables d'effectuer les choix qui engagent l'avenir et permettent de sortir peu à peu de la crise d'après guerre.

- Dans le domaine économique, ils poursuivent la politique élaborée par le tripartisme en s'appuyant sur les nationalisations, la planification et l'aide américaine du plan Marshall. Progressivement, la production industrielle reprend ; elle retrouve, en 1948, le niveau de 1938. De même, dès 1949, le commerce extérieur devient excédentaire. Mais l'agriculture reste à la traîne, tandis que l'inflation n'est pas totalement maîtrisée. Cette très sensible amélioration de la situation économique explique l'atténuation des difficultés sociales.
- Dans le domaine politique, ils parviennent à contenir la double offensive des communistes et des gaullistes. La grève des mineurs, lancée en octobre 1948 par la CGT et le Parti communiste, prend des formes assez violentes. En venant à bout de cette « nouvelle manœuvre de guerre sociale », la Troisième Force confirme sa détermination d'en finir avec la pression communiste. De même, l'action anticommuniste menée avec persévérance par les gouvernements affaiblit peu à peu le RPF et oblige de Gaulle à attendre les échéances électorales normales.
- En politique étrangère, ils participent à la construction d'un camp occidental contre l'URSS et les démocraties populaires. L'Union de l'Europe occidentale et l'adhésion à l'OTAN (1949) sont approuvées par les partis de la Troisième Force, mais condamnées par l'opposition conjointe des gaullistes et des communistes. Par ailleurs, sous l'impulsion du ministre des Affaires étrangères (appartenant au MRP), se prennent des initiatives européennes d'avenir comme la mise en place du Conseil de l'Europe (1949),

l'instauration d'une Communauté européenne du charbon et de l'acier (CECA, en 1950) et le projet d'une Communauté de défense (CED, 1951-1952).

• Face aux problèmes posés par l'outre-mer, la Troisième Force montre une évidente impuissance. En 1949, la guerre s'étend dans l'ensemble de la péninsule indochinoise. Très vite, la conjoncture internationale transforme cette guerre coloniale en « défense du monde libre » contre le communisme. De même, l'aveuglement caractérise la politique en Afrique du Nord, où les nationalismes sont en pleine recrudescence. Les gouvernements, face à une opinion publique souvent indifférente, se refusent à examiner les moyens d'une décolonisation nécessaire mais complexe, à l'exception du gouvernement Queuille et du ministre François Mitterrand.

Les élections législatives de 1951

L'Assemblée nationale élue en novembre 1946 doit être renouvelée au terme de son mandat. L'échéance normale inquiète les gouvernements et les partis de la Troisième Force, car ils craignent que les deux oppositions — gaullistes et communistes — ne parviennent à rassembler une majorité hétérogène qui chasserait, à moins de reclassement, la majorité sortante devenue minoritaire. L'inquiétude des députés et des partis porte sur la réélection des sortants qui ont pris des responsabilités importantes. Elle porte aussi sur l'avenir des institutions. L'Assemblée deviendrait ingouvernable, ce qui renforcerait la propagande de la double opposition aux institutions.

Pour sortir de cette situation complexe, les partis au pouvoir imaginent un aménagement du mode de scrutin. Tout en maintenant le principe du scrutin de liste à la proportionnelle, les législateurs inventent un expédient : l'apparentement. En déclarant qu'elles s'apparentent, les listes peuvent garder leurs candidats et leurs programmes comme leurs électeurs. Au moment de la proclamation des résultats, l'addition des suffrages obtenus par les listes apparentées peut permettre, si elle dépasse 50 %, d'obtenir tous les sièges concernés. A l'évidence, l'apparentement est une tactique qui exclut les communistes et les gaullistes qui ne peuvent s'apparenter ; il doit réduire la représentation parlementaire de chacune de ces oppositions. En revanche, l'apparentement permet aux partis de la Troisième Force de confirmer leur alliance parlementaire sur le terrain électoral.

Les communistes isolés sur la scène politique et les gaullistes du RPF dénoncent une « escroquerie » et orientent leur campagne pour la condamner. Mais dans certains départements des candidats du RPF passent outre au refus du général de Gaulle, prélude à l'éclatement du RPF en 1953. L'opinion comprend mal une manœuvre qui semble dilatoire, même si elle répond à une évidente logique politique. De ce fait, la campagne électorale réveille un antiparlementarisme toujours latent.

Les résultats sont en partie conformes à ceux que souhaitent les partis de la Troisième Force puisqu'ils conservent la majorité, même s'ils subissent tous une évidente érosion par rapport à 1946.

		% Inscrits	*% Exprimés*
Inscrits	24 530 523		
Abstentions	4 859 868	19,8	
Parti communiste	4 939 380	20,1	26,0
Parti socialiste (SFIO)	2 894 001	11,8	15,3
Radicaux et RGR	1 913 003	7,8	10,1
MRP	2 369 778	10,3	13,4
RPF	4 122 696	16,8	21,7
Modérés indépendants	2 563 782	10,5	13,5
Gauche	7 833 381	31,9	
Droite	11 133 586	45,4	

Par ailleurs, ces partis contiennent l'influence du Parti communiste qui recule dans les régions où la participation à la Résistance lui avait permis de pénétrer. Les communistes subissent les effets de leur image révolutionnaire. Cependant, la Troisième Force ne parvient pas à empêcher le fort bon score électoral du RPF qui, avec 120 sièges, devient le deuxième parti de France. La résistance du MRP et de la droite modérée comme l'intransigeance de De Gaulle limitent l'ampleur du succès.

La situation politique est donc profondément transformée. La gauche n'est plus majoritaire dans le pays. Le tripartisme ne représente plus non plus une majorité ni d'ailleurs une alternative. En revanche, à la condition que le RPF, en totalité ou en partie, rejoigne les modérés, les radicaux et le MRP, l'Assemblée peut construire une majorité conservatrice. Ce retour remarqué des conservateurs et des modérés comme partenaires décisifs du débat politique est une conséquence essentielle de la consultation.

Les paysages politiques sont aussi modifiés. La France retrouve, une fois fermée la parenthèse de la Libération, les grandes répartitions traditionnelles. L'Est, l'Ouest et le Centre-Sud redeviennent les bastions principaux de la droite, tandis que la gauche se distingue particulièrement dans le Nord, le Centre et le Sud-Est.

La Troisième Force peut, en principe, poursuivre son action puisqu'elle obtient 388 sièges sur 627. Mais comme les électeurs ont glissé à droite, les tensions internes s'amplifient d'autant plus que les pressions communistes et gaullistes peuvent s'exercer sur la gauche et la droite de la coalition. Les socialistes, qui continuent de régresser, ne sont pas prêts à reprendre, sans inventaire, des responsabilités au sein de la Troisième Force. Par ailleurs, le RPF est tenté d'exploiter toutes les dissensions internes de la majorité : la querelle de l'école est un moyen très efficace.

En effet, en septembre 1951, des députés appartenant à la droite et soutenus par un groupe de pression extraparlementaire puissant présentent un projet de loi visant à instaurer une allocation financière pour tout enfant d'âge scolaire, quel que soit l'établissement fréquenté. Si l'enseignement public doit en tirer beaucoup d'avantages, le projet marque une entorse aux principes de la laïcité puisque les écoles privées peuvent en être bénéficiaires. Une majorité parlementaire comprenant les députés MRP, indépendants et modérés, RPF et quelques radicaux vote le projet qui devient la loi Barangé. Les socialistes comme les communistes la refusent et vont poursuivre une opposition véhémente en s'engageant à en obtenir l'abrogation.

Cette crise interne aboutit, en janvier 1952, à la cassure de la Troisième Force : le Parti socialiste entre dans l'opposition. Cette rupture matérialise des déchirements qui se sont multipliés dès les élections puisque les socialistes n'ont participé à aucun gouvernement depuis juin 1951.

Une majorité nouvelle est donc indispensable : elle ne peut reposer que sur la coalition du centre et de la droite. Une nouvelle étape a été franchie.

BIBLIOGRAPHIE

MANUELS ET SYNTHÈSES

Becker Jean-Jacques, *Histoire politique de la France depuis 1945,* Armand Colin, 1988.
Elgey Georgette, *La République des illusions (1945-1951),* Fayard, 1965.
Fauvet Jacques, *La IVe République,* Fayard, 1959.
Julliard Jacques, *La IVe République (1945-1958),* Calmann-Lévy, 1968 ; Hachette Pluriel, 1980.
Rioux Jean-Pierre, *La France de la IVe République : l'ardeur et la nécessité (1944-1952),* Le Seuil, 1980.
Zéraffa-Dray Danièle, *D'une République à l'autre, 1918-1958,* Hachette, 1992.

LA RECONSTRUCTION

Braudel Fernand et Labrousse Ernest (sous la direction de), *Histoire économique et sociale de la France,* t. IV, PUF, 1982.
Eck Jean-François, *Histoire de l'économie française depuis 1945,* Armand Colin, 1992.
Jeanneney Jean-Marcel, *Forces et faiblesses de l'économie française (1945-1959),* Armand Colin, 1959.
Parodi Maurice, *L'économie et la société françaises de 1945 à 1970,* Armand Colin, 1981.

POLITIQUES ÉCONOMIQUES ET SOCIALES

Andrieu Claire, Le Van Lucette, Prost Antoine, *Les nationalisations de la Libération,* Presses de la Fondation nationale des sciences politiques, 1987.
Bloch-Lainé François, Bouvier Jean, *La France restaurée (1944-1954),* Fayard, 1986.
Ehrmann H. W., *La politique du patronat français (1936-1945),* Armand Colin, 1959.
Le Goff Jacques, *Du silence à la parole : droit du travail, société et Etat (1830-1985),* La Dégitale, 1985.

LES CRISES DE 1947-1948

Berstein Serge, Milza Pierre, *L'année 1947,* Presses de Sciences Po, 1999.
Fontaine André, *Histoire de la guerre froide,* Fayard, 2 vol., 1965-1967.
Marcou Lily, *La guerre froide : l'engrenage,* Bruxelles, Complexe, 1987.
Melandri Pierre, *L'Alliance atlantique,* Gallimard, 1979.

LA VIE POLITIQUE

Bergounioux Alain, Grunberg Gérard, *Le long remords du pouvoir,* Fayard, 1992.
Berstein Serge, *Paul Ramadier, la République et le socialisme,* Bruxelles, Complexe, 1990.
Berstein Serge, *Histoire du gaullisme,* Perrin, 2001.
Charlot Jean, *Le gaullisme d'opposition (1946-1958),* Fayard, 1983.
Courtois Stéphane, Lazar Marc, *Histoire du Parti communiste français,* PUF, 1995.
Kriegel Annie, *Les communistes français : essai d'ethnographie politique,* Le Seuil, 1985.
Lavau Georges, *A quoi sert le Parti communiste français ?,* Fayard, 1981.
Lazar Marc, *Le communisme, une passion française,* Perrin, 2002.
Mayeur Jean-Marie, *Des partis catholiques à la démocratie chrétienne,* Armand Colin, 1980.
Nordmann Jean-Thomas, *Histoire des radicaux (1820-1973),* La Table ronde, 1974.
Robrieux Philippe, *Histoire intérieure du Parti communiste,* Fayard, 4 vol., 1980-1984.

7. La IVe République : une mort prématurée ? (1952-1958)

Les années 1952-1958 constituent une nouvelle étape de l'histoire de la IVe République, qui se termine par la mort du régime. Les aspects de la nouveauté sont de plusieurs ordres :

— L'économie française entre dans « le premier cycle d'après guerre » pour reprendre le terme utilisé. Le redémarrage réussi de l'économie entraîne un rythme de croissance forte que stimule la guerre de Corée. En effet, celle-ci joue un rôle d'entraînement remarquable sur l'économie de tous les pays développés et particulièrement sur les activités industrielles. La France subit ses effets favorables que renforce partiellement la demande de consommation des ménages. Pourtant, cette croissance rapide provoque une poussée inflationniste qui affecte la France plus que les autres pays européens. La complexité et le manque de souplesse des mécanismes de contrôle des prix et des salaires expliquent la gravité de l'inflation française. Les gouvernements doivent donc imaginer des solutions susceptibles de combattre l'inflation tout en ne perturbant pas la croissance économique.

— L'Union française impose fortement sa présence. La guerre d'Indochine devient un piège pour les gouvernements, tandis que les pays du Maghreb sont affectés par la vague de revendications nationales. Dès lors, les gouvernements sont confrontés au phénomène de décolonisation qui affecte tous les continents colonisés et tous les Etats colonisateurs.

— C'est en 1950 que commence à s'affirmer l' « aventure européenne », puis qu'elle se réalise à un rythme accéléré. L'opinion française, appelée à faire des choix, se déchire.

Toutes ces préoccupations contribuent à créer de nouveaux clivages politiques, mais surtout à révéler au grand jour les faiblesses d'un Etat dont on attend beaucoup depuis 1945. Pourtant des expériences politiques intéressantes sont tentées qui soulignent que la fragilité politique de la IVe République n'empêche pas que des personnalités talentueuses aient pu s'exprimer. C'est le cas d'expériences gouvernementales comme celle d'Antoine Pinay ou, plus encore, Pierre Mendès France.

Une nouvelle donne politique

Moins de six mois après le renouvellement de l'Assemblée, la majorité de la Troisième Force s'est brisée officiellement. La rupture de la coalition au pouvoir, sous des formes différentes, entraîne l'arrivée inattendue d'un président du Conseil de droite, Antoine Pinay. Mais ce premier gouvernement dirigé par la droite depuis 1944 est suivi par d'autres et notamment par Joseph Laniel. La situation politique a donc changé.

L'expérience gouvernementale de « Monsieur Pinay »

Le 5 mars 1952, Vincent Auriol désigne Antoine Pinay pour solliciter l'investiture de l'Assemblée nationale. Le lendemain, le président du Conseil pressenti obtient l'investiture à la majorité absolue des suffrages. Que s'est-il passé ?

• La personnalité du candidat éclaire le scrutin. Agé de 62 ans, Antoine Pinay est un bourgeois provincial, petit industriel, qui se présente en Français moyen. Député en 1936, hostile au Front populaire, il est élu sénateur en 1938. Le 10 juillet 1940, il vote les pleins pouvoirs à Pétain et ne participe pas à la Résistance. En 1946, il retrouve un siège de député qu'il conserve en 1951. C'est un homme assez effacé qui prend peu d'initiatives personnelles, mais qui, sans faire ombrage à plus prestigieux que lui, sait manifester quelque autorité. Avant de constituer le nouveau gouvernement, il n'a pas exercé des fonctions ministérielles importantes hormis dans des ministères techniques.

• Antoine Pinay appartient au Centre national des indépendants et paysans (CNIP). Fondée entre 1948 et 1950, cette formation coordonne l'activité d'organisations politiques modérées et conservatrices et collabore avec la Troisième Force depuis 1948. Mais Antoine Pinay n'assume pas de responsabilités partisanes. En ce sens, il apporte une nouveauté symbolique.

• Seul l'apport de voix gaullistes peut lui permettre d'obtenir la majorité. En effet, le président de la République veut mettre les indépendants devant leurs responsabilités, car, depuis les élections, ils exploitent leur succès parlementaire. Mais l'éventualité d'une majorité de droite dépend du groupe RPF qui, depuis 1951, pratique l'opposition systématique. Or, contre toute attente, Antoine Pinay obtient les suffrages nécessaires à son investiture. En fait, le groupe gaulliste est traversé de tensions fortes. Certains, de plus en plus nombreux, estiment que la politique du pire est particulièrement périlleuse. Antoine Pinay bénéficie de ce nouvel état d'esprit.

Les objectifs du gouvernement sont déterminés par rapport à la priorité financière et budgétaire. En effet, Antoine Pinay estime que le redressement des grands équilibres doit permettre la restauration de l'Etat parce que son autorité et son influence pourront mieux s'exercer. Le président du Conseil, que l'on connaît pour ses orientations non dirigistes, propose des solutions libérales classiques. L'impopularité de la pression fiscale l'incite à préférer la réduction des dépenses de l'Etat (la déflation) et le recours à l'emprunt ; à cet égard, l' « emprunt Pinay », indexé sur l'or, remporte un succès populaire très caractéristique. Par ailleurs, pour favoriser les investissements, le chef du gouvernement fait appel à l'épargne des Français, mais aussi, grâce à l'amnistie fiscale, au retour des capitaux placés à l'étranger. Toutes ces mesures visent à réduire l'inflation et à défendre le franc ; pour y parvenir de nombreuses campagnes d'opinion sont lancées.

Cette politique rencontre des succès indéniables. L'emprunt Pinay réussit au-delà des espérances ; il va devenir la rente la plus célèbre des Français parce que, en plus de l'indexation sur l'or, il assure des bénéfices fiscaux avantageux. L'appel au civisme des commerçants, l'insistance mise sur la confiance séduisent une France d'épargnants qui préfèrent cette démarche aux contrôles et à l'impôt de l'Etat. Mais ces méthodes n'ont que des effets provisoires. La lutte contre l'inflation et la stabilisation des prix mécontentent syndicats de salariés et consommateurs qui réclament l'échelle mobile des salaires. Le gouvernement finit par céder ; mais l'échelle mobile ne s'applique qu'au Salaire minimum interprofessionnel garanti (SMIG). L'inflation contenue reprenant au cours de l'automne 1952, Antoine Pinay doit revenir à des moyens plus classiques de contrôle des prix, qui mécontentent la droite et les organismes patronaux. En décembre 1952, le président du Conseil démissionne pour éviter la défiance du Parlement.

La politique menée par Antoine Pinay doit être évaluée sur deux plans :

— Economiquement sa réussite est limitée puisqu'elle ne maîtrise pas longtemps les mécanismes inflationnistes. Par ailleurs, l'épargne qu'il draine n'est pas investie dans la production qu'elle n'aide pas à progresser. La baisse de la consommation entraîne de ce fait une récession dont les effets sociaux se font sentir ultérieurement ; la crise de l'été 1953 y trouve son origine.

— Antoine Pinay a acquis une popularité qui lui confère un statut particulier au sein du personnel politique. Il devient un des chefs éminents de la droite modérée parce qu'il rassure les milieux d'affaires comme les petits épargnants. Le bon sens qu'il met en valeur le fait passer pour un sage que l'on consulte et dont on attend les avis. L'homme au petit chapeau devient lui aussi un « cacique de la République ».

Les successeurs d'Antoine Pinay, qui intègrent les gaullistes au gouvernement, René Mayer, un radical, puis Joseph Laniel, un indépendant, poursuivent la même voie. En décembre 1953, Vincent Auriol laisse la place à René Coty, sénateur issu du CNIP. Le retour de la droite au pouvoir, en mars 1952, n'est donc pas une simple péripétie ; il s'inscrit dans la durée. L'éclatement, en mai 1953, du groupe parlementaire gaulliste et la naissance de l' « Union des républicains d'action sociale » montrent que la droite modérée peut coaliser une nouvelle majorité où se retrouvent radicaux, MRP, CNIP et gaullistes.

Les problèmes d'outre-mer et leurs effets politiques

La « Galère indochinoise ». — Dès la fin de la guerre en Asie en 1945, les communistes vietnamiens qui sont parvenus à s'identifier au mouvement nationaliste, proclament l'indépendance du

Viêtnam. En écho, la France cherche, en Indochine comme ailleurs, à rétablir son autorité et son pouvoir. Les mécanismes qui mènent à la guerre sont enclenchés dès la fin de l'année 1946.

Jusqu'en 1950, la guerre d'Indochine demeure une guerre coloniale qui alterne offensives militaires, concessions politiques, exploitation des divisions internes. La rupture du tripartisme impose la solution de fermeté, car aucun des partis qui composent la Troisième Force ne souhaite l'abandon de la péninsule indochinoise. En 1947 et 1948, le gouvernement français accepte l'indépendance du Viêtnam dans le cadre de l'Union française, mais la définit dans des conditions très strictes. C'est ensuite le cas du Cambodge et du Laos. Mais ces concessions ne réduisent pas les revendications nationales : les opérations militaires se poursuivent avec l'accord des gouvernements où MRP et radicaux parviennent à imposer leur politique indochinoise. Certaines voix, à la SFIO, chez les radicaux (Pierre Mendès France) à l'UDSR (François Mitterrand) commencent à demander des négociations que réclament les communistes depuis 1945. Mais c'est en vain. L'opinion n'éprouve pas de grand intérêt pour ce territoire lointain. La guerre d'Indochine est donc une « guerre coloniale oubliée ».

A partir de 1949-1950, la conjoncture et les objectifs se modifient. La guerre froide, l'arrivée au pouvoir des communistes chinois, le déclenchement de la guerre de Corée, transforment le Viêtnam en un « front de la guerre froide ». Combattre les communistes vietnamiens d'Hô Chi Minh, c'est lutter pour la défense du monde libre. Tous les moyens sont bons pour réussir la « croisade » : trouver appui auprès des clans indochinois, utiliser la pression des milieux catholiques, augmenter les renforts militaires. Dès lors, la guerre s'internationalise ; les Etats-Unis apportent leur aide financière à l'effort militaire français.

C'est désormais la « sale guerre » que dénoncent les communistes qui la baptisent ainsi et les anticolonialistes de la métropole (des écrivains comme Jean-Paul Sartre, des universitaires comme Paul Mus, des journalistes, quelques hommes politiques comme Pierre Mendès France). Les gouvernements de Troisième Force envoient des renforts. Mais c'est l'armée de métier qui arrive en Indochine. Très vite les officiers imposent aux gouvernements leur vision de la guerre et leur stratégie. Aussi, en 1952, le gouvernement Pinay a conscience du coût de la guerre, des scandales qu'elle suscite, mais se refuse à choisir une solution politique — négocier — parce qu'il ne « veut pas porter atteinte au moral de l'armée ».

L'opinion métropolitaine évolue sensiblement, même si la majorité de la population demeure assez indifférente à l'égard de cette guerre lointaine. Le coût s'élève ; les Alliés hésitent à fournir les moyens supplémentaires. La nature de la guerre elle-même tend à changer ; la guérilla s'impose et prend une allure de plus en plus révolutionnaire. L'opposition à la guerre se renforce : en 1953, les Français n'approuvent plus à la majorité la poursuite des combats. L'opposition varie selon les électorats. Unanime chez les communistes, forte à la SFIO, elle est faible au RPF ou chez les indépendants. Mais une autre politique est attendue ; les gouvernements le comprennent.

René Mayer puis Joseph Laniel (avec Paul Reynaud) insistent sur la nécessité de « vietnamiser la guerre » pour trouver une solution militaire et politique au conflit et sur l'ouverture indispensable de pourparlers pour trouver une sortie honorable. La guerre d'Indochine domine les débats parlementaires en 1953 et 1954 en soulignant les hésitations gouvernementales sur les modalités et l'ampleur d'une négociation.

Les protectorats d'Afrique du Nord. — Le système du protectorat établi au Maroc et en Tunisie est en crise au début des années 1950. Les réformes engagées à la Libération sont insuffisantes et ne peuvent empêcher la recrudescence des revendications nationales soutenues par les souverains marocain et tunisien qui refusent la « cosouveraineté » que Paris veut leur imposer et rappellent leur souhait de voir restaurer une souveraineté totale. Devant le rejet par la France d'une politique d'évolution réelle, l'agitation s'amplifie. Grèves, actions terroristes, puis émeutes, créent un état de crise qui affecte les deux pays, car les événements marocains et tunisiens interfèrent et imposent leur contagion.

En fait, les gouvernements français hésitent et laissent agir leurs représentants qui prennent sur place les initiatives. A Paris, jusqu'en 1954, sous couvert de pourparlers ou de discussions que l'on s'engage à mener, c'est une politique de fermeté que l'on conduit. Dans les protectorats, les résidents français n'hésitent pas à mener une politique répressive qui, souvent, va au-delà de ce que les traités de protectorat pouvaient admettre. Choix des personnalités ministérielles locales, interventions dans les familles féodales marocaines, actions de police et actions militaires contre les partis nationalistes sont la règle. Les gouvernements français couvrent toutes ces méthodes.

La crise prend des aspects plus complexes en 1953 :

— organisation d'armées de libération nationale (« les fellaghas tunisiens ») inspirées de l'exemple égyptien ;

— au Maroc, les grandes familles féodales se dressent contre le sultan. Ce complot est soutenu par la Résidence qui suspend et exile le souverain marocain (août 1953) ;

— coordination des partis nationalistes marocain (Istiqlal) et tunisien (Néo-Destour) pour obtenir l'indépendance de leur pays. En Algérie ces mouvements rencontrent un écho très favorable auprès du Mouvement pour le triomphe des libertés démocratiques (MTLD).

L'épreuve de force s'engage très rapidement. Le terrorisme tunisien et marocain gagne les villes et les campagnes. En Tunisie, les fellaghas tiennent très vite les villages où ils multiplient les assassinats des colons français. Les solutions répressives proposées par les résidents sont désormais inopérantes d'autant plus que l'ONU ne demeure pas indifférente à la question du Maghreb.

Cette politique n'est rendue possible que par l'attachement de la population française à l'Empire colonial transformé en Union française. La majorité de la population ignore les problèmes coloniaux, mais pense que l'intérêt de la France suppose le maintien de l'Union française et des colonies. Ce sentiment général est largement et longtemps partagé.

• Les mouvements anticolonialistes bénéficient d'une influence limitée. Des journaux ou des revues *(Combat, L'Humanité, Esprit, Les Temps modernes)* diffusent leurs options et cherchent à ébranler la force de la tradition républicaine favorable à la colonisation (essor de la civilisation, de la mise en valeur). Mais ils n'obtiennent pas un accueil très favorable. Les intellectuels sont partagés. A gauche, ils sont assez souvent favorables à l'émancipation des colonies (Daniel Guérin, Claude Bourdet, Jean-Paul Sartre). François Mauriac entre dans la bataille en faveur de l'évolution du Maghreb en des termes moraux.

Raymond Aron, pour sa part, développe l'idée que la grandeur d'une démocratie ne se mesure pas à la taille d'un Empire ; mais, à droite, il est bien isolé. Enfin, l'Eglise catholique, qui a longtemps accompagné la colonisation, s'en éloigne assez rapidement à la fin des années 1940 ; de plus en plus nombreux sont les membres du clergé qui appuient le mouvement de décolonisation.

• Cependant, le « parti colonial » demeure puissant et cultive le mythe impérial : l'Union française reste « l'élément le plus tangible de la grandeur française ». Groupe de pression économique, il met l'accent sur la nécessité pour l'Union française de contribuer à la reconstruction française. Utilisant des moyens d'information et de propagande, il essaie de devenir un groupe de pression politique efficace en lançant de nombreuses campagnes d'opinion vigoureusement hostiles à la décolonisation. Dénoncer l'ONU, le communisme, le défaitisme métropolitain, le nationalisme, l'anticolonialisme, est œuvre permanente. Ce groupe de pression dispose d'un relais parlementaire très présent, qui rassemble des députés indépendants, radicaux, MRP et gaullistes et dénonce les hommes politiques qui recherchent une évolution : le MRP Robert Schuman, Pierre Mendès France ou Edgar Faure. Ces comités, ces associations, ces hommes, sont capables de freiner les réformes libérales, d'imposer la force et la répression par moments. Mais, lorsque leurs choix s'avèrent très lourds pour la population, ils ne parviennent pas à marquer durablement une opinion qui modifie ses points de vue.

• Car, entre 1950 et 1954, des économistes et des financiers commencent à évaluer le coût d'une politique impériale et soulignent que des dépenses civiles et militaires à destination de l'outre-mer tendent à grossir. Ils s'interrogent sur le poids du « fardeau colonial » pour la métropole et proposent de le limiter : débarrassée de l'outre-mer, la France pourrait se moderniser. Ces thèmes peuvent mener à insister sur la nécessité d'une rupture avec l'Empire (thèses diffusées par le journaliste Raymond Cartier) ou à proposer un partage de la charge (Guy Mollet).

Le patronat approuve, dans sa forte majorité, une politique de présence coloniale qui permet de sauvegarder des marchés privilégiés ; mais des patrons investissent de plus en plus nombreux en dehors de l'Union française.

Avant le déclenchement de la crise algérienne, les problèmes coloniaux imposent leur actualité dans la vie politique. La diversité des intérêts en cause rend plus fragiles des gouvernements qui ne peuvent s'appuyer sur une opinion métropolitaine hésitante.

Les choix européens

Depuis la fin de la guerre, des organisations et des hommes politiques sont à la recherche de solutions qui permettraient d'éviter un retour de la guerre en Europe. La reconstruction économique dans le cadre du plan Marshall et la guerre froide renforcent l'idée d'une construction européenne. Enfin, la place de l'Allemagne en Europe soulève des interrogations. Mais les partisans d'une éventuelle construction européenne se partagent sur ses modalités, ses formes, son calendrier.

L'initiative vient du gouvernement français qui, en mai 1950, présente un projet de Communauté européenne du charbon et de l'acier (CECA). Elaboré par le ministre des Affaires étrangères, Robert Schuman, un Lorrain, catholique, membre du MRP dont il est une des figures principales, convaincu qu'une entente franco-allemande est indispensable, le plan est inspiré par Jean Monnet. Il propose que les pays qui le souhaitent en Europe coopèrent dans le domaine industriel et bâtissent une véritable communauté. Le Benelux et l'Italie rejoignent la France et l'Allemagne de l'Ouest.

Le traité de la CECA soulève en France, dans la presse et à l'Assemblée nationale, de longs débats, parfois violents. Partisans et adversaires se partagent sur plusieurs thèmes :

— les communistes et la CGT dénoncent une forme d'agression à l'égard de l'URSS et l'atteinte à la souveraineté nationale, thème sur lequel les gaullistes du RPF les rejoignent. De Gaulle qui critique le « méli-mélo » du charbon et de l'acier déplore, de plus, la subordination de l'industrie française à celle de l'Allemagne ;
— la droite française craint les aspects « dirigistes » du plan comme le CNPF et s'inquiète de la puissance allemande ;
— les socialistes de la SFIO, pour être favorables à la politique de Robert Schuman, s'interrogent sur les implications de politique sociale.

Interrompue par les élections législatives, la discussion parlementaire aboutit en décembre 1951 à la ratification du traité de la CECA, malgré les efforts conjugués des communistes et des gaullistes.

Le gouvernement français prend, à l'automne 1950, une seconde initiative. Aux Américains qui veulent imposer le réarmement allemand, le gouvernement français apporte une réponse habile en apparence : le plan Pleven. Le projet de « Communauté européenne de défense » (CED) ne permet pas de réarmer directement l'Allemagne de l'Ouest. Mais par la création d'une armée européenne, placée sous la responsabilité d'un ministre commun de la Défense et contrôlée par une assemblée européenne, l'Allemagne intégrerait des contingents militaires à ceux des autres pays membres.

Le plan Pleven soulève des interrogations à l'étranger comme en France. Mais, de 1950 à 1953, deux phénomènes se produisent :

— à l'extérieur, dans la conjoncture de guerre de Corée, le projet est accueilli de façon de plus en plus favorable ;
— à l'intérieur, les oppositions se multiplient et paralysent les gouvernements. En mai 1952, le gouvernement signe le traité, mais Antoine Pinay ne peut chercher à le faire ratifier car ses ministres sont fort partagés. Ses successeurs hésitent. Ce n'est qu'à la fin de l'année 1953 que l'Assemblée nationale en discute pour la première fois.

La Communauté européenne de défense provoque au sein des partis politiques, des groupes sociaux, des familles, des clivages fort importants : on est « cédiste » ou « anticédiste ».

• Les cédistes estiment que l'Allemagne va exiger le droit de disposer d'une armée pour faire face à la menace de l'Est. La CED doit donc limiter ce risque pour la France et représenter un nouveau symbole de l'entente franco-allemande.

• Les anticédistes refusent, avec véhémence, le réarmement de l'Allemagne mais aussi la perte de souveraineté nationale qu'implique la CED. Ils refusent d'accepter de limiter les initiatives françaises en renforçant l'Allemagne et de briser une armée appelée à intervenir en Europe et en Union française. Les communistes ajoutent leur refus d'une « nouvelle agression » envers l'URSS.

Ces clivages traversent la plupart des formations et sensibilités politiques. Communistes et gaullistes se rejoignent dans une opposition déterminée et constante même si leurs motivations diffèrent sensiblement. Le MRP, favorable à l'intégration européenne, garde une façade à peu près unanime. Mais la SFIO, les radicaux, le CNIP sont profondément divisés. Le rôle déterminant qu'une large partie des gaullistes jouent dans la majorité depuis mars 1952 leur permet d'empêcher un véritable débat de ratification devant la Chambre et paralyse l'action gouvernementale. Le crédit de l'Etat, à l'intérieur comme à l'extérieur, se dégrade.

Les dysfonctionnements du système politique

Depuis sa naissance, la fragilité du système mis en place en 1946 est patente. Mais l'existence d'une majorité apparemment cohérente lui permet de durer. En revanche, l'éclatement de la majorité de Troisième Force après 1951 aggrave le mauvais fonctionnement des mécanismes politiques.

Un exécutif affaibli

Le premier président de la République, Vincent Auriol, a joué un rôle personnel déterminant. La magistrature d'influence qu'il a exercée auprès du gouvernement dans les domaines diplomatique, militaire et colonial, a marqué certaines orientations. De même, la compétence constitutionnelle de pressentir un président du Conseil lui a permis d'infléchir l'action gouvernementale. En 1947, il a contribué à la rupture avec les communistes comme en 1952, il a provoqué l'émergence d'une majorité de droite en provoquant la cassure du RPF.

En revanche, son successeur, René Coty, développe une conception plus modeste de sa fonction. Fidèle à la prééminence du Parlement, il se refuse aux interventions qui pourraient passer pour des pressions politiques. De même, il ne cherche pas à peser sur les événements et préfère se soumettre aux majorités parlementaires. La crainte d'une sédition militaire, tandis que se déroule la guerre d'Algérie, l'incite à multiplier les conseils de prudence.

Le président du Conseil dispose, en principe, de pouvoirs plus importants que ceux de ses prédécesseurs de la IIIe République. En fait, le président du Conseil ne peut prendre de décisions qu'en conseil des ministres et doit faire contresigner ses actes par un de ses ministres. Certes, les services de la présidence du Conseil ont tendance à s'étoffer, mais les titulaires des « grands ministères » (Justice, Affaires étrangères, Finances, Intérieur) exercent leurs compétences dans une autonomie relative, car ils sont souvent des membres éminents des partis politiques. Ceux-ci imposent de subtils dosages pour tenir compte de leurs exigences. Dans ces conditions la moindre turbulence, à l'intérieur ou à l'extérieur du Parlement, provoque la chute du chef de gouvernement.

Car chaque crise gouvernementale aboutit au remplacement du président du Conseil et à la mise en place d'une combinaison « replâtrée ». En effet, si l'instabilité ministérielle est la règle, la stabilité des ministres en modère les effets. Les mêmes parlementaires se retrouvent pour exercer des fonctions différentes, avec une durée de vie modeste. Le président du Conseil peut difficilement s'imposer et doit savoir construire des compromis provisoires, même au sein de l'équipe qu'il anime.

Dans ces conditions, les administrations jouent un rôle plus important que leurs compétences. Parfois, ces administrations font preuve d'insubordination. La politique coloniale, en Indochine ou au Maghreb, a souvent été freinée sinon même inappliquée par les administrations locales. L'armée, à travers les guerres coloniales, manifeste souvent une grande indépendance et affaiblit l'action des hommes politiques. L'exemple algérien est particulièrement révélateur.

Le Parlement

Si deux assemblées le constituent — Assemblée nationale et Conseil de la République —, ce sont les députés de l'Assemblée nationale qui assument les plus grandes responsabilités.

Les députés sont élus au scrutin de liste proportionnel. Ils représentent au Parlement le corps électoral français mais aussi les partis politiques qui les ont présentés. Au Parlement, ils appartiennent à des groupes qui contribuent à organiser les débats ; les présidents de groupe ont pour fonction de s'entendre sur le fonctionnement du travail parlementaire (ordre du jour, discussions).

L'Assemblée nationale définit le calendrier de ses travaux. Or, très vite, l'activité parlementaire devient désordonnée car les débats sont mal programmés, les ordres du jour mal respectés. Dans ces conditions, beaucoup de projets sont discutés avec retard, voire abandonnés. Loin de renforcer son prestige auprès du corps électoral, l'organisation du travail des députés les déconsidère devant le pays.

Les députés exercent un contrôle permanent de l'action gouvernementale. Les interpellations ponctuent la vie d'un gouvernement et contribuent souvent à le faire tomber. Par ailleurs, le mode de constitution des gouvernements permet aux députés de voter deux fois : au moment de l'investiture du président du Conseil, puis à l'occasion de la présentation du gouvernement complet. Les négociations entre les groupes et l'équilibre des dosages politiques sont indispensables pour franchir ces obstacles.

Le pouvoir exécutif s'efforce de réduire en partie l'omnipotence des parlementaires.

- En utilisant, surtout après 1950, la pratique de la question de confiance. Arme de tactique parlementaire, la question de confiance permet d'évaluer la solidité d'une majorité. Elle offre l'occasion d'accélérer ou de retarder une crise ministérielle. Mais, en obligeant une majorité à se rassembler, la question de confiance devient un moyen très efficace pour écarter les crises ; en revanche, elle contribue à stériliser la discussion parlementaire.
- Le Parlement vote la loi et le budget. Mais les conditions du travail parlementaire et la faiblesse des majorités amènent les gouvernements à limiter ces compétences. Les décrets-lois puis le recours aux « pouvoirs spéciaux », après 1952, enfin, le vote de « lois-cadres », permettent aux gouvernements d'agir mais limitent les fonctions du Parlement.

Le Conseil de la République renforce ses pouvoirs et son influence. Assemblée conservatrice, elle exerce une fonction de réflexion, même si, souvent, elle cherche à freiner les politiques qu'elle juge trop réformatrices.

Les forces politiques

Les adversaires de la IVe République, particulièrement de Gaulle et les gaullistes, dénoncent, dans le fonctionnement du régime, *le système des partis*. L'après-guerre a vu naître de nouveaux partis politiques comme le MRP, le RPF, le CNIP, d'autant plus que le système électoral contribue à la réorganisation des formations politiques. Mais les partis sont fort différents par leurs structures, le nombre de leurs adhérents et de leurs militants, la discipline imposée aux élus, les projets politiques. En fait, à l'exception du Parti communiste, et dans une certaine mesure de la SFIO et du RPF, les partis politiques sont le plus souvent des groupements de notables destinés à conquérir des sièges électoraux. La médiocrité des moyens financiers, la faiblesse des moyens d'encadrement permettent aux élus (particulièrement aux députés) de disposer d'une large liberté de manœuvre et d'action. Les partis politiques ne sont pas souvent capables d'élaborer un projet politique qu'ils puissent réellement appliquer.

Par ailleurs, les partis politiques se distinguent par leurs électeurs et leur enracinement géographique ; ils sont donc les représentants de clientèles aux intérêts divergents. Si le *Parti communiste* incarne les revendications des ouvriers des grandes régions industrielles et d'une petite paysannerie modeste, la *SFIO* défend plutôt les préoccupations de la petite bourgeoisie des employés et des fonctionnaires, des cadres moyens, même si elle garde une partie de l'électorat ouvrier inquiet de la prééminence communiste ; elle s'enracine plutôt dans les villes petites ou moyennes où elle tend à prendre le relais du radicalisme. Pour sa part, le *MRP* séduit l'électorat catholique de l'Ouest et de l'Est. Ses références chrétiennes et catholiques l'incitent à mobiliser des électeurs d'origines complexes, citadins ou ruraux ; mais le poids des électeurs conservateurs l'emporte rapidement. L'électorat du *Parti radical* lui ressemble assez bien sur le plan sociologique mais s'en différencie sur le plan idéologique, car l'anticléricalisme continue à l'animer et à le rapprocher de la SFIO. Le CNIP fédère la droite traditionnelle des villes et des campagnes et laisse aux couches bourgeoises classiques (entrepreneurs, professions libérales, propriétaires) le soin d'animer la confédération électorale. Enfin, le *RPF* s'est écarté, à ses débuts, de classifications traditionnelles en cherchant à rassembler des électeurs issus de milieux sociaux différents et en gardant un électorat populaire. Mais, après 1952, les gaullistes tendent à construire, malgré de Gaulle, une formation politique conservatrice où les éléments de gauche n'exercent pas une forte influence.

Les formations politiques ne parviennent qu'imparfaitement à représenter les tendances et les sensibilités de l'opinion française que traversent des clivages complexes. Mis à part le Parti communiste qui impose un discours permanent et unanime, les autres partis politiques sont souvent divisés sur les questions principales. Le MRP rassemble une droite et une gauche qui, en matière sociale et économique, écartèlent le parti ; il en est de même des radicaux. La SFIO se divise sur bien des thèmes, notamment sur la stratégie et la tactique du parti, et ne parvient à une unanimité de façade qu'au prix de compromis fragiles. Après 1950, la crise de l'outre-mer et la politique étrangère élargissent les clivages internes.

Les partis politiques subissent les influences des *groupes de pression*. Les organisations professionnelles de salariés, mais surtout d'agriculteurs ou de chefs d'entreprises, pèsent sur les choix des partis et le vote des parlementaires. Des associations plus hétérogènes, comme le « lobby des bouilleurs de cru », le « lobby colonial » ou celui des défenseurs des écoles catholiques, peuvent jouer un rôle décisif dans le refus d'une réforme.

L'idée s'impose progressivement que les pratiques gouvernementales et parlementaires doivent être modifiées tant les mauvais fonctionnements du système s'aggravent. Mais une réforme constitutionnelle profonde s'avère difficile sinon impossible, car, si les Français désapprouvent la toute-puissance du Parlement et des partis, ils ne préfèrent pas l'hégémonie d'un président. Le régime présidentiel s'exclut ; la réforme passe donc par un effort de discipline du Parlement. C'est le sens de projets de réforme constitutionnelle déposée à plusieurs reprises, notamment en 1954, et particulièrement celui que défend Pierre Mendès France.

Gouverner, c'est choisir : l'expérience Mendès France

Le 7 mai, le camp retranché de Diên Biên Phû au Tonkin tombe aux mains des troupes communistes. Le gouvernement Laniel, qui a soutenu la stratégie militaire, perd la confiance de l'Assemblée nationale. Pierre Mendès France, qui a mené une active campagne pour mettre un terme à la guerre d'Indochine, devient le 17 juin 1954 président du Conseil des ministres. Il préside un gouvernement et mène une action, limitée dans le temps (sept mois), mais populaire dans le pays.

Objectifs et méthodes

Pierre Mendès France a déjà une longue carrière politique, même s'il n'a pas exercé de très hautes responsabilités. Avocat, jeune député radical élu en 1932, il exerce les fonctions de sous-secrétaire d'Etat au Trésor dans le second cabinet Blum, en 1938. Mobilisé en 1939, il est un des parlementaires qui sont appelés à partir au Maroc et que Vichy fait poursuivre au cours de l'été 1940. Condamné à la prison, il parvient à s'échapper et à rallier la Résistance à Londres. Membre du Comité de Libération nationale, il est chargé de la réorganisation économique et financière de la France d'après guerre. En avril 1945, en désaccord avec de Gaulle sur le choix d'une politique économique, il donne sa démission. Dès lors, Pierre Mendès France devient à la fois un « Cassandre de la politique » qui dénonce les erreurs et les maladresses et propose d'autres solutions, mais aussi un économiste talentueux. La guerre d'Indochine est l'occasion pour lui de définir une démarche politique : lucidité et rigueur. Grâce au magazine *L'Express,* il acquiert une grande popularité : on parle de « PMF ».

Pierre Mendès France n'a jamais caché qu'il n'approuvait pas la Constitution de 1946 et qu'il fallait la réformer. Mais il demeure un défenseur ardent des droits du Parlement et des compétences des partis politiques. PMF, qui estime de Gaulle, s'oppose à lui sur ce thème. Pourtant, quand il forme son gouvernement, il refuse de négocier avec les partis ; il choisit les parlementaires qui acceptent d'agir avec lui. Les socialistes sont absents ; en revanche, les gaullistes sont bien représentés, le CNIP et les radicaux appartiennent, comme individualités, à l'équipe ministérielle. C'est aussi le cas de quelques personnalités MRP « en congé de parti » comme Robert Buron.

La majorité qui l'investit est très large puisqu'elle va des socialistes à la droite. Mais PMF exclut du décompte les communistes ; le MRP — à quelques exceptions près — est dans l'opposition. Ce gouvernement hétérogène s'appuie sur une majorité de centre gauche, mais ne s'enferme pas dans les clivages traditionnels. Par ailleurs, les soutiens parlementaires évoluent dans le temps, en fonction des problèmes posés. Mais, très vite, la droite classique entre en opposition.

Pierre Mendès France doit faire accepter à l'Assemblée élue en 1951, donc conservatrice, une politique d'action et de réformes qu'il juge indispensables à l'intérêt national. Tout en jouant la stratégie parlementaire, il fait appel à l'opinion publique, utilise la presse (*L'Express* poursuit la promotion politique de PMF) et pratique régulièrement les « causeries au coin du feu », que diffuse la radio. Ces méthodes gouvernementales permettent d'expliquer mais aussi de créer un climat de sympathie qui rapidement se cristallise dans un mouvement d'opinion, le « mendésisme ». Elles heurtent pourtant bien des parlementaires qui n'exercent plus le rôle exclusif antérieur.

Le président du Conseil estime que la démocratie suppose débat mais aussi autorité. L'exécutif, une fois la concertation terminée, doit faire des choix qui répondent à la réflexion et à la raison. Des priorités doivent être définies, les moyens précisés, un calendrier élaboré et tenu. La république parlementaire peut avoir l'efficacité nécessaire à la condition de se discipliner et de se doter des moyens nécessaires à l'action.

La solution des problèmes immédiats

La guerre d'Indochine. — Depuis la fin d'avril 1954, se tient à Genève une conférence internationale consacrée aux problèmes asiatiques (Etats-Unis, URSS, Grande-Bretagne, Chine, France). Les guerres de Corée et d'Indochine sont à l'ordre du jour. Les travaux ont peu avancé, car le ministre des Affaires étrangères, Georges Bidault, n'approuve pas l'ouverture des négociations. Le nouveau gouvernement exploite la conjoncture internationale : l'URSS, en déstalinisation, se montre conciliante. Pierre Mendès France utilise aussi la situation intérieure française, car la défaite de Diên Biên Phû renforce, dans l'opinion, les adversaires de la guerre en Indochine. Il s'est donné un mois pour trouver une solution diplomatique au conflit ; le pari étonne mais souligne, sur la scène internationale, que la politique de la France tend à changer.

Après un mois de négociations, Pierre Mendès France obtient la signature des accords de Genève. L'Indochine est partagée en deux ; la ligne de démarcation est provisoire puisque des élections libres doivent déterminer, ultérieurement, l'avenir du territoire. La Chine, qui craint une intervention militaire directe des Etats-Unis, soutient cette politique qu'elle impose, avec l'URSS, aux communistes indochinois. Les accords de Genève semblent donc marquer l'entrée dans la détente internationale en mettant un terme à une longue guerre coloniale.

En France, l'Assemblée nationale accueille avec soulagement la signature des accords. Seuls le MRP, la majorité des gaullistes et des indépendants s'abstiennent. La majorité mendésiste comprend les communistes, les socialistes, les radicaux, une minorité de gaullistes, de MRP et d'indépendants. La presse approuve la fin de la guerre comme la « liquidation douloureuse, mais inéluctable d'une situation sans issue ».

La Tunisie. — Quelques jours après la fin de la guerre d'Indochine, Pierre Mendès France définit une politique nouvelle pour résoudre la crise tunisienne. Le 31 juillet 1954, à Carthage, il annonce que son gouvernement est prêt à accorder l'autonomie interne de la Tunisie. Il s'agit d'établir, par contrat, une décolonisation délicate mais indispensable puisque l'effervescence a augmenté. Des mesures de détente à l'égard des nationalistes, la mise sur pied d'un gouvernement qui ait l'approbation des milieux tunisiens, la signature de nouvelles conventions entre la France et la Tunisie, préparent l'avenir selon un échéancier progressif. Mais si le cap est maintenu, le mécontentement des Français de Tunisie, du groupe de pression colonial de la Chambre des députés et du Sénat, la poursuite du terrorisme en Tunisie, freinent la bonne marche du processus.

La Communauté européenne de défense. — Pierre Mendès France estime que le Parlement français doit engager le débat de ratification du traité et qu'aucune mesure dilatoire ne doit l'empêcher ou le différer davantage. Mais son gouvernement est divisé sur ce thème de même que la majorité sur laquelle il s'appuie à l'Assemblée nationale. Pierre Mendès France pense, pour sa part, sans prendre position publiquement que le réarmement de l'Allemagne est inévitable et que la CED n'en est pas le meilleur moyen, car il se méfie des limites de souveraineté nationale qu'elle impose. Le chef du gouvernement recherche un compromis, mais les pressions américaines comme celles des partisans intransigeants de la CED le font échouer. Dès lors, Pierre Mendès France décide de se tenir à l'écart du débat de ratification, ce que les défenseurs de la CED vont lui reprocher avec beaucoup d'amertume.

Le 30 août 1954, l'Assemblée nationale décide, à une forte majorité, par la procédure de la question préalable, que le débat engagé ne doit pas se poursuivre ; c'est un enterrement de la CED que le chef du gouvernement ne cherche pas à empêcher. Communistes, gaullistes, la moitié des socialistes et des radicaux votent ensemble pour rejeter implicitement la CED. Les conséquences de ce vote sont importantes pour le gouvernement, qui perd ses ministres procédistes fervents. Le MRP estime que Pierre Mendès France est responsable du « crime du 30 août » ; il devient un adversaire sans nuances et sans réserves de la politique gouvernementale.

Pourtant, le chef du gouvernement prépare une politique de rechange. Les accords de Londres (octobre 1954) prévoient la reconnaissance de la souveraineté de l'Allemagne fédérale, celle-ci peut donc réarmer. De même, l'Allemagne fédérale est accueillie au sein de l'OTAN. Ces accords sont ratifiés au terme d'un débat périlleux. Les communistes qui refusent le réarmement allemand, en compagnie de certains socialistes, le MRP qui ne pardonne pas l'échec de la CED, s'opposent au traité.

Moderniser la France

Pierre Mendès France a insisté constamment sur l'exigence de modernisation économique et sociale. Pour y parvenir, l'intervention de l'Etat est nécessaire ; mais il ne faut pas qu'elle soit trop tatillonne. Par ailleurs, l'expansion économique dépend des capacités d'exportation ; c'est pourquoi Pierre Mendès France estime nécessaire d'ouvrir l'économie vers l'outre-mer et l'Europe. Enfin, le développement économique et social suppose des choix ; les investissements financiers publics et privés doivent être bien ciblés.

Pendant la durée de son gouvernement, Pierre Mendès France laisse agir son ministre des Finances, Edgar Faure, qui a exercé les mêmes fonctions dans l'équipe de Joseph Laniel. Les choix portent sur une longue durée et concernent l'adaptation et la décentralisation industrielles, la modernisation agricole, le développement de l'équipement, la réduction des dépenses militaires, la libération des échanges commerciaux. Par ailleurs, Pierre Mendès France met l'accent sur la coopération économique entre la métropole et l'outre-mer.

Les réalisations du gouvernement demeurent timides car les contraintes de l'outre-mer et de la CED pèsent sur les choix. Néanmoins, on peut citer :

— un programme de logements sociaux renforcé pour répondre aux besoins en ville ;
— la construction d'établissements scolaires pour répondre aux premiers effets du *baby boom* d'après guerre ;
— la lutte contre l'alcoolisme et la promotion du lait, accompagnées d'une politique de la santé publique (constructions d'hôpitaux), afin d'améliorer niveaux de vie et modes de vie de la population.

Echec du mendésisme ?

Le 5 février 1955, la confiance lui étant refusée par l'Assemblée nationale, le gouvernement Pierre Mendès France démissionne. La crise en Algérie et la politique algérienne esquissée par le gouvernement sont officiellement au centre du débat parlementaire. Mais les oppositions s'additionnent pour abattre le gouvernement et son chef :
— les parlementaires critiquent les méthodes d'un chef de gouvernement qui prétend gouverner en coordonnant la politique ministérielle ;
— les communistes ont décidé de mettre un terme à l'expérience qui peut être dangereuse pour leur avenir électoral, car le mendésisme recueille une audience indiscutable et réveille la gauche politique ;
— la droite s'inquiète des projets de politique économique qui s'esquissent. Quant au MRP, il ne peut pardonner une politique qui, réformatrice dans les colonies et peu européenne, menace ses projets.

Pourtant, l'opinion soutient assez largement les grandes orientations de sa politique. Près de 60 % des Français ont approuvé les accords de Genève, 70 % les projets pour la Tunisie. Les deux tiers des Français estiment nécessaire la modernisation économique et les restructurations industrielles. La démission du PMF, le 5 février 1955, mécontente une majorité de Français qui attendent son prochain retour au pouvoir. De fait, paraissant difficile à situer sur l'axe politique gauche-droite, Pierre Mendès France apparaît comme l'homme d'un certain consensus provisoire.

La tentative de Pierre Mendès France laisse dans la mémoire collective le souvenir d'un épisode important mais éphémère. Les intellectuels renouent avec un débat politique déprécié, tandis que l'efficacité de la méthode souligne que les gouvernements peuvent agir. Mais l'expérience échoue parce que Pierre Mendès France dispose d'une popularité forte dans le pays mais d'un isolement certain au Parlement. En voulant rompre avec les inerties parlementaires, les routines économiques, les schémas classiques d'une politique étrangère, le chef du gouvernement s'oppose à trop de groupes d'intérêts. En sortant du milieu parlementaire, en utilisant la presse, en multipliant les voyages en province, Pierre Mendès

France cherche à rapprocher électeurs et dirigeants, à expliquer les choix nécessaires. L'utilisation qu'il fait des techniciens et des compétences pour préparer les dossiers souligne son goût pour la recherche d'une efficacité concertée. En ce sens, Pierre Mendès France prétend « moderniser la République » et prépare une démarche que Charles de Gaulle reprend quelques années plus tard, même si la Ve République n'est pas approuvée, bien au contraire, par Pierre Mendès France.

Edgar Faure assure la succession jusqu'à la fin de l'année 1955. Sa démarche ressemble beaucoup à celle de PMF au point que l'on a souvent dit qu'il a fait du mendésisme sans Mendès. Dans le domaine économique, comme dans le domaine colonial, il reprend les projets de son prédécesseur. Il contribue à débloquer la situation au Maroc, comprend qu'une solution nouvelle doit être imaginée en Algérie. Mais il se heurte dans le pays à une double opposition : celle du poujadisme, qui affecte artisans et commerçants et s'élargit à une population inquiète de l'avenir, et celle du mendésisme, qui cristallise les ambitions de ceux qui souhaitent un renouvellement profond de la société française et de la vie politique.

Pour réduire l'ampleur populaire de ces deux oppositions, Edgar Faure dissout l'Assemblée nationale. Cette démarche, pour être constitutionnelle, rompt avec les pratiques utilisées depuis 1877 et soulève l'indignation de bien des parlementaires et de larges secteurs de l'opinion. Elle relève, une fois encore, la profondeur des dysfonctionnements politiques.

La Front républicain et son échec

La constitution du gouvernement Guy Mollet

Les élections du 2 janvier 1956 opposent quatre grandes tendances politiques :

— le Parti communiste qui cherche vainement à sortir de son isolement du fait des tentatives de dégel en URSS mais que la gauche non communiste continue de rejeter ;
— le Front républicain qui rassemble le Parti socialiste SFIO, le Parti radical, l'UDSR et les gaullistes de sensibilité progressiste. Si

des hommes comme Guy Mollet, François Mitterrand ou Jacques Chaban-Delmas dirigent la coalition, pour l'opinion, le véritable leader ne peut être que Pierre Mendès France ;

— la coalition de droite où se retrouvent partis et groupes parlementaires qui gouvernent sous la présidence d'Edgar Faure : radicaux de droite, MRP, gaullistes, CNIP. Antoine Pinay en constitue vite la référence principale ;

— l'extrême droite qui cristallise un mouvement d'opposition au système de la IVe République. Au nom du combat contre la fiscalité, les parlementaires, l'« Etat dépensier », Pierre Poujade, lance une offensive de séduction en direction des artisans, des commerçants, des régions en retard ou des laissés-pour-compte de la modernisation économique et sociale. Le poujadisme qui s'incarne dans l'Union de défense des commerçants et artisans (UDCA) et dans l'Union et fraternité française (UFF) est né en terre radicale, mais dérive vite vers les thèmes de la revendication corporative, du nationalisme, du colonialisme, voire de l'antisémitisme. Une des cibles principales du mouvement n'est autre que Pierre Mendès France.

La campagne électorale est particulièrement troublée par les agitations violentes menées par les poujadistes qui s'en prennent très vivement à bien des députés candidats au renouvellement de leur mandat : avec le slogan de « Sortez les sortants », ils essaient de soulever l'indignation populaire. Mais, à l'évidence, la démagogie des chefs du poujadisme n'empêche pas que Pierre Mendès France et ses projets soient au cœur du débat. Le fonctionnement de la démocratie républicaine, les problèmes sociaux, la situation en Algérie, sont discutés avec ardeur alors que les moyens audiovisuels commencent à jouer un rôle important.

Les résultats du scrutin sont assez ambigus. L'impression première est celle d'une victoire du Front républicain qui obtient 27 % des voix et un peu moins de 180 sièges. En fait, le « courant mendésiste » gagne sans nul doute les élections, mais la coalition à laquelle il appartient perd des sièges. D'autre part, l'échec du MRP, comme celui des gaullistes de tous bords, rend plus sensible la progression des indépendants. Enfin, le succès du poujadisme est assez spectaculaire puisqu'il peut constituer un groupe parlementaire (11,6 % de voix). Par conséquent, aucune coalition ne peut se prévaloir de la victoire électorale d'autant plus que l'extrême gauche comme l'extrême droite sont exclues.

Le président de la République fait appel au secrétaire général de la SFIO Guy Mollet pour constituer le nouveau gouvernement. Plusieurs raisons ont été déterminantes. Il dirige le groupe le plus important à gauche (à l'exception de celui des communistes dont il peut tenter d'obtenir la neutralité) ; il semble le plus apte à rassembler une majorité qui, en se déportant vers la droite, peut neutraliser le MRP qui déteste Pierre Mendès France ; Européen, Guy Mollet peut espérer cristalliser une « majorité d'idées » qui évolue avec la diversité des problèmes politiques.

En 1956, Guy Mollet est âgé de 51 ans. Secrétaire général de la SFIO depuis 1946, il est député du Pas-de-Calais et maire d'Arras. Mais c'est surtout un homme d'appareil, militant socialiste déterminé. Attaché à la tradition doctrinale, il est un adversaire résolu du Parti communiste qui, dit-il, n'est pas « à gauche, mais à l'est ». Adepte de la construction européenne, il a fait sanctionner les députés socialistes hostiles à la CED. Enfin, il arrive aux affaires au moment où la crise algérienne s'approfondit ; il a taxé la guerre d'imbécile, mais va y engager la métropole plus avant.

Le choix du président du Conseil et le gouvernement qu'il construit déçoivent l'opinion qui, à gauche, attendait Mendès France. Ce dernier n'occupe pas de responsabilité d'envergure dans une équipe ministérielle nombreuse où figurent les principaux leaders du Front républicain. François Mitterrand, ministre d'Etat, assume la responsabilité de la Justice, Jacques Chaban-Delmas est ministre des Anciens Combattants. Ce sont des socialistes qui occupent les ministères clés, aux Affaires étrangères, à l'Intérieur, à l'Economie et aux Finances (Paul Ramadier), aux Affaires sociales (Albert Gazier). C'est un autre socialiste, Robert Lacoste, qui finit par prendre en charge l'Algérie.

L'œuvre du Front républicain

Les projets du gouvernement sont ambitieux. L'appui des syndicats suppose l'adoption d'une politique sociale active. Par ailleurs, le nouveau gouvernement s'engage à rechercher et à appliquer des solutions originales en Algérie, mais aussi dans l'Empire colonial. Enfin, il insiste beaucoup sur la nécessité de reprendre la construction européenne freinée par l'échec de la CED. Comme il ne dispose pas d'une majorité absolue, Guy Mollet doit utiliser très fréquemment une méthode classique, le recours à la question de confiance pour mobiliser les soutiens parlementaires indispensables. Ce faisant, le ministère Guy Mollet bénéficie du délai de vie le plus long de la IVe République : près de seize mois (1er février 1956 - 21 mai 1957).

Une action sociale dynamique. — Pour Guy Mollet, l'arrivée au pouvoir d'un gouvernement à direction socialiste suppose l'adoption rapide de mesures sociales hardies. C'est pourquoi, en quelques semaines, il fait voter par les députés quatre mesures importantes :

— une troisième semaine de congés payés ;
— une retraite améliorée pour les vieux travailleurs grâce au Fonds de solidarité financé par l'impôt (la « vignette automobile ») ;
— l'amélioration des remboursements des frais médicaux par la Sécurité sociale ;
— le vote d'une loi-cadre sur le développement du logement social.

Ainsi, Guy Mollet espère se situer dans l'héritage de Léon Blum et du Front populaire, comme de la Libération.

Cette politique sociale accroît la charge financière de l'Etat et accélère l'inflation. Certains historiens sont très sévères (Jean-Paul Brunet). Mais il faut rappeler que la tradition de gauche et notamment la tradition socialiste s'inscrivent dans une démarche d'évolution sociale que revendique le dirigeant socialiste. En effet, aux yeux de Guy Mollet, le Parti socialiste, s'il est au pouvoir, doit engager des réformes favorables à sa clientèle électorale modeste, même si les économistes recommandent la prudence. S'il est vrai que la politique sociale grève le budget, il faut rappeler aussi le coût élevé de la guerre d'Algérie. C'est l'addition des deux choix qui accroît le déficit budgétaire.

La participation à la relance européenne. — Le gouvernement Guy Mollet n'est pas à l'origine de la reprise européenne même si, par la suite, il intervient activement dans les négociations. La politique européenne qui s'engage en 1956-1957 résulte de compromis acceptés par la France qui impose à ses partenaires certaines de ses conditions :

— c'est la France qui souhaite obtenir la création de l'Euratom, c'est-à-dire d'une Communauté européenne de l'énergie atomique. Mais en France les débats sont tendus entre les partisans d'une énergie atomique pacifique (Guy Mollet et la gauche) et les adeptes de l'arme nucléaire (les militaires, les gaullistes). Le projet Euratom est adopté par le Parlement français en juin 1956, puis intégré au traité de Rome ;

— en revanche, la France doit accepter la Communauté économique européenne (CEE). L'opinion française est partagée ; le patronat évolue mais multiplie les réserves. Des hommes politiques (Pierre Mendès France) estiment que l'insuffisante modernisation économique française risque de la gêner au sein du futur Marché commun. Gaullistes et communistes critiquent les probables abandons de souveraineté. Dans les négociations, animées, du côté français par Maurice Faure, la France recherche les garanties les plus nombreuses pour limiter les inquiétudes de l'opinion.

L'ensemble de cette politique européenne compose le traité de Rome que signent la France et ses cinq partenaires le 25 mars 1957. Mais la ratification du traité intervient après la chute du gouvernement Guy Mollet.

Une politique coloniale ambiguë. — En effet, le gouvernement Guy Mollet prolonge la politique de ses prédécesseurs en Tunisie et au Maroc qui obtiennent leur indépendance en février et mars 1956 dans le cadre de l' « interdépendance librement réalisée » avec la France. Très vite ces Etats réclament les signes de la souveraineté, armée et diplomatie. Mais les accords avec la France ne sont pas conclus. De même, le gouvernement Mollet termine les négociations à propos des comptoirs en Inde qui reviennent à la République indienne. Alain Savary anime cette politique.

Par ailleurs, Gaston Defferre fait voter, le 23 juin 1956, la loi-cadre sur l'Afrique noire qui accorde le suffrage universel aux populations africaines, la création de conseils de gouvernement locaux et élargit les compétences des assemblées élues en même temps qu'elle s'engage à développer le recrutement des cadres africains et à promouvoir le développement économique et social.

La guerre d'Algérie dans laquelle le gouvernement Guy Mollet fait s'enfoncer la métropole a occulté l'œuvre libérale menée à cette époque en laissant le souvenir d'une action contradictoire de celle qui avait été annoncée. En fait, la loi-cadre de Gaston Defferre prépare la Communauté de 1958, même si, à l'époque, elle ne satisfait pas les élites africaines les plus progressistes.

Le gouvernement Guy Mollet jouit pendant plusieurs mois d'une popularité indiscutable qui atteint son apogée à l'automne 1956 au moment où il lance la France dans l'expédition de Suez contre la nationalisation du canal et la politique nationaliste du colonel Nasser. Mais très vite il connaît la disgrâce, car, en se refusant de définir une politique libérale active en Algérie, il mécontente une gauche déçue. La politique sociale coûteuse qui contribue à l'augmentation des impôts inquiète les modérés et la droite, car l'inflation reprend avec ampleur. Le 22 mai 1957, une opposition hétéroclite additionne les suffrages communistes, poujadistes, conservateurs (CNI), pour renverser le gouvernement qui, par ailleurs, cherche à « tomber à gauche ».

Guy Mollet laisse, dans la mémoire collective, une réputation négative partiellement injustifiée. En effet, l'œuvre accomplie est loin d'être insignifiante, notamment sur les plans social et européen. Disposant d'une majorité relative, il a utilisé l'arme de la question de confiance pour sauvegarder la coalition, car l'exécutif ne disposait pas de meilleurs moyens pour mobiliser sa majorité. Au total, en gouvernant dans des conditions difficiles, quand se multiplient les contradictions, Guy Mollet incarne les hésitations d'une population devant la gravité des choix à opérer et les atermoiements d'un personnel politique trop peu apte à prendre du recul par rapport aux oscillations immédiates de l'opinion.

Les crises politiques

A partir du printemps 1957, les gouvernements ne peuvent plus prendre d'initiatives, car les majorités gouvernementales sont toujours fort fragiles. Les députés poujadistes peuvent défaire une majorité, mais sont incapables d'aider à la reconstitution d'une autre. Le mendésisme s'essouffle. Pierre Mendès France a quitté le gouvernement Mollet en 1956 et a échoué dans ses tentatives pour rénover le Parti radical. La décomposition des forces politiques s'accélère.

Deux équipes ministérielles succèdent à Guy Mollet. La première présidée par l'ancien ministre de la Défense nationale Maurice Bourgès-Maunoury s'épuise à essayer de faire adopter une loi-cadre pour l'Algérie. La seconde dirigée par un autre radical, Félix

Gaillard, le plus jeune président du Conseil qu'ait eu la France à cette date, affronte la renaissance des problèmes économiques et financiers. Les difficultés du commerce extérieur, la dépréciation du franc et l'inflation accroissent les tensions sociales et dégradent l'image de la France sur la scène internationale.

La guerre d'Algérie mine en profondeur les organisations et les partis politiques. Le Parti communiste peut en apparence sauvegarder son unité, mais les effets de la déstalinisation commencent à se faire sentir, tandis que ses positions sur l'Algérie demeurent vagues ; s'il défend la paix, il ne parle pas d'indépendance. Toutes les autres familles politiques sont profondément divisées. A la SFIO, l'aile gauche combat le « national-molletisme », c'est-à-dire la participation à la guerre. Au MRP, des hommes, comme Georges Bidault, adoptent des positions de refus intransigeant à l'égard de toute évolution en Algérie. Le Parti radical a explosé comme la droite modérée où des hommes comme Antoine Pinay et Paul Reynaud ont du mal à faire entendre un discours politique ouvert à une solution libérale en Algérie.

C'est directement la guerre d'Algérie qui conduit Félix Gaillard à quitter le pouvoir le 15 avril 1958 à propos de la crise franco-tunisienne et de l'affaire des « bons offices » proposés par les Britanniques et les Américains. En fait, Félix Gaillard a cristallisé contre lui une double opposition : à gauche, communistes, progressistes, Pierre Mendès France et François Mitterrand, à droite, le groupe parlementaire du CNIP, des radicaux, des MRP, des poujadistes et des gaullistes. Il est évident que la majorité élue sous le signe du Front républicain s'est disloquée et qu'il est difficile de construire une équipe parlementaire et ministérielle efficace.

Mai 1958

Les événements

La démission de Félix Gaillard ouvre la crise gouvernementale. Le président de la République oriente sa recherche vers la droite parlementaire qui assume la responsabilité de l'échec du gouvernement. Georges Bidault, favorable à une politique répressive en

Algérie et membre du MRP, échoue dans sa tentative, car son parti préfère une solution plus libérale. En se tournant vers le centre, René Coty sollicite René Pleven auquel la SFIO, cette fois, refuse d'accorder son appui parce qu'il n'offre pas d'engagements assez précis sur une action réformatrice. Les solutions parlementaires classiques semblent donc, début mai 1958, mener à l'impasse.

Entre-temps, en Algérie, la population européenne se laisse gagner par l'influence des groupes activistes, tandis que le trouble s'empare de l'armée. En métropole, les réseaux gaullistes se réveillent pour rappeler l'éventualité d'un recours dans une crise que la presse juge grave mais qu'en apparence les parlementaires sous-estiment.

Une majorité parlementaire semble donc s'esquisser en faveur d'une solution libérale. C'est pourquoi René Coty désigne Pierre Pflimlin qui, leader du MRP, passe pour avoir des idées réformatrices sur l'Algérie. D'autre part, il peut apparaître comme un homme neuf qui partage quelques fortes convictions. Celui-ci s'efforce, devant la défection des socialistes, de bâtir un gouvernement de centre droit qui très vite inquiète les activistes algérois et plus généralement les partisans de l'Algérie française. Ceux-ci qui composent des groupes très hétérogènes, d'anciens partisans du régime de Vichy, de réactionnaires de diverses origines, de gaullistes, lancent une manifestation à Alger, le 13 mai, pour affirmer leur opposition à une candidature qu'ils jugent inacceptable. Cette manifestation aboutit à une véritable émeute qui impose un *Comité de salut public* dont la présidence est confiée au général Massu, commandant du corps d'armée d'Alger.

Ce contre-pouvoir insurrectionnel a des implications paradoxales. En voulant imposer ses orientations, un gouvernement qui lui convienne, il permet au gouvernement Pflimlin d'obtenir l'investiture parlementaire. En défiant les institutions républicaines, il provoque un sursaut qui permet au gouvernement d'élargir son assise parlementaire aux socialistes et de choisir des solutions de fermeté pour réduire la dissidence algérienne. Le 16 mai, l'état d'urgence est proclamé.

L'épreuve de force est donc engagée avec le Comité de salut public qui étend son influence aux principales villes du territoire algérien. Pour contrecarrer cette autorité, Pierre Pflimlin accorde les pleins pouvoirs civils et militaires au général Salan (commandant en chef de l'armée en Algérie) qui a manifesté ses réserves et ses réticences. Celui-ci, sous la pression du Comité inquiet des résistances en métropole, finit par en appeler au général de Gaulle, qui, le 15 mai, prend une position très ambiguë. En réponse aux militaires d'Algérie, il annonce que, devant la dégradation de l'Etat, il se tient prêt à assumer les pouvoirs de la République. Cette intervention ne condamne pas les auteurs du coup de force et semble les cautionner, tandis qu'elle affaiblit la légitimité du gouvernement Pflimlin.

En effet, de Gaulle propose une alternative à la crise politique ouverte par le 13 mai. Ce faisant, il contribue à déplacer les enjeux et à ébranler la majorité parlementaire. Il confirme ses propos dans une conférence de presse le 19 mai, au cours de laquelle, tout en cherchant à rassurer les milieux politiques et parlementaires, il manifeste très clairement son intention de revenir au pouvoir. Dès lors, la démarche gaulliste, même si elle cristallise les oppositions collectives, détermine les choix de bien des personnalités. Si le Parti communiste, la SFIO, des radicaux comme Pierre Mendès France, dénoncent les mauvais coups portés à la République, Georges Bidault, Antoine Pinay, Guy Mollet, René Coty, tentent d'approcher de Gaulle.

L'autorité du gouvernement s'effrite. Les activistes algérois profitent de cette conjoncture pour multiplier les pressions sur la métropole. Le 24 mai, des parachutistes débarquent en Corse qui tombe dans la dissidence. Les rumeurs s'amplifient selon lesquelles d'autres groupes sont prêts à intervenir sur le territoire métropolitain. Le gouvernement essaie de réagir en instaurant la censure de la presse et en s'engageant dans une procédure de révision constitutionnelle. Mais les événements se précipitent. Après hésitation, Pierre Pflimlin se résout à rencontrer Charles de Gaulle qui, le 27 mai, fait savoir — nouvelle pression sur les parlementaires et l'opinion — qu'il a engagé le processus nécessaire à l'établissement d'un gouvernement républicain. Le 28, en riposte à l'intervention de militaires en Corse, les partis de gauche, communiste, socialiste, des radicaux, les syndicats, CGT, CFTC, FEN, manifestent en commun leur soutien à la République. Ce défilé unitaire — fait nouveau — plus nombreux qu'on ne l'a dit, ne manque pas d'ambiguïtés, car, si l'hostilité populaire à l'égard du coup de force algérois est évidente, si les manifestants ne partagent pas les objectifs des membres du Comité de salut public, ils ne défendent pas sans nuances la IVe République.

D'ailleurs, il est bien tard. Le 28 mai, Pierre Pflimlin donne sa démission : il semble que la crainte du Front populaire ait produit son effet. Dès le lendemain, René Coty fait appel à Charles de Gaulle et presse les députés de soutenir cette candidature. Le 1er juin, après avoir accepté de faire quelques concessions au protocole parlementaire, de Gaulle obtient l'investiture à la tête d'un gouvernement d'union qui exclut les communistes et l'extrême droite parlementaire. Ce cabinet comprend d'ailleurs les principaux leaders politiques, des modérés comme Antoine Pinay, des MRP comme Pierre Pflimlin et des socialistes comme Guy Mollet. Le lendemain, 2 juin, de Gaulle obtient les pouvoirs spéciaux pour traiter le problème algérien et le droit d'élaborer une nouvelle constitution.

Les 1er et 2 juin, le pouvoir législatif cède le pas à l'exécutif. Une forte majorité accepte ce processus à l'exception du groupe communiste, d'une moitié du groupe socialiste, de radicaux comme Pierre Mendès France ou de personnalités comme François Mitterrand. Les votes des députés marquent l'acte de décès effectif de la IVe République.

A propos de quelques interprétations

Assassinat ? Suicide ? Euthanasie ? La crise du 13 mai a suscité bien des débats, des analyses et des efforts d'interprétation.

A l'époque — et dans les mois qui suivent — seuls les gaullistes donnent une version des faits linéaire ; mal conçue à l'origine, la IVe République est tombée normalement. Leurs adversaires, des hommes politiques mais aussi des journalistes divers, mettent au contraire l'accent sur le coup de force, voire sur des complots. Les journalistes comme Pierre Viansson-Ponté du *Monde* ou les frères Bromberger du *Figaro* démontent l'un quatre complots, les seconds treize. Pierre Mendès France ou François Mitterrand ont toujours dénoncé le « coup d'Etat » qui, sans avoir de Gaulle pour auteur, a pu bénéficier au retour du Général au pouvoir. Des intellectuels gaullistes, comme à l'époque du RPF Raymond Aron, partagent d'ailleurs ce point de vue : la rébellion militaire a fait céder la République.

D'autres témoins, historiens de surcroît, comme Michel Winock ou Jacques Julliard, soulignent la décomposition du régime républicain. Hubert Beuve-Méry, le directeur du journal *Le Monde,* rappelle que la République est morte, moins du coup d'Etat que de son inaptitude à vivre, et souligne le nombre des obstacles qui ont révélé son impuissance effective à répondre aux défis. En la circonstance, la rébellion algéroise accélère le processus de décomposition sans le provoquer.

Depuis lors, un historien comme René Rémond insiste sur le fait que la disparition de la IVe République n'avait, en mai-juin 1958, rien d'inéluctable. Crise gouvernementale et crise politique, le 13 mai 1958 est, selon René Rémond, un événement majeur riche d'imprévu et de hasard ; dans ces conditions, la mort de la République est aussi liée à une conjoncture où les hommes ont joué un très grand rôle. L'attitude de De Gaulle comme celle des caciques de la République sont déterminantes.

Jean Charlot souligne la complexité de la crise du 13 mai. Si un putsch a éclaté, si des complots se sont montés, les initiatives sont d'origines multiples ; elles ne révèlent pas de plan parfaitement préétabli. En la circonstance, les gaullistes ont exploité une situation qu'ils n'ont pas précisément créée. Odile Rudelle confirme ce point de vue quand elle souligne, au jour le jour, la manière dont les réseaux gaullistes ont réussi à retourner, à leur profit, une situation qu'ils n'avaient pas créée. Pour ces deux historiens, la crise politique a donc été largement exploitée par des acteurs, activistes, gaullistes, objectivement complices même s'ils sont rivaux, pour abattre un régime qu'ils rejettent.

Ces interprétations de la crise portent sur des phénomènes politiques apparents en métropole. Or, toute crise révèle, en profondeur, l'état des institutions et de l'opinion. D'autre part, les événements qui mènent au 13 mai ont leurs origines dans la guerre d'Algérie qui n'est pourtant pas, au premier semestre 1958, une des préoccupations principales des Français. En effet, ceux-ci considèrent qu'à terme l'Algérie doit acquérir son indépendance et qu'il importe d'engager des négociations avec les nationalistes insurgés.

Ce rappel peut éclairer différemment le 13 mai. Car, minoritaires au Parlement et plus encore dans l'opinion, sentant la situation leur échapper, les partisans les plus résolus de l'Algérie française cherchent à imposer un changement de régime pour empêcher une évolution rapide qu'ils craignent et pour dicter leurs choix. En ce sens, le 13 mai est assurément un coup de force. Les gaullistes, qui ne partagent pas sur l'Algérie des points de vue communs mais combattent la IVe République depuis 1946, saisissent et exploitent une situation d'autant plus favorable que l'opinion française n'est pas prête à défendre, dans n'importe quelles conditions, cette République mal aimée et rejette les risques d'une guerre civile éventuelle. La solution gaulliste, acceptée par le Parlement, semble pouvoir écarter cette menace.

Si la popularité de De Gaulle s'est renforcée dans les mois qui précèdent mai 1958, elle n'atteint pas une ampleur exceptionnelle. De Gaulle coalise à la fois déceptions et espérances. Mais la part de la résignation est très forte. Les chefs de la IVe République qui participent à son gouvernement et accompagnent la mise en place du nouveau régime ne pensent pas très différemment. Le retour de De Gaulle ouvre une parenthèse qui doit se fermer quand les solutions aux grands problèmes d'actualité seront trouvées et appliquées. C'est sur ce malentendu apparent que s'instaure le nouveau régime avec l'aide des principaux leaders de la IVe République. Charles de Gaulle l'exploite, car leurs interventions lui permettent d'engager la transition qu'il estime nécessaire pour construire l'Etat et le système politiques qui conviennent à ses vues.

BIBLIOGRAPHIE

MANUELS ET SYNTHÈSES

Elgey Georgette, *La République des contradictions (1945-1954)*, Fayard, 1968.
Elgey Georgette, *La République des tourmentes (1954-1959)*, Fayard, 1992.
Rioux Jean-Pierre, *La France de la IVe République : l'expansion et l'impuissance (1952-1958)*, Le Seuil, 1983.

LA VIE POLITIQUE

Bédarida François, Rioux Jean-Pierre (sous la direction de), *Pierre Mendès France et le mendésisme*, Fayard, 1985.
Borne Dominique, *Petits bourgeois en révolte. Le mouvement Poujade*, Flammarion, 1977.
Guillaume Sylvie, *Antoine Pinay*, Presses de la Fondation nationale des sciences politiques, 1983.
Lacouture Jean, *Pierre Mendès France*, Le Seuil, 1981.
Ménager Bernard *et al.* (sous la direction de), *Guy Mollet, un camarade en République*, Presses Universitaires de Lille, 1987.
Williams Philip, *La vie politique sous la IVe République*, Armand Colin, 1971.

LES PROBLÈMES DE L'OUTRE-MER

Ageron Charles-Robert, *La décolonisation française,* Armand Colin, 1991.
Dalloz Jacques, *La guerre d'Indochine,* Le Seuil, 1987.
Michel Marc, *Décolonisations et émergence du Tiers Monde,* Hachette, 1993.
Pervillé Guy, *De l'Empire français à la décolonisation,* Hachette, 1991.

LA POLITIQUE ÉTRANGÈRE

Bossuat Gérard, *L'Europe des Français,* Publications de la Sorbonne, 1997.
Gerbet Pierre, *La construction de l'Europe,* Imprimerie nationale, 1983.
Poidevin Raymond, *Robert Schuman, homme d'Etat (1886-1963),* Imprimerie nationale, 1986.

LA CRISE DE 1958

Rémond René, *1958. Le retour de De Gaulle,* Bruxelles, Complexe, 1984.
Rudelle Odile, *1958. De Gaulle et la République,* Plon, 1988.

8. Les Français et la guerre d'Algérie (1954-1962)

Le 1er novembre 1954, divers points du territoire algérien sont l'objet d'attentats. Si les départements d'Alger et d'Oran sont assez peu touchés, celui de Constantine — et spécialement la région des Aurès — connaît de nombreuses violences meurtrières. Cette insurrection, elle est annoncée comme telle, provoque la stupeur en métropole, car l'Algérie passe, à l'époque, pour être calme. De fait, les autorités politiques et administratives locales et nationales ont le plus souvent sous-estimé « le problème algérien ».

Les origines d'une guerre

La mythologie politique française a obscurci les données du problème algérien, car il allait de soi que l'Algérie était le prolongement de la France et constituait un ensemble administratif et économique cohérent. Dans une large mesure, l'Etat français était inconscient des réalités.

L'émergence de la question algérienne

En conquérant l'Algérie, la France prétend installer et développer une *colonie de peuplement.* De plus, en dissuadant — répression ou persuasion — les indigènes de se révolter, elle s'efforce de promouvoir, surtout après 1870, une politique d'assimilation. Divisée en trois départements, l'Algérie est administrée comme une fraction du territoire français.

Cependant cette politique d'assimilation rencontre des limites fort importantes :

— les Français parviennent à assimiler les étrangers venus d'Europe ou les juifs. Mais peu de musulmans sont effectivement intégrés ;
— les indigènes ont reçu entre 1830 et 1870 la nationalité française. Mais ils sont, en fait, privés de ce droit et sont assujettis à l'arbitraire administratif par le *code de l'indigénat.* Ils peuvent accéder à la citoyenneté française s'ils en font la demande ; mais peu nombreux sont ceux qui effectuent la démarche, car ils ne souhaitent pas reconnaître la subordination à une autorité étrangère. D'ailleurs, l'administration française ne les encourage pas à demander la naturalisation.

Dans les années 1930, des hommes politiques comme le gouverneur Maurice Viollette se sont rendu compte de ces ambiguïtés. Maurice Viollette a proposé d'accorder la citoyenneté française à des élites par le diplôme, les distinctions professionnelles, les décorations militaires, tout en permettant de garder un statut traditionnel fondé sur le Coran ou les coutumes. Mais ces projets ont échoué parce que les colons européens ont résisté et que les modes de vie des musulmans différaient de ceux des Européens (polygamie, mariage forcé, etc.). La politique d'assimilation semblait aller à l'impasse.

Une autre voie était ouverte, celle de l'*association franco-musulmane* ébauchée par Napoléon III. A la fin de la première guerre mondiale, Georges Clemenceau a repris l'idée en créant un deuxième collège électoral, restreint et minoritaire, pour permettre aux indigènes d'être représentés dans les conseils généraux et municipaux. Mais ce deuxième collège resta privé de représentants au Parlement français.

Le double échec de la politique française — assimilation et association — ne pouvait mener qu'à l'expansion des revendications nationalistes. Celles-ci demeurent vagues jusqu'à la seconde guerre mondiale qui renforce l'exigence d'un Etat et d'une citoyenneté algérienne.

Le statut de 1947

Pendant la guerre, l'Algérie devient la terre d'accueil du gouvernement provisoire qui propose d'octroyer la citoyenneté française aux musulmans en élargissant le deuxième collège et en étoffant leur représentation dans les conseils. D'autre part, il élabore un vaste plan de développement économique et social : scolarisation, amélioration des services médicaux, aide à l'habitat, application de la législation sociale métropolitaine, création d'industries, amélioration de l'agriculture indigène.

Cette nouvelle politique peut satisfaire les élites musulmanes européanisées, mais ne parvient pas à rallier les milieux nationalistes qui, toutes tendances confondues, créent un mouvement, les « Amis du Manifeste et de la Liberté » (Ferhat Abbas, Messali Hadj).

Quelques mesures de réforme sont appliquées, à partir de septembre 1944, par un gouverneur libéral, Yves Chataigneau. L'objectif consiste à créer une conjoncture nouvelle et à encourager les nationalistes modérés favorables au maintien de liens étroits avec la France, comme Ferhat Abbas. Mais la surenchère des intransigeants du Parti du peuple algérien (Messali Hadj) aboutit à une crise grave au printemps 1945. En effet, le 8 mai 1945 — jour de la capitulation allemande —, des émeutes populaires éclatent dans certaines villes des Aurès et notamment à Sétif. Leurs origines sont encore controversées. La misère n'en paraît pas la raison essentielle ni même la principale. En revanche, les émeutiers expriment une violente colère entretenue par des promesses mal tenues et d'indiscutables provocations. La métropole, en ce moment, a bien d'autres préoccupations que l'Algérie pour imaginer d'autres remèdes que le recours à la répression contre une agitation sanglante qui prend parfois l'allure d'une guerre sainte. La population algérienne garde la mémoire d'un malentendu déterminant vers le divorce inéluctable.

A Paris, les débats se développent sur un futur statut de l'Algérie. Il faut en finir rapidement. En fait, les décisions sont prises progressivement :

les deux collèges électoraux désignent des représentants au Parlement français mais en nombre inégal ;
— une loi d'amnistie est votée en faveur des victimes de la répression de mai 1945 afin de calmer les tensions les plus vives ;

— le 20 septembre 1947, l'Assemblée nationale adopte le *statut de l'Algérie*. Trois départements français sont les cadres de l'administration confiée à un double pouvoir. Le gouverneur général, qui incarne l'exécutif, représente l'Etat français. L'Assemblée algérienne, élue par les deux collèges, applique la législation métropolitaine, vote le budget, étudie les réformes nécessaires au peuple algérien. Le statut innove peu par rapport au régime antérieur. La création de l'Assemblée algérienne confirme l'impossibilité de mener une politique d'assimilation ; terre française, l'Algérie est à part. Mais ce compromis entre les partis politiques ne règle pas les problèmes essentiels, car il est périmé au moment où le gouvernement le promulgue.

L'Algérie oubliée

Le statut est mis en œuvre dans une conjoncture délicate :

— Yves Chataigneau est remplacé par Marcel Edmond Naegelen, un socialiste patriote et homme à poigne. Ce dernier veut réduire l'influence des milieux nationalistes ;

— les fraudes électorales se multiplient. Ainsi, en avril 1948, pour reprendre les termes de Guy Mollet, les élections à l'Assemblée algérienne n'ont, dans le deuxième collège, « aucun rapport avec la liberté de vote et la démocratie ». Ces fraudes se reproduisent à chaque consultation. L'administration française prétend barrer la route aux partis nationalistes et fait élire des musulmans très minoritaires et très intégrés à la culture française, qui représentent assez mal les vœux des électeurs indigènes ;

— la politique de réformes économiques et sociales ne tient pas ses engagements, car la métropole n'a pas les moyens d'aider l'Algérie et d'assurer la reconstruction. De fait, l'Algérie demeure dans une grande dépendance économique par rapport à la métropole. Les Français ne sont pas prêts à mettre en œuvre des plans ambitieux pour contribuer au progrès économique et social de l'Algérie, car ils ne souhaitent pas en supporter toute la charge. Pourtant, le commerce avec l'Algérie occupe la première place dans le commerce extérieur français. La démarche française est donc typiquement coloniale ;

— l'Assemblée algérienne ne joue pas le rôle espéré. Ses membres ne font pas preuve d'un dynamisme réformateur évident. Par ailleurs, les dissensions entre les élus des deux collèges paralysent son action.

Loin de réduire les revendications nationalistes, l'application du statut les aggrave. Les nationalistes algériens s'éloignent de plus en plus rapidement de l'adhésion au compromis de 1947.

• L'évolution politique de la population musulmane marginalise les modérés de l'Union du Manifeste algérien de Ferhat Abbas. Ce parti de notables francisés continue à plaider pour une Algérie autonome et démocratique. Mais le respect de la légalité républicaine qu'il invoque n'éveille plus d'écho dans la population indigène et ne bénéficie pas de l'aide attendue de l'administration française.

• Le Parti populaire algérien (PPA) ou Mouvement pour le triomphe des libertés démocratiques (MTLD) créé par Messali Hadj exerce la plus forte influence sur la population non européenne. Il mène double jeu. Officiellement, il joue la démocratie ; en fait, il prépare clandestinement l'insurrection et s'organise militairement. Les fraudes électorales consolident cette option insurrectionnelle. Mais, en 1953, le parti traverse une crise grave. L'autorité de Messali Hadj est contestée. Les plus radicaux lancent un appel à tous les Algériens pour bâtir une armée de libération nationale et pour rassembler tous les nationalistes dans un Front de libération nationale (FLN). Ces radicaux constituent l'équipe qui en novembre 1954 se lance dans l'insurrection : Ahmed Ben Bella, Houari Aït Ahmed, Mohammed Boudiaf, Belkacem Krim, ou Ben Khedda.

L'ordre républicain et les réformes (1954-1956)

C'est Pierre Mendès France qui dirige le gouvernement lorsque éclate l'insurrection. Il est arrivé au pouvoir pour imaginer une politique d'urgence en Indochine et pour accélérer l'évolution politique des protectorats marocain et tunisien. Son accession au pouvoir est saluée par les élus musulmans et les nationalistes comme Ferhat Abbas. Mais, en raison d'une stratégie déterminée par les priorités, le dossier algérien n'est pas vraiment étudié avant que les « troubles » ne débutent.

« Entre l'Algérie et la France, il n'y a pas de sécession concevable »

Dès l'annonce des massacres perpétrés en Algérie, le 1er novembre 1954, le gouvernement prend d'importantes mesures de sécurité en renforçant les effectifs des forces de l'ordre. Le ministre de l'Intérieur, François Mitterrand, dont dépend l'administration algérienne, définit une position sans ambiguïtés : « L'Algérie c'est la France et la France ne reconnaîtra pas, chez elle, d'autre autorité que la sienne » (7 novembre 1954).

Pierre Mendès France confirme cette orientation : « On ne transige pas lorsqu'il s'agit de défendre la paix intérieure de la nation, l'unité, l'intégrité de la République. Les départements d'Algérie constituent une partie de la République française. Ils sont français depuis longtemps et d'une manière irrévocable » (12 novembre 1954). Le gouvernement réaffirme donc une union classique de l'Algérie, terre non européenne bien particulière pour la France. Dès lors, le rétablissement de l'ordre est une priorité que la métropole doit prendre résolument en compte.

Cependant, Pierre Mendès France et François Mitterrand ne se satisfont pas d'une politique de répression. C'est pourquoi ils mettent au point un programme de réformes qui devrait s'appliquer lorsque le calme serait rétabli. Le chef du gouvernement le justifie en ces termes : « Par l'exercice des droits démocratiques, par la coopération généreuse de la métropole, nous saurons créer en Algérie la vie meilleure que la France doit assurer à tous les citoyens et à tous ses enfants. » Il estime que la crise algérienne se nourrit de la misère et du mal-développement et se propose de lancer un vaste programme d'équipement et de modernisation agricole et industrielle.

Un programme de *réformes ambitieuses* mais disparates est élaboré par François Mitterrand : application du statut de 1947 dans son intégralité, organisation d'un enseignement en langue arabe, droit de vote des femmes musulmanes, formation de hauts cadres administratifs musulmans, mise en valeur des terres incultes, etc. Ces mesures, pour généreuses qu'elles soient, ont un inconvénient : en ne choisissant pas entre l'intégration et la reconnaissance de la spécificité algérienne, elles mécontentent les colons et les élus européens comme les nationalistes de Messali Hadj. Seuls l'UDMA, le Parti communiste et les socialistes algériens leur réservent un accueil favorable. Pour le mettre en œuvre, le gouvernement fait appel à un nouveau gouverneur : Jacques Soustelle. Ce dirigeant du RPF, universitaire spécialiste des cultures non européennes, a la réputation d'un libéral, adepte d'une réforme profonde de l'Union française. Sa nomination est mal accueillie par les Européens d'Algérie.

Le gouvernement Mendès France tombe le 5 février 1955. L'Algérie explique en partie sa chute. Mais la politique qu'il a prétendu mettre en œuvre demeure à l'ordre du jour sous le gouvernement de son successeur Edgar Faure. Cependant son échec aboutit rapidement à une dérive évidente.

L'échec de la politique d'intégration

De fait, l'objectif prioritaire retenu par le nouveau gouverneur est de réussir, par des réformes profondes, à rallier les masses algériennes qui s'éloignent rapidement. En nouant le dialogue avec les élites musulmanes attentistes, en usant de fermeté à l'égard des milieux coloniaux les plus activistes, Jacques Soustelle espère réussir. La lutte contre le chômage des jeunes Algériens, la mise en œuvre d'une politique de développement doivent contribuer à créer un climat favorable. Pour l'aider, Jacques Soustelle fait appel à des libéraux : la sociologue Germaine Tillion ou l'ethnologue Vincent Monteil. Parallèlement, il applique l'état d'urgence en Algérie qu'a voté le Parlement français ; la lutte contre les rebelles est le fait des gendarmes et des CRS, mais aussi des « sections administratives spécialisées » (SAS), qui doivent remobiliser la population musulmane dans les campagnes.

Cette politique orientée vers une intégration effective de l'Algérie à la France mécontente les deux communautés. Les groupes de pression européens redoutent les réformes, l'accès des élites musulmanes aux responsabilités, l'égalité juridique, tandis que les nationalistes du FLN clandestin craignent qu'en se laissant séduire la population musulmane ne s'éloigne de la revendication nationale. Le terrorisme, loin de se réduire, s'étend rapidement dans l'ensemble du territoire.

Exaspéré par une double opposition, virulente sinon violente, Jacques Soustelle glisse peu à peu vers une politique d'autorité en oubliant les réformes. Ses collaborateurs libéraux le quittent, tandis que les partisans de l'ordre public imposent leur influence. L'état d'urgence permet de faire appel à des renforts militaires de la métropole. L'armée prend une place de plus en plus décisive dans la crise algérienne.

C'est dans ce climat qu'éclatent les émeutes des 20 et 21 août 1955. Dans le Constantinois, des milliers de paysans encadrés par des militants armés du FLN attaquent les forces de l'ordre mais aussi les civils musulmans et européens qu'ils massacrent dans des conditions atroces. L'armée intervient rapidement et parvient à limiter les effets de ces nouvelles émeutes. Mais cette poussée de fièvre laisse des séquelles très graves :

— en acceptant l'envoi de nouveaux renforts, le gouvernement s'engage dans une vraie guerre. La politique en Algérie est d'ailleurs de plus en plus élaborée à Alger et non à Paris ;
— le basculement des élites attentistes ou modérées vers le FLN tend à s'accélérer. Les succès obtenus par les nationalistes marocains (l'indépendance) poussent dans cette voie ;
— les émeutes provoquent une coupure décisive entre les deux communautés qui vont vivre désormais dans une véritable psychose ;
— les hommes politiques français s'interrogent sur le bien-fondé de cette politique. La droite pense que la seule réponse est celle d'une répression aggravée. Une partie de la gauche tend à penser que les réformes sont dépassées et que la négociation avec les insurgés devient la stratégie nécessaire ;
— dans l'immédiat, les élections du 2 janvier 1956 sont suspendues en Algérie, car le gouvernement ne peut garantir qu'elles se déroulent correctement.

La France se résout à la guerre en Algérie (1956-1958)

Les élections du 2 janvier 1956 portent au pouvoir une majorité de Front républicain que dirigent Guy Mollet et Pierre Mendès France. Pour Guy Mollet il faut faire cesser « cette guerre imbécile et sans issue ». Pierre Mendès France estime qu'une solution politique peut seule mettre fin à la crise. L'opinion française, dans sa majorité (mais elle est faible), semble souhaiter une politique différente. Pourtant, les premières tentatives du nouveau gouvernement échouent à leur tour. Désormais, la France, sans vouloir le dire, fait la guerre en Algérie.

L'échec de la politique Guy Mollet

Guy Mollet innove en créant un ministère spécifique pour l'Algérie qu'il confie au général Catroux. Ce disciple de Lyautey qui connaît bien l'Afrique du Nord passe pour un libéral susceptible de mettre fin à la guerre. La solution de Guy Mollet réside dans un *triptyque* : cessez-le-feu pour apaiser les esprits, élections libres au collège unique, négociations du futur statut de l'Algérie entre le gouvernement et les élus algériens.

Le président du Conseil décide un voyage en Algérie pour installer le nouveau ministre et annoncer sa politique, le 6 février 1956. Des manifestants saisissent l'occasion pour transformer cette journée en un véritable branle-bas de combat ; grève générale, foule en colère accueillent le président Guy Mollet. Devant les cris de haine provoqués par les groupes d'activistes, Guy Mollet change de ministre et désigne Robert Lacoste comme responsable du ministère.

Les conséquences politiques du 6 février sont considérables.

• Le gouvernement de la République a capitulé devant l'émeute ; les Européens d'Algérie vont s'en souvenir ; les musulmans perdent toute confiance, ce qui ne peut que renforcer l'influence du FLN.

• Si Guy Mollet et Robert Lacoste n'abandonnent pas le « triptyque », peu à peu le maintien de l'ordre en Algérie devient la priorité. Les « pouvoirs spéciaux » votés par la Chambre des députés, en mars 1956, autorisent le gouvernement à prendre toute mesure exceptionnelle en vue du rétablissement de l'ordre en Algérie. Par décrets, le gouvernement décide l'envoi des soldats du contingent et l'allongement de la durée du service militaire. Ce faisant, l'armée doit disposer de moyens renforcés pour lui permettre de « quadriller le pays » et de réduire les forces de l'insurrection.

Même si les mesures militaires occupent la plus grande place, il ne faut pas négliger les éléments d'une politique de réforme et de détente.

• Un ambitieux programme de constructions d'écoles pour scolariser les musulmans, des mesures pratiques de réforme agraire, l'accession des musulmans aux carrières de la fonction publique constituent une politique de réforme intéressante.

• De même, le gouvernement recherche des contacts avec des représentants du FLN. Un accord semble se réaliser autour de notions et de procédures comme le cessez-le-feu, les élections libres, l'exécutif provisoire. La fragilité parlementaire du gouvernement l'empêche de concrétiser cette démarche.

En octobre 1956, l'arrestation — au mépris des règles du droit international — de dirigeants nationalistes algériens (Ben Bella, Khider, Boudiaf, Aït Ahmed) laisse croire au double jeu du gouvernement qui se déconsidère auprès des responsables du FLN, des nationalistes modérés qui n'ont pas fait leur choix et des Européens libéraux désorientés. En novembre 1956, l'expédition militaire à Suez, qui prétend réduire les bases arrière de l'insurrection, dégrade un peu plus le climat politique.

Le programme initial de Guy Mollet n'est pas tenu. Les promesses de paix s'éloignent, tandis que les effets de la pacification demeurent modestes. Le gouvernement a déçu ; certains de ses membres éminents (Pierre Mendès France) ou emblématiques (Alain Savary) l'ont quitté. Si une majorité de Français semble approuver cette politique, il est vrai qu'elle ressemble plus à une politique de droite qu'à une démarche d'une gauche acquise au libéralisme politique. Par ailleurs, les sondages soulignent la montée progressive du nombre des Français qui attendent l'arrêt des combats et l'ouverture de négociations avec les dirigeants du FLN.

Néanmoins, malgré son échec, le gouvernement Guy Mollet fait prendre conscience de l'acrité du problème algérien. Les familles françaises se sentent concernées par une guerre qui commence à les toucher dans leur vie quotidienne. Le personnel politique comprend la complexité des problèmes posés et l'étroitesse de la marge de manœuvre. La longévité du gouvernement trouve dans ce phénomène une de ses raisons.

Les réalités de la guerre

Dès le début de 1957, le FLN intensifie son action terroriste et militaire. Robert Lacoste et le général Salan, commandant les forces de l'ordre, lancent une série d'actions qui remportent d'évidents succès ; c'est la période au cours de laquelle la pression militaire est probablement la plus forte de toute la durée de la guerre.

• La *bataille d'Alger*, dirigée par le général Massu, se déroule de janvier à octobre 1957. Les parachutistes parviennent en quelques mois à briser les mouvements de grèves, à démanteler les réseaux terroristes et l'organisation du FLN, à capturer des dirigeants importants. L'armée n'hésite pas sur les méthodes, car on lui a donné l'ordre d'être efficace : quadrillage des quartiers musulmans, encadrement strict de la population par la propagande, manipulation de militants du FLN, exploitation des repentis, mais aussi recours à la torture. Pour le FLN, le bilan est lourd puisqu'il perd une bonne partie de son élite militante établie depuis longtemps à Alger. Mais la France n'emporte de succès qu'en utilisant des méthodes très contestables. Le FLN subit une défaite militaire, mais la France affronte une condamnation internationale très dommageable sur le plan politique.

• Les *frontières* entre l'Algérie, le Maroc et la Tunisie sont fermées par la construction de lignes fortifiées. La « ligne Morice » devient l'enjeu d'une bataille des frontières que l'armée va longtemps soutenir. Il s'agit d'isoler l'Algérie de l'ensemble du Maghreb et d'interdire les relations entre le FLN intérieur et les dirigeants installés en Tunisie ou en Egypte, mais aussi de bien situer les commandos terroristes pour mieux les contrôler.

La *pacification* — tel est le terme par lequel on désigne la guerre — répond à un terrorisme meurtrier des groupes armés algériens. En effet, le FLN cherche à inquiéter les populations civiles musulmanes et à les intimider afin d'obtenir le plus large ralliement à la cause nationale. Par ailleurs, le FLN cherche à imposer son hégémonie sur l'ensemble des mouvements nationalistes. En 1956 et 1957, une lutte d'influence particulièrement sanglante se déroule entre les militants du FLN et les partisans de Messali Hadj rassemblés dans le Mouvement national algérien (MNA) sur l'ensemble du territoire algérien et se diffuse en métropole.

L'*armée* croit s'engager dans une stratégie contre-révolutionnaire, car les nationalistes algériens se veulent révolutionnaires. Le contrôle des populations par les SAS, la reconquête des esprits supposent une action psychologique permanente. La mission de l'armée dépasse donc rapidement celle qu'on lui confie habituellement. Cette dérive entraîne la politisation de bien des officiers qui sont tentés de combattre un nationalisme auquel ils donnent le visage de la subversion communiste. Lutter pour le monde libre permet l'usage de méthodes diversifiées, dont la torture.

Les Français perçoivent de plus en plus une guerre coûteuse. On évoque l'alourdissement des prélèvements de main-d'œuvre, car la durée du service militaire a été portée à vingt-sept mois. On rappelle la recrudescence de l'inflation, les déséquilibres budgétaires. En fait, la métropole imagine le fardeau plus lourd qu'il ne l'est réellement. La charge des dépenses militaires s'élève, mais dans les limites du supportable. L'Algérie absorbe la part essentielle du budget consacré à l'Union française. Le rajeunissement de la population et l'arrivée de la main-d'œuvre immigrée, notamment algérienne, compensent les besoins démographiques. Par ailleurs, le commerce extérieur français tend à s'orienter vers de nouveaux partenaires européens. Dès lors, l'idée peut se diffuser selon laquelle l'Algérie, loin d'être la chance de la France, tend à devenir un fardeau. Bien des industriels partagent l'analyse, mais aussi des journalistes (Raymond Cartier) ou des intellectuels (Raymond Aron).

Les réactions politiques de l'opinion métropolitaine évoluent. Les partisans de l'Algérie française, même s'ils jouent des rôles influents, rencontrent un écho plus assourdi. Les Français n'apprécient pas le FLN, ont peur des « règlements de compte ». Mais ils demandent, de plus en plus souvent, des conversations avec les chefs de l'insurrection. Les discussions ne présupposent pas l'indépendance mais une évolution vers l'autonomie et surtout l'arrêt des combats. Les divisions persistent et se creusent ; elles affectent les hommes politiques et les partis, les intellectuels. Les thèmes des débats concernent :

— les méthodes de pacification : la presse de gauche, communiste ou non *(L'Humanité, France-Observateur, Témoignage chrétien, L'Express)*, un quotidien comme *Le Monde*, des écrivains comme François Mauriac dénoncent la torture. Mais les partisans de l'Algérie française en minimisent l'importance, même s'ils en admettent la réalité. Le gouvernement prétend l'occulter devant une population assez lointaine ;
— l'avenir de l'Algérie : les clivages ont tendance à s'élargir dans une opinion encore hésitante ; seules des minorités actives prennent des positions publiques en territoire métropolitain. En 1956-1958, les Français ne souhaitent ni la guerre totale ni le soutien au terrorisme FLN. Pour sa part, la grande presse nationale formule des commentaires proches des thèses de

l'Algérie française, mais ne parvient pas à rallier la majeure partie de la population. Les élites intellectuelles mobilisent des deux côtés en adoptant souvent des options plus tranchées ; les campagnes de pétition commencent à se développer. Enfin, mis à part les communistes qui militent désormais, après avoir longtemps hésité, pour « un règlement pacifique de la question algérienne », et le CNI, qui adhère aux thèses de l'Algérie française, l'avenir de l'Algérie divise les autres partis politiques, même si la lassitude de la guerre s'affirme plus nette à la SFIO qu'au MRP ou chez les radicaux. Mais, à cette date, les partisans de l'intégration sont devenus minoritaires, tandis que progresse le nombre des partisans de l'indépendance ou de l'autonomie.

La population d'Algérie affronte directement les effets de la guerre. Ses choix sont donc plus tranchés. La population musulmane se laisse séduire par les thèses du FLN, tandis que les Européens se crispent de plus en plus sur le thème de la défense d'une Algérie française. L'opinion européenne peut alimenter le dynamisme de groupes activistes très divers qui trouvent un écho intéressé auprès de certains officiers. Mais ces choix très contrastés n'interdisent pas la persistance de libéraux et de modérés qui essaient, dans les deux communautés, d'éviter le pire.

L'internationalisation de la guerre et ses effets

Rapidement, les dirigeants du FLN s'efforcent de faire entendre leurs revendications sur la scène internationale. En profitant de mouvements dans les jeunes Etats comme celui des « non-alignés » ou de l'essor du panarabisme lancé par l'Egypte, les nationalistes du FLN veulent attirer l'attention du « Tiers Monde » mais aussi de l'ONU. De fait, le gouvernement français essaie de retarder les discussions sur l'Algérie à l'ONU, mais il n'y parvient pas. Si l'URSS apporte une aide discrète et modérée à l'insurrection qu'elle ne comprend pas bien, les Etats-Unis ne cachent pas que leurs préférences vont à une solution négociée, sinon même à l'indépendance.

Les pressions internationales, prudentes ou plus sensibles, se multiplient. Celles qui viennent des Etats-Unis sont d'autant plus embarrassantes que les gouvernements français ont besoin de l'aide américaine.

L'armée française a pris, dans l'organisation de la « pacification », une influence de plus en plus exclusive. Des dérapages se répètent comme le bombardement, le 8 février 1958, d'un village tunisien, Sakiet Sidi Youcef. Dans le cadre de la bataille des frontières, l'armée française attaque ce village auprès duquel se réfugiaient des maquisards algériens. En la circonstance, ce sont des civils qui sont blessés ou tués. Ce grave incident provoque une crise très sérieuse entre la France et la Tunisie. En effet, la France a violé le territoire de la Tunisie. Par ailleurs, le gouvernement tunisien, soutenu par les Etats-Unis et l'ONU, a proposé de s'entremettre entre la France et le FLN. Cette attaque apparaît comme une tentative de militaires, mal contrôlés par le gouvernement, pour empêcher la recherche d'une solution pacifique.

A leur tour, les Etats-Unis, appuyés par la Grande-Bretagne, proposent leurs « bons offices » pour tenter de régler le contentieux franco-tunisien. Cette proposition, qu'accepte le président du Conseil Félix Gaillard, est à l'origine immédiate de la crise gouvernementale et de la chute de la IVe République. Les Français n'apprécient pas l'idée d'une médiation étrangères et pensent que s'il faut négocier, mieux vaut le faire avec le FLN qu'avec la Tunisie, les Etats-Unis ou l'ONU.

De Gaulle à la recherche d'une politique algérienne

Les équivoques de 1958

En juin 1958, Charles de Gaulle constitue un gouvernement d'union nationale pour assurer la paix civile en métropole, le retour au calme en Algérie et la réforme de l'Etat en laquelle il voit un préalable. Mais il ne semble pas avoir défini une politique algérienne. Depuis 1954, il a toujours manifesté beaucoup de discrétion ; il a laissé entendre, aux uns, qu'il souhaitait une évolution, aux autres, que l'Algérie devait demeurer française. Ses déclarations initiales sont donc fort ambiguës. Les slogans les plus martelés — « Vive l'Algérie française » — laissent penser qu'il se range dans le camp des adeptes de l'intégration. Cependant, il partage la conviction qu'une politique algérienne doit obtenir l'adhésion de la population musulmane ; il ne semble pas persuadé que les musulmans demeurent favorables à l'intégration. De Gaulle ne prend aucun engagement. En réaliste, il se donne le temps d'évaluer le rapport de forces pour promouvoir l'ébauche d'une politique véritable.

Le *13 mai* et son issue surprennent le FLN. Il ne comprend pas la réaction des Européens et s'inquiète des fraternisations qui ont eu lieu entre musulmans et Européens. Tous ces comportements semblent signifier que le terrorisme n'a pas eu tous les effets escomptés. Par ailleurs, la crise de mai aggrave les tensions et les divergences entre les chefs de l'insurrection ; les oppositions s'aiguisent entre les militaires et les politiques.

Dès lors, le FLN mène son action dans trois directions :

— relancer les opérations en Algérie, aux frontières, mais aussi dans les villes et les villages algériens. Le recours à la force doit, par l'intimidation, faire basculer une population musulmane ébranlée, mais pas acquise aux objectifs du FLN ;
— ouvrir un front terroriste en métropole pour aggraver l'angoisse et la lassitude des Français ;
— obtenir une reconnaissance internationale. A l'automne 1958, se crée un « Gouvernement provisoire de la République algérienne » (GPRA). Le FLN ne désespère pas d'obtenir du gouvernement français des concessions significatives qui permettent d'envisager l'ouverture de négociations.

Charles de Gaulle attend le référendum du 28 septembre avant de présenter quelques propositions. En effet, la victoire massive du oui en métropole et le triomphe qu'il obtient en Algérie, en dépit des menaces du FLN, renouvellent et renforcent son autorité. Le rapport de forces s'inverse aux dépens du FLN. Les élections législatives qui ont lieu en Algérie au collège unique confirment cette conjoncture nouvelle.

Réformes et pacification : réédition d'un programme ancien

A l'occasion d'un nouveau voyage en Algérie, au début d'octobre 1958, de Gaulle annonce ses propositions :

— la remise en ordre : il exige de l'armée, responsable de l'ordre, de permettre le bon déroulement des élections législatives,

« dans des conditions de liberté et de sincérité absolues ». Par ailleurs, il ordonne aux militaires de rentrer dans leurs casernes et de se soucier de la défense de l'ordre ;
— la lutte militaire : de Gaulle appelle les insurgés à cesser la guerre (« la paix des braves ») et les Etats étrangers à ne plus apporter d'aide ;
— le *plan de Constantine,* c'est-à-dire un plan quinquennal de développement en faveur de l'Algérie et particulièrement de la population musulmane.

Ce plan est annoncé par de Gaulle le 3 octobre 1958. Il semble signifier que la France a l'intention de rester en Algérie puisqu'elle engage une politique de développement. Dès lors, de Gaulle reprend à son compte les stratégies de Pierre Mendès France et de Guy Mollet, en se donnant des moyens plus ambitieux. Quelques axes prioritaires sont retenus, comme l'accélération de l'industrialisation pour réduire le chômage, une réforme agraire pour reconstruire une classe de petits paysans propriétaires musulmans, la construction de logements en villes ou la croissance de la politique de scolarisation des jeunes musulmans. L'Etat français décide d'aider et de garantir les investissements nécessaires.

Ce plan doit couvrir une période de cinq ans. En fait, la réalisation du plan cesse à la fin de l'année 1961. Pourquoi ? La guerre ne semble pas entraver l'application du plan. En revanche, les investissements publics demeurent insuffisants, tandis que les entreprises privées gardent une grande réserve. Il semble bien que le regard des industriels et des financiers français a changé et que l'annonce d'une évolution de la politique française, à partir de 1959, les incite à penser à l'indépendance de l'Algérie plus qu'à son maintien au sein de la République française.

La pacification constitue le deuxième volet de la stratégie gaulliste. Comme le FLN refuse la paix des braves dans laquelle il voit un piège, le général Challe, nouveau commandant militaire, définit un plan qui reprend la tactique de ses prédécesseurs. Il fait renforcer les frontières pour séparer les insurgés de l'intérieur de ceux qui sont en Tunisie. Il traque les commandos armés et quadrille les territoires contrôlés par le FLN, pour reprendre en main les régions menacées par le terrorisme. Pour limiter les renforts métropolitains, il recourt aux harkis (supplétifs) qui aident l'armée française. Enfin, pour limiter l'influence politique du FLN, il procède à de nombreux « regroupements » de population. Challe obtient des résultats indiscutables. Les insurgés subissent une série de crises graves. Mais ces succès militaires favorisent paradoxalement la stratégie de celui qui s'impose désormais au sein de l'ALN : Houari Boumediene. En tout cas, une conjoncture nouvelle permet au président de la République de prendre des initiatives.

Le choix de l'autodétermination

L'*autodétermination* marque le véritable tournant. Le choix a été bien préparé à l'occasion de voyages en Algérie (« la tournée des popotes ») et d'entretiens avec quelques chefs d'Etat étrangers. Elle est annoncée le 16 septembre 1959.

Le discours du 16 septembre 1959. Le président de la République informe la presse et la population qu'il a choisi de laisser les Algériens « décider de leur destin, une fois pour toutes, librement, en connaissance de cause » et de demander aux Français d'entériner leur choix. Il propose trois options possibles : la sécession, c'est-à-dire l'indépendance en rupture totale avec la France, qu'il rejette, la francisation, c'est-à-dire l'égalité entre l'Algérie et la métropole, qu'il ne défend pas spécialement, ou le « gouvernement des Algériens par les Algériens eux-mêmes, dans le cadre de relations solidaires avec la France ». Cette dernière solution semble avoir sa faveur. Enfin, il invite les insurgés à cesser le combat, mais continue à récuser le GPRA comme interlocuteur valable.

Les réactions de l'opinion et des partenaires sont complexes :

— en métropole, les partisans de l'intégration, qui appartiennent à la majorité présidentielle (Jacques Soustelle) comme à la gauche (Robert Lacoste) et à la droite, ne peuvent refuser l'autodétermination, même si l'indépendance de l'Algérie peut en découler. Mais de Gaulle retrouve à gauche les appuis qu'il perd à droite : Pierre Mendès France ou Guy Mollet l'approuvent avec résolution, comme le Parti communiste ;

— en Algérie, les propositions du président déçoivent les Européens, car, de fait, elles écartent l'intégration. L'inquiétude monte, que les activistes cherchent à exploiter d'autant plus que les succès militaires les incitent à estimer possible une solution de force ;

— le GPRA apprécie les principes posés par l'autodétermination, mais souhaite au préalable une négociation effective sur les garanties à espérer en cas de cessez-le-feu ;

— la pression internationale continue, dans le cadre de la CEE, de l'OTAN, ou de l'ONU, pour obtenir de la France une politique pacifique. Les gouvernements saluent le choix du président de Gaulle.

« *La semaine des barricades* » (24 janvier - 1er février 1960). Le rappel du général Massu — le seul officier supérieur à n'avoir pas été déplacé depuis 1958 — fait éclater de nouvelles manifestations. Le 24 janvier, organisations patriotiques et activistes exigent le retour de celui qui a gagné la « bataille d'Alger ». Des barricades protègent un véritable camp retranché où se rassemblent des hommes armés qui n'hésitent pas à tirer sur les forces de l'ordre. Des mouvements de sympathie se développent dans la plupart des grandes villes d'Algérie, mais la population musulmane se montre très discrète. Malgré les pressions de nombreux officiers, ni le général Challe ni Paul Delouvrier n'acceptent de rejoindre les insurgés qui prétendent refaire le 13 mai.

Le 29 janvier, à Paris, de Gaulle, dans un discours radiotélévisé, condamne avec force ce « mauvais coup porté à la France », exige l'obéissance des militaires, adjure les partisans de l'émeute de rejoindre l'ordre, tout en réaffirmant la nécessité de la politique d'autodétermination.

Cette intervention mobilise certains cadres de l'armée d'Algérie, réduit l'enthousiasme des Européens à l'égard des insurgés, tandis que l'opinion métropolitaine approuve Charles de Gaulle. La résistance des barricades tend à s'amoindrir. Le 1er février, leurs principaux animateurs (J. Ortiz, P. Lagaillarde) s'enfuient ou se rendent.

Cette épreuve de force a des conséquences politiques importantes :

— le gouvernement a tenu bon. Cependant de Gaulle décide de le remanier en écartant les ministres trop favorables à l'Algérie française (Jacques Soustelle) ;

— de Gaulle obtient les pouvoirs spéciaux en Algérie pour un an. Il va les utiliser pour engager une véritable remise en ordre (épuration de l'armée et de l'administration) ;

— l'autodétermination est confirmée. Les propos sur « l'Algérie algérienne liée à la France » inquiètent les partis de droite — et même une fraction de l'UNR —, s'ils sont appréciés par les partis de gauche. De Gaulle, tout en gardant le cap, demeure prudent ; procès et sanctions pèsent sur les partisans de l'indépendance de l'Algérie (procès du réseau Jeanson).

L'opinion métropolitaine approuve les orientations présidentielles ; de Gaulle est à l'apogée de sa popularité. Cependant, la politique algérienne du président de la République affecte en profondeur l'opinion française. Tous les partis, toutes les institutions sont touchés et subissent des tiraillements d'intensité variable. Le Parti communiste et la CGT peuvent garder une certaine unanimité de façade en affirmant leur attachement à une politique de paix ; ils sont l'objet de contestations internes de militants qui souhaitent un alignement sur les thèses du FLN. A l'opposé, les partisans de l'Algérie française qui fondent le *Comité de Vincennes* appartiennent à des sensibilités différentes correspondant à des fractions d'un large éventail politique, depuis l'extrême droite jusqu'à la SFIO en passant par le CNI, le MRP, les radicaux ou même le gaullisme de l'UNR. En fait, dans des proportions inégales, puisque les adeptes de l'Algérie française se recrutent majoritairement dans des milieux conservateurs, les clivages traditionnels sont bousculés.

La guerre d'Algérie suscite des batailles d'intellectuels à travers la presse ou les pétitions. Elle touche les étudiants mais aussi les universitaires, les journalistes, les écrivains et les artistes. Si les intellectuels de gauche sont les plus actifs, le phénomène touche une large part des milieux de la culture. A gauche, avec Jean-Paul Sartre, la bataille idéologique vise la colonisation ; on combat pour le droit des peuples. Mais on souhaite aussi une transformation en profondeur de la société et de la politique françaises. Les adeptes de l'Algérie française veulent défendre l'unité de la nation, le libéralisme que semble menacer le communisme, la civilisation occidentale attaquée par le panislamisme. La bataille des pétitions qui se développe dans les organes de presse (*Le Monde,* notamment), surtout entre 1959 et 1961, entraîne des interventions de chaque camp. Ainsi au « Manifeste des 121 » de septembre 1960, qui soutient le droit à l'insoumission des jeunes soldats, répond le « Manifeste des intellectuels français » qui défend le rôle de l'armée en Algérie.

L'élargissement des clivages n'empêche pas que les partisans de l'Algérie française ne soient pas approuvés par le corps électoral et qu'un divorce s'instaure ; Charles de Gaulle l'exploite pour mener sa politique à son terme.

Vers l'indépendance de l'Algérie

Une guerre qui s'éternise

La politique d'autodétermination donne l'impression que la guerre n'a plus de sens et qu'il faut y mettre fin le plus rapidement possible. La grande majorité des électeurs la jugent coûteuse pour le progrès économique et social et inutile puisque, à terme, l'Algérie doit devenir algérienne. Le « boulet colonial » semble d'autant plus lourd qu'à partir de 1960 les perspectives européennes deviennent plus concrètes et plus proches. Dès lors, les Français métropolitains sont de plus en plus nombreux à penser que la guerre d'Algérie épuise leurs forces, pèse sur l'économie, menace la jeunesse. Par ailleurs, la guerre divise l'armée, car les résultats, sur le terrain, semblent lui donner la victoire alors que dans le domaine politique elle entrevoit une solution bien différente. Si les officiers activistes ne sont pas la majorité, c'est que le plus grand nombre estiment qu'ils doivent se résigner à admettre l'évolution vers l'indépendance.

Le GPRA et les combattants algériens éprouvent des sentiments de lassitude assez voisins. Les luttes internes se prolongent entre ceux qui veulent utiliser l'autodétermination et ceux qui prétendent arracher le maximum de concessions et de garanties. Comme les opérations militaires ne sont pas favorables, il faut exploiter les diverses possibilités diplomatiques et obtenir des appuis et des soutiens auprès des Etats arabes mais aussi des grandes puissances. Ces choix incitent les dirigeants nationalistes algériens à se rallier à la négociation, d'autant plus que les musulmans, en Algérie, sont de plus en plus favorables à l'indépendance. Le GPRA accepte, au printemps 1960, des discussions à Melun avec des représentants du gouvernement français. Si celles-ci échouent, le principe est acquis qu'il faut poursuivre dans cette voie.

Le président de la République décide de faire approuver sa politique algérienne par voie de référendum. Avant l'autodétermination, seraient installés, en Algérie, un exécutif provisoire et une assemblée. En métropole, l'UNR, le MRP, la SFIO préconisent une réponse favorable, tandis que le CNI et l'extrême droite, comme le Parti communiste, recommandent le non. En Algérie, le FLN lance le mot d'ordre du non.

Le scrutin du 8 janvier 1961 souligne l'écrasante majorité des partisans de la politique gaulliste (80 % des exprimés) et la faiblesse des adeptes de l'Algérie française (10 % des exprimés). En revanche, en Algérie, une majorité relative d'électeurs musulmans adhère au non du FLN auquel se joint le vote négatif de la grande majorité des Européens.

Les résultats du référendum encouragent de Gaulle à mener à terme la stratégie de la négociation et confirment le FLN dans un statut de représentant légitime du peuple algérien. Mais ils aggravent l'angoisse des Européens d'Algérie et la colère des milieux activistes, qui fondent l'Organisation armée secrète (OAS). Ils incitent des militaires à une tentative de putsch.

Le putsch des généraux (20-26 avril 1961) est organisé par les généraux Challe, Salan, Jouhaud et Zeller qui ont commandé en Algérie. Leur coup de force est accéléré par les choix de plus en plus insistants de Charles de Gaulle qui répète des analyses identiques à celle-ci : « Il m'apparaît contraire à l'intérêt actuel et à l'ambition nouvelle de la France de se tenir rivés à des obligations, à des charges qui ne sont plus conformes à ce qu'exigent sa puissance et son rayonnement. C'est un fait. La décolonisation est notre intérêt et par conséquent notre politique » (Conférence de presse, 11 avril 1961).

Challe est convaincu que l'autodétermination mène à l'abandon de l'Algérie, mais qu'une action militaire bien menée peut conduire à la victoire. Il prétend donc prendre l'Algérie en main, contre la République de de Gaulle, la pacifier et la garder française.

Ce projet, qui oublie la réalité musulmane, mobilise peu l'administration et les militaires du contingent ; il est ignoré des Etats étrangers sur lesquels comptent les généraux. Largement improvisée, opposée aux souhaits de la population musulmane d'Algérie et à ceux de la population métropolitaine, la tentative de coup d'Etat avorte. « Le quarteron de généraux en retraite » doit se rendre (Challe) ou rejoindre l'OAS dans la clandestinité (Salan).

Ce nouvel échec des partisans de l'Algérie française qui prétendent interrompre le cours d'une politique voulue par le pays ne peut qu'encourager le président de la République à garder le cap et à engager de véritables négociations le plus rapidement possible parce que la crise peut laisser des séquelles.

Les négociations (mai 1961 - mars 1962)

Elles s'ouvrent le 20 mai 1961 à Evian entre les délégations française et algérienne dirigées, respectivement, par Louis Joxe et Belkacem Krim. Dans un souci d'apaisement, le gouvernement français décide de suspendre, unilatéralement, les opérations militaires. Mais loin de se renforcer, la position française se détériore, car le GPRA n'ignore pas que la France veut en finir avec la guerre en Algérie.

Les discussions se déroulent en quatre moments principaux.

• Dans un premier temps, l'accord se fait sur la participation du FLN à l'exécutif provisoire ; mais le statut particulier des Français dans l'Algérie indépendante et celui du Sahara soulèvent de sérieux problèmes. Les débats au sein du FLN et du GPRA (les modérés sont écartés au profit de radicaux) et la pression d'Etats arabes viennent compliquer les négociations. L'impression d'impasse diplomatique encourage le gouvernement français à reprendre les offensives militaires et à imaginer des solutions de rechange telles que le partage de l'Algérie.

• Les discussions reprennent difficilement à l'automne 1961. Le gouvernement français accepte de reconnaître la souveraineté algérienne sur le Sahara (les ressources pétrolières) ; mais le FLN propose un calendrier que la France ne peut approuver. C'est à nouveau l'impasse.

• Au cours de l'automne et de l'hiver 1961, une période violente et meurtrière tend à se prolonger, en Algérie comme en métropole. Les terrorismes du FLN et de l'OAS se répondent, tandis que l'armée française poursuit son effort militaire. De nombreux attentats sont organisés contre des personnalités politiques françaises, dont le chef de l'Etat, par des membres de l'OAS qui frappent partout en France. Le gouvernement riposte en s'en prenant à tous ceux qui mettent en cause son autorité. Ainsi, le 17 octobre 1961, les forces de l'ordre répriment avec une extrême brutalité une manifestation pacifique d'Algériens à Paris : plus d'une centaine de manifestants sont tués. Devant la montée du terrorisme de l'OAS, des manifestations populaires sont organisées, comme celle du 8 février 1962 ; de nouvelles violences policières aboutissent ce jour-là à la mort de 9 personnes. L'opinion est profondément choquée par la tactique du gouvernement qui semble réprimer les mouvements de soutien à sa politique plutôt que ses adversaires.

• Au début du mois de mars 1962, les négociations reprennent dans un climat tragique. Chaque délégation est pressée d'obtenir un résultat. Au terme de débats tendus, elles aboutissent à la signature, le 18 mars, des accords d'Evian. Les deux délégations conviennent d'un cessez-le-feu qui doit prendre effet dès le 19 mars et d'un programme d'action pour l'avenir. L'exécutif algérien, pendant la période transitoire précédant l'indépendance, sera partagé entre un haut-commissaire français et un « exécutif provisoire algérien ». Un référendum doit permettre de connaître librement l'avis des Algériens avant la proclamation de l'indépendance. Les Européens doivent pouvoir exercer la totalité des droits civiques (garantie de la propriété, de la religion). Une coopération économique, financière et culturelle doit être mise en œuvre.

Le gouvernement français soumet les accords à ratification du peuple français, par référendum, le 8 avril 1962. Si les Français approuvent à une très forte majorité (90 %) la signature des accords, c'est pour plébisciter les orientations algériennes de De Gaulle, mais c'est aussi par soulagement. Car ils ignorent, au moment du vote, l'évolution de la situation en Algérie.

L'indépendance de l'Algérie (mars-juillet 1962)

La guerre se termine dans une conjoncture tout à fait dramatique. En effet, les accords d'Evian renforcent les activités terroristes de l'OAS en Algérie qui s'en prend aux libéraux, mais le plus souvent à la population musulmane et à l'armée. Les commandos de l'OAS prétendent construire dans les principales villes d'Algérie, et particulièrement à Alger, des zones insurrectionnelles qui peuvent exercer une forte pression sur l'application des accords. Malgré le soutien de la population désemparée, l'OAS ne parvient pas à s'imposer. Mais elle contribue au martyre de la population européenne d'Algérie, les « Pieds-noirs ». En effet, l'Algérie a peur. Les deux communautés se séparent de manière définitive. Les Européens d'Algérie, qu'impressionne la violence inutile de l'OAS et surtout qu'inquiète le FLN, prennent la route de l'exil. Au début de l'été, l'exode des « Pieds-noirs » s'amplifie.

La violence des commandos de l'OAS se prolonge jusqu'au mois de juin 1962. Elle parvient, longtemps, à paralyser la mise en place de l'exécutif provisoire algérien. Elle s'efforce de détruire la machine économique pour laisser l'Algérie indépendante au niveau qu'elle avait atteint en 1830. Mais c'est en vain ; l'OAS doit cesser le combat, car elle ne réussit pas à imposer ses solutions. En effet, l'armée parvient à rétablir un semblant d'ordre. Néanmoins, les conséquences de cette violence meurtrière sont graves puisqu'elle encourage le FLN à remettre en cause les accords d'Evian.

En Algérie, le référendum d'autodétermination est fixé au 1er juillet 1962. Approuvé à une très forte majorité (près de 90 % des électeurs inscrits), il aboutit à la proclamation de l'indépendance. Si les Européens participent massivement à la consultation, ils sont aussi très nombreux à continuer de quitter l'Algérie. Enfin, même si sa victoire est totale, le FLN qui prétend diriger les affaires, est entré dans une nouvelle crise qui ne facilite pas l'organisation du gouvernement.

La guerre d'Algérie dans la mémoire française

Trente ans après son achèvement, la guerre d'Algérie soulève encore des passions qui, pour être en partie apaisées, demeurent vivaces. Par ailleurs, elle continue de laisser dans l'ombre certaines questions qui portent sur le coût humain, que l'on évalue à 250 000 victimes, sur son coût économique et financier, sur ses effets sociaux et politiques, sur ses implications culturelles.

Dès lors, cette mémoire de la guerre d'Algérie appelle quelques remarques.

- Elle a été largement occultée ; on parle de la « guerre sans nom ». En effet, aucun gouvernement français n'a admis que la République a mené une guerre en Algérie, même si, par ailleurs, les soldats ayant servi entre 1954 et 1962 en Algérie peuvent utiliser le qualificatif d'« ancien combattant ». Aucune date ne commémore officiellement cette guerre effective.
- Les Français ont une mémoire sélective de la guerre d'Algé-

rie. En effet, elle s'est déroulée dans une « lointaine Algérie », peu connue des métropolitains, et n'a pas été subie directement au quotidien par les habitants de la métropole. En revanche, des groupes sociaux souvent antagonistes l'ont vécue ou pratiquée : pieds-noirs, harkis, soldats du contingent, officiers d'active. Le souvenir de la guerre touche une minorité de Français qui, par ailleurs, n'ont pas le même regard sur les « événements ». Pour les uns, ce peut être une grave défaite, pour les autres, une victoire puisque la paix finit par s'imposer. Dès lors, la guerre d'Algérie laisse des traces profondes comme guerre « franco-française ».

- Comme toutes les guerres coloniales, la guerre d'Algérie ne trouve pas facilement sa légitimité. En effet, en s'opposant avec force au mouvement de décolonisation qui se réfère aux droits de l'homme et au droit des peuples à disposer d'eux-mêmes, la France se met en contradiction avec ses principes. Les formes qu'elle donne à certaines opérations militaires, la torture notamment, ne répondent pas mieux à l'image libérale et démocratique de la France. En ce sens, on peut dire que la guerre est taboue parce qu'elle lève des interrogations morales pénibles.

- Dès lors, la guerre d'Algérie peut apparaître comme une « guerre sans cause ». Il est vrai que les actions terroristes menées par le FLN imposaient des réactions de fermeté, mais ne contraignaient pas les gouvernements français à mener un effort de guerre sans rechercher de solutions politiques. La durée de la guerre a lassé la métropole et a laissé de vains espoirs aux Européens d'Algérie dont, par ailleurs, l'avenir n'a pas été assuré. L'aveuglement des gouvernements ou la faiblesse devant des groupes de pression minoritaires sont évidents ; ils ont contribué à allonger dans le temps la durée de la guerre. Mais, par ailleurs, les mêmes ont compris la nécessité de réorienter l'avenir du pays. C'est ainsi que Guy Mollet négocie et signe le traité de Rome au moment où il accepte d'intensifier l'effort militaire. Il engage un virage prometteur tout en confirmant des choix dépassés.

- Si l'attachement à la puissance coloniale n'apporte pas de réponse totalement satisfaisante, les avantages économiques n'éclairent pas vraiment les choix français. En effet, la guerre d'Algérie a coûté, mais elle a aussi contribué à maintenir une certaine croissance. Or, la rupture de 1962, loin de plonger la France dans le désastre, renforce la croissance et la modernisation dont elle partage les fruits jusqu'en 1973. Le choc économique de la décolonisation a été facilement absorbé.

BIBLIOGRAPHIE

MANUELS ET SYNTHÈSES

Droz Bernard, Lever Evelyne, *Histoire de la guerre d'Algérie,* Le Seuil, 1982.
Horne Alistair, *Histoire de la guerre d'Algérie,* Albin Michel, 1980.
Stora Benjamin, *Histoire de la guerre d'Algérie,* La Découverte, 1993.

L'OPINION FRANÇAISE ET LA GUERRE

Lemalet Martine, *Lettres d'Algérie, la guerre des appelés (1954-1962),* J.-C. Lattès, 1992.
Rioux Jean-Pierre (sous la direction de), *La guerre d'Algérie et les Français,* Fayard, 1990.
Rioux Jean-Pierre, Sirinelli Jean-François (dir.), *La guerre d'Algérie et les intellectuels français,* Bruxelles, Complexe, 1991.

LA MÉMOIRE DE LA GUERRE

Stora Benjamin, *La gangrène et l'oubli,* La Découverte, 1991.

LA GUERRE VUE PAR LES ALGÉRIENS

Harbi Mohammed, *Le FLN, mirage et réalité (1945-1962),* Editions Jeune Afrique, 1980.
Harbi Mohammed, *1954 : la guerre commence en Algérie,* Bruxelles, Complexe, 1984.

QUELQUES ASPECTS PARTICULIERS

Branche Raphaëlle, *La torture et l'armée pendant la guerre d'Algérie,* Gallimard, 2001.
Duranton-Cabrol Anne-Marie, *Le temps de l'OAS,* Complexe, 1995.
Mauss-Copeaux Claire, *Appelés en Algérie, la parole confisquée,* Hachette, 1998.
Thenault Sylvie, *Une drôle de justice. Les magistrats dans la guerre d'Algérie,* La Découverte, 2001.
Vaïsse Maurice, *Alger. Le putsch,* Bruxelles, Complexe, 1983.

9. La présidence de Charles de Gaulle (1958-1969)

L'investiture de Charles de Gaulle comme président du Conseil marque la fin de la IVe République et l'élaboration d'un nouveau système politique. Pendant plus de dix ans, de Gaulle domine la vie politique nationale et oriente son action autour de quelques objectifs : la restauration de l'Etat, la solution de la crise algérienne, l'ouverture européenne et la modernisation économique.

Le principat gaulliste constitue donc une des périodes de l'histoire contemporaine au cours de laquelle la France s'est transformée en profondeur. Mais ces mutations poursuivent, sur bien des plans, celles qui ont été engagées précédemment sous la IVe République. Si des ruptures existent, de très nombreuses continuités sont à rappeler.

« Restaurer l'Etat »

Investi de la fonction et des responsabilités de président du Conseil, le général de Gaulle obtient, comme il l'a souligné dans ses *Mémoires d'espoir,* « l'occasion historique... de doter l'Etat de nouvelles institutions ». Fidèle à ses principes et à sa persévérante condamnation de la IVe République, Charles de Gaulle estime qu'une réorganisation de l'Etat est un préalable indispensable au redressement. Même si les analyses gaullistes surestiment la dégradation de la situation en 1958 et confirment la condamnation sans nuances du « système des partis », il est exact que la faiblesse de la IVe République soulève le problème de sa réforme.

La transition à la Ve République

La loi du 3 juin 1958, que l'on peut envisager aussi comme un aboutissement de la réforme constitutionnelle ébauchée depuis 1955, confère au gouvernement, et non au Parlement, le soin d'élaborer une nouvelle Constitution. C'est une procédure originale, car, dans la tradition libérale française, ce sont les assemblées élues qui ont exercé un pouvoir constituant. La loi définit les cadres et les principes de l'action constitutionnelle du gouvernement :

— le suffrage universel est la source du pouvoir ;
— la séparation des pouvoirs législatif, exécutif ;
— l'indépendance du pouvoir judiciaire ;
— la responsabilité du gouvernement devant le Parlement ;
— les rapports de la République avec l'outre-mer.

Un comité consultatif, composé de parlementaires, et le Conseil d'Etat sont chargés de donner leurs avis. Un référendum populaire doit approuver, en dernier ressort, la nouvelle Constitution. C'est dire que l'influence du Parlement est très réduite.

Sous la direction du ministre de la Justice, Michel Debré, et avec la collaboration du Comité ministériel réunissant de Gaulle, Antoine Pinay, Guy Mollet et Pierre Pflimlin, un projet est discuté et élaboré. A la fin du mois de juillet, ce projet est soumis au gouvernement dans son ensemble qui donne son approbation. Puis, en août 1958, le Comité consultatif présidé par Paul Reynaud présente ses remarques et ses amendements. Le 3 septembre 1958, le gouvernement lui donne une approbation définitive. Le 4 septembre, à l'occasion d'une manifestation spectaculaire, place de la République à Paris, de Gaulle l'explique au pays et annonce le référendum pour le 28 septembre.

La campagne référendaire se développe dans la résignation, car l'impopularité de la IVe et l'autorité de de Gaulle imposent la nécessité de changements. Le MRP, les modérés du CNI, les gaullistes font campagne pour le oui en compagnie des radicaux et des socialistes divisés. En effet, une minorité significative de la SFIO et des personnalités comme Pierre Mendès France et François Mitterrand défendent le non comme les communistes au nom de la tradition d'une République parlementaire qu'ils opposent à un système dont ils dénoncent les aspects autoritaires. Le pays approuve le texte constitutionnel à une très forte majorité.

		% inscrits	% exprimés
Inscrits	26 603 464		
Abstentions	4 006 614	15,1	
Oui	17 668 790	66,4	79,2
Non	4 624 511	17,4	20,8

Mais par-delà la réponse sur le texte constitutionnel, se profilent trois autres phénomènes politiques essentiels : le triomphe de De Gaulle qui est plébiscité, la défaite très sévère du Parti communiste, l'échec très sensible de la gauche non communiste mais antigaulliste. Pourtant, ces remarques méritent nuances, car le oui s'impose massivement dans les régions orientées à droite, tandis que les régions de gauche lui accordent une audience plus assourdie.

Les 23 et 30 novembre 1958, se déroulent les élections législatives. Le calendrier imprime une orientation décisive ; de fait, les candidats, en se définissant par rapport à de Gaulle, obligent les électeurs à approuver ou à désapprouver le gaullisme et sa démarche. La restauration du scrutin majoritaire d'arrondissement limite mais ne brise pas la vague électorale ; la consultation impose une majorité parlementaire se réclamant du gaullisme. Le Parti communiste recule à nouveau, tandis que la SFIO et le MRP gardent une certaine stabilité en voix. Les candidats qui se réclament de de Gaulle et qui se sont regroupés dans une nouvelle formation, l'Union pour la nouvelle République (UNR), remportent un succès électoral très net, tandis que les candidats du CNI progressent fortement. L'Assemblée nationale dispose d'une très forte majorité à droite grâce aux effets amplificateurs du second tour. La gauche subit un échec spectaculaire : le PC ne sauve que 10 sièges, la SFIO en conserve 40, les familles radicales 20. L'Assemblée, dans laquelle l'UNR obtient près de 200 sièges et le CNI plus de 130, est la plus à droite depuis 1871. Le personnel parlementaire est profondément renouvelé. Des personnalités d'envergure comme Jacques Duclos, Gaston Defferre, Pierre Mendès France, Edgar Faure, François Mitterrand, Joseph Laniel sont battues. Les députés ne doivent pas constituer, *a priori*, un contrepoids à l'autorité politique de l'exécutif.

Le 21 décembre 1958, un collège électoral de 80 000 personnes désigne à une nette majorité (77 %) Charles de Gaulle comme président de la République. Le nouveau président nomme son successeur en la personne de Michel Debré, un fidèle. Le nouveau premier ministre constitue un gouvernement correspondant à la majorité de droite où sont donc associés des membres de l'UNR, du CNI et du MRP, mais aussi des hauts fonctionnaires.

Michel Debré, qui a 47 ans en 1959, est un ancien résistant, commissaire de la République à la Libération. Membre du RPF, sénateur gaulliste, il a été un adversaire résolu de la IVe République, mais aussi d'une politique d'évolution dans l'Union française. Inspirateur et rédacteur de la Constitution, il en applique les principes. « Second du navire », il est l'homme du président et s'appuie sur la confiance du président de la République pour assumer ses fonctions. Mais, favorable à une conception britannique du système, il veille à établir la primauté effective du premier ministre sur l'ensemble de l'équipe gouvernementale et à imposer une grande homogénéité à l'action. Il procède à de profonds remaniements, n'hésitant pas à se séparer d'hommes importants comme Antoine Pinay, ou Jacques Soustelle, en désaccord avec la politique gouvernementale.

Les hauts fonctionnaires qui sont associés à cette équipe (Maurice Couve de Murville aux Affaires étrangères, Pierre Messmer aux Armées) contribuent aussi à consolider l'influence du président et du premier ministre.

La Constitution du 4 octobre 1958 : un compromis provisoire

Les institutions nouvelles adoptées par les Français portent une double marque. En apparence, elles reprennent les grands principes constitutionnels de la France républicaine. Mais en fait, derrière cette façade, les exigences de De Gaulle impriment une orientation profondément renouvelée.

Selon la tradition française, la séparation des pouvoirs est confirmée : le pouvoir exécutif, le pouvoir législatif et le pouvoir judiciaire sont donc bien différenciés. De même, le rôle du Parlement est très précisément défini. Composé d'une Assemblée nationale élue au suffrage universel direct, pour cinq ans, et d'un Sénat élu au suffrage indirect pour neuf ans, le Parlement exerce ses fonctions classiques : le vote de la loi, du budget, la ratification des traités, le contrôle de l'action gouvernementale par l'adoption d'éventuelles motions de censure ou, au contraire, par le vote de la confiance. Les navettes entre les deux instances sont maintenues ; mais en cas de conflit entre Sénat et Assemblée nationale, la décision revient à l'Assemblée.

Les exigences de Charles de Gaulle ont obtenu un accord partiel des ministres d'Etat, Guy Mollet et Pierre Pflimlin. Elles aboutissent à des innovations essentielles pour l'action politique.

• Le *Parlement* est réellement mis au pas. En effet, ses sessions sont précisément limitées dans le temps ; il ne peut plus siéger en permanence. L'Assemblée nationale perd son droit d'interpeller ministres et gouvernement. Les propositions de lois d'origine parlementaire deviennent irrecevables dès qu'elles aggravent les charges financières de l'Etat. De surcroît, le Parlement n'est pas le maître de son ordre du jour. En outre, en cas de motion de censure n'entrent en compte que les votes favorables au texte présenté. Enfin, l'usage de l'article 49-3 permet au gouvernement de faire accepter un texte sans vote.

• La création du *Conseil constitutionnel* composé de membres nommés par le président de la République, les présidents de l'Assemblée nationale et du Sénat, réduit aussi le rôle du Parlement. Sa mission consiste à veiller à la conformité constitutionnelle des textes votés par le Parlement. A l'évidence, le Conseil constitutionnel doit chercher à éviter tout empiétement du pouvoir parlementaire.

• L'autorité du *gouvernement* est renforcée. L'article 20 lui confie la charge de déterminer et de conduire la politique de la nation. En confiant au gouvernement la maîtrise effective de la procédure législative, en lui réservant le droit de prendre les ordonnances sans contrôle parlementaire, en séparant de manière stricte les fonctions ministérielles et parlementaires, la Constitution place le gouvernement en position dominante par rapport aux parlementaires. C'est une innovation fondamentale par rapport aux systèmes républicains précédents. Un véritable pouvoir d'Etat se met en place qu'incarnent partiellement le premier ministre et ses collaborateurs.

• La clef de voûte du système — c'est une autre innovation — est le *président de la République.* Le texte constitutionnel peut le faire apparaître comme un arbitre. En effet, il veille au respect de la Constitution, assure, par son arbitrage, le fonctionnement régulier des pouvoirs publics. Il promulgue la loi et signe les ordonnances. Garant de l'indépendance nationale, il signe les traités qu'il fait respecter. Comme chef des armées, il défend l'intégrité du territoire. En ce sens, le président de la République assume des pouvoirs et une responsabilité assez comparables à ceux des régimes antérieurs.

Mais ses compétences effectives sont plus larges. En effet, il nomme les ministres et met fin à leurs fonctions. Il préside le Conseil des ministres. Après consultation du premier ministre, il a la possibilité de dissoudre l'Assemblée nationale. D'autre part, il peut soumettre au référendum des projets ayant trait à l'organisation des pouvoirs publics.

Enfin, l'article 16 lui octroie la capacité d'exercer une véritable dictature temporaire lorsque l'Etat ne peut plus fonctionner normalement, que les institutions républicaines sont en danger ou que l'intégrité et l'indépendance nationales sont menacées.

Dès lors, le président de la République détient et exerce une large partie du pouvoir d'Etat. L'élection par un collège de 80 000 notables renforce sa primauté par rapport au premier ministre qui procède de lui. Charles de Gaulle a réussi à imposer certaines des propositions contenues dans le discours de Bayeux.

Vers la monarchie républicaine ?

Le juriste Maurice Duverger, favorable au régime présidentiel, définit sous cette étiquette l'évolution de la Ve République. Cette mutation se prolonge au-delà de 1969. C'est un processus qui caractérise aussi d'autres démocraties dans le monde comme les Etats-Unis par exemple. L'évolution du système politique français correspond donc à un mouvement plus général dans le monde occidental.

La Constitution de 1958 propose plusieurs lectures. Les juristes ont, à l'époque, insisté sur certaines évolutions potentielles vers la prééminence du président et la subordination du premier ministre et du Parlement. Certains des inspirateurs du texte (Guy Mollet, Paul Reynaud) dénoncent les dérives qu'ils croient percevoir parce qu'ils ne reconnaissent plus les aspects parlementaires qu'ils ont cru garantir. Or, de Gaulle estime que les institutions ne doivent pas demeurer figées, qu'il faut les adapter à la conjoncture. Pour lui, une constitution ne se respecte pas à la lettre, mais dans son esprit. De ce fait, le président de la République, en tant que gardien de la

Constitution, est le juge effectif de la pratique et des infléchissements qu'il imprime.

Cette position tranche fortement avec les conceptions juridiques et politiques classiques. La manière d'agir de De Gaulle soulève des contestations nombreuses aussi bien chez ceux qui l'ont rallié en 1958 en assurant la transition avec la IVe République que chez ceux qui, depuis mai 1958, combattent l'homme qui mène « un coup d'Etat permanent » (François Mitterrand).

Très vite de Gaulle n'exerce plus un rôle d'arbitre mais plutôt de capitaine. En effet, il constitue à l'Elysée un groupe de spécialistes et d'experts qui le conseillent dans tous les domaines de l'action gouvernementale. Chaque ministre est donc « surveillé » par un conseiller du président avec lequel il doit négocier ses choix. D'autre part, dès 1959, l'UNR estime que le président doit disposer de compétences particulières dans les domaines où l'intérêt national se trouve engagé. La diplomatie, la défense, l'Algérie, constitueraient, selon les gaullistes, le « domaine réservé ». Les autres domaines (éducation, culture, santé, finances, travail, justice) relèveraient d'un « secteur ouvert » confié au gouvernement. Enfin, la subordination des parlementaires gaullistes au président crée une hiérarchie naturelle puisque la majorité parlementaire inscrit sa démarche dans la stratégie du président de Gaulle.

Dès janvier 1959, les rapports entre les pouvoirs sont clairement définis. De Gaulle attend une fidélité totale de ses ministres qui sont d'abord responsables devant lui puisqu'il les nomme et qu'il peut les démettre. De même, le Parlement est régulièrement affaibli ; il n'est plus le maître de son ordre du jour et n'est plus réellement appelé à définir les grandes orientations nationales. Le Parlement ne peut plus se réunir de plein droit en session extraordinaire, même si la Constitution le prévoit. Enfin, le recours, en temps de crise, aux ordonnances ou aux pleins pouvoirs contribue à limiter, dans les faits, les prérogatives du Parlement. Les conférences de presse, les allocutions radiotélévisées, les voyages en province permettent d'établir un contact direct avec le pays en écartant les parlementaires qui désormais constituent un niveau de pouvoir modeste.

Plusieurs raisons peuvent rendre compte de l'évolution rapide :

— la personnalité de De Gaulle qui n'a jamais caché ses réserves à l'égard de la prééminence du Parlement. Le président de la République peut exploiter les réticences d'une opinion française auprès de laquelle l'antiparlementarisme rencontre quelque

écho. Il bénéficie de l'aide de la haute administration qui, soucieuse de modernisation et d'efficacité, trouve, dans le régime, des préoccupations qu'elle partage ;
— l'échec de l'opposition de gauche en 1958 a écarté de l'Assemblée nationale de nombreux dirigeants politiques de la IVe République. Bien des parlementaires sont des nouveaux élus qui acceptent les infléchissements ou qui s'y résigent ;
— la conjoncture politique permet au président de la République d'utiliser toutes les armes constitutionnelles comme le recours au référendum ou à l'article 16. La guerre d'Algérie donne en effet à Charles de Gaulle les moyens d'éviter ou de contourner les hésitations ou les réserves parlementaires puisque le peuple est appelé à décider ou à confirmer des choix par voie de référendum ;
— l'opposition constitutionnelle peut très médiocrement s'exprimer. Ce n'est pas à l'Assemblée nationale mais au Sénat qu'elle a la possibilité de faire entendre la contestation. En effet, la plupart des grands parlementaires, battus en 1958, trouvent refuge au Sénat. Gaston Defferre, François Mitterrand, Edgar Faure, Jacques Duclos incarnent une opposition active dans une assemblée qui ne dispose pas de grands pouvoirs. Cependant, à l'Assemblée nationale, la fin de la guerre d'Algérie, les débats sur la politique européenne et sur l'évolution du régime provoquent la montée d'une opposition qui, à l'automne 1962, vote une motion de censure à l'égard du gouvernement présidé, depuis avril 1962, par Georges Pompidou qui n'est pas un parlementaire ni même un élu.

La réforme constitutionnelle proposée à l'automne 1962 achève le processus engagé et adapte la Constitution à la pratique mise en œuvre depuis 1959. Ni avant 1958 (le discours de Bayeux n'en parle pas) ni en 1958, Charles de Gaulle n'a posé la question de l'élection du président de la République au suffrage universel. Son autorité personnelle, la nécessité du compromis politique, la conjoncture et les mentalités (le souvenir de 1848) ont incité de Gaulle à faire élire le président par un collège de notables qui, le plus souvent, n'appartenaient pas à une formation politique. Ce choix suffisait à rendre le président indépendant du Parlement et des partis politiques. Or, le 20 septembre 1962, Charles de Gaulle annonce le projet de faire élire le président de la République par le suffrage universel et précise que la réforme sera décidée par référendum. Les raisons de cette proposition présidentielle sont complexes. L'attentat du 22 août 1962 au Petit-Clamart, qui révèle une certaine fragilité du régime, accélère une décision qui parachève l'édifice construit depuis 1958. En effet, l'élection au suffrage universel ne modifie pas la conception gaulliste de la fonction, mais doit permettre de rompre définitivement avec le régime des partis et offrir aux futurs présidents l'onction populaire indispensable à un homme qui ne disposera pas de la légitimité gaulliste.

La décision de Charles de Gaulle ouvre une crise grave entre l'exécutif et le législatif. En effet, à l'exception des gaullistes, les parlementaires dénoncent l'accroissement du pouvoir présidentiel et la démarche de type plébiscitaire. La plupart des juristes rejoignent les adversaires du référendum, car ils y voient une interprétation abusive de la Constitution. Dès lors, la bataille se déroule à la fois sur le terrain juridique et dans le champ politique. Le Sénat, dont la majorité n'est pas gaulliste, prend l'offensive à l'initiative de son président, Gaston Monnerville, qui dénonce une violation grave de la Constitution et une « forfaiture ». A l'Assemblée nationale, Paul Reynaud et Guy Mollet font censurer le gouvernement Pompidou, qui, le 5 octobre, donne sa démission. En riposte, Charles de Gaulle confirme le premier ministre, ce qui ne correspond pas à la tradition parlementaire, et prononce la dissolution de l'Assemblée.

Le référendum annoncé a lieu le 28 octobre 1962. Au cours de la campagne, très tendue, seuls les gaullistes de l'UNR appellent à voter oui. Les adversaires du projet demandent un vote négatif au nom d'une lecture parlementaire de la Constitution (Paul Reynaud, Guy Mollet). Certains comme François Mitterrand ou Pierre Mendès France, tout en rejetant le régime présidentiel, n'imaginent pas le retour au système de la IVe République et demandent un réel équilibre des pouvoirs. Pourtant, les Français approuvent de Gaulle puisque plus de 60 % d'entre eux votent oui. Mais s'il s'agit d'un incontestable succès du président de la République, le référendum permet à l'opposition au gaullisme de se renforcer, même si elle demeure très hétérogène.

Vaincus au référendum, les antigaullistes rassemblés dans le « Cartel des non » peuvent espérer prendre une revanche lors des élections législatives des 18 et 25 novembre en exploitant les réseaux et les clientèles politiques traditionnelles. En face, les candidats qui se réclament du gaullisme fondent l'*Association pour la Ve République* qui présente un seul candidat par circonscription. Les communistes restent à l'écart du « Cartel des non ». Charles de Gaulle n'hésite pas à intervenir avec véhémence dans la campagne pour dénoncer le « Cartel » et pour donner son soutien aux candidats gaullistes. Ainsi, déclare-t-il :

> Françaises, Français, vous avez, le 28 octobre, scellé la condamnation du régime désastreux des partis et marqué votre volonté de voir la République nouvelle poursuivre sa tâche de progrès, de développement et de grandeur. Mais les 18 et 25 novembre, vous allez élire les députés. Ah ! puissiez-vous faire en sorte que cette deuxième consultation n'aille pas à l'encontre de la première (Allocution du 7 novembre 1962, *in* André Passeron, *De Gaulle parle : 1962-1966*, Fayard).

Le président de la République souhaite une étroite corrélation entre la majorité parlementaire et la majorité présidentielle. Le projet, pour être cohérent, accroît un peu plus les pouvoirs politiques du président.

Les résultats des élections soulignent un raz de marée gaulliste : l'UNR et ses alliés obtiennent la majorité absolue de l'Assemblée (253 sièges sur 482). L'UNR devient le premier parti de France et s'affirme, auprès des électeurs, comme le parti du général de Gaulle. Les membres du « Cartel des non » subissent une nouvelle défaite. Si les socialistes, grâce à des désistements corrects à gauche, améliorent leur représentation parlementaire en dépit d'une légère régression, les droites traditionnelles subissent un échec cuisant ; la défaite de Paul Reynaud est, à cet égard, significative. CNI et MRP perdent une large fraction de leur électorat qui rejoint l'UNR. Le parti gaulliste, qui garde l'influence en milieu populaire acquise en 1958, rallie des modérés et des conservateurs ; il tend à devenir un rassemblement à vocation hégémonique, mais n'entame plus le Parti communiste qui résiste bien. Enfin, la progression de l'abstentionnisme révèle que des électeurs, issus de la gauche, après avoir voté oui au référendum, se refusent à élire des députés gaullistes. Ce vivier peut devenir l'enjeu des élections ultérieures entre gauche et droite.

L'issue de la crise politique ne modifie pas l'organisation du régime ; elle n'en bouleverse pas le fonctionnement, mais accentue les infléchissements qui lui ont été donnés depuis 1959. Elle contribue à consolider l'autorité présidentielle en élargissant son assise électorale et impose la responsabilité politique du président. Tout en affaiblissant le Parlement, puisque ses membres n'ont pas la même représentativité, elle crée ouvertement de nouvelles relations entre l'exécutif et le législatif. Une majorité parlementaire est essentielle au bon fonctionnement de l'Etat. La confirmation de Georges Pompidou à la tête du gouvernement remanié en fait le leader d'une majorité homogène. Enfin, elle brise les partis politiques traditionnels et les oblige soit à disparaître, soit à se rénover, soit à se fondre dans des coalitions. C'est le cas notamment des indépendants ou du MRP.

Moderniser l'économie et la société

La croissance économique

La France a connu, dans les années 1960, une période de croissance économique et de mutations sociales rapides. La construction européenne et la conjoncture internationale rendent compte de cette évolution dont la République gaullienne a tiré profit. Mais s'il est vrai que la politique menée par les gouvernements de Michel Debré et de Georges Pompidou a contribué à cette modernisation, il faut rappeler que le gaullisme a profité aussi de l'héritage laissé par la IVe République et que, dans bien des domaines, il a poursuivi une action décidée par ses prédécesseurs.

Certes, en 1958, la situation économique et financière française n'est pas saine. Le déficit budgétaire est élevé, la balance commerciale demeure déficitaire, les capacités d'investissement se réduisent. La monnaie se dégrade sous l'effet d'une inflation persistante : au cours du printemps 1958, le gouvernement de Félix Gaillard a opéré, de manière discrète, une septième dévaluation depuis la Libération. Néanmoins, l'héritage n'est pas aussi sombre que l'a dit Charles de Gaulle. En effet, le régime défunt a modernisé les structures économiques ; il a ouvert sur l'étranger une économie traditionnellement protectionniste et a donné au pays et à l'Etat les moyens d'une politique active. En fait, en 1958, les problèmes sont d'ordre budgétaire. Entre juin et décembre 1958, Antoine Pinay, ministre des Finances, s'engage dans une politique de rigueur, tandis qu'un comité d'experts prépare un plan — le plan Pinay-Rueff — destiné à définir les perspectives d'une nouvelle politique économique. Ce plan détermine trois axes principaux :

— la lutte contre l'inflation : il s'agit de comprimer très fortement le budget de l'Etat ;

— l'assainissement de la monnaie pour permettre l'entrée effective de la France dans la CEE (création du « franc lourd ») ;
— la mise en œuvre des stratégies destinées à faire entrer la France dans la compétition internationale : politique agricole et politique industrielle.

Le plan Rueff entre en application en même temps que le traité de Rome, le 1er janvier 1959. Les deux stratégies sont donc parallèles.

Si les questions économiques ne relèvent pas de la compétence directe du président de la République, Charles de Gaulle s'est intéressé à l'économie, car elle occupe une position stratégique ; elle conditionne la mise en œuvre d'une grande politique internationale. Pour de Gaulle, la modernisation économique est donc une nécessité qui s'inscrit dans le cadre d'une économie de marché, mais que l'Etat doit favoriser et aider en définissant perspectives et orientations et en donnant aux acteurs les moyens de leur stratégie. La planification — ardente obligation —, en fixant les objectifs et en établissant une hiérarchie des urgences, joue ce rôle complexe.

Jusqu'en 1962, Charles de Gaulle laisse agir le gouvernement et notamment le premier ministre, Michel Debré, les ministres de l'Industrie et de l'Agriculture, Jean-Marcel Jeanneney et Edgard Pisani. Après avril 1962, avec l'arrivée de Georges Pompidou, et de Valéry Giscard d'Estaing au ministère de l'Economie et des Finances, de Gaulle prend une part plus active à la décision de politique économique. Mais de manière paradoxale, les interventions de l'Etat se réduisent au profit de l'initiative privée et de la rentabilité économique.

De 1959 à 1968, la croissance est forte, même si elle se ralentit à partir de 1964, car le nouveau combat contre l'inflation impose ses effets (plan de stabilisation de Valéry Giscard d'Estaing).

La politique agricole

La modernisation agricole a commencé après 1945. Mais le gaullisme a accéléré la transformation agricole française afin de réduire l'écart entre paysans et citadins et de favoriser une meilleure compétitivité dans le cadre européen.

La loi d'orientation de 1960, complétée par la loi de 1962, vise à engager les paysans français dans la voie d'une véritable « révolution ». Il s'agit de détruire les structures vieillies, les méthodes sclérosées pour faire naître une agriculture de qualité, capable de répondre aux besoins des consommateurs, de procurer des revenus corrects aux familles d'exploitants et d'établir une parité entre l'agriculture et les autres activités économiques.

L'Etat intervient donc sensiblement, d'abord sous la responsabilité effective de Michel Debré, puis, à partir de 1961, sous celle d'Edgard Pisani. Il prétend maintenir une agriculture familiale mais rentable. Les exploitants propriétaires, capables d'utiliser les ressources de la technologie les plus modernes et de véritables méthodes scientifiques, doivent moderniser les pratiques. La maîtrise des prix de la terre à travers les SAFER (Sociétés d'aménagement foncier et d'établissement rural) et la distribution sélective du crédit doivent favoriser l'accroissement des superficies exploitées et l'essor d'une agriculture exportatrice. Pour l'Etat, la politique nationale doit ajouter ses effets à la politique européenne qui, en garantissant les prix, doit encourager la progression des revenus agricoles.

Cette politique suppose l'installation de jeunes et le départ des paysans âgés. Elle implique aussi un exode rural accéléré et la poussée rapide de l'urbanisation. Elle engage enfin les paysans à s'endetter afin de s'engager dans la voie de la modernisation. Une transformation en profondeur de la société rurale est ainsi engagée.

Ces transformations inquiètent d'abord les notables et affectent l'agriculture des régions en difficultés (Bretagne, Massif central, Sud-Ouest). Des manifestations, en 1960-1962, se transforment souvent en de véritables émeutes tant la colère et l'inquiétude sont grandes. Le relais du principal syndicat agricole, la FNSEA, fort ébranlé par la politique gaulliste, est insuffisant.

Le gouvernement s'appuie dès lors sur le jeune syndicalisme (le CNJA : Centre national des jeunes agriculteurs) acquis aux idées de modernisation. La « révolution silencieuse » ne manque pas de violence, car la peur du lendemain — une France sans paysans — agite les milieux agricoles.

S'il est vrai que la modernisation réussit au point que, dans les années 1960, la production agricole double par rapport à 1946 avec des effectifs réduits de moitié, la croissance de la productivité cache mal les limites de la politique adoptée. En effet, la production agricole s'accroît moins vite que l'industrie, tandis que le revenu des paysans progresse moins vite que celui des citadins.

La priorité industrielle

Pour les gouvernements de Michel Debré, mais surtout de Georges Pompidou, un véritable impératif industriel préside aux choix de la politique économique. Cette volonté définit une stratégie qui prend en compte à la fois les nécessités de la construction européenne (la politique douanière) et la croissance de l'économie française.

Pendant les années 1959-1969, l'Etat joue un rôle incitatif complexe qui prolonge dans une large mesure, mais avec des nuances et des inflexions, l'action menée par la IVe République.

Le pari industriel suppose une politique économique rigoureuse : les salaires doivent donc être contrôlés pour éviter les dérapages inflationnistes ; les finances de l'Etat doivent être équilibrées.

L'Etat doit développer les « investissements productifs », c'est-à-dire construire les infrastructures nécessaires (routes, voies ferrées, ports, etc.), favoriser la recherche scientifique et technologique (nucléaire, informatique, spatial, etc.) pour donner au pays l'ossature dont la croissance a besoin.

L'Etat encourage la modernisation énergétique en incitant à l'utilisation du pétrole (source d'énergie bon marché, mais non produite en France) ou du nucléaire (afin d'assurer l'indépendance énergétique nationale), aux dépens des sources trop anciennes et trop coûteuses comme le charbon.

L'Etat doit aussi contribuer à l'essor d'industries de haute technologie (aéronautique, nucléaire, informatique) qui, parce qu'elles sont d'avenir, relèvent d'une ambition nationale.

Il doit aider enfin les entreprises françaises à se développer dans le cadre européen. Il lui faut donc encourager une politique d'investissements et les concentrations nécessaires, car l'entreprise est l'acteur essentiel du dynamisme espéré. Par ailleurs, il cherche à protéger les entreprises en sélectionnant les investissements étrangers et en manifestant une grande vigilance à leur égard (notamment américains). Une ordonnance de 1967 prend les dispositions nécessaires à l'accentuation de cette démarche.

Cette politique a des résultats indiscutables :

• Aucun secteur de l'économie n'échappe aux concentrations. C'est le cas des banques en 1965 ; dans le secteur nationalisé, naît la Banque nationale de Paris, fusion de la Banque nationale pour le commerce et l'industrie et du Comptoir national d'escompte de Paris. Le Crédit agricole devient, à cette date, un des principaux établissements financiers européens. Les concentrations et les restructurations affectent aussi bien des entreprises industrielles dans la chimie, l'électronique, l'informatique que, dans une moindre mesure, le textile ou l'automobile.

• Les effets de cette politique sont contrastés. Certains auteurs ont parlé de « miracle français » pour caractériser la croissance industrielle des années 1960. D'ambitieux programmes aéronautiques (Concorde, Airbus) sont lancés pour riposter aux offensives américaines. De même le nucléaire et l'électronique connaissent un essor remarquable comme les industries de consommation (automobiles, équipements ménagers). En revanche, malgré les efforts de restructuration, les industries textiles et sidérurgiques subissent le choc des changements de la consommation et du démarrage des pays neufs. Enfin, les entreprises françaises sont, pour la plupart, exclues du marché international : ce sont 1 500 entreprises qui réalisent plus de 90 % des exportations industrielles.

• Une nouvelle géographie industrielle tend à se dessiner ; elle amplifie celle qui s'est ébauchée dans les années 1950. Les gouvernements gaullistes développent les intentions de la IVe République en mettant en place une stratégie d'aménagement du territoire qui reprend les méthodes de la IVe République. Confiée à la DATAR, créée en 1963 (Direction à l'aménagement du territoire), qui, à partir de 1967, devient ministère, cette politique s'efforce de décentraliser les activités économiques vers la province. Si elle peut corriger certains effets de la désindustrialisation ou de la faible industrialisation, grâce à la distribution de subventions, elle ne peut peser sur les entreprises dont le dynamisme conditionne principalement l'essor régional. D'autre part, elle ne peut compenser réellement les conséquences de l'exode rural (appauvrissement, désertification des campagnes) ni maîtriser toujours l'explosion urbaine qui développe un peu partout en France des cités-dortoirs à la périphéries des villes. A terme, cette politique crée une situation sociale difficile puisque de nombreux ruraux déracinés gonflent des quartiers citadins sans urbanisme.

Paris, les régions marseillaise et lyonnaise, l'Alsace constituent les pôles principaux de l'activité économique, tandis que le déclin des industries traditionnelles (charbon et textile) affecte les anciennes régions industrialisées (Lorraine, Nord - Pas-de-Calais). Une France active et moderne tend à se différencier d'une France à la traîne.

La politique sociale : un partage des fruits de la croissance ?

La croissance implique plusieurs effets sociaux :

• La modernisation agricole s'accompagne d'un déclin rapide du nombre de paysans dans la population active. En 1958, 25 % des actifs travaillaient la terre ; en 1970, les paysans ne représentent plus qu'un actif sur dix. L'exode rural, l'endettement paysan entretiennent un malaise dont les effets les plus spectaculaires encadrent les débuts et la fin de la présidence de Charles de Gaulle. Certes, les revenus agricoles s'accroissent notablement, mais le niveau de vie des paysans se situe toujours en dessous de celui des autres catégories sociales.

• Le petit patronat (de l'artisanat et du commerce) apparaît aussi comme une des victimes de la modernisation. Mis en cause par l'essor des grandes entreprises industrielles et commerciales, les artisans et commerçants se sentent menacés aussi par les revendications des salariés. Ils expriment un profond malaise à travers des actions corporatives qui, des années 1950 aux années 1960, mènent de P. Poujade au CID-UNATI de Gérard Nicoud.

• L'industrialisation impose le recours aux travailleurs immigrés, car la main-d'œuvre nationale ne satisfait pas les besoins. Si l'Europe méridionale (Espagne et Portugal) fournit l'immigration nécessaire à la fin des années 1950 ou au début des années 1960, c'est l'appel aux travailleurs du Maghreb qui caractérise les années 1960. En effet, les entreprises apprécient une main-d'œuvre disponible, peu coûteuse et peu revendicative et attendent de l'Etat la libre circulation des étrangers. Le gouvernement répond aux vœux des industriels en n'engageant de contrôle des entrées qu'à partir de 1968.

• L'essor des activités industrielles qualifiées entraîne une sensible diversification ouvrière. Une « nouvelle classe ouvrière », pour reprendre une formule des sociologues Pierre Belleville et Serge Mallet, a tendance à naître. Chefs d'atelier, techniciens, dessinateurs, « ouvriers en blouse blanche », ces salariés de l'industrie s'imposent aux ouvriers traditionnels qui se marginalisent d'autant plus qu'ils appartiennent aux industries en déclin ou aux populations étrangères.

• Enfin, les mutations économiques provoquent la consolidation des classes moyennes salariées (cadres, professions intellectuelles, employés du secteur tertiaire) qui souhaitent participer activement à la société de consommation.

Ces mutations impliquent certaines orientations politiques :

• En matière éducative : l'économie française a besoin d'une main-d'œuvre plus instruite et plus qualifiée. La population, de son côté, demande une sensible amélioration de la formation. Ces deux exigences amènent le gouvernement à prendre des mesures par lesquelles la durée de la scolarité est allongée à 16 ans (1959), tandis que des collèges d'enseignement secondaire doivent accueillir le nouveau public d'élèves (1963-1964). La mise en place des Instituts universitaires de technologie (1964-1966) doit contribuer à la formation des techniciens dont le pays a besoin, car la formation professionnelle est appelée, dès lors, à devenir une obligation nationale (1966).

• Dans le domaine des relations sociales : Charles de Gaulle souhaite modifier les relations sociales dans l'entreprise. C'est pourquoi il fait adopter l'ordonnance du 7 janvier 1959 qui tend à favoriser l'association et l'intéressement des travailleurs à l'entreprise. Cette ordonnance est peu appliquée ; elle est reprise, en 1967, par un nouveau texte qui cherche à construire une véritable participation des travailleurs dans l'entreprise. En fait, ces deux mesures, contestées par le patronat, les syndicats ouvriers et des responsables gaullistes (Georges Pompidou lui-même), sont incapables de bâtir une citoyenneté véritable dans l'entreprise. Même si les demandes se multiplient et si la contestation de l'entreprise traditionnelle s'amplifie (François Bloch-Lainé : *Pour une réforme de l'entreprise*), le gaullisme ne parvient pas à mettre en œuvre une autre stratégie sociale. Sa politique se limite donc, malgré ces velléités, à un contrôle des salaires pour limiter les risques de dérapages inflationnistes.

Dans ces conditions, les rapports sociaux demeurent largement conflictuels. Les années qui couvrent la guerre d'Algérie sont celles d'un certain calme social à l'exception des manifestations paysannes ; la parenthèse se referme après les accords d'Evian. Les syndicats qui ont contribué à l'accalmie sociale reprennent leurs actions revendicatives qui touchent la plupart des catégories de salariés. A cet égard, la grande grève des mineurs du printemps 1963 marque un véritable tournant dans les rapports entre le gouvernement de Georges Pompidou et les organisations syndicales. Le refus de « la police des salaires » et d'une politique économique orientée vers la promotion de la rentabilité et de la compétitivité des entreprises cristallise une opposition syndicale de plus en plus forte. La laïcisation de la CFTC qui, en 1964, se transforme en CFDT (Confédération française démocratique du travail) contribue à cette évolution marquée, notamment, en 1966, par l'unité d'action avec la CGT afin d'engager des actions revendicatives.

Le grand dessein

Dès son retour au pouvoir, Charles de Gaulle ne cache pas son intention de faire jouer à la France un rôle éminent sur la scène internationale. La politique étrangère l'intéresse particulièrement depuis longtemps. La réorganisation de l'Etat et la prospérité économique doivent offrir les conditions indispensables à la France pour disposer de la capacité à tenir son rang.

Par le ton et le style, la diplomatie française semble rompre avec celle de la IVe République. En fait, les choix de continuité prennent dans plusieurs domaines une très grande force derrière les apparences. Car les gouvernements précédents n'ont pas toujours eu de politique étrangère ni continue ni homogène et Charles de Gaulle a dû, au nom des principes de la continuité de l'Etat, poursuivre dans la voie tracée par ses prédécesseurs. De Gaulle imprime donc des inflexions plus que des réorientations à la diplomatie française.

La Constitution de 1958 et sa pratique confient au président de la République la charge d'élaborer et d'appliquer les choix de politique étrangère. De Gaulle exploite largement cette capacité (la diplomatie devient un « domaine réservé ») ; le ministre des Affaires étrangères, de 1958 à 1968, Maurice Couve de Murville, est à la fois un commis efficace et un conseiller écouté. Par ses nombreux voyages à l'étranger, ses entretiens à Paris, ses conférences de presse, Charles de Gaulle devient l'acteur principal de la diplomatie française qui remporte de nombreux succès mais qui subit aussi un certain nombre de revers.

Quatre champs principaux déterminent son action : les pays neufs issus de la décolonisation, l'Europe, les « Grands », le Tiers Monde.

L'échec de la Communauté française

La guerre d'Algérie par ses aspects dramatiques ne doit pas cacher le succès de la décolonisation en Afrique, au sud du Sahara. Déjà engagée avec la loi-cadre votée en 1956 à l'initiative du ministre Gaston Defferre, la décolonisation est réalisée avec la Constitution de 1958 qui crée la Communauté.

Les débats ne manquent pas sur l'avenir du continent africain et particulièrement de ceux de ces pays qui sont placés sous l'administration française. En effet trois problèmes principaux interfèrent :

— l'organisation politique africaine : faut-il construire une Afrique émiettée politiquement ou au contraire plus fédérée ?
— les modalités de l'indépendance : doit-elle être rapide, doit-elle au contraire être progressive ?
— les rapports avec la France doivent-ils être privilégiés ?

Les leaders politiques africains partagent des points de vue très divergents. Certains, comme Félix Houphouët-Boigny (Côte-d'Ivoire), songent à une fédération égalitaire liée étroitement à la France, d'autres préfèrent, comme Léopold Sédar Senghor (Sénégal), une confédération d'Etats indépendants. Ceux qui prétendent à une indépendance très rapide (Sékou Touré en Guinée) sont peu nombreux.

Charles de Gaulle soumet, au cours de l'été 1958, un projet qui, par sa prudence, inquiète les hommes politiques africains. Il présente dès lors d'autres ambitions : les Africains vont disposer de leur autonomie, soit dans le cadre d'une Communauté regroupée autour de l'ancienne métropole, soit en dehors de toutes relations avec la France. Le vote négatif — sécession — ou positif — communauté — doit définir le choix des peuples concernés. La Communauté telle que l'imagine de Gaulle laisse la part belle à la France qui dans les instances essentielles (présidence, Sénat, conseil exécutif de la Communauté) assume les responsabilités fondamentales. Mais, lors du référendum d'octobre 1958, seule la Guinée refuse la Communauté en votant non ; ce pays, par la force des choses, est contraint de rompre avec la France, car celle-ci le met au ban des relations franco-africaines.

Dès l'entrée en vigueur de la Communauté dont il est le président, Charles de Gaulle imprime une orientation très centralisée et très présidentialiste. D'autre part, il utilise les divergences de vues entre les chefs de gouvernement africains pour imposer les propositions françaises.

Ces pratiques, aux résultats inverses de ceux qu'il souhaite, font que les leaders africains, même les plus modérés, se sentent obligés de multiplier les concessions et de déclarer leur souhait d'une indépendance rapide pour éviter d'être débordés par une opposition interne plus radicale. A la fin de l'année 1959, moins d'un an après les débuts effectifs de la Communauté, le Conseil exécutif décide d'ouvrir la voie « de l'accession à la souveraineté internationale » des Etats membres, c'est-à-dire à l'indépendance totale. Au cours de l'été 1960, la Communauté est pratiquement dissoute même si, en apparence, elle fonctionne jusqu'en 1963.

Le mouvement à l'indépendance politique des Etats africains qui s'amplifie et se généralise en 1960 soulève trois problèmes politiques :

— les Etats africains ne parviennent pas à se regrouper. L'émiettement politique, issu de l'organisation ethnique et de la colonisation, devient la nouvelle donnée de la vie politique africaine ;
— indépendants, les nouveaux Etats essaient de dominer cette diversité en signant, entre eux, des conventions diplomatiques afin de bâtir une organisation de l'Unité africaine bien fragile.
— De même, des accords de coopération économique et politique peuvent lier ces pays à la France (Sénégal, Côte-d'Ivoire, Madagascar). Ces conventions bilatérales doivent permettre d'élaborer une politique d'aide au développement tout en favorisant le maintien du rayonnement français. Une telle stratégie, en Afrique comme en France, peut être parfois interprétée comme une forme renouvelée du néo-colonialisme, tandis que le coût de la coopération est dénoncé, dans certains secteurs de l'opinion française (le « cartiérisme »).

La construction européenne et la situation internationale ont aussi des effets. Car si la solidarité européenne doit s'exprimer à l'égard des jeunes nations (ce que souhaite faire la CEE), la coopération peut-elle ne pas devenir européenne et demeurer française ? De même encore, les deux Grands cherchent à multiplier les interventions pour disposer de nouveaux réseaux d'influence.

La construction européenne

A son retour au pouvoir, Charles de Gaulle garde un jugement sévère à l'égard de l'Europe ; il veut ignorer le Conseil de l'Europe, dénigre la CECA et condamne toute forme de fédération européenne. Mais l'opinion française s'habitue à l'idée d'une communauté économique qui devient populaire, tandis que le nouveau gouvernement, au nom de la continuité de l'Etat, se doit de mettre en œuvre la démarche engagée par ses prédécesseurs. Devenue réalité, la CEE impose les premières réductions de tarifs douaniers à partir du 1er janvier 1959 ; la politique économique menée dès l'automne 1958 tend à adapter la France à cette situation nouvelle.

La vision qu'a de Gaulle de l'Europe évolue peu. En effet, si les problèmes économiques ont leur part, l'Europe doit devenir une réalité sur les plans politique et culturel. En outre, l'Europe des Six doit être élargie, dès que possible, à l'Europe de l'Est et instituer une véritable coopération avec des Etats extra-européens. Enfin, si de Gaulle rejette toute intégration européenne, il entend mettre en œuvre une concertation entre les Etats et leurs gouvernements.

Contrairement aux vœux des Britanniques, de Gaulle insiste pour que la libération des échanges commerciaux, suscitée par l'application du traité de Rome, soit subordonnée à l'instauration d'une politique douanière et d'une politique agricole communes. L'association des deux devient, pour le gouvernement français, une des conditions principales de l'avancement du Marché commun.

Cette double politique mise en œuvre à partir de 1960 contribue dans une large mesure à la modernisation de l'économie industrielle et agricole, même si la garantie des prix des produits agricoles et des revenus paysans l'emporte sur la transformation des campagnes.

Mais si de Gaulle est tout acquis à l'application du traité de Rome, tout en défendant avec force les intérêts français — notamment lors des nombreux « marathons agricoles » —, il est très réservé sinon même hostile à l'égard d'une construction européenne qui limiterait la souveraineté nationale. Adepte de l' « Europe des patries », il rejette le système fédéral qui, proclame-t-il à l'occasion d'une fameuse conférence de presse tenue le 15 mai 1962, a les faveurs des « apatrides... qui parlent ou écrivent en quelque espéranto ou volapük ». En revanche, au nom de l'union politique de l'Europe, il soutient et inspire des formes de coordination politique entre les Etats telles que celles préconisées par le « plan Fouchet ». De même, il multiplie les mises en garde à l'égard des institutions européennes et particulièrement envers la Commission européenne de Bruxelles.

Cette stratégie persévérante inquiète bien des partenaires de la France et particulièrement la Belgique et les Pays-Bas. Elle indigne, en France, ceux qui, depuis le début, défendent une Europe intégrée : c'est le cas de certains indépendants comme Paul Reynaud, de socialistes comme Guy Mollet et surtout du MRP. La politique européenne est à l'origine de tensions politiques graves sinon même de crises. En mai 1962, les ministres MRP quittent le gouvernement Pompidou pour protester contre les choix européens de Charles de Gaulle. Dès lors, le débat européen cristallise une opposition de plus en plus forte qu'alimentent orientations et méthodes gouvernementales.

Les débats sur la « supranationalité » ne doivent pas cacher d'autres objectifs importants. En effet, de Gaulle cherche à limiter l'influence américaine en Europe. Or, les adeptes d'une Europe intégrée sont souvent favorables à une alliance étroite avec les Etats-Unis (rôle par exemple de Jean Monnet ou même de Guy Mollet). Cette stratégie incite Charles de Gaulle à rejeter, le 14 janvier 1963, la candidature de la Grande-Bretagne à l'entrée à la CEE. Certes, l'argumentation officielle du président de la République insiste sur l'incapacité des Britanniques à respecter les règles communautaires ; elle évoque beaucoup moins la crainte que, derrière la Grande-Bretagne, ne se profilent les Etats-Unis.

Selon le gouvernement, l'Europe à construire doit être d'inspiration française. C'est la raison pour laquelle de Gaulle développe un véritable dialogue avec l'Allemagne fédérale que dirige toujours le chancelier Adenauer (jusqu'en 1963). La RFA, à la différence de la Grande-Bretagne, ne peut pas prétendre à la rivalité politique et culturelle avec la France. Le traité de coopération, signé le 30 janvier 1963, organise une coopération active entre les deux Etats. Mais l'ambition gaulliste rencontre de strictes limites, car la population allemande et ses nouveaux gouvernants (après le départ d'Adenauer) n'imaginent pas d'abandonner la protection américaine au profit d'une aide française aléatoire.

« La politique de la grandeur »

L'achèvement de la décolonisation et la construction européenne permettent au gouvernement français d'intervenir plus efficacement sur la scène internationale. Or, le général de Gaulle persévère dans son refus des blocs et de la division du monde issue de la seconde guerre mondiale. A travers cette stratégie, il cherche à confirmer sa volonté d'indépendance nationale.

La rivalité, puis l'affrontement avec les Etats-Unis, constituent une première étape. Dès son retour au pouvoir, Charles de Gaulle réitère son refus d'admettre que le gouvernement américain puisse être le seul à déterminer les choix occidentaux. C'est pourquoi il affirme son exigence d'une réforme de l'OTAN qui permettrait à la France de participer, effectivement, à la prise de décision. Malgré ses interventions sans cesse répétées, le gouvernement français n'obtient aucun résultat concret. La France prend ses distances avec les Etats-Unis qui d'ailleurs sont préoccupés, de plus en plus, par l'Asie et la guerre du Viêtnam. En février 1966, Charles de Gaulle décide de quitter l'alliance militaire de l'OTAN.

L'affrontement avec les Etats-Unis permet à de Gaulle de s'engager dans une véritable défense des pays en voie de développement. Ses voyages en Amérique latine (en 1964 au Mexique, en 1965 au Brésil, au Venezuela), en Asie (en 1966, au Cambodge) ou ses prises de position en faveur de certaines revendications arabes au Proche-Orient (le problème palestinien) donnent à la diplomatie française une allure « tiers-mondiste ».

La dérive est parfois proche : c'est le cas des voyages au Québec en juillet 1967. A l'occasion d'un discours improvisé à Montréal, Charles de Gaulle s'écrie : « Vive le Québec libre. » Dans son contexte, ce cri sonne comme un appel à la libération du Canada par rapport à « son colossal voisin » mais aussi des « Français canadiens » par rapport aux Anglo-Saxons. Ce slogan satisfait une partie des nationalistes québécois. Il inquiète surtout la communauté nationale et internationale.

La rivalité avec les Etats-Unis s'exprime aussi à travers le rapprochement avec les pays socialistes. Le voyage de Nikita Khrouchtchev en France, en mars 1960, ne réduit pas les tensions entre les deux pays, tandis que la France demeure fidèle à ses alliés occidentaux. Mais la tendance s'esquisse peu à peu d'une ouverture de la France vers l'Est ; la visite du président français en URSS, en 1966, après la reconnaissance diplomatique de la Chine communiste en 1964, ouvre de nouvelles perspectives au moment où les Américains voient leur image se dégrader.

La politique d'indépendance suppose aussi de disposer des

moyens militaires adaptés. En ce sens, la France gaulliste prolonge la politique nucléaire envisagée par la IVe République. En faisant exploser sa première bombe atomique, au Sahara, le 13 février 1960, la France fait partie du cercle très fermé des puissances nucléaires. Dès lors, la France se dote du matériel nécessaire à son arme de « dissuasion » (avions, missiles, sous-marins) et à sa « force de frappe ».

La diplomatie gaulliste secoue certaines tendances antérieures. Mais il faut souligner qu'elle pèse peu sur le cours des événements. De Gaulle propose de nouvelles orientations, mais ne parvient pas vraiment à imposer une stratégie nouvelle. Cette politique étrangère bouscule les classifications politiques traditionnelles françaises et inquiète les partisans de l'Europe, de l'Alliance atlantique, qui craignent toujours la menace soviétique. Elle parvient à convaincre les Français qui, comme le montrent de nombreux sondages, sont favorables à cette stratégie. Mais ils partagent souvent la conviction que la France n'a pas les moyens de sa politique de grandeur, que son coût limite les fruits d'une croissance économique qu'il faudrait distribuer. Ce refus mal exprimé de la politique de grandeur explique, en partie, l'insuccès de De Gaulle au premier tour des élections présidentielles de 1965. La crise de mai 1968 y trouve aussi son origine car si de Gaulle veut la prospérité pour assurer la grandeur française, les Français souhaitent la grandeur comme fruit d'une prospérité partagée. Enfin cette stratégie contribue à briser le système politique antérieur. En effet, les partis politiques qui ont gouverné la IVe République sont en général hostiles à ces choix de politique étrangère. Dès lors, la démarche gaulliste favorise aussi un reclassement et un renouvellement de la vie politique intérieure.

Le renouvellement de la vie politique et ses limites

Le nouveau système politique contribue au remodelage des paysages politiques français. La guerre d'Algérie, en divisant les partis, la bataille de 1962 et la victoire du gaullisme, en écrasant les stratégies parlementaires, bousculent les clivages traditionnels et impriment de nouvelles orientations. Car les électeurs, en confirmant longtemps leur soutien à Charles de Gaulle, approuvent et accélèrent les mutations.

La défaite des partis traditionnels

Les consultations électorales, législatives ou référendaires marquent une défaite de plus en plus lourde des partis classiques qui ont modelé les régimes antérieurs et particulièrement la IVe République.

• Depuis 1958, le Parti communiste est totalement isolé. Certes, il subit les effets de la guerre froide qui se prolonge. Mais son refus total et sans nuances de la Ve République aggrave son isolement et réduit ses capacités d'action d'autant plus que ses parlementaires, à l'Assemblée nationale, ne peuvent constituer un groupe. D'autre part, les premiers effets de la déstalinisation provoquent de sérieuses perturbations dans ses rangs. Le raidissement de la direction du parti, encore aux mains de Maurice Thorez, interdit toute évolution effective puisque les militants qui souhaitent prendre en compte les changements qui interviennent en France et dans le monde sont l'objet de lourdes sanctions. Si le PCF commence à sortir de son isolement à partir de 1962, il le doit à l'évolution tactique du Parti socialiste qui lui permet de constituer, à nouveau, un groupe à l'Assemblée. Mais il faut attendre l'arrivée au secrétariat général de Waldeck Rochet, à partir de 1964, pour que s'ébauche un certain assouplissement idéologique. Cependant, le Parti communiste constitue, avec plus d'un cinquième des voix des électeurs, le premier parti de gauche.

• Le Parti socialiste SFIO est en crise. En 1958, son adhésion à de Gaulle a entraîné le départ des militants de l'aile gauche qui ont fondé le Parti socialiste autonome, devenu en 1960 le Parti socialiste unifié (PSU). Par ailleurs, la guerre d'Algérie l'a divisé. Depuis 1960, il est entré progressivement dans une « opposition constructive » au gouvernement. La fin de la guerre d'Algérie, la politique européenne de De Gaulle, puis l'évolution constitutionnelle du régime, l'amènent à prendre la tête d'une opposition parlementaire renforcée par la situation. Mais sa participation au « Cartel des non » aux élections de 1962 lui fait perdre plus de 900 000 suffrages. Si l'habileté tactique de Guy Mollet permet au parti de survivre, la SFIO ne représente plus que 12 % du corps électoral, tandis que les militants comprennent mal les revirements du secrétaire général.

• Le mode de scrutin instauré en 1958 contribue à marginaliser les groupes centristes, radicaux et démocrates-chrétiens du MRP. Les radicaux, divisés depuis la tentative de rénovation engagée par Pierre Mendès France en 1955, tendent à s'éloigner dans des directions différentes. Les uns rejettent, avec Pierre Mendès France, la Ve République et rejoignent le PSA. D'autres rejoignent peu à peu, comme Edgar Faure, le gaullisme. Aux élections de novembre 1962, les candidats radicaux ne représentent plus que 7 % des électeurs. Le MRP n'est pas dans une meilleure situation. Si, en 1958, le soutien à de Gaulle lui permet de conserver un certain capital électoral, les rapports entre démocrates-chrétiens et gaullistes se tendent surtout après 1962. La politique européenne les éloigne résolument du chef de l'Etat même si une fraction dirigée par Maurice Schumann garde sympathie pour le président de la République et rejoint l'UNR. La démocratie chrétienne devient une force politique secondaire qui garde ses bastions dans l'ouest et dans l'est du territoire, mais ne peut plus compter peser sur les grandes orientations.

• La droite traditionnelle, rassemblée dans le Centre national des indépendants et paysans, s'effondre. En effet ses principaux leaders se divisent sur la politique algérienne. Par ailleurs, la politique étrangère et européenne du gaullisme les éloigne du gouvernement. Enfin leur refus de la réforme constitutionnelle et leur participation au « Cartel des non » ne mobilisent pas l'électorat conservateur. En novembre 1962, en perdant plus de 2 000 000 de suffrages, le CNIP ne représente plus que 10 % du corps électoral français. D'ailleurs une fraction des indépendants dirigée par Valéry Giscard d'Estaing fait sécession. La droite classique qui a caractérisé la IVe République n'est donc plus en état de participer aux choix politiques.

« Le phénomène gaulliste »

La renaissance d'un mouvement gaulliste à partir des élections de novembre 1958 constitue un événement fort important. Mais, en 1958, ce mouvement ne manque pas d'ambiguïtés. Créée en fonction de l'opportunité électorale, l'Union pour la nouvelle République (UNR) rassemble les gaullistes fidèles qui viennent du RPF (Michel Debré, Jacques Chaban-Delmas, Roger Frey), mais aussi les gaullistes partisans de l'Algérie française (Jacques Soustelle) et même certains activistes. Le succès électoral remporté en 1958 était inespéré. Mais la politique algérienne fait éclater la fédération gaulliste ; en 1960 sont exclus du mouvement tous les partisans de l'Algérie française.

Dès lors, le parti gaulliste devient un parti de cadres qui recrute parmi les gaullistes éprouvés et les élites locales. Au Parlement, les députés ont pour fonction de soutenir sans nuances tous les aspects de la politique menée par le président de la République et le gouvernement. L'UNR devient, dans ces conditions, un parti de « godillots », relais tout à fait discipliné au Parlement et dans le pays des orientations de l'exécutif. Il n'a pas à concevoir un programme politique, comme le font les autres partis, mais à défendre une politique conçue au sommet de l'Etat.

• Les analyses du mouvement gaulliste ne manquent pas. Si René Rémond montre que le gaullisme partage bien des références de la droite française (la grandeur nationale, une démarche assez autoritaire) et se rattache plus précisément à l'un de ses rameaux, la « droite bonapartiste », bien des hommes politiques et des observateurs contemporains ont insisté sur la précarité du mouvement et sur sa personnalisation.

• Le phénomène gaulliste — pour reprendre la formule de Jean Charlot — n'est pas simple à caractériser. Si l'UNR doit son influence politique au charisme de Charles de Gaulle, il faut constater que les électeurs gaullistes partagent des convictions qui vont au-delà de la personne du président : la stabilité et l'autorité de l'Etat, l'indépendance nationale, le refus des partis politiques. Mais si l'UNR veut être le « parti de la fidélité », tous les gaullistes militants ne s'y retrouvent pas. Les groupes divers de la « gauche gaulliste » ainsi que les républicains indépendants (Valéry Giscard d'Estaing) alliés du gaullisme conservent leur autonomie. Le gaullisme ne saurait donc se confondre avec le seul parti de l'UNR.

Les consultations électorales soulignent cette complexité. Les référendums mettent en valeur un électorat gaulliste attaché à de Gaulle et à sa politique. Il déborde, assez largement, du moins jusqu'en 1965, les clivages traditionnels et mobilise une partie de l'électorat populaire de gauche. En revanche, les élections législatives révèlent que le parti gaulliste bénéficie d'un électorat plus étroit, sociologiquement proche de la droite traditionnelle. Ce parti, en absorbant peu à peu des électeurs de droite désorientés, constitue le point d'appui nécessaire à l'action gouvernementale. En effet, à partir de 1962, l'UNR occupe, dans cette majorité parlementaire, une place fondamentale. C'est dire que le parti n'agit pleinement qu'à l'occasion des campagnes électorales. Ce n'est qu'après 1967 que l'UNR se transforme en parti véritable.

Cependant, la force politique du parti gaulliste s'exprime surtout à la Chambre des députés. En effet, aux élections de 1962, l'UNR obtient plus de 32 % des suffrages au premier tour et frôle la majorité absolue des députés (233 élus). Mais le parti est mal enraciné dans le pays. Les élections municipales de 1959 comme celles de 1965 ne lui permettent pas de conquérir ni de très grandes villes ni même de villes moyennes. Les élections locales confirment souvent les notables traditionnels dans leurs fonctions électives.

Les élections présidentielles de 1965

La réforme du mode de scrutin présidentiel entre en application en décembre 1965, au terme du premier mandat de Charles de Gaulle. Même si quelques spéculations avancent d'autres noms, il est entendu que le président sortant va demander le renouvellement de sa charge. Dès le début de 1963, la France entre, de fait, en campagne électorale.

- Ces perspectives électorales entraînent une profonde réflexion à gauche et au centre, moins à l'intérieur des partis traditionnels qu'au sein des clubs qui, depuis le début des années 1960, cherchent à rénover les méthodes et le débat politiques. Ces novateurs estiment que les références idéologiques classiques sont périmées et qu'il importe de rassembler, autour d'un homme et d'une équipe, toutes les forces vives nationales, syndicats de salariés, organisations paysannes, groupes patronaux modernistes, pour construire une alternative à de Gaulle, autour d'un projet adapté aux besoins de la société française. L'élection présidentielle, en créant une conjoncture favorable, doit permettre de poser des problèmes et de proposer des solutions concrètes. Ce faisant, elle doit contribuer à renouveler en profondeur la vie politique.

Dès le début de l'année 1963, une campagne s'est amorcée autour des clubs, notamment le club Jean Moulin. Au cours de l'automne 1963, l'hebdomadaire *L'Express* dirigé par Jean-Jacques Servan-Schreiber lance la candidature de « M. X... ». Le portrait-robot du candidat potentiel contre de Gaulle correspond à celui du député-maire socialiste de Marseille, Gaston Defferre. En effet, pour combattre de Gaulle, les novateurs souhaitent un bon gestionnaire, pragmatique, plus qu'un militant.

Gaston Defferre s'efforce de rassembler les réformateurs venus d'horizons variés, indépendamment de leur appartenance à un parti politique. De la sorte, la candidature Defferre prétend briser les clivages partisans antérieurs et remodeler le paysage politique autour d'un projet renouvelé. Sa candidature heurte la sensibilité des principaux partis politiques à gauche et au centre. Le Parti communiste jette l'exclusive sur elle. Le MRP refuse toute référence au socialisme et à la laïcité qui, pour la SFIO, sont indispensables. La « grande fédération » démocrate et socialiste, imaginée par le maire de Marseille, ne peut voir le jour ; au début de l'été 1965, malgré une campagne très active, l'équipe de Gaston Defferre doit reconnaître l'échec. Il semble que la greffe de courants novateurs sur les partis classiques ne peut prendre. Le renouvellement semble s'éloigner.

• C'est à partir de ce constat d'échec que, le 9 septembre 1965, François Mitterrand présente sa candidature, sans solliciter l'avis préalable des partis politiques. Son analyse est à la fois analogue et différente de celle de Gaston Defferre.

En effet, dès l'annonce de sa candidature, François Mitterrand souligne qu'il y a, selon lui, « incompatibilité d'humeur entre de Gaulle et la démocratie ». Il place donc sa candidature sous l'égide d'un rassemblement républicain qui puisse unir tous les antigaullistes. Mais cette fédération des républicains doit s'enraciner dans l'opinion de gauche car pour lui, et cela depuis les élections de 1962, si l'alternative au gaullisme est envisageable c'est par l'union de la gauche. Sa reconstruction est indispensable ; mais plutôt que de l'engager avant l'élection, François Mitterrand estime que la dynamique lancée par la consultation électorale doit favoriser une alternative démocratique réelle. Enfin, il ne juge pas habile de briser les partis, mais pense plutôt les fédérer.

Si sa candidature est celle d'un homme presque seul — son petit mouvement de la Convention des institutions républicaines est fragile —, François Mitterrand cherche à obtenir l'appui des partis de gauche. Ceux-ci n'ont pas le choix. Communistes, socialistes et radicaux lui apportent donc leur soutien. Parallèlement, socialistes et radicaux fondent la Fédération de la gauche démocrate et socialiste (FGDS).

La candidature du député de la Nièvre, adversaire farouche et persévérant du gaullisme, prétend être celle des opposants sans complexes à la politique menée par la Ve République mais aussi aux méthodes du « pouvoir personnel ». François Mitterrand demeure hostile aux procédures présidentielles et réclame toujours un rééquilibrage des pouvoirs en faveur du Parlement. Mais ce faisant, il pousse la gauche au ralliement à l'esprit des institutions, quitte à les modifier, une fois l'élection gagnée.

Au centre et à droite, la candidature François Mitterrand lève une hypothèque. Le soutien du Parti communiste et l'antigaullisme permanent interdisent d'appuyer ce candidat. Le MRP et le CNI doivent donc choisir un héraut. Le refus d'Antoine Pinay d'engager le combat conduit ces partis à choisir la candidature du président du MRP, Jean Lecanuet, qui s'affirme « démocrate, social et européen ». Ces trois qualificatifs donnent le ton d'une campagne présidentielle fondée sur une opposition résolue à une politique plus qu'à un homme. Mais en jouant aussi la carte de la modernité et de la jeunesse, en se présentant comme un Kennedy français, Jean Lecanuet, alors âgé de 45 ans, prétend montrer que la relève des générations est possible après la « parenthèse gaulliste ».

Deux autres candidatures sont présentées dans cette famille politique. Pierre Marcilhacy incarne un libéralisme politique assez classique. La droite extrême avec l'avocat Jean-Louis Tixier-Vignancour cherche à mobiliser tous les électeurs qui, à droite, se reconnaissent dans un antigaullisme résolu.

Charles de Gaulle, pour sa part, présente sa candidature très tardivement puisqu'il l'annonce au début novembre, soit un mois avant le premier tour.

- La campagne officielle dure peu de temps ; mais depuis de longues semaines les principaux candidats multiplient les rencontres et les meetings en province en s'appuyant sur les partis respectifs. Très vite, les électeurs, comme le soulignent les sondages, manifestent un grand intérêt pour une consultation inédite par bien des aspects.

En effet, les moyens médiatiques interviennent tout au long de la campagne. Les radios, publiques et privées, organisent de nombreux débats auxquels participent d'éminentes personnalités politiques : c'est le cas d'un grand débat entre Pierre Mendès France et Michel Debré. Mais surtout, peut-être, la télévision devient le support de l'information et des discussions politiques ; à l'évidence, elle contribue, dans une large mesure, à révéler les caractères, à imposer des stratégies, à souligner les personnalités fortes. Elle renforce la personnalisation du débat politique tout en ouvrant un espace de liberté d'information comme les Français n'en avaient pas bénéficié depuis 1958. Enfin, l'utilisation des sondages d'opinion tout au long de la campagne électorale donne au débat politique bien des aspects spectaculaires, en maintenant les électeurs en haleine ou en accentuant certaines orientations.

En annonçant sa candidature le 4 novembre 1965, Charles de Gaulle prend un ton dramatique que la presse va résumer en ces termes : « Moi ou le chaos ». Sûr du résultat, puisque certaines estimations évoquent une réélection triomphale, de Gaulle se refuse à faire campagne. Ses adversaires occupent donc la première place. Si François Mitterrand, qui maîtrise mal la télévision, veut transmettre un message et rallier la gauche sur des idées et des projets, Jean Lecanuet, désireux de rassurer, tente « d'opposer au père l'image du fils conquérant ».

Le déroulement de la campagne, à la télévision, mais aussi dans les meetings, révèle un Mitterrand sarcastique qui lance une offensive constamment vigoureuse et un Lecanuet incisif mais persuasif qui, par son sourire, cherche à séduire. Très rapidement, les principaux adversaires de de Gaulle progressent dans les sondages au point que la réélection du président sortant, dès le premier tour, devient de plus en plus problématique. De Gaulle réagit, de mauvais gré, en gardant le même ton de mépris (« Cinq oppositions vous présentent cinq candidats »). La conjoncture politique — l'annonce de l'assassinat à Paris du leader marocain d'opposition Mehdi Ben Barka a lieu pendant cette période — n'améliore pas l'image de marque.

Le 5 décembre, tombe le verdict des urnes. Le chef de l'Etat est en ballottage et a obtenu 44,65 % des suffrages. François Mitterrand en obtenant plus de 32 % des voix et Jean Lecanuet un peu moins de 16 % imposent cet échec qui ébranle sérieusement de Gaulle. Celui-ci hésite à se maintenir au second tour ; mais très vite, il reprend le combat.

- La campagne du second tour oppose les deux candidats arrivés en tête, de Gaulle et François Mitterrand ; Jean Lecanuet ne se désiste pas, mais appelle à voter pour le candidat européen, c'est-à-dire contre Charles de Gaulle. La tactique de François Mitterrand consiste donc à mobiliser et à rassembler tous les antigaullistes au nom de la défense de la République ; le militant politique devient homme d'Etat potentiel. De son côté, Charles de Gaulle rompt le silence antérieur et devient une véritable vedette de la télévision. Tantôt solennel, le plus souvent paternel sinon goguenard, il cherche à promouvoir une autre image de lui-même, moins distant et lointain, plus proche des préoccupations des Français. A dire vrai, les deux adversaires, qui ne se rencontrent jamais, impriment à la campagne un style de très haut niveau.

Le 19 décembre, le corps électoral qui s'est fort mobilisé (moins de 16 % d'abstentions) renouvelle le mandat présidentiel de Charles de Gaulle qui obtient 55,2 % des suffrages. En réunissant les voix de 44,8 % des Français, François Mitterrand est battu, mais il s'est imposé comme un adversaire incisif aux capacités de « futur président » que certains commentateurs se plaisent à lui reconnaître.

Un système ébranlé

Le scrutin présidentiel de décembre 1965 laisse des traces profondes car si le pouvoir politique n'est pas vraiment usé, une alternance semble possible sinon proche.

Les conditions de la victoire électorale de Charles de Gaulle doivent être relativisées. Contrairement à ce que de Gaulle a cru longtemps, une élection n'est pas un référendum ni, à plus forte raison, un plébiscite. Charles de Gaulle est élu, au second tour, comme bien des chefs d'Etat à l'étranger. Néanmoins, le ballottage apparaît aussi comme un échec que bien des motifs peuvent éclairer. La modestie de la politique sociale a rassemblé une gauche ragaillardie ; de Gaulle, en 1965, perd une fraction très importante de l'électorat populaire acquis en 1958. Par ailleurs, l'ironie blessante à l'égard des Européens a rangé dans une opposition décisive bien des électeurs centristes. Enfin, les méthodes gouvernementales, des comportements autoritaires, une conception trop lointaine du pouvoir ont aliéné des électeurs nombreux qui estiment que la situation politique ne les impose plus. Dès lors, de Gaulle et les gaullistes pensent au « 3e tour », c'est-à-dire aux élections législatives du printemps 1967.

Le chef de l'Etat cherche à rassurer un électorat désorienté et à reconquérir les électeurs déçus. Il confirme Georges Pompidou dans ses fonctions de premier ministre, mais confie à des fidèles (Michel

Debré, Jean-Marcel Jeanneney) la mission de définir une politique économique et sociale volontariste. En revanche, il veut apaiser les milieux agricoles et fait abandonner les projets de réforme. De même, il accepte d'assouplir les positions françaises à l'égard des partenaires européens et d'abandonner la « tactique de la chaise vide » de l'automne 1965. Mais, par ailleurs, il poursuit le raidissement de la diplomatie française envers les Etats-Unis (abandon de l'OTAN, ouverture à l'Est) et développe une démarche de plus en plus favorable aux nouveaux Etats indépendants ou aux revendications nationales (le problème des Palestiniens).

Cette stratégie se caractérise par sa complexité. Loin de rassurer un électorat gaulliste de plus en plus conservateur, elle inquiète une opinion qui ne comprend pas les choix anti-américains. Elle ne permet pas de reconquérir l'électorat populaire, car les projets de réforme sociale bien timides sont, de fait, abandonnés. Au total, le pouvoir semble s'user, ce dont certains partenaires ou les adversaires cherchent à profiter.

Au centre et à droite, s'esquisse une recomposition politique propre à rassembler l'électorat modéré.

Valéry Giscard d'Estaing, écarté du gouvernement après les élections, prétend demeurer un des partenaires de la « majorité présidentielle » gaulliste sans devoir se soumettre à toutes les contraintes de la solidarité. Il résume sa stratégie dans un slogan particulièrement clair : « Oui, mais... » C'est dire qu'il entend se conduire en membre critique de la majorité en n'hésitant pas à prendre des positions très nuancées, voire très réservées à l'égard de la politique gouvernementale. La Fédération nationale des républicains indépendants est fondée, au début de l'été 1966, pour rassembler les « libéraux, centristes et européens » qui attendent du gouvernement et du président de la République un sens du dialogue plus affirmé et le goût du compromis. De l'intérieur de la majorité, ils s'efforcent d'obtenir les infléchissements nécessaires.

Auparavant, dans la foulée des élections présidentielles, Jean Lecanuet propose aux militants et aux adhérents du MRP, du CNI, du Parti radical, de se rassembler dans une nouvelle organisation « libérale et européenne ». Fondé en février 1966, le Centre démocrate veut mobiliser tous ceux qui, non gaullistes, tout en excluant d'écarter de Gaulle et les gaullistes du pouvoir, prétendent faire pression, de l'extérieur, sur l'action gouvernementale. Le Centre démocrate est donc un parti d'opposition qui, pour l'essentiel, recrute des adeptes au sein de l'ancien MRP, mais se place nettement au centre droit de l'échiquier politique. Républicains indépendants et Centre démocrate sont donc des rivaux puisqu'ils recherchent un électorat assez voisin. Mais il est clair que la marge de manœuvre des républicains indépendants est assez faible, car l'UNR, en prévision des élections de 1967, impose l'unité de candidatures à ceux qui se réclament du gaullisme. Valéry Giscard d'Estaing ne rompt avec les pratiques et les choix du gaullisme qu'en 1969, même si, très tôt, il dénonce « l'exercice solitaire du pouvoir ».

A gauche, la FGDS se donne des structures permanentes : la SFIO, le Parti radical, les clubs de la Convention des institutions républicaines se partagent les responsabilités d'une Fédération présidée par François Mitterrand. Celui-ci parvient à imposer à ses partenaires un programme politique qui définit les grandes orientations de la gauche non communiste. Attachement à la construction européenne, alliance avec les Etats-Unis, acceptation du rôle et des fonctions du président de la République, réformes sociales, tels sont les principaux objectifs de la FGDS. Dans la perspective des élections législatives du printemps 1967, un accord établit la candidature unique au sein de la FGDS et le désistement avec le Parti communiste.

Pour concrétiser cette stratégie et l'alternative politique qu'elle suppose, François Mitterrand décide de créer, au printemps 1966, un « contre-gouvernement » sur le modèle britannique. Mais ce cabinet fantôme provoque la déception à gauche, car ses principaux animateurs sont les anciens leaders de la IVe République. L'effort de modernisation semble faire long feu. Les limites de la tentative sont largement soulignées par la « nouvelle gauche » qui, autour du Parti socialiste unifié et de militants de la CFDT, cherche à promouvoir des réformes et des projets novateurs dans le cadre d'un programme de « socialisme du quotidien » avec la collaboration d'hommes comme Pierre Mendès France ou Michel Rocard.

Cependant, malgré des critiques parfois sévères, le PSU se rallie à l'union électorale à gauche pour les législatives de 1967. Tend donc à se constituer une coalition de toutes les forces de gauche contre le « pouvoir personnel ».

Arrivée au terme de son mandat, l'Assemblée nationale est renouvelée à l'occasion des élections de mars 1967. Les principaux leaders politiques s'engagent dans la bataille en utilisant toutes les formes du combat politique : meetings, débats radiotélévisés, allocutions. Le président de la République intervient avec force pour dénoncer, à l'indignation des non-gaullistes, le retour au régime des partis.

Les résultats doivent être distingués selon les tours :

— au premier tour, les candidats de la majorité progressent par rapport à 1962 en obtenant les voix de 38 % des électeurs. A gauche, le Parti communiste, en progrès dans les régions ouvrières, confirme, avec 22 % des suffrages, sa première place. Quant à la FGDS, elle ne réalise pas la poussée électorale attendue puisqu'elle n'obtient que 18 % des voix. Le Centre démocrate est aussi en deçà des résultats obtenus en 1965 par Jean Lecanuet ;

— le second tour ne confirme pas, en sièges, les résultats antérieurs. En effet, si la majorité sortante (gaullistes et républicains indépendants) est confirmée, la marge de sécurité est très fragile. Les reports qui se sont mal organisés à droite et au centre droit font perdre à la majorité 25 sièges, tandis que la gauche en gagne 50. Le Centre démocrate est le grand perdant de cette consultation qui, de fait, a opposé deux grandes coalitions électorales et a maintenu une opposition centriste fragilisée.

Les résultats de 1967, qui confirment ceux de 1965, montrent qu'une alternative politique est possible, que le rapport des forces politiques peut être inversé même si, sur la gauche, le poids du Parti communiste demeure toujours très fort.

La majorité sortante est menacée. Certes l'autorité du premier ministre Georges Pompidou se renforce au détriment de celle de Charles de Gaulle. Mais au Parlement, elle doit tenir compte de sa faible marge de manœuvre d'autant plus que les républicains indépendants, devenus indispensables, imposent leurs conditions. Le gouvernement hésite à organiser les débats parlementaires ; il procède par ordonnances, c'est-à-dire par des méthodes qui, pour être constitutionnelles, relèvent d'une pratique politique où le contrôle parlementaire est limité. D'autre part, ces ordonnances portent sur la politique sociale (assurance contre le chômage, agence nationale pour l'emploi, sécurité sociale). Comme aucune négociation ni de concertation n'a lieu avec les organisations syndicales, le mécontentement monte parmi les salariés. Les opposants de gauche comme François Mitterrand ou Pierre Mendès France peuvent, le plus souvent avec justesse, combattre le recours à l'autorité comme une nouvelle forme de renforcement du pouvoir personnel.

« Mai 1968 »

Le journaliste Pierre Viansson-Ponté publie dans un numéro du journal *Le Monde* daté de mars 1968 un article intitulé « La France s'ennuie ». Après les élections présidentielles et législatives, aucun événement important ne semble devoir se produire avant plusieurs années.

Pourtant, le climat social s'assombrit. Des grèves dures, souvent spontanées, peu encadrées par les syndicats, éclatent dans des régions d'industrialisation récente et dans des entreprises qui emploient une main-d'œuvre d'origine rurale et immigrée. Ces jeunes ouvriers reçoivent parfois le soutien d'étudiants contestataires qui développent une critique radicale de l'organisation économique et sociale française. Par ailleurs, la fièvre gagne certains campus universitaires construits depuis le début des années 1960 dans les banlieues : c'est le cas de Nanterre qui connaît une effervescence importante à propos de la réforme des études mais aussi des conditions de vie quotidienne à l'université. C'est sur ce campus que naît le « mouvement du 22 mars » animé par Daniel Cohn-Bendit. Ce mouvement est à l'origine immédiate du « grand chambardement de mai ».

La crise de mai

En effet, à partir de la fin du mois de mars, la fièvre s'amplifie à Nanterre autour de groupes d'étudiants d'extrême gauche ou d'inorganisés. La crise se durcit lorsque, au début du mois d'avril 1968, le Conseil des ministres adopte un projet de réforme universitaire qui impose la sélection. Cette décision apparaît comme un défi, mais aussi, plus largement, comme une menace aux yeux de très nombreux étudiants. Le 2 mai, l'Université de Nanterre est fermée ; mais, loin de s'apaiser, l'agitation s'amplifie et gagne les universités parisiennes au Quartier latin. Le 3 mai, pour se protéger d'éventuelles agressions du groupe d'extrême droite, « Occident », les étudiants grévistes tiennent un meeting particulièrement agité à la Sorbonne. A la demande des autorités universitaires de Paris, la police évacue la Sorbonne qui désormais est fermée.

Cet appel à la force ne calme pas l'agitation, mais provoque un élan de solidarité de l'ensemble des étudiants. Aux cris de « libérez nos camarades », les manifestations estudiantines se développent à Paris. Les groupes d'extrême gauche utilisent avec beaucoup d'habileté une tactique simple ; la provocation entraîne la répression policière qui, à son tour, suscite la solidarité des étudiants. L'engrenage est mis en route.

Les autorités hésitent. Georges Pompidou est en voyage officiel en Iran et en Afghanistan. Le président de la République s'apprête à partir en Roumanie. Les ministres s'interrogent. Certains sont partisans de l'autorité face aux « enragés ». D'autres, comme le ministre de l'Intérieur Christian Fouchet ou comme Louis Joxe, premier ministre par intérim, font plutôt partie des indulgents. Cependant, le gouvernement semble pris au dépourvu par la poussée contestataire, même si, longtemps, Charles de Gaulle qui croit à la sélection universitaire, préconise la fermeté contre tous ces « enfantillages ».

Les étudiants grévistes, arrêtés le 3 mai, sont jugés le 6 en procédure de flagrant délit ; au lieu d'être libérés, ils sont condamnés à la prison. Dans la soirée et la nuit, de nouvelles barricades se dressent au Quartier latin. De véritables bagarres de rue se déroulent autour de la Sorbonne ; plus de 400 blessés chez les manifestants et plus de 200 parmi les policiers sont relevés dans la nuit.

Les jours suivants, les défilés se multiplient dans les rues de Paris, sans violence, pour réclamer la libération des étudiants. En vain, car de Gaulle exige que le « pouvoir ne recule pas ».

Dans la nuit du 10 au 11 mai, après des heures de pourparlers et de tergiversations avec des leaders du mouvement (Daniel Cohn-Bendit, Jacques Sauvageot, Alain Geismar), amplifiées par la radio des transistors, se déroule une véritable bataille de rues, car l'ordre est donné de détruire les barricades qui ont été élevées. A la fin de la nuit, si force reste à la police, le spectacle, dans les rues de Paris, est désolant. Des chaussées sont défoncées, des arbres abattus, des dizaines de voitures incendiées ; des centaines de blessés sont dénombrées.

La violence des affrontements avec les forces de l'ordre stupéfie l'opinion qui, avec la presse, se prend de sympathie pour les manifestants étudiants.

De retour à Paris le 11 mai, Georges Pompidou décide de prendre des mesures de détente : promettre la libération des étudiants, réouvrir les facultés fermées et permettre la reprise des cours, tels sont les objectifs d'un premier ministre qui, dès lors, semble être le vrai détenteur de l'autorité de l'Etat.

Ces décisions de compromis arrivent trop tardivement. En effet, les organisations syndicales, réservées à l'égard des étudiants, lancent, pour le 13 mai, un mot d'ordre de grève générale. Elles veulent exprimer non seulement leur solidarité devant la répression à l'égard des étudiants, mais aussi rappeler au pouvoir politique la crise intervenue dix ans auparavant. Elles souhaitent surtout, peut-être, canaliser un mécontentement qui monte dans les usines et entraîne des grèves sauvages auxquelles poussent les groupes gauchistes et anarchistes.

La grève du 13 mai est un succès. Les défilés se multiplient dans les villes industrielles et à Paris. « Dix ans, ça suffit », « Charlot, des sous » sont les cris que lancent le plus souvent les manifestants. Loin de reprendre les jours suivants, le travail est suspendu dans de nombreuses entreprises, mais aussi dans les transports et les services publics. En huit jours, le nombre de grévistes atteint près de 10 millions de salariés. La paralysie menace le pays, car la rupture des approvisionnements bloque l'activité, le cycle de la crise sociale est enclenché.

Facultés et usines sont peu à peu occupées. Les discussions vont bon train. S'y expriment des revendications souvent inédites ou insolites. On parle moins de salaire, d'heures de travail et bien plus de la hiérarchie dans l'entreprise ou dans les facultés. On rejette l'autorité sans concertation, on souhaite reconnaissance et dignité, on réclame plus de responsabilité, une participation effective aux décisions. En fait, les longs palabres, souvent désordonnés, aboutissent à modeler une société nouvelle où les rapports humains auraient toute leur place. L'utopie n'est pas loin.

Cette poussée de révolte n'aboutit pas vraiment à une flambée révolutionnaire. La contestation est forte à Paris et dans certaines villes de province comme Nantes, Caen, Toulouse ; partout ailleurs, elle est le plus souvent diffuse. Toutes les formes d'autorité sont critiquées, que ce soit celle du pouvoir politique ou celle des syndicats. Les hiérarchies classiques sont marginalisées, voire ignorées.

« La situation est devenue insaisissable », dira quelques jours plus tard le général de Gaulle. A l'Assemblée nationale, une motion de censure manque de peu de réussir. Le président de la République, qui condamne toujours avec force la « chienlit », prend la décision, le 24 mai, d'organiser un référendum.

Sa prestation télévisée est un échec complet qui semble souligner que le pouvoir politique est au plus mal, d'autant que le soir même commence à Paris une seconde nuit des barricades. Georges Pompidou préfère une grande discussion classique les 25, 26 et 27 mai, avec les organisations syndicales et patronales. Les accords de Grenelle qui en découlent constituent une avancée sociale spectaculaire : le SMIG est augmenté de 35 %, les salaires de 10 %, le principe de la section syndicale d'entreprise est reconnu ; on envisage une amélioration de la formation professionnelle, des conditions de vie des retraités. Mais si la CGT et FO acceptent de signer, avec le CNPF, ces accords, la CFDT est très réservée. De toute manière, les salariés en grève dans les usines les rejettent. Les responsables syndicaux sont eux-mêmes désavoués.

Dès lors, le pays entre dans une crise politique grave. Le gouvernement et le chef de l'Etat viennent de subir deux graves échecs. Les ministres sont désemparés. L'administration d'Etat répond mal. Le pouvoir semble vacant.

Les initiatives se multiplient. Le 27 mai, à l'appel de la CFDT, du PSU, de l'UNEF, se tient une grande manifestation à Paris, au stade Charléty. Si l'on applaudit Pierre Mendès France qui est présent, on revendique surtout une orientation révolutionnaire. Le 28, une entrevue entre les responsables du PCF et de la FGDS n'aboutit à aucun résultat. François Mitterrand propose, le même jour publiquement, un gouvernement de transition que présiderait Pierre Mendès France, et annonce qu'il serait lui-même candidat à la présidence de la République si le général de Gaulle se retirait. Le 29 mai, à l'appel de la CGT, relayée par le PCF, des manifestations ont lieu dans tout le pays. Les responsables communistes, jusqu'alors très réservés, semblent pousser à la radicalisation de la crise.

L'après-midi du 29, les radios annoncent que de Gaulle a quitté Paris. Dans la soirée on apprend qu'après un passage en Allemagne il est parti dans sa maison de Colombey. C'est en apparence la fin du pouvoir gaulliste. Le 30 mai, Valéry Giscard d'Estaing réclame un changement de gouvernement.

Dans l'après-midi du 30 mai, conformément à un message de la veille, de retour à Paris, Charles de Gaulle prononce à la radio — et non à la télévision — une allocution très ferme.

Il annonce l'abandon du référendum, la dissolution de l'Assemblée nationale et des élections anticipées. Après avoir dénoncé « l'intimidation, l'intoxication et la tyrannie exercées par un parti qui est une entreprise totalitaire », les menaces provoquées par « le communisme totalitaire... utilisant l'ambition et la haine de politiciens au rancart », il appelle à l'action civique.

Cette intervention remplit son effet. Elle ranime le courage des militants gaullistes qui, dans la soirée du 30 mai, organisent défilés et manifestations dans les principales villes de province et surtout à Paris où se déroule, sur les Champs-Elysées, une manifestation impressionnante. Le retour à l'ordre se fait progressivement ; le mouvement de mai est en reflux, même si la grève ne cesse effectivement, dans certaines entreprises, qu'au bout de plusieurs semaines. Pourtant, des soubresauts parfois meurtriers éclatent en juin ; les 10 et 11 juin dans la banlieue parisienne, à Lyon, des échauffourées sévères provoquent la mort de quatre personnes, les seules de cette crise. Mais les facultés sont évacuées, les examens vont parfois s'organiser, les premiers vacanciers prendre leurs congés.

Les partis politiques préparent la consultation électorale des 23 et 30 juin, même si les groupes gauchistes dénoncent les élections comme un « piège à cons ». L'ensemble des droites fait bloc : les réserves de Valéry Giscard d'Estaing s'estompent, tandis que l'unité de candidature est réalisée entre gaullistes et républicains indépendants. A gauche, PCF et FGDS réactivent leur accord de désistement, tandis que le PSU multiplie les candidatures pour témoigner de l' « esprit de mai ».

Les deux tours confirment la forte poussée de la droite, le recul de la gauche et l'effondrement du centre. En remportant 293 sièges sur 487, le groupe gaulliste obtient, à lui seul, la majorité absolue de l'Assemblée nationale. Comme les républicains indépendants emportent 61 sièges, la majorité impose sa force en réunissant près de trois quarts des députés. La crise de mai aboutit à consolider les assises parlementaires du pouvoir gaulliste.

La gauche est sévèrement battue puisqu'elle ne retrouve que la moitié des sièges obtenus en 1967 (34 communistes, 57 FGDS). Des leaders comme Pierre Mendès France sont battus. Quant aux centristes, ils sont laminés entre les gaullistes et la gauche, une bonne partie de leurs électeurs, qui a voté à gauche en 1967, choisit le camp conservateur en juin 1968.

La nouvelle Assemblée nationale semble une « Chambre

introuvable », comme le soulignent bien des observateurs. Depuis 1919 et la « Chambre bleu horizon », aucune majorité parlementaire n'a été aussi marquée à droite. Ce triomphe de la droite exprime la riposte de la « majorité silencieuse » qui, après avoir éprouvé de la sympathie pour les étudiants, a pris peur des désordres, des défilés, des drapeaux rouges et noirs, de la violence parfois, de la désorganisation de la vie quotidienne. Ces élections de la peur traduisent la recherche de l'ordre public.

De Gaulle, une fois encore, a gagné. Mais sa marge de manœuvre est étroite. En effet, le plus grand nombre des électeurs et des élus se sentent plus proches de la prudence et de l'autorité de Georges Pompidou que de la réforme en profondeur. En ce sens, la victoire gaulliste est plus celle du premier ministre que celle du président de la République.

Retour sur quelques interprétations

Par sa durée, la crise de mai apparaît éphémère. D'autre part, elle semble difficilement compréhensible puisque, après avoir éclaté brutalement, elle s'est terminée de manière assez rapide. Enfin, la diversité des revendications, qui lui a donné des inflexions très diverses, a suscité bien des analyses et bien des interprétations.

Acteurs ou témoins, observateurs ou analystes, essaient, pendant les événements ou assez vite après leur achèvement, de proposer quelques grilles d'analyse. Hommes politiques, journalistes, sociologues et politologues, dans leurs interventions ou dans leurs publications offrent leur vision des événements. Si des désaccords s'expriment, des points d'accord intéressants peuvent aussi se dégager.

Crise nationale ou crise internationale ? Dans un mouvement qui affecte bien des pays dans le monde, la France présente-t-elle une certaine originalité ? André Malraux, mais aussi Georges Pompidou parlent d'une crise de civilisation qui affecte les pays industrialisés. La critique de Georges Pompidou porte sur la modernité, l'abandon des valeurs spirituelles traditionnelles et sur l'hégémonie de la science. En revanche, pour Pierre Mendès France, la crise de mai est d'abord une crise française qui exprime le divorce d'un système politique avec sa jeunesse en révolte. Un sociologue comme Michel Crozier le rejoint sur ce thème : à ses yeux, une « société bloquée » explique dans une large mesure la crise de 1968 en France. Raymond Aron partage une opinion qui n'est pas très éloignée sur la « spécificité française ».

La crise de mai a-t-elle été une forme de révolution ? Les discussions sur ce thème sont particulièrement vives ; sociologues et — dans une certaine mesure historiens — acteurs ou témoins échangent des analyses contradictoires. Pour Alain Touraine *(Le mouvement de mai ou le communisme utopique)*, le mouvement de mai a créé une force de combat contre le système capitaliste en même temps qu'un projet utopique destiné à le remplacer. Dans un registre un peu différent, Edgar Morin *(La brèche)* estime que mai, sous la forme d'« utopie vécue », a été véritablement « une révolution sans visage » qui prépare des mutations futures. En revanche, pour Raymond Aron *(La révolution introuvable)*, la crise de mai n'a été qu'une « comédie burlesque » ou qu'un véritable « psychodrame ». Selon lui, les étudiants, suivis en partie par les ouvriers en grève, ont joué à la révolution plus qu'ils n'ont cherché à la faire. Si des groupes gauchistes ou anarchistes ont des projets sinon des programmes qu'ils cherchent à mettre en œuvre, la plupart des étudiants et des jeunes ouvriers en grève contestent une société dans ses modes de fonctionnement bien plus qu'ils ne souhaitent construire un modèle de société tout à fait différent.

Au total, la médiocrité des acquis de mai, l'incapacité à dégager une solution politique nouvelle et la victoire facile du gaullisme conservateur inclinent à penser que la force révolutionnaire du mouvement demeure modeste, même si, ultérieurement, des réformes peuvent s'inscrire dans la perspective ouverte par le mouvement de mai 1968.

L'« esprit de 68 » ? Dans son déroulement, la crise ne donne pas l'impression de répondre à beaucoup de cohérence. Pourtant, des critiques qui fusent un peu partout, se distinguent quelques thèmes forts qui peuvent caractériser le mouvement de mai.

- Le mouvement de mai n'est pas, au sens classique, un mouvement politique. En effet, les institutions politiques, leur fonctionnement laissent souvent indifférents les défilés d'étudiants en grève. Ils songent à occuper la Sorbonne, le théâtre de l'Odéon, mais ni l'Assemblée nationale ni l'Elysée.

• En revanche, il procède d'une démarche : « Prenez vos désirs pour des réalités », « l'imagination est au pouvoir » ; tous soulignent un rejet de la société vécue. On dénonce la tyrannie de l'économie et la prépondérance de la technocratie. On rejette la société de consommation, car si le progrès social et l'élévation du niveau de vie se sont développés, de nouvelles contraintes se sont imposées. En ce sens, les contestataires rejettent ces acquis, mais ils en sont les détenteurs et les héritiers.

• L'utopie met en valeur l'individu. Dans le droit fil du refus de l'autorité sous toutes ses formes (le pouvoir, les hiérarchies, les bureaucrates de l'Etat, de l'Université, des partis, des syndicats), on affirme le rejet de règles ou de contraintes non consenties. En célébrant la démocratie directe, en formulant le principe qu' « il est interdit d'interdire », on voit s'exprimer une véritable explosion d'individualisme. Combat contre l'Etat réglementant, l'Eglise normative ou la société contraignante, le mouvement de mai revendique l'autonomie de l'individu. En ce sens, l'esprit de mai qui insiste sur le désir et le plaisir porte en lui la volonté de libérer les mœurs.

• Cependant, sous certains aspects, l'esprit de mai apparaît parfois passéiste. En effet, la critique de la rentabilité, de la recherche de la productivité, la dénonciation de la concentration capitaliste et de l'urbanisme des « barres et des tours » soulignent, *a contrario*, l'intérêt porté à une société de petites communautés qui ne ferait plus de l'industrialisation un objectif prioritaire. Dans une large mesure, la diffusion de l'écologie est fille de l'esprit de mai. Enfin, la critique de la culture n'est pas sans conséquences. En soulignant que la culture est celle d'une classe sociale, que la « culture des élites » impose ses valeurs, les contestataires veulent montrer que la culture générale n'existe pas et que les valeurs universelles n'ont aucune réalité effective. L'humanisme est, en ce sens, abandonné.

De la crise de Mai 68 quelques caractéristiques doivent être notées qui peuvent rendre plus clairs les « événements ».

• Le mouvement de mai s'inscrit dans une conjoncture de croissance. Le rapide développement économique a fait naître une société plus urbaine et plus industrielle. Cependant, la société continue à vivre selon des règles et des modes assez traditionnels.

L'éclairage apporté par Michel Crozier sur la « société bloquée » est, à cet égard, particulièrement important. Les méthodes du gouvernement, en refusant le dialogue et la concertation, ont accentué le malaise social qui fait éclater un conflit d'une nature nouvelle puisqu'il se déclenche dans une période de prospérité et qu'il touche une bonne partie de ses bénéficiaires.

• La crise exprime aussi les difficultés d'intégration de la jeunesse. Les étudiants protestent contre un système universitaire accusé de les sélectionner et de les orienter en fonction des exigences de l'économie et des débouchés professionnels. Les jeunes ouvriers, à l'origine des mouvements dans les entreprises, souvent mieux formés que leurs parents, récusent le mode de fonctionnement des entreprises. En ce sens, 68 exprime aussi un conflit de générations qui a affecté déjà, dans les années antérieures, d'autres organisations (l'Eglise par exemple).

• Ce mouvement, comme bien d'autres, est le fait de minorités militantes qui s'inspirent de formes diverses du marxisme et du communisme, à l'exclusion du stalinisme que l'on récuse, mais aussi de l'anarchisme. Ces « groupuscules » parviennent à entraîner le grand nombre des étudiants. Comment ? La spontanéité du mouvement doit laisser croire à un phénomène de diffusion qui correspond aux attentes d'une fraction importante de la population, sinon même d'une génération. Le sentiment d'une faiblesse insoupçonnée du gouvernement et du régime politique a favorisé l'expansion des revendications à des catégories sociales plus diversifiées.

La fin de la présidence de Charles de Gaulle

Le premier ministre déchu de ses fonctions

Au début de juillet 1968, le président de la République ne reconduit pas le premier ministre Georges Pompidou dans ses fonctions. Ce choix provoque la surprise dans les milieux gaullistes, mais aussi dans l'opinion française. En effet, la victoire des 23 et 30 juin apparaît d'abord comme celle de Georges Pompidou.

Pourquoi Charles de Gaulle prend-il cette décision ? Les raisons, encore mal connues, semblent complexes. La majorité issue des élections apparaît trop pompidolienne au président de la République qui n'a pas abandonné ses projets de réforme. D'autre part, la victoire électorale de Georges Pompidou en fait un concurrent pour le chef de l'Etat dont l'autorité sort émoussée. Enfin, le président de la République, qui n'a pas toujours joué le premier rôle dans la crise de mai, souhaite reprendre l'initiative ; il ne peut le faire avec le premier ministre sortant.

Il confie le soin de constituer le nouveau gouvernement à Maurice Couve de Murville. Celui-ci, qui, en tant que haut fonctionnaire, a rejoint de Gaulle pendant la guerre, a dirigé la diplomatie française depuis 1958. Il a été, dès lors, un exécutant fidèle des options du général de Gaulle tout en révélant, parfois, de sérieuses capacités d'initiative.

Le nouveau gouvernement subit assez peu de modifications ; la plupart des grands ministères gardent leur titulaire. Cependant, deux désignations méritent d'être soulignées. D'abord, Jean-Marcel Jeanneney est chargé des « réformes institutionnelles » ; ce fidèle, réformateur d'esprit, doit donc débloquer l'administration française. Edgar Faure reçoit la charge de l'Education nationale : la subtilité et l'imagination de l'ancien ministre de l'Agriculture et de l'ancien président du Conseil sont nécessaires pour réformer les facultés.

Trois grands sujets préoccupent le gouvernement.

• En novembre, éclate une grave crise monétaire. L'augmentation des impôts, décidée quelques semaines plus tôt, crée un climat de méfiance envers le franc qu'alimentent de multiples pressions spéculatives. La « débâcle monétaire » laisse penser à une inévitable dévaluation du franc dans laquelle bien des observateurs voient une conséquence de la crise de mai. Mais comme une telle décision soulignerait l'échec de la politique économique du gaullisme, de Gaulle la refuse. Un plan sévère de redressement monétaire est, néanmoins, indispensable.

• La réforme de l'enseignement supérieur — la loi Edgar Faure — est adoptée en novembre. Trois principes fondent le nouveau système. Tous les membres de l'Université, y compris les étudiants, reçoivent le droit d'élire les responsables et de participer à la gestion des établissements, dans le cadre d'une autonomie pédagogique et de formations pluridisciplinaires. Cette réforme, votée à la quasi-unanimité (seuls les communistes s'abstiennent), doit être la première étape de la modernisation institutionnelle à laquelle songe le président de la République ; désormais les universités devront être organisées et gérées selon un modèle assez proche des établissements dans les autres grands pays développés.

- La « participation » : de Gaulle n'a pas abandonné son projet que Georges Pompidou a freiné et retardé. La crise de mai a confirmé son intention qu'il reprend au début du mois de septembre 1968. Selon lui, il importe de transformer les rapports du capital et du travail en accordant dans l'entreprise des pouvoirs analogues aux salariés et aux actionnaires. Sur ce terrain de la réforme, Charles de Gaulle veut mesurer, par référendum, sa popularité et évaluer son autorité. Cependant, la procédure du référendum qui concerne exclusivement l'organisation des pouvoirs publics impose au président de la République d'envisager la participation sous deux formes. Dans l'entreprise, en décembre 1968, l'engagement pris à Grenelle est tenu ; comme le réclament les syndicats (la CFDT), la section syndicale d'entreprise est reconnue dans le droit social. Quant aux pouvoirs publics, c'est une réforme de l'administration et du Sénat que proposent le président de la République et le gouvernement. Régionalisation et intégration au Sénat de personnalités issues des activités économiques et du Conseil économique et social sont les propositions que de Gaulle soumet à référendum le 27 avril 1969.

La campagne référendaire

La bataille du référendum est voulue par le président de la République malgré les réserves et les hésitations de certains ministres. Le projet de régionalisation est plutôt populaire. En effet, depuis de longues années, les débats se sont multipliés et l'idée s'est imposée, progressivement, qu'un Etat trop centralisé ne dispose pas des compétences indispensables et de l'efficacité nécessaire. De Gaulle lui-même, adepte de l'Etat fort, a admis le principe de la régionalisation avant Mai 68. La création de régions, gérées à la fois par les élus et des représentants des milieux professionnels, tend donc à rapprocher la gestion locale des besoins effectifs de la population. En revanche, la refonte du Sénat semble inefficace, car elle ne doit, en rien, modifier les méthodes législatives. D'autre part, elle apparaît contradictoire puisque, depuis 1875, le Sénat représente les collectivités locales. Enfin, dans la mesure où le Sénat cherche à contenir l'hégémonie gaulliste, le projet référendaire peut laisser penser à une procédure indirecte destinée à réduire un pôle constitutionnel d'opposition.

La bataille est engagée à la fin de l'hiver 1968-1969. La conjonction des enjeux permet à tous les opposants de se retrouver en demandant de voter non. Les partis de gauche peuvent espérer prendre leur revanche de juin 1968. Les sénateurs, qui n'ont pas l'intention de signer leur disparition, se lancent dans un combat résolu sous la direction de leur nouveau président, Alain Poher, élu du centre d'opposition. Très habilement, les sénateurs défendent une assemblée qui, dans le cadre du bicamérisme, permet un certain équilibre institutionnel.

Au sein de la majorité, les hésitations deviennent de plus en plus évidentes au fur et à mesure que l'échéance approche. L'UDR doit soutenir le projet au nom de la fidélité gaulliste ; mais elle ne le fait pas avec enthousiasme. Georges Pompidou, réservé lui aussi, est dans cet état d'esprit. Chez les républicains indépendants, la campagne des sénateurs remporte un certain écho ; Valéry Giscard d'Estaing appelle à voter non. Sa décision d'avril 1969 est l'aboutissement d'un itinéraire qui l'a conduit à exprimer des réserves de plus en plus fortes et à rejoindre, sur ce thème, l'opposition.

Face à un nouveau cartel du non, la majorité gaulliste est en difficulté, car de Gaulle n'est plus, depuis juin 1968, le meilleur rempart contre le désordre public. Or la campagne est personnalisée à l'extrême par Charles de Gaulle ; le référendum évolue donc très rapidement vers une forme de plébiscite. Au fur et à mesure qu'approche la date de la consultation, les sondages pronostiquent un résultat de plus en plus aléatoire.

Le 27 avril, plus de 80 % des électeurs vont voter : c'est un signe qui révèle que les Français ont bien compris l'importance de l'enjeu. Le non l'emporte avec un peu plus de 53 % des suffrages ; il est majoritaire dans plus de 70 départements. Ce sont les régions françaises situées au centre droit de l'échiquier qui, en s'effritant, provoquent l'échec de De Gaulle, tandis que l'électorat populaire demeure solide. Les républicains indépendants, comme les centristes en 1965, font basculer une majorité de départements. Enfin, on peut souligner qu'en calculant les résultats par rapport aux inscrits, de Gaulle obtient autant de voix en 1969 qu'au premier tour des présidentielles de 1965, mais aussi autant de suffrages que les candidats UDR en juin 1968. Le gaullisme de rassemblement, voulu par de Gaulle, n'est plus majoritaire. En revanche, le gaullisme constitue toujours la première force électorale. Le « gaullisme gaullien », en se réduisant, a rejoint le « gaullisme parlementaire et législatif ».

Sitôt connu le résultat, de Gaulle fait annoncer sa démission de la présidence de la République. Son successeur constitutionnel n'est autre que le président du Sénat, Alain Poher, qui doit organiser les élections présidentielles en juin. De Gaulle se retire de tous les débats politiques, voyageant en Irlande et en Espagne et surtout rédigeant ses *Mémoires d'espoir*. Le prestige de l'ancien président de la République sort renforcé de l'épreuve, car les accusations de pouvoir personnel tombent d'elles-mêmes puisque de Gaulle a démissionné de manière démocratique. De même, en l'abandonnant le 27 avril, une partie de la droite modérée souligne que de Gaulle n'est pas d'abord un conservateur.

Sa mort brutale, le 9 novembre 1970, est l'occasion de manifestations d'une grande fidélité populaire, qui persiste vingt ans après. Les enquêtes effectuées à l'occasion du 100e anniversaire de sa naissance soulignent que les Français continuent à lui attribuer une appréciation largement positive. Si l'acte fondateur de la popularité est toujours le 18 juin, l'action présidentielle entre 1959 et 1969 suscite estime et sympathie. On l'associe le plus souvent à une période de prospérité et de progrès.

Les regards portés sur de Gaulle convergent sur quelques thèmes : l'homme de l'autorité, de la grandeur nationale, de la souveraineté de l'Etat. Les antigaullistes, très véhéments dans les années 1960, maintiennent des critiques en les atténuant. Si de Gaulle, pour eux, s'est beaucoup plus préoccupé de la France que des Français, il n'est plus seulement l'homme du grand capital que dénonçaient les communistes. De même, il n'est plus d'abord l'homme du pouvoir personnel puisque les institutions qu'il a mises en place sont généralement appréciées. Cette apparente unanimité laisse subsister deux lignes de fractures importantes. L'Algérie n'apparaît pas comme un point d'accord. Mai 68 ne semble pas avoir été compris par de Gaulle.

Si de Gaulle n'apparaît plus comme un clivage à partir duquel les familles politiques se déterminent, c'est que le temps a réévalué certaines querelles et que plusieurs problématiques gaullistes ont été intégrées à la réflexion des Français. Pourtant, la complexité du phénomène gaulliste demeure, car si de Gaulle peut s'inscrire dans une tradition politique — selon René Rémond, le bonapartisme —, son héritage peut être revendiqué très différemment. En effet, les lectures du gaullisme varient encore selon les références idéologiques, mais aussi selon les groupes sociaux ; les communistes gardent une vision polémique de De Gaulle, mais les socialistes se sont rapprochés sinon des méthodes, du moins de certains des objectifs du gaullisme.

Le gaullisme n'apparaît pas comme une parenthèse, comme un accident politique, contrairement à ce que croyaient certains accompagnateurs ou certains adversaires du général de Gaulle en 1958. Il s'enracine dans la vie politique qu'il a contribué à remodeler.

BIBLIOGRAPHIE

SYNTHÈSES

Berstein Serge, *La France de l'expansion,* I : *La République gaullienne, 1958-1969,* Le Seuil, 1989.

Institut Charles de Gaulle, *De Gaulle en son siècle,* 6 vol., Documentation française, 1990-1992.

Lacouture Jean, *De Gaulle,* Le Seuil, 3 vol., 1984-1986.

HISTOIRE POLITIQUE

Chapsal Jacques, *La vie politique sous la Ve République,* PUF, 1984.

Duhamel Olivier, Jeanneney Jean-Noël, *Les présidentielles, les surprises de l'histoire,* Le Seuil, 2002.

Portelli Hugues, *La politique en France sous la Ve République,* Grasset, 1987.

Sineau Mariette, *Profession, femme politique,* Presses de Sciences Po, 2001.

Viansson-Ponté Pierre, *Histoire de la République gaullienne,* Robert Laffont, 1984.

LES INSTITUTIONS

Duhamel Olivier, Parodi Jean-Luc, *La Constitution de la Ve République,* Presses de la FNSP, 1985.

Massot Jean, *L'arbitre et le capitaine,* Flammarion, 1987.

Quermonne Jean-Louis, *Le gouvernement de la France sous la Ve République,* Dalloz, 1987.

LES FORCES POLITIQUES

Charlot Jean, *Le phénomène gaulliste,* Fayard, 1980.

Colliard Jean-Claude, *Les républicains indépendants,* PUF, 1971.

Duhamel Olivier, *La gauche et la Ve République,* PUF, 1980.

Portelli Hugues, *Le socialisme français tel qu'il est,* PUF, 1980.

Rémond René, *Les droites en France,* Aubier, 1982.
Sirinelli Jean-François (sous la direction de), *Histoire des droites en France,* Gallimard, 1992, 3 vol.

ÉCONOMIE ET SOCIÉTÉ

Gauron André, *Histoire économique et sociale de la Ve République,* t. I : *Le temps des modernistes,* La Découverte-Maspero, 1983.
Reynaud Jean-Daniel, *Les syndicats en France,* 2 vol., Le Seuil, 1975.
Sadoun Marc, Sirinelli Jean-François, Vandenbussche Robert, *La politique sociale du général de Gaulle,* Villeneuve d'Ascq, Editions du Centre d'Histoire de la région du Nord, 1990.

LA CRISE DE MAI 1968

Capdevielle Jacques, Mouriaux René, *Mai 1968. L'entre-deux de la modernité. Histoire de trente ans,* Presses de la Fondation nationale des sciences politiques, 1988.
Dreyfus-Armand Geneviève, Frank Robert, *Les années 1968, le temps de la contestation,* Complexe, 2000.
Le Goff Jean-Pierre, *Mai 1968, l'héritage impossible,* La Découverte, 2002.
« Mai 1968 », *Pouvoirs,* no 39, PUF, 1986.

LA POLITIQUE ÉTRANGÈRE

Barnavi Elie, Friedlander Saul, *La politique étrangère du général de Gaulle,* PUF, 1985.

10. La France au cœur des « Trente Glorieuses »

Durant la période d'une trentaine d'années qui va de la Libération au premier choc pétrolier à l'automne 1973, la France a connu, trois décennies durant, une croissance économique forte et soutenue. En découlèrent une hausse considérable du niveau de vie des Français et leur entrée dans la « société de consommation ». Plus largement, du reste, s'amorcent alors une mutation en profondeur de la société française et une uniformisation croissante du comportement social. En 1979, l'économiste Jean Fourastié baptisera ces années, rétrospectivement, les « Trente Glorieuses », dans un livre portant le même titre.

Si un tel découpage chronologique appelle dans le détail, nous le verrons, nuances et amendements, il n'en demeure pas moins que cette période de forte croissance est une phase déterminante de notre histoire socio-économique et que les mutations qui eurent lieu alors ou qui s'amorcèrent — car il faudra aussi évoquer plus loin les phénomènes de continuité, dans certains domaines, par-delà le tournant de 1973-1974 — furent et demeurent essentielles.

Les « Trente Glorieuses »

Une croissance soutenue et des effets différés

La reconstruction fit rapidement entrer la France dans l'ère de la croissance soutenue. Dès 1948, le niveau de 1938 est retrouvé et, deux ans plus tard, celui de 1929 est à son tour dépassé. Au seuil des années 1950, donc, l'effet de langueur des années 1930 et l'effet de choc des années de guerre ont été résorbés. A partir de cette date, malgré des à-coups — et notamment un ralentissement en 1951-1953 —, durant les deux décennies suivantes le taux de croissance moyen annuel de la production industrielle se situe à 5,3. Et au début des années 1970, avant le premier choc pétrolier de l'automne 1973, ce taux moyen annuel passe même à 6,5 entre 1969 et 1973.

En toile de fond de cette croissance économique, on observe une forte augmentation démographique. Si les années 1930 avaient vu la mortalité (16 ‰) l'emporter sur la natalité (15 ‰), la tendance s'inverse pendant l'Occupation : c'est en 1942 que la reprise de la fécondité s'amorce. Dès lors, durant plus de vingt ans, jusqu'en 1964, cette fécondité sera en hausse ou stable. La natalité l'emportant largement sur la mortalité, on observe un accroissement naturel de 8 ‰. La population augmente de 13 millions d'habitants entre 1946 et 1976, progressant donc d'un tiers entre ces deux dates. Auparavant, un siècle et demi avait été nécessaire pour observer une progression comparable.

En 1946, on compte 844 000 naissances et la crête des 800 000 naissances annuelles sera désormais longtemps la norme (contre 612 000 en moyenne dans les années 1930). Le taux de fécondité dépasse trois enfants par femme trois années de suite, de 1946 à 1948 (contre 2,06 en 1935), et jusqu'au milieu des années 1960 il ne redescendra jamais au-dessous de 2,6. Ce *baby boom* de l'après-guerre n'est, du reste, pas propre à la France. Et l'effet de ce *baby boom* a été prolongé dans les années 1950 par la très forte baisse de la mortalité, notamment infantile.

Si les conséquences de cette reprise démographique furent immédiatement sensibles dans la vie quotidienne, les retombées sociales de la forte croissance économique, en revanche, ne furent pas immédiatement perceptibles, d'autant que, même dans le domaine économique, compte tenu de la relative stagnation des années 1951-1953, c'est « l'année 1954 (qui) engage la France dans l'expansion » (Hubert Bonin). Il y eut donc, dans ce domaine social, un effet différé des « Trente Glorieuses ». A tel point qu'une telle expression, pour parlante qu'elle soit, ne doit pas induire en erreur : les changements sociaux qui seront décrits plus loin sont davantage un phénomène des années 1950 et 1960 que de la période qui suit immédiatement la Libération. Certes, l'observation peut varier avec les domaines concernés et les lieux étudiés, mais, d'une façon générale, la période tournante, pour l'histoire socioculturelle, est probablement la deuxième partie des années 1950.

Ce n'est donc pas une coïncidence si c'est à partir du milieu de cette décennie que la croissance économique qui nourrit l'expansion et la mutation sociale qui s'amorce produisent leurs effets dans le domaine politique. Au moment de la poussée du poujadisme et lors des élections du 2 janvier 1956, la géographie et la sociologie du mouvement de Pierre Poujade sont, en effet, éclairantes. L'écho le plus fort et les résultats les plus importants sont localisés au sud d'une ligne Saint-Malo - Genève, c'est-à-dire dans une France moins industrialisée à cette époque et qui profite moins directement et moins rapidement des premiers effets de la croissance. Sociologiquement, le socle du mouvement Poujade est constitué de groupes sociaux qui ont le sentiment d'être les oubliés, voire les victimes, de l'évolution en cours : petits paysans et, surtout, petits commerçants en proie à de lourdes difficultés, après la période faste de la décennie précédente et devant la concurrence de nouveaux moyens de distribution. Indépendamment d'autres aspects importants du mouvement — un nationalisme inquiet devant les premières lézardes de l'Empire colonial et un antiparlementarisme reflétant une hostilité au régime considéré comme impuissant —, il y a bien là une crainte explicite devant la mutation économique et sociale qui devient perceptible.

Inversement, le courant mendésiste qui se développe à la même époque apparaît bien, par certains aspects, comme l'antithèse de cette crainte et de cette réaction. Pierre Mendès France apparaîtra, en effet, à certains de ses contemporains non seulement comme le symbole d'une politique coloniale libérale, mais surtout comme l'homme qui, par son style et son action, pourrait incarner et accompagner, voire accélérer, la modernisation du pays. Par-delà l'hétérogénéité de la mouvance mendésiste, il y a là une commune aspiration moderniste.

Certes, le parallèle entre un poujadisme qui serait une simple réaction d'archaïsme et le dernier soubresaut d'une France moribonde et un mendésisme ferment de modernité et levain de la France à venir est assurément excessif. Il reste que la concomitance des deux courants, au milieu des années 1950, est significative : la France, à cette époque, entre dans une phase de mutation rapide et les réactions à cette mutation imprègnent forcément le débat politique.

La mutation sociale

La fin des paysans ? — En 1967, dans un livre au titre délibérément provocateur, *La fin des paysans,* le sociologue Henri Mendras diagnostique une transformation profonde et irréversible du monde rural. Cette transformation, on l'a vu, s'était amorcée avant la seconde guerre mondiale : le recensement de 1931 indique, pour la première fois, une population urbaine supérieure à la population rurale (51,2 % contre 48,8 %). Mais, durant les quinze ans qui avaient suivi, la situation ne s'était guère modifiée et le recensement de 1946 montre une population française encore rurale à 46,8 %.

C'est au cours des vingt ans qui suivent, en fait, que s'opère un changement massif : entre les recensements de 1946 et de 1968, les citadins passent de la moitié aux deux tiers de la population française, plus précisément de 53,2 % à 66,2 %. Et le phénomène est encore plus sensible pour ce qui concerne la population active : entre les mêmes dates, l'agriculture y passe de 36 % à 14,9 %, pour descendre à 9,5 % en 1975. A cette date, les paysans ne sont plus que 2 millions, contre plus de 7 millions après la Libération.

Mais la transformation du monde rural ne s'est pas seulement traduite par la chute du poids des paysans dans la société française. S'est opérée aussi la « révolution des campagnes », aussi bien dans le mode de vie des paysans que dans leur environnement technique. La modernisation et la mécanisation ont entraîné un changement des pratiques agricoles et une hausse des rendements. Pour mesurer le chemin parcouru et la rapidité de la mutation, il faut rappeler qu'au début des années 1950 encore, nombre de paysans ne sont pas pleinement insérés dans des circuits de distribution modernes et vivent largement dans une situation proche de l'autoconsommation.

Par ailleurs, l'amélioration de l'habitat, l'usage de l'automobile, l'introduction croissante du téléphone et de la télévision ont profondément modifié les genres de vie.

L'urbanisation. — Le phénomène essentiel demeure pourtant le transfert massif vers les villes, avec les problèmes d'urbanisme ainsi entraînés. Dans les années 1950, des grands ensembles commencèrent à naître dans les banlieues des grandes villes : avant même l'apparition des tours, les « barres » fleurirent. Sur le moment, ces grands ensembles contribuèrent incontestablement à faciliter l'absorption de l'exode rural. De surcroît, ils constituaient souvent, pour leurs habitants, un progrès du confort et de l'hygiène. Les inconvénients, en revanche, n'apparurent que progressivement : la « ville-dortoir » — dont on fit de Sarcelles, en région parisienne, l'archétype — fut bientôt considérée comme porteuse d'ennui et de dépaysement.

La montée des classes moyennes. — L'effondrement des effectifs du secteur primaire a-t-il pour autant fait augmenter ceux du secteur secondaire ? Ce secteur secondaire — la proportion des ouvriers dans la population active — augmente tout d'abord, passant de 29,8 % en 1946 à 38 % en 1962. On observe ensuite un tassement, avec un taux de 39,4 % en 1968.

Mais autant que sa place dans la population active, c'est la composition de cette classe ouvrière qui importe ici. Apparaissent, en effet, en son sein, de nouvelles stratifications : baisse du nombre des manœuvres, augmentation de celui des ouvriers spécialisés (OS), des ouvriers qualifiés (OQ) et des contremaîtres. En d'autres termes, on observe aussi bien une multiplication des emplois non qualifiés (OS), en raison de la parcellisation du travail, qu'une augmentation de la qualification d'autres catégories (OQ, contremaîtres). De surcroît, pour ces catégories, on observe une transformation de leur genre de vie — qui fit écrire, dans les années 1960, qu'était en gestation une « nouvelle classe ouvrière » — et un alignement croissant sur celui des classes moyennes.

Ces classes moyennes connaissent une augmentation d'autant plus rapide qu'à leur source se trouve le secteur tertiaire, en croissance rapide au cours des décennies d'après guerre. Cette croissance des « cols blancs » est même le fait social le plus important de cette période. Les chiffres parlent d'eux-mêmes : entre le recensement de 1954 et celui de 1975, la part des employés de bureau dans la population active passe de 8,5 % à 14,3 %, celle des techniciens et cadres moyens de 3,9 % à 9,3 % et les cadres supérieurs de 1,8 % à 4,2 %. Le recensement de 1975 est, à cet égard, symbolique : à cette date, le tertiaire passe le seuil de 50 % des actifs (51 % plus précisément), contre 34 % en 1946. Et le « cadre » est devenu entre-temps la figure type des « Trente Glorieuses ».

Cela étant, les classes moyennes ne sont pas constituées seulement par ce tertiaire en expansion rapide. Une partie de la classe ouvrière également, on l'a vu, s'y est peu à peu intégrée. Et l'ensemble de ces classes moyennes est peu à peu cimenté par une uniformisation croissante des comportements et du genre de vie, elle-même sous-tendue et rendue possible par le plus rapide et le plus spectaculaire enrichissement qu'aient connu les Français.

La hausse du niveau de vie

Le revenu par tête va connaître, en effet, une hausse considérable au fil des années 1950 et 1960 : si l'on prend comme base 100 l'année 1963, ce revenu était à 69 en 1953 et il sera à 123 en 1968 ; en quinze ans, il a donc presque doublé. Et la hausse s'accélère encore au début des années 1970, jusqu'aux premiers effets du choc pétrolier. Durant une vingtaine d'années, l'enrichissement a donc été fort et constant. Le tournant de 1973-1974 n'en sera que plus durement ressenti.

Cet enrichissement, il est vrai, ne fut pas général, certaines catégories profitant moins des fruits de la croissance : la main-d'œuvre immigrée, utilisée pour des travaux pénibles et peu qualifiés, une partie des personnes âgées, certains secteurs de la population active féminine, proportionnellement moins bien rétribuée que les hommes. De surcroît, on l'a vu, petits paysans et artisans seront souvent les oubliés de la croissance, voire ses victimes.

Cet enrichissement ne fut pas non plus spécifique. Dans tous les pays industrialisés, le changement social a été considérable au cours des décennies qui suivent la seconde guerre mondiale. A cet égard, du reste, les Etats-Unis anticipaient : en 1927 déjà, le politologue André Siegfried, dans *Les Etats-Unis d'aujourd'hui,* constatait une « transposition du luxe en consommation courante » et une « extension à tous des conditions de vie jadis réservées à quelques-uns » et s'émerveillait devant ce « progrès splendide ». De fait, sur le vieux continent également, après la seconde guerre mondiale, l'industrialisation et l'urbanisation allaient entraîner de profondes mutations des sociétés et des genres de vie. En Grande-Bretagne, par exemple, le tertiaire passe de 30 % à 50 % des actifs entre 1950 et 1966. Et, dans les pays de l'Est, l'évolution, moins massive, reste significative et de même tendance : en Union soviétique, durant la même période, le tertiaire passe du quart (25 % en 1950) au tiers (32 % en 1964) de la population active. Et, si l'enrichissement est moindre à l'Est, les pays industrialisés de l'Occident connaissent tous, ainsi que le Japon, une forte progression du revenu par tête, dont rend bien compte le tableau suivant :

Evolution du revenu par tête (indice : base 100 en 1963)

	1953	*1968*	*1970 (en $ US)*
Etats-Unis	89	121	4 734
RFA	57	119	3 034
France	68	123	2 901
Angleterre	81	113	2 218
Japon	46	160	1 911
Italie	62	122	1 727

Ni générale, ni spécifique, la hausse du niveau de vie des Français fut pourtant une réalité massive, qui allait stimuler la consommation et permettre notamment aux familles de consacrer désormais une part plus importante de leurs ressources aux dépenses autres que l'alimentation. En 1954, celle-ci représentait encore 40 % des dépenses d'un ménage ; en 1974, cette proportion s'était abaissée à 25 %.

Les Français entrent donc progressivement dans la « société de consommation ».

• La forte hausse du niveau de vie et l'aspiration croissante au confort qui en découle stimulent la consommation de masse, que facilite aussi le crédit. La pratique du crédit se généralise, en effet, et ce fait constitue un changement fondamental du comportement social : à la frugalité et à la prévoyance, considérées jusque-là comme des vertus cardinales, succède la satisfaction immédiate des besoins matériels que permet le crédit. Le personnage du rentier n'incarne plus désormais le type social idéal.

• De surcroît, la hausse du niveau de vie permet, on l'a vu, de consacrer une part de plus en plus importante des ressources des familles à d'autres dépenses que l'alimentation. L'amélioration de l'habitat et la modernisation de l'équipement électroménager en constituent longtemps l'aspect le plus spectaculaire.

• Dans le domaine de l'habitat, notamment, le tournant du milieu des années 1950 est frappant. Jusque-là, la situation restait difficile. Certes, le nombre de logements construits double entre 1950 et 1954, mais, durant cette période, un tel nombre est deux fois plus élevé en Grande-Bretagne et quatre fois plus élevé en Allemagne de l'Ouest. Les mal-logés restent nombreux et la qualité de l'habitat du plus grand nombre n'a pas, à cette date, subi de réelle amélioration par rapport à l'avant-guerre. L'action menée par l'abbé Pierre durant l'hiver 1954 eut un grand écho en raison de la rigueur de cet hiver-là, mais aussi parce que, précisément, une telle rigueur fit apparaître les carences les plus criantes de l'habitat à cette date. On l'a déjà vu plus haut, les grands ensembles qui se multiplièrent par la suite furent perçus sur le moment comme porteurs d'incontestables progrès. Plus largement, l'habitat allait connaître au cœur des « Trente Glorieuses » une indéniable et rapide amélioration.

• De même, l'équipement électroménager profite en tout premier lieu des nouvelles habitudes de consommation, en même temps que des progrès techniques qui le rendent de plus en plus efficace et attrayant. A tel point que cet équipement devient d'une certaine façon le symbole de ces « Trente Glorieuses » : en 1954, 7,5 % des ménages disposaient d'un réfrigérateur et 8,4 % d'une machine à laver. Une vingtaine d'années plus tard, en 1975, ce sont 91 % des ménages qui posséderont un réfrigérateur et 72 % une machine à laver le linge. Et l'accélération après le milieu des années 1950 avait été foudroyante : c'est à partir de juin 1964 que 50,1 % des ménages possèdent un réfrigérateur.

La hausse du niveau de vie permet aussi la progression de pratiques socioculturelles de masse. C'est, du reste, au début des années 1960 que certains sociologues commencent à évoquer une « civilisation des loisirs » (Joffre Dumazedier, 1962).

• L'automobile, notamment, à la fois objet de consommation et instrument de mobilité, incarne et facilite cette phase d'entrée dans l'ère des loisirs. Plusieurs véhicules symbolisent cette entrée : la 4 ch Renault, présentée au Salon de l'automobile de 1946 et dont plus d'un million d'exemplaires — 1 105 499 exactement, chiffre considérable pour l'époque — seront fabriqués entre 1947 et 1961 ; la 2 ch Citroën, lancée en 1948, fut également un modèle très populaire ; tout comme, un peu plus tard, la « Dauphine » Renault. L'automobile, peu à peu, allait devenir un produit de consommation courante. Certes, encore dans les années 1950, elle est un objet de luxe — 21 % seulement des ménages en sont équipés en 1954 —, mais son usage va s'élargir rapidement : en 1955 déjà, 38 % des acheteurs sont des ouvriers.

• Autre symbole de la civilisation des loisirs, et autre conséquence de la hausse du niveau de vie : les vacances, dont la pratique s'accroît. Là encore, le phénomène, dans ses aspects massifs, est moins une donnée des années 1950 que des décennies suivantes. En 1956, encore 5 Français sur 7 ne partaient pas en vacances, et ceux qui pouvaient le faire ne s'éloignaient pas, en moyenne, de plus de 250 km de chez eux. En 1981, plus de la moitié des Français ont pris des vacances, dont 17 % à l'étranger.

• C'est aussi dans la montée d'une « culture de masse » qu'est perceptible l'avènement de la « civilisation des loisirs ».

L'irrésistible ascension d'une culture de masse ?

Durant l'entre-deux-guerres, s'étaient déjà amorcés des phénomènes culturels de masse. Les progrès de la scolarisation, la hausse du niveau de vie, le développement des loisirs, l'uniformisation croissante d'une vaste classe moyenne et, sur un autre registre, le progrès des techniques de communication, autant de facteurs qui vont accélérer cette massification des pratiques culturelles.

D'autant que les décennies d'après guerre ont été, progressivement puis sous la Ve République massivement, marquées par la scolarisation de masse dans l'enseignement secondaire. Le nombre des élèves du secondaire est passé de 1,5 million en 1956 à près de 5 millions en 1972. De leur côté, les effectifs de l'enseignement supérieur montent de 140 000 étudiants en 1950 à 570 000 en 1967. Et le personnel de l'Education nationale est passé de 263 000 fonctionnaires en 1952 à 912 000 en 1978.

Parallèlement, l'imprimé connaît une diffusion plus grande, par le livre et la presse périodique. Le « Livre de poche », à partir de 1953, puis d'autres collections d'ouvrages à bon marché et de format réduit rendent le livre, qui cesse d'être un produit cher, beaucoup plus accessible. Les collections de poche vont, dès lors, se multiplier, surtout dans les années 1960 où l'augmentation rapide du nombre des étudiants et le rayonnement des sciences humaines accroissent sensiblement le public potentiel pour ces collections. En 1962, par exemple, sont créées « Idées », « 10/18 » et la « Petite Bibliothèque Payot ».

De son côté, la presse périodique, plus encore que sous la IIIe République, est un vecteur important de la culture de masse : non seulement la presse quotidienne, mais aussi les magazines féminins, la presse sportive et surtout les magazines fondés sur la photographie, avant que la concurrence de la télévision entraîne chez eux de réelles difficultés. A partir de 1949, *Paris-Match* connaîtra ainsi une réussite spectaculaire, avant d'être confronté dans les années 1960 à une forte baisse de sa diffusion. Les hebdomadaires politiques — *France Observateur,* fondé en 1950 et devenu en 1964 *Le Nouvel Observateur,* et surtout *L'Express,* lancé en 1953 — trouveront, pour leur part, un lectorat de plus en plus large, mais inférieur à celui de la grande presse populaire.

Dans cette presse populaire, les magazines de télévision comptent bientôt parmi les plus forts tirages de la presse périodique. C'est le cas, par exemple, de *Télé 7 jours* qui est fondé en 1960 et qui atteint dès 1965 une diffusion de 2 millions d'exemplaires.

C'est, à cette date, le reflet de l'irrésistible ascension de la télévision. Cette ascension fut d'abord limitée : à la fin de 1954, il n'y a que 125 000 téléviseurs et, en 1960 encore, le « parc », pourtant multiplié par onze, n'est que de 1 368 000 récepteurs déclarés. Tout change au cours des années 1960 : 5 millions de téléviseurs au milieu de la décennie, 10 millions à la fin. A cette date, 70,4 % des foyers sont équipés d'un téléviseur. Avant même la décennie suivante qui portera ce taux au-dessus de 80 % — 82,4 % dès 1974 — et introduira peu à peu la couleur, l'audiovisuel est devenu un vecteur essentiel et bientôt prépondérant des pratiques socioculturelles. En 1965, les Français équipés d'un téléviseur le regardent déjà vingt-deux heures par semaine en moyenne.

Il y a là, bien sûr, un facteur déterminant de brassage sociologique et, partant, d'homogénéisation encore plus grande des pratiques socioculturelles. Ainsi, dans le domaine sportif, les héros sportifs deviennent des personnages médiatiques — Jean-Claude Killy, Jacques Anquetil, Raymond Poulidor — et les sports se « nationalisent » : le rugby va désormais être également prisé au nord de la Loire.

Il se crée, du reste, on l'a vu, une presse de télévision, qui atteint bientôt des tirages très importants : *Télé 7 jours* après avoir atteint dès 1965 une diffusion de 2 millions d'exemplaires, frôlera rapidement un tirage de 3 millions, ce qui lui permet de prendre la première place de la presse périodique française, place qu'il occupait encore au début des années 1990.

Et un style télévisuel s'épanouit à cette époque — reçu de façon d'autant plus homogène que jusqu'en 1972 il n'y a que deux chaînes en France, la 2e chaîne ayant été créée en 1964. Plusieurs émissions illustrent ce style, dont certaines sont restées célèbres dans la mémoire collective : « La Caméra explore le temps », « Cinq colonnes à la une », « Au théâtre ce soir », « Les Dossiers de l'écran ». A travers le succès d' « Intervilles », à partir de 1962, l'animateur Guy Lux devient un peu le symbole — contesté par certains — d'une télévision populaire de masse.

Certes, l'essor de la télévision en France a été plus tardif que dans la plupart des autres grands pays occidentaux : en 1957 encore, par exemple, seuls 6,1 % des foyers français étaient équipés d'un récepteur de télévision, à un moment où les taux sont déjà beaucoup plus importants dans les autres pays. Mais, on l'a vu, le changement est massif dans les années 1960 : en 1967, le taux d'équipement est passé à 57 % en France. Dès ce deuxième versant des années 1960, la télévision est donc devenue une pratique de masse. Le fait est d'autant plus important que l'univers mental des Français s'élargit alors, progressivement, aux dimensions du « village planétaire ». L'information, que la radio rendait déjà quasi instantanée, prend, par l'image, une résonance plus grande encore, par sa simultanéité. De surcroît, les séries américaines et, plus tard, la vogue des films d'animation japonais deviennent des éléments d'une culture de masse à l'échelle mondiale. Avec, du reste, des inquiétudes qui pointeront sur l'opportunité et les risques éventuels d'une telle massification des pratiques culturelles et une crainte qui se fera jour que s'étiole la culture nationale.

Cette massification est encore accrue par l'accession des classes d'âge jeunes à la consommation. La hausse du niveau de vie permet, en effet, aux jeunes d'être consommateurs : ils seront désormais nantis d'un pouvoir d'achat. La génération du *baby boom*, qui a une douzaine d'années au début des *sixties*, accède à l'adolescence quand les effets des « Trente Glorieuses » commencent à se faire sentir : c'est la première génération entrant de plain-pied dans la société de consommation. Et cela à une époque où les progrès techniques rendent les moyens de communication moins chers et plus maniables : le nombre des « transistors » passe de 260 000 à 2 215 000 de 1958 à 1961.

Cette rencontre entre les nouvelles classes d'âge et la consommation audiovisuelle sera symbolisée par le succès de l'émission et du journal *Salut les copains* : le début des années 1960 sera l'âge d'or des « copains » et de leurs « idoles ». C'est l'époque du « yé-yé » : une classe d'âge à fort pouvoir d'achat aura sa musique propre, sa presse, ses lieux mythiques (le Golf-Drouot, l'Olympia, le Palais des Sports), sa sonorité (la guitare électrique), sa télévision (l'émission « Age tendre et tête de bois »), sa sociabilité (les « copains », le « flirt ») et son vêtement (le *jean*). Cette classe d'âge, devenue consommatrice avant d'être productrice ou électrice, donnera, du reste, une partie de sa coloration musicale aux années 1960, par « transistors » interposés.

Au cœur des « Trente Glorieuses » : les débuts de la « seconde Révolution française »

Si la vision, popularisée par le livre de Jean Fourastié, de trois décennies de croissance économique conquérante et de mutation sociologique accélérée entre 1944 et 1974 repose assurément sur une réalité indéniable, il faut toutefois lui apporter plusieurs amendements qui, notamment, précisent et infléchissent la chronologie globale. D'une part, vers l'amont, nous l'avons vu, les effets différés du décollage économique donnent au second versant des années 1950 un statut de période tournante. D'autre part, en aval, dans les années 1970, nous le verrons dans un autre chapitre, le choc de la crise économique de 1973-1974 n'empêche pas la poursuite, pour le plus grand nombre, de la hausse du niveau de vie et la continuation de la montée en puissance d'une culture de masse.

Bien plus, au milieu des « Trente Glorieuses », dans les années 1960, s'amorce une évolution essentielle des comportements collectifs et des pratiques socioculturelles. Nichée au cœur des « Trente Glorieuses » et portée par elles, commence ce que le sociologue Henri Mendras a appelé la « seconde Révolution française », pour laquelle la date de 1973-1974 n'a guère de signification. Ce sont donc, en fait, deux phases imbriquées que l'on peut observer en ce milieu des années 1960 : à la fois le cœur des

« Trente Glorieuses » — entendons le moment où les effets de la croissance seront les plus massifs — et les débuts de la « seconde Révolution française ».

La tournant de 1965

Les sociologues ont montré qu'au cœur des « Trente Glorieuses » 1965 est une « année tournant ». A partir de cette date, en effet, de nouveaux changements s'amorcent, annonciateurs d'évolutions ultérieures qui franchiront le cap du premier choc pétrolier et continueront au-delà des « Trente Glorieuses ». Ces changements concernent aussi bien les structures démographiques que le domaine des mentalités collectives ou celui du comportement social.

A partir de 1964, plus précisément, on observe une baisse de la fécondité. Le phénomène n'est pas immédiatement perceptible dans la natalité, car les mères commencent à être, dans ces années, celles issues du *baby boom* : elles sont donc plus nombreuses et, même avec une fécondité désormais moindre, le nombre de leurs enfants n'est pas, globalement, en baisse. Pour dix ans, le phénomène de la baisse de la fécondité sera donc mécaniquement occulté. Ce n'est qu'aux alentours de 1975 que la natalité est à son tour touchée, passant en dessous de la barre des 15 ‰. Le fait démographique essentiel reste pourtant cette baisse de la fécondité surgie au milieu des années 1960, au cœur des « Trente Glorieuses » et au sein d'une société d'abondance. L'observation avait de quoi déconcerter les démographes.

Ce milieu des années 1960 est d'autant plus important que ce sont aussi les valeurs et les normes qui sont en train de se modifier à cette date. Jusque-là, en effet, malgré la croissance économique soutenue et la mutation sociale en cours, valeurs et normes restaient encore largement celles de l'avant-1945, héritées d'une nation longtemps rurale et qui n'était pas encore entrée dans l'ère de l'abondance et de la société de consommation. Les valeurs dominantes y demeuraient « l'endurance, la frugalité et la prévoyance, bref le report de la satisfaction » (Jean-Daniel Reynaud). Ces valeurs étaient posées en vertus cardinales, et les comportements économiques relevaient bien davantage de la subsistance que de la consommation : le rentier, on l'a vu, était une figure sociale représentative.

Au fil des deux décennies d'après guerre, ces valeurs et normes s'étaient, d'abord, peu modifiées. Ce n'est que dans les années 1960 que l'évolution s'amorce réellement, et c'est en 1965 que le phénomène devient apparent, par plusieurs symptômes eux-mêmes annonciateurs des grands ébranlements de Mai 68 et des années qui suivirent : en 1965, a observé le sociologue Henri Mendras, « on note un premier décrochement dans le taux de la pratique religieuse chez les jeunes... le nu apparaît dans les magazines et dans les films. Les enquêtes de motivation et d'opinion permettent de préciser et de dater cette "crise des valeurs", dont on commençait à parler à l'époque ».

Révélation plus que révolution, Mai 68 sera donc, à cet égard, beaucoup plus le révélateur d'une évolution déjà amorcée au fil des années 1960 qu'un événement fondateur. Révélateur mais aussi catalyseur et accélérateur, tant la secousse de 1968 rendit béant le fossé entre la société née des « Trente Glorieuses » et le système de normes et valeurs encore largement hérité de la France d'avant 1945. A la croissance économique et à la mue sociologique s'est donc ajoutée, avec un décalage chronologique, une mutation socioculturelle. De ce décalage découleront des « blocages » : dès 1970, le sociologue Michel Crozier, dans son livre *La société bloquée*, recensait et dénonçait certains de ces blocages, notamment bureaucratiques.

C'est aussi vers 1965, au moment du concile Vatican II, que l'on voit apparaître, en France, les symptômes d'une crise profonde. D'une part, on observe une accélération de la baisse de la pratique religieuse, sensible dans la diminution du nombre de certains sacrements comme le baptême ou le mariage religieux. D'autre part, c'est l'institution religieuse elle-même qui connaît une crise interne et le phénomène devient directement perceptible au fil de ces années 1960, dans la chute des vocations et donc des ordinations de prêtres : celles-ci passent de 567 en 1959 à 370 en 1969, ce qui constitue un effondrement de plus du tiers (34,7 %) en une décennie. Et la décennie suivante allait être marquée par un véritable effondrement : en 1979, le nombre annuel d'ordinations ne sera plus que de 125.

Si la crise de l'Eglise comme institution est indéniable, en va-t-il de même de l'institution familiale ? Dans ce domaine, la réponse des sociologues est beaucoup plus nuancée et l'évolution est globalement postérieure à 1968. C'est à partir des années 1970 que le mariage, statistiquement, se nouera moins fréquemment et se dénouera plus aisément. Il faudra, dans un autre chapitre, revenir sur ce point, et constater que, plus qu'une crise, il s'agit, dans ce cas, d'une modification de la structure familiale.

Toujours est-il que la période qui débute au milieu des années 1960 a vu le déclin, dans le cas de l'Eglise, ou la modification, pour la famille, de plusieurs institutions jouant le rôle jusque-là de dépositaires et de gardiennes des normes du comportement collectif et des valeurs qui le sous-tendent. Leurs adversaires parleront même, dans l'effervescence de la fin des années 1960, de « Bastilles » en train de s'écrouler. Plus prosaïquement, les sociologues parleront d'une « crise des régulations traditionnelles » (Michel Crozier).

De là, une modification du comportement et des mœurs, sensible notamment par rapport aux temps forts de toute société : la naissance, la mort, le mariage, le travail, la sexualité. Dans ce dernier domaine, le changement est sensible : la diffusion des moyens contraceptifs modernes (1967) et l'autorisation de l'interruption volontaire de grossesse (1975) ont marqué un tournant déterminant, qui n'a pas été sans débats ni division des consciences. Plus largement, y a-t-il eu l'entrée dans une « société permissive », le terme étant d'ailleurs connoté différemment selon que le jugement porté sur l'évolution est favorable ou négatif ?

L'évolution toucha aussi, plus largement, le comportement social, individuel aussi bien que collectif. D'une part, le rapport à la consommation, on l'a vu, s'était déjà modifié auparavant. La mutation en ce domaine va s'accélérer à cette époque : la frugalité et la prévoyance continuent à céder le pas à un usage du crédit devenu habituel et sans réticence, et sous-tendu par l'individualisme et l'hédonisme qui se développent. D'autre part, l'autorité et les relations hiérarchiques sont souvent, désormais, plus difficilement admises et suivies d'effet.

Le lieu de travail, de ce fait, est le lieu de tensions nouvelles. Comme l'avait diagnostiqué Alain Touraine dans *Le communisme uto pique,* on observe après 1968 de nouvelles formes de luttes sociales sécrétées par l'avènement d'une société « postindustrielle ». L'historien américain Stanley Hoffmann, dans ses *Essais sur la France* (1974), a, dans le même ordre d'analyse, décelé une « révolte contre le système français d'autorité ». Bien des expériences des années suivantes — l'« autogestion » des usines Lip, les actions des paysans du Larzac —, en tout cas, sont dans le prolongement de ces craquements de la fin des années 1960.

Les débuts des « Vingt Décisives »

Le milieu des années 1960 ne représente donc pas seulement le cœur des « Trente Glorieuses ». Certes, à ce titre déjà, cette période occupe une place marquante dans notre histoire proche : si l'on prend l'année 1962 comme base 100, l'indice de la production industrielle aura exactement doublé entre la fin de la guerre d'Algérie et 1974 (indice 200). Mais, de surcroît, en ce milieu des années 1960 s'enclenche la « Seconde Révolution française », mutation essentielle qui eut lieu, selon Henri Mendras, entre 1965 et 1984.

Il faudra y revenir plus loin. Soulignons pour l'instant que, si dans le domaine économique les « Trente Glorieuses » s'achèvent en 1974, pour ce sociologue la mutation socioculturelle non seulement continue au-delà de cette date, mais elle s'amplifie, avec, d'une part, la confirmation de l'affaissement du monde rural et de la montée des « cadres », d'autre part la poursuite de la perte de prestige et de pouvoir de grandes institutions : non seulement l'Eglise ou l'armée, mais aussi les syndicats et, semble-t-il, l'Ecole.

A l'autre bout de cette période de deux décennies, et lui conférant aussi son ampleur et son statut historique, il faut observer — et nous y reviendrons — l'extinction ou l'apaisement de plusieurs conflits sociopolitiques qui s'inscrivaient dans la longue durée historique. D'une part, avec le tournant de 1983 et la « rigueur » alors proclamée, le gouvernement socialiste reconnaîtra tacitement les lois de l'économie de marché et s'amorcera dès lors de sa part un ralliement progressif au libéralisme économique. D'autre part, avec le dénouement en 1984 de la crise sur l'Ecole libre, était enterrée désormais la « question scolaire » dont les effets s'étaient fait sentir sous plusieurs Républiques.

De cette période des « Trente Glorieuses » et emboîtées en elles sont donc sorties les « Vingt Décisives ». Et l'évolution est d'autant plus sensible qu'on la retrouve aussi dans le domaine idéologique : durant une trentaine d'années, après la Libération, les intellectuels français ont pesé sur les grands débats, avant de connaître, enclenchée probablement avant 1974 mais prenant toute son ampleur après cette date, une crise idéologique profonde.

Les « Trente Glorieuses » des intellectuels

Les progrès de la scolarisation secondaire et la montée des couches diplômées de l'enseignement supérieur ont entraîné une augmentation du nombre des intellectuels dans la société française des « Trente Glorieuses ». Mais ce n'est pas seulement le poids statistique de ces intellectuels qui augmente alors. Les trente années qui suivent la seconde guerre mondiale constituent pour eux une période essentielle : leur poids idéologique dans les grands débats civiques sera lourd, jusqu'à ce que s'amorce pour eux, dans les années 1970, le temps des remises en cause.

Le choc de la guerre

A la Libération, le milieu intellectuel français connaît une épuration de ceux de ses membres qui sont accusés de collaboration avec l'occupant. Quelques-uns sont exécutés : ainsi Robert Brasillach, qui fut jusqu'en 1943 rédacteur en chef de l'hebdomadaire collaborationniste *Je suis partout,* est condamné à mort en janvier 1945 et fusillé le 6 février suivant. D'autres sont condamnés à des peines de prison.

A cette épuration judiciaire vient s'ajouter une épuration interne, corporative : le Comité national des écrivains (CNE), composé d'intellectuels résistants, publie des listes d'auteurs considérés comme collaborationnistes, en annonçant que ses propres membres s'abstiendront désormais de se faire publier par des éditeurs continuant à faire paraître les auteurs portés sur ces listes. En raison du poids du CNE à la Libération, se retrouver sur de telles listes revient donc, même si l'on est épargné, par ailleurs, par l'épuration judiciaire, à être réduit, pour des années, au discrédit et au silence. Cette double épuration, judiciaire et corporative, entraînera, dans certains cas, des débats parmi les intellectuels résistants. Sur l'épuration judiciaire, par exemple, François Mauriac et Albert Camus s'opposeront, moins sur le principe de l'épuration que sur l'ampleur à donner à la sanction et sur la notion de pardon. Quant à l'épuration interne, certains résistants en contesteront bientôt moins le fondement que la marge d'incertitude, et donc d'injustice, qu'elle peut présenter, ainsi que les règlements de comptes politiques, à l'initiative notamment du Parti communiste, qu'elle a pu parfois recouvrir.

Toujours est-il que, par-delà ces débats, contemporains puis rétrospectifs, cette double épuration s'opéra et que ce furent ainsi nombre d'intellectuels, de droite et d'extrême droite pour la plupart, qui furent touchés. Et, en raison du discrédit des hommes et de la délégitimation des idées qui en découlèrent, le rapport droite-gauche au sein du milieu intellectuel penchera désormais très largement en faveur de la gauche intellectuelle, qui se retrouve ainsi en position dominante pour plusieurs décennies.

Cette gauche intellectuelle proclame le devoir d'engagement. Certes, l'engagement politique des intellectuels ne date pas de cette période de la Libération. Déjà, on l'a vu, dans les années 1930 les intellectuels s'étaient engagés en nombre. Ce qui est nouveau à la Libération, c'est que le devoir d'engagement est proclamé haut et fort, à tel point que, pour ceux qui se font les hérauts de ce devoir d'engagement, un tel devoir devient consubstantiel de la notion même d'intellectuel : à leurs yeux, un intellectuel ne peut qu'être engagé.

Jean-Paul Sartre va à la fois théoriser ce devoir d'engagement et le personnifier. Dans plusieurs textes, et notamment dans la « Présentation » du premier numéro de sa revue *Les Temps modernes,* en octobre 1945, il explique cette nécessité de l'engagement de l'intellectuel. Et lui-même va bientôt incarner un tel engagement : la notoriété qu'il acquiert rapidement après la guerre, l'écho que la presse donne à ses prises de position, la vogue que connaissent l' « existentialisme » et Saint-Germain-des-Prés, auxquels on a tôt fait de l'assimiler, autant de données qui le propulsent sur le devant de la scène et font de lui, et pour longtemps, l'archétype de l'intellectuel engagé.

Après la Libération, le milieu intellectuel français est donc profondément remodelé, par rapport à l'avant-guerre, et sous l'effet de l'ébranlement de la seconde guerre mondiale : en son sein, les intellectuels de droite sont devenus largement minoritaires ou, pour le moins, ont perdu une grande part du pouvoir d'influence qui était le leur jusqu'ici. Par ailleurs, personne, à la différence de la période précédente, ne songe à nier la nécessité et la légitimité du devoir d'engagement. Les acteurs principaux du milieu intellectuel seront donc, pour la période qui commence alors, des intellectuels de gauche et engagés dans le débat civique. Or, la France va se trouver touchée, au cours de cette période, par les deux grandes ondes de choc qui parcourent la planète : la guerre froide et la décolonisation. Leurs retombées vont être importantes et elles seront notamment au cœur de l'engagement des intellectuels.

L'attrait du communisme

Si la gauche intellectuelle est en position dominante après la guerre, en son sein c'est le communisme qui exerce l'attraction la plus forte. Quelle fut l'amplitude de cette attraction ? Et quelles en furent les causes ?

Peut-on parler d'hégémonie exercée par le Parti communiste sur le milieu intellectuel français après la guerre ? Une telle affirmation serait assurément excessive. Parmi les intellectuels ayant à cette époque une forte notoriété, peu avaient leur carte de membre du Parti communiste : dans ses travaux, la sociologue Jeannine Verdès-Leroux a même parlé d'un « cercle restreint » d'intellectuels communistes alors au zénith de la notoriété (*Au service du parti*, Fayard-Editions de Minuit, 1983). Si une telle analyse est scientifiquement fondée, elle n'est pas contradictoire avec l'image d'un Parti communiste exerçant une forte attraction sur les intellectuels français. Trois éléments rendent compte de cette attraction :

— D'une part, il s'est trouvé tout de même plusieurs intellectuels de grand renom dans les rangs du Parti communiste à cette date : ainsi Picasso, qui prend sa carte à l'automne 1944, Aragon, déjà communiste depuis plus de quinze ans, Eluard, qui entré comme Aragon au PCF en 1927 l'avait quitté quelques années plus tard, puis y était revenu dans la Résistance, Frédéric Joliot-Curie, prix Nobel de chimie. Ces noms frappent d'autant plus l'opinion que le parti veille à les mettre en avant et à se proclamer le « parti de l'intelligence ».

— D'autre part, au sein des jeunes intellectuels, qui ne disposent pas encore d'une notoriété ou d'une position reconnue, l'attraction est très forte. Nombre d'étudiants ont ainsi rejoint à cette époque le Parti communiste. Les uns ont pu le faire à l'époque de la Résistance : le sociologue Edgar Morin, par exemple, a ensuite raconté dans son livre *Autocritique* cet engagement communiste commencé dans les rangs de la Résistance. Les autres, un peu plus jeunes, s'engageront après la Libération : ainsi, les historiens Maurice Agulhon et Emmanuel Le Roy Ladurie ont raconté (respectivement dans *Essais d'Ego-histoire,* 1987, et *Paris-Montpellier,* 1982) leur entrée au sein du Parti communiste alors qu'ils étaient, après la guerre, khâgneux puis normaliens. Et un tel engagement communiste de jeunes intellectuels nés dans les années 1920, sans être aussi massif qu'on l'a parfois dit par la suite, est un phénomène historiquement repérable et, nous y reviendrons, à analyser.

— D'autant qu'un troisième élément rend bien compte, également, de la force de l'attraction communiste à cette date : c'est le nombre important des « compagnons de route ». On nomme ainsi ceux qui, jeunes ou moins jeunes, soutiennent publiquement la politique du Parti communiste sans en être membres pour autant. Dans le milieu intellectuel, notamment, ce phénomène que l'on observait déjà, on l'a vu, à une échelle moindre dans les années 1930, prend au fil de la première décennie d'après guerre une réelle ampleur. L'écrivain Vercors, par exemple, symbole de la Résistance intellectuelle avec son livre *Le silence de la mer,* participera aux activités d'organisations contrôlées ou manipulées par le Parti communiste. Des artistes, aussi, s'aligneront sur les positions de ce parti : Simone Signoret a raconté, dans *La nostalgie n'est plus ce qu'elle était* (1976), cette phase de compagnonnage de route qui fut alors la sienne et celle de son compagnon, Yves Montand. Et le philosophe Jean-Paul Sartre, à l'époque probablement l'intellectuel français le plus célèbre, entretiendra pendant quatre ans, de 1952 à 1956, des rapports de proximité avec le Parti communiste français et surtout de soutien à la politique de l'Union soviétique : sa série d'articles dans sa revue *Les Temps modernes,* en 1952, intitulée « Les communistes et la paix », en témoigne.

Au bout du compte, on le voit, la place du communisme en milieu intellectuel durant la décennie qui suit la Libération est très importante. D'autant que même ceux qui ne sont pas attirés ou qui, de surcroît, sont hostiles au communisme doivent à cette époque se situer, même en position d'hostilité, par rapport à lui. Ainsi quand Raymond Aron, en 1955, publie *L'opium des intellectuels,* c'est l'attrait du marxisme et la place du communisme au sein du milieu intellectuel français qu'il dénonce.

Le communisme est donc, à cette époque, à la fois un pôle d'attraction et un point de référence et de débat dans ce milieu intellectuel. Il convient de s'interroger sur les causes d'une telle position.

- Il faut d'abord noter qu'au sein de la gauche intellectuelle, qui occupe à cette date, on l'a vu, la plus grande partie de la scène, les composantes autres que le communisme apparaissent moins attractives : le radicalisme est assimilé à la IIIe République et le socialisme français, malgré le prestige de Léon Blum revenu de déportation, semble peu porteur d'avenir au regard de ce que paraît incarner l'Union soviétique.
- Car là est précisément l'essentiel : si l'image de l'Union soviétique, aux yeux de nombre d'intellectuels de gauche, s'était brouillée à la fin des années 1930, en raison des grands procès dont les victimes ne furent confrontées qu'à une justice expéditive et surtout en raison du Pacte germano-soviétique de l'été 1939, l' « effet Stalingrad » — c'est-à-dire, symboliquement, à travers cette victoire soviétique sur les armées du IIIe Reich, le rôle joué à partir de 1941 par l'Union soviétique dans la lutte contre le nazisme et ses lourds sacrifices dans cette lutte — va redonner des vertus attractives à cette image. D'autant qu'en France la participation active du PCF à la Résistance — tout au moins à partir de juin 1941 ; auparavant, il y a sur ce point un débat historiographique — lui confère aussi cette image largement positive.
- Du coup, l'Union soviétique — et, en France, le Parti communiste — redevient ainsi, comme dans les années 1930, un modèle historique pour ceux des intellectuels qui se veulent avant tout soucieux de justice sociale. D'autant que, chez ces intellectuels, vient s'ajouter au rayonnement de ce modèle la vision d'un sens de l'Histoire qui doit conduire à une société sans classes, sous l'effet, précisément, de la lutte des classes et avec comme levain la classe ouvrière, à la fois classe exploitée du régime capitaliste et fer de lance des révolutions à venir. Dans une telle perspective, les intel-

lectuels doivent hâter le processus en se mettant « au service du parti », c'est-à-dire en combattant, au sein du Parti communiste, pour et aux côtés de la classe ouvrière. Y compris en mettant leur art — ainsi le « réalisme socialiste » à la française d'un peintre comme André Fougeron ou d'un romancier comme André Stil — ou leur silence au service d'une cause politique.

Certains sociologues, étudiant cet engagement communiste des intellectuels et entendant analyser la densité et la ferveur d'un tel engagement, ont assimilé cette ferveur à une sorte de foi, de croyance profane. La thèse est débattue, mais cette assimilation rend bien compte de deux choses. D'une part, elle éclaire les phénomènes d'orthodoxie qui rythment les grands débats entre les intellectuels communistes et les autres, y compris à gauche : qui n'est pas aligné sur la doctrine et sur les thèmes du parti est, par essence, hérétique et à combattre comme tel. D'où l'âpreté du combat idéologique et le sentiment de défendre une citadelle assiégée de toutes parts. D'autre part, une telle foi était si profondément intériorisée que les ébranlements, quand ils survinrent, n'eurent pas toujours un effet immédiat, tant était solide et cohérent l'ensemble des convictions. Cela étant, l'effet d'ébranlement, même tardif, s'opéra tout de même pour un certain nombre d'intellectuels communistes, en 1956.

• Il y avait eu auparavant une première série d'ébranlements entre 1949 et 1951, liés aux grands procès dans les démocraties populaires et aux débats franco-français autour de l'affaire Kravchenko — qui, dans *J'ai choisi la liberté,* avait donné un témoignage accablant sur la Russie soviétique des années 1930 —, mais dont l'effet était resté très limité parmi les intellectuels.

• Le catalyseur, en fait, sera constitué par l'année 1956, et par les deux chocs successifs, d'amplitude croissante, qui ébranleront certains des intellectuels communistes ou compagnons de route. C'est, tout d'abord, au premier semestre, le rapport Khrouchtchev, prononcé à huis clos à Moscou en février, mais dont la teneur commencera à filtrer au printemps avant d'être connue dans sa quasi-intégralité au mois de juin : ce rapport est source de trouble puisqu'il met en cause Staline, mort trois ans plus tôt et qui apparaissait jusqu'ici aux intellectuels comme l'incarnation de la grandeur et des réussites du régime soviétique. Cela étant, l'ébranlement le plus important survient au second semestre, avec les retombées de la crise hongroise. Même si les débats immédiats sont rares parmi les intellectuels, la secousse est profonde et durable. De départs seulement différés en prises de distance opérées, toute une gamme d'attitudes iront dans le même sens : un lien plus ou moins distendu avec l'appareil communiste, et des convictions qui pourront se faire critiques. Bien plus, l'image de l'Union soviétique connaîtra dès cette date une certaine érosion. Surtout, l'attrait exercé sur la nouvelle génération — celle qui a vingt ans dans la deuxième partie des années 1950 — sera moins fort que celui créé, dix ans plus tôt, sur les jeunes intellectuels de l'époque qui suit la Libération.

Les intellectuels et les guerres coloniales

L'engagement de cette nouvelle génération, souvent, se fera sous le signe des guerres coloniales. Tel est bien, en effet, le second grand terrain d'engagement des intellectuels français sous la IVe et au début de la Ve République.

La guerre d'Indochine, entre 1946 et 1954, n'avait pas mobilisé massivement les intellectuels. Seuls les intellectuels communistes avaient, tout au long du conflit, condamné la « sale guerre », ainsi qu'elle était appelée par le Parti communiste français. En dehors de ceux-ci, quelques intellectuels de la gauche non communiste — par exemple ceux regroupés autour de l'hebdomadaire *France Observateur,* après 1950 — témoignèrent à plusieurs reprises de leur opposition à la guerre d'Indochine, notamment au moment de l' « affaire Henri Martin » : ce dernier, quartier-maître communiste accusé du sabotage des machines d'un navire, avait été condamné à la prison militaire et le Parti communiste lança une campagne en sa faveur, à laquelle s'associèrent aussi des intellectuels non communistes comme Simone de Beauvoir ou Jean-Paul Sartre, ou encore Vercors ou Gérard Philipe.

La guerre d'Algérie fut, au contraire, un moment important de l'histoire des intellectuels français, en raison de l'engagement très dense qui fut le leur à cette occasion. Cet engagement a été évoqué dans le chapitre consacré à la guerre d'Algérie. On se bornera ici à rappeler sa chronologie et ses principaux aspects.

• Cet engagement, dans la plupart des cas, ne fut pas immédiat. En 1954, au début de la guerre, ce sont plutôt les questions liées aux rapports Est-Ouest qui demeurent déterminantes. Mais progressivement, à partir de l'automne 1955 et surtout de 1956, l'engagement se fit plus dense. Cet engagement, dès lors, va se radicaliser et, sur des positions de plus en plus tranchées de part et d'autre, une ligne de faille va se dessiner entre les partisans du maintien de l'Algérie française et ceux qui souhaitent la recherche d'une solution libérale, voire l'indépendance. Pour rendre compte de cette ligne de faille, le clivage droite-gauche n'est alors qu'en partie opératoire et s'y entremêle le clivage de générations. Nombre d'intellectuels de gauche d'un certain âge — ainsi Paul Rivet ou Albert Bayet — pensent, en effet, que l'émancipation doit être progressive et se montrent, de ce fait, réticents quant à une évolution trop rapide du statut de l'Algérie. Ils sont proches, à cet égard, de Guy Mollet, dont ils estiment qu'il ne s'est ni déjugé ni renié lors de son passage à la présidence du Conseil en 1956-1957. Inversement, d'autres intellectuels de gauche, en général plus jeunes et pour certains encore étudiants — ainsi le rôle du syndicat étudiant UNEF ou de l'association catholique JEC (Jeunesse étudiante chrétienne) —, estiment que la gauche est infidèle à ses valeurs en pratiquant ou en soutenant une politique favorable à l'Algérie française et la « pacification » militaire qui en découle. Souvent c'est Pierre Mendès France qui leur apparaîtra comme le plus à même d'incarner et de mener une politique libérale.

• Progressivement, donc, une opposition à la guerre d'Algérie se constitue en milieu intellectuel. L'historien Pierre Vidal-Naquet a distingué en son sein trois « tempéraments idéologiques et politiques majeurs : les dreyfusards, les bolcheviks et les tiers-mondistes ».

• Des deux côtés de cette « bataille de l'écrit » — l'expression est de Michel Crouzet —, ce sont donc dans un premier temps, en fait, souvent des arguments d'ordre éthique qui sont mis en avant : d'un côté, on dénonce le choix de la « pacification » avant celui de la négociation, et les méthodes utilisées pour « pacifier », avec la dénonciation de l'usage de la torture ; de l'autre, on justifie souvent cet engagement militaire par la mission civilisatrice — et éventuellement émancipatrice sur le moyen terme — de la France.. Au cours des années suivantes, au contraire, le débat, sans quitter pour autant le terrain éthique, se teintera davantage de politique et d'idéologie. La radicalisation de la guerre entraînera notamment une radicalisation du débat chez les intellectuels : la défense de l'Algérie française ou, au contraire, la mise en avant des thèses de l'indépendance sont désormais formulées de façon plus directement politique. Et, à travers cette radicalisation et cette explicitation du débat, on observera un rejeu du clivage droite-gauche.

• Les dernières années du conflit algérien seront marquées par plusieurs grands débats d'intellectuels, ponctués par la publication de textes collectifs. Ainsi, le « manifeste des 121 », en septembre 1960, qui soutenait « le droit à l'insoumission » :

> ... Les soussignés, considérant que chacun doit se prononcer sur des actes qu'il est désormais impossible de présenter comme des faits divers de l'aventure individuelle, considérant qu'eux-mêmes, à leur place et selon leurs moyens, ont le devoir d'intervenir, non pas pour donner des conseils aux hommes qui ont à se décider personnellement face à des problèmes aussi graves, mais pour demander à ceux qui les jugent de ne pas se laisser prendre à l'équivoque des mots et des valeurs, déclarent :
>
> — Nous respectons et jugeons justifié le refus de prendre les armes contre le peuple algérien.
>
> — Nous respectons et jugeons justifiée la conduite des Français qui estiment de leur devoir d'apporter aide et protection aux Algériens opprimés au nom du peuple français.
>
> — La cause du peuple algérien, qui contribue de façon décisive à ruiner le système colonial, est la cause de tous les hommes libres.

Un mois plus tard est publié, en réaction, le « manifeste des intellectuels français » :

> Le public français a vu paraître ces temps derniers, sous forme de professions de foi, de lettres ou de dépositions et plaidoiries devant les tribunaux, un certain nombre de déclarations scandaleuses.
>
> Ces exhibitions constituent la suite logique d'une série d'actions soigneusement concertées et orchestrées depuis des années, contre notre pays, contre les valeurs qu'il représente — et contre l'Occident. Elles sont l'œuvre d'une « cinquième colonne » qui s'inspire de propagandes étrangères — voire de mots d'ordre internationaux brutalement appliqués. De telles menées n'ont pas commencé avec la guerre en Algérie. Il est évident que l'Algérie n'est qu'un épisode ; hier il y en eut d'autres ; il y en aura d'autres demain.
>
> Les principaux moyens actuellement mis en œuvre consistent :
>
> A laisser entendre que le combat de la France en Algérie est blâmable, pour la double raison que le pays le condamne et que le territoire national n'est pas menacé.
>
> A mettre en accusation l'armée française chargée de ce combat et à la séparer du peuple français.
>
> A affirmer que la France se bat contre le « peuple algérien » en lutte pour son indépendance.
>
> A appeler les jeunes Français à l'insoumission et à la désertion — en déclarant ces crimes « justifiés ».

A laisser croire que l'ensemble, ou au moins la plus grande partie de nos élites intellectuelles, condamne l'action de la France en Algérie.

Les professeurs de trahison vont jusqu'à préconiser l'aide directe au terrorisme ennemi.

Mis en présence de ces faits, les signataires du présent manifeste — écrivains, universitaires, journalistes, artistes, médecins, avocats, éditeurs, etc. — estiment qu'un plus long silence de leur part équivaudrait à une véritable complicité. Ils dénient, d'autre part, aux apologistes de la désertion le droit de se poser en représentants de l'intelligence française...

(Source : pour les textes complets de ces deux manifestes, on pourra, par exemple, se reporter à Jean-François Sirinelli, *Intellectuels et passions françaises,* Fayard, 1990, p. 211 *sq.*)

La tonalité générale de la liste des signataires et la teneur du texte étaient à droite de l'échiquier politique. Ce qui conduit à deux remarques : d'une part, on l'a déjà souligné plus haut, si le clivage droite-gauche n'est qu'en partie opératoire, au début de la guerre d'Algérie, pour rendre compte des divergences d'analyse et des positions publiques qui en découlent, la radicalisation du conflit a ensuite entraîné des reclassements et le clivage droite-gauche est alors devenu plus significatif ; d'autre part, et pour cette raison même, on peut constater qu'en ce début des années 1960 la droite et l'extrême droite intellectuelles commencent à retrouver une place non négligeable dans le débat idéologique, après les ébranlements de la guerre et de la Libération. Certes, à cette date, la gauche et l'extrême gauche intellectuelles continuent à occuper des positions dominantes dans ce débat, mais la situation en ce domaine n'est donc plus désormais celle des années d'après guerre, évoquée plus haut.

• Se pose, au bout du compte, la question de l'influence des intellectuels sur le déroulement et le dénouement de la guerre d'Algérie : ceux-ci ont-ils pesé sur celle-là ? La réponse est à la fois positive et complexe. Positive dans la mesure où « la guerre d'Algérie fut d'abord une guerre politique où la partie non militaire fut plus déterminante que les opérations militaires » (Charles-Robert Ageron) : dans cette perspective, les intellectuels, comme relais d'opinion, ont joué un rôle très important, on l'a vu, découlant de leur engagement très dense ; engagement qui, du reste, fut à ce point marquant pour eux-mêmes qu'on parle d'une génération intellectuelle de la guerre d'Algérie, composée de ceux qui s'éveillèrent à la conscience politique à l'époque et, souvent, à l'occasion du conflit algérien. Mais le poids réel de l'intervention des intellectuels est malaisé à établir dans la mesure où d'autres relais d'opinion ont joué aussi un rôle majeur, la presse et la radio notamment. « Guerre de l'écrit » assurément, la guerre d'Algérie est également une période charnière où, nous l'avons vu, l'image — à cette époque, et dans le cas de cette guerre, la photographie plus que la télévision — et le son continuaient leur montée en puissance au sein des pratiques socioculturelles des Français.

Les « sixties » des intellectuels

Après 1962, la fin de la guerre d'Algérie et les débuts de la coexistence pacifique entre l'Est et l'Ouest vont-ils entraîner une baisse d'intensité de l'engagement des intellectuels ? A cette date, assurément, et pour plusieurs années, cet engagement se fera moins puissant. Mais, à nouveau, des ferments d'évolution seront rapidement à l'œuvre.

La génération du *baby boom* arrive à l'âge de l'éveil à la politique. Or, ces classes d'âge seront beaucoup plus massivement scolarisées et, surtout, elles accéderont en bien plus grand nombre à l'enseignement supérieur : déjà, de 1957 à 1963, la Sorbonne avait vu ses effectifs passer de 18 000 à 30 000 étudiants. Et, dans cet établissement comme à l'échelle de la France entière, la croissance s'accélère au cours des années suivantes. Le résultat est saisissant : 570 000 étudiants en 1967, quatre fois plus qu'en 1950, sept fois plus qu'en 1939.

Avant même l'effet des facteurs de déséquilibre statistique et d'inquiétude qui, nous l'avons vu dans un autre chapitre, attiseront au sein de ce milieu étudiant en progression foudroyante les événements du printemps 1968, un certain nombre de ces jeunes diplômés sont séduits, au fil de cette décennie, par des engagements d'extrême gauche.

De fait, malgré l'érosion, après 1956, du modèle soviétique, des modèles révolutionnaires de substitution avaient remplacé l'Union soviétique : plusieurs pays du Tiers Monde, et notamment la Chine et Cuba, incarneront progressivement le combat révolutionnaire et les luttes encore à venir. Un transfert géographique s'était donc opéré.

A ce transfert géographique s'ajoutait un transfert sémantique. Jusque-là, les luttes révolutionnaires se déclinaient à travers l'opposition prolétariat-bourgeoisie : le premier, exploité, devrait être le levain des révolutions à venir ; la seconde, responsable de cette exploitation et détentrice du pouvoir économique et politique, serait ainsi abattue. Désormais, c'est l'opposition Tiers Monde - « impérialisme » qui semble devoir expliquer les combats présents et futurs : l'espoir révolutionnaire longtemps identifié aux prolétariats ouvriers des nations industrialisés s'incarne désormais dans les nations du Tiers Monde, supposées reprendre le flambeau et abattre l' « impérialisme » qui a déplacé l'exploitation capitaliste aux dimensions de la planète.

Les enjeux se sont géographiquement déplacés, mais la vision globale et son substrat idéologique restent les mêmes : la lutte des classes, transférée à l'échelle planétaire, reste le moteur de l'Histoire. La Chine, notamment, devient souvent le dépositaire de ces aspirations et incarne non seulement un modèle de communisme du Tiers Monde mais aussi, plus largement, d'aiguillon et de modèle révolutionnaires.

Dans un tel contexte idéologique, la guerre du Viêtnam va souvent apparaître comme l'illustration de cette lutte des classes dilatée à l'échelle planétaire. Nombre de lycéens et d'étudiants de la génération du *baby boom* feront leur apprentissage politique à l'ombre de cette guerre, comme la génération précédente l'avait fait — beaucoup plus massivement — à l'ombre de la guerre d'Algérie. Les « comités Viêtnam de base » se multiplieront dans les lycées et les universités et témoigneront, avant même 1968, de la reviviscence d'une extrême gauche.

Tel est bien, du reste, l'un des traits essentiels des années 1960, et plus particulièrement de leur second versant : la présence d'une extrême gauche qui, certes, n'est pas très nombreuse mais qui entretient une effervescence idéologique qui culminera en mai 1968 et durant les quatre années qui suivront. Cette extrême gauche est multiforme, avec trois composantes essentielles : trotskyste, maoïste et libertaire.

Si les deux premières composantes restent fondées sur le marxisme, tel n'est pas le cas de la troisième. Là se trouve probablement la clé de l'ambivalence à la fois des événements de Mai 68 et de leurs conséquences idéologiques : si le marxisme imprègne encore largement à cette époque l'analyse et le discours, une composante libertaire est également à l'œuvre qui, probablement, eut une portée sociologique et idéologique, sur le moyen et le long terme, beaucoup plus profonde et durable. Dans les années 1970, nous le verrons, viendra pour les intellectuels le temps des remises en cause. Mais celles-ci, si elles ne prennent une forme visible et explicitée qu'après 1974, étaient donc déjà en gestation dans l'après-1968.

BIBLIOGRAPHIE

Berstein Serge, *La France de l'expansion,* I : *La République gaullienne, 1958-1969,* Le Seuil, 1989.

Bonin Hubert, *Histoire économique de la France depuis 1880,* Masson, 1988.

Borne Dominique, *Histoire de la société française depuis 1945,* Armand Colin, 3e éd., 1992.

Cholvy Gérard et Hilaire Yves-Marie (sous la direction de), *op. cit.,* t. 3 : *1930-1988,* Toulouse, Privat, 1988.

Dupâquier Jacques (sous la direction de), *Histoire de la population française,* t. 4 : *De 1914 à nos jours,* PUF, 1988.

Fourastié Jean, *Les Trente Glorieuses,* Fayard, 1979, rééd., « Pluriel », 1980.

Gueslin André, *Nouvelle histoire économique de la France contemporaine,* 4 : *L'économie ouverte, 1948-1990,* La Découverte, 1989.

Mendras Henri (sous la direction de), *La sagesse et le désordre. France, 1980,* Gallimard, 1980.

Monneron Jean-Louis et Rowley Anthony, *Histoire du peuple français,* t. IV : *Les 25 ans qui ont transformé la France,* Nouvelle Librairie de France, 1986.

Rioux Jean-Pierre et Sirinelli Jean-François (sous la direction de), *La France d'un siècle à l'autre. Dictionnaire critique, 1914-2000,* coll. poche « Pluriel », 2 t., 2002.

Sirinelli Jean-François, *Les Baby-boomers,* Fayard, 2003.

11. Georges Pompidou : un septennat interrompu (1969-1974)

La démission de De Gaulle pose un premier problème : celui de l'après-gaullisme. Lui-même avait souvent annoncé qu'après lui se produirait le chaos ; il a rappelé cette analyse à la veille d'engager le débat du référendum. Pourtant la transition s'effectue sans à-coups importants : le gouvernement Couve de Murville continue à gouverner sous la présidence d'A. Poher. En ce sens, pendant quelques semaines la France vit une première expérience de cohabitation. Le président par intérim prend quelques mesures symboliques telles que le rappel des responsables de la radio et de la télévision à leur devoir d'impartialité pendant la campagne électorale ou la mise à l'écart de quelques collaborateurs de De Gaulle impliqués dans les services secrets ou les polices parallèles. Mais cette période transitoire ne se caractérise ni par aucun désordre particulier ni par aucun trouble manifeste. La campagne électorale se déroule dans le calme.

Le second problème vient de la campagne elle-même puisque, à l'évidence, les conditions sont différentes de celles de 1965.

Les élections présidentielles

Le premier tour est fixé au 1er juin, le second au 15 juin. Les candidats disposent donc d'un délai de quatre à six semaines pour organiser leur campagne et tenter de l'emporter.

Les candidatures et la campagne du premier tour

Georges Pompidou est le premier candidat à se déclarer. En fait, il est « candidat virtuel » depuis le « coup de Rome », en janvier 1969, à l'occasion duquel il a annoncé qu'il serait candidat le moment venu. Sa stratégie lui impose d'abord de rassembler la famille gaulliste. C'est pourquoi il impose sa candidature au parti UDR qui lui apporte son soutien. Au sein du mouvement gaulliste, un certain nombre de militants lui reprochent certaines attitudes depuis juin 1968 ; les gaullistes de gauche ne cachent pas leurs réserves. Pourtant, ces opposants éventuels se rallient. Mais Georges Pompidou, même en se plaçant au-dessus des partis, n'obtient pas le moindre signe de la part de Charles de Gaulle. Georges Pompidou ne peut donc se recommander du président démissionnaire.

D'autre part, Georges Pompidou doit rassembler au-delà de l'UDR pour essayer de l'emporter. Il obtient l'appui des républicains indépendants de Valéry Giscard d'Estaing. Mais le centrisme d'opposition ne le rejoint pas dans son intégralité.

- En effet, après hésitation, Alain Poher présente sa candidature au titre de « l'Union des républicains et de la réconciliation des Français ». Une large coalition lui apporte son soutien, de certains membres de la SFIO au Centre national des indépendants. L'objectif d'Alain Poher consiste à n'être pas seulement le candidat d'un centrisme d'opposition au gaullisme. D'ailleurs, un certain nombre de ces centristes, minoritaires, rallient dès le 1er tour la candidature de Georges Pompidou ; c'est le cas de Jacques Duhamel ou de Joseph Fontanet.
- A gauche, prévaut la division, depuis la crise de mai. François Mitterrand, qui conserve des sympathies chez les communistes, est banni par la gauche non communiste qui l'a écarté de la campagne officielle du référendum. Des tentatives pour bâtir une candidature unique de la gauche échouent rapidement car la conjoncture, depuis 1965, a beaucoup changé. Les rapports entre communistes et non-communistes se sont dégradés du fait de l'intervention des forces du pacte de Varsovie en Tchécoslovaquie au mois d'août 1968. D'autre part, si la SFIO et les clubs essaient de construire un nouveau Parti socialiste, l'échafaudage est fragile. Enfin, des dirigeants de la SFIO ne cachent pas (c'est le cas de Guy Mollet) que la candidature d'Alain Poher peut avoir plus d'efficacité qu'une candidature de gauche.

Dans ces conditions, toutes les familles de la gauche (même les gauchistes) présentent un candidat :

— Gaston Defferre, au nom des socialistes, pour une alliance au centre comme celle qu'il imaginait en 1963-1965 ; Pierre Mendès France se joint à lui ;
— Michel Rocard, investi par le PSU, pour représenter l'esprit de Mai 68 et une « alternative socialiste véritable » ;
— Jacques Duclos, présenté par le Parti communiste comme le candidat de « l'Union des forces ouvrières et démocratiques ».

La campagne est brève. Le nombre des candidatures (7 au total) impose des personnages plus que des programmes politiques dont la crédibilité est assez modeste. En fait, Georges Pompidou et Alain Poher développent des positions très voisines, car leur stratégie vise des électorats très proches. Pour le premier, il s'agit d'affirmer la fidélité au gaullisme tout en pratiquant l'ouverture. Pour le second, il s'agit d'élargir, à gauche et à droite, la surface politique occupée.

Les débats et les interventions sont, en général, de modeste tenue. En fait, les candidats s'adressent tous à des clientèles électorales qu'ils cherchent à conquérir par des engagements assez vagues. Paysans, commerçants, classes moyennes, rapatriés d'Algérie, anciens combattants sont l'objet de sollicitudes répetées. Néanmoins, ce sont les femmes que les candidats s'efforcent surtout de séduire.

Le recours à la télévision comme aux sondages préélectoraux impose ce type de campagne où l'image du candidat revêt plus d'importance que le projet politique. Certains observateurs n'ont pas hésité à parler de « campagne américaine ».

Des résultats du premier tour, il faut retenir quelques traits :

— Georges Pompidou arrive en tête des candidats en obtenant près de 45 % des suffrages (autant que de Gaulle en 1965). Mais il ne parvient pas à récupérer tous les oui du référendum du 27 avril ;
— le succès de Jacques Duclos, qui, avec près de 22 % des voix est parvenu à conquérir la 3e place. L'appel au « vote utile et unitaire » rallie à lui un électorat de gauche désemparé par la division. Son audience progresse assez régulièrement au cours d'une campagne qui ne favorise pourtant pas les communistes ;

— l'effondrement de la gauche non communiste qui avec ses deux candidats n'obtient pas 10 % des voix. C'est un désastre pour la SFIO puisque Gaston Defferre franchit à peine 5 % du corps électoral ;
— l'insuccès d'Alain Poher dont l'audience régresse pendant la campagne pour se stabiliser à 23 % des voix. L'hétérogénéité de sa coalition politique, l'image d'homme du passé qu'il s'est donnée, le flou de la plupart de ses propositions lui ont fait perdre le capital de confiance acquis comme président intérimaire.

Le second tour

En plaçant en tête, pour le second tour, Georges Pompidou et Alain Poher, les électeurs confirment le paysage politique remodelé par Mai 68 en en aggravant certains aspects. En effet, en ne totalisant qu'un peu plus de 30 % des suffrages, les gauches sont marginalisées et absentes du débat au second tour. Gaston Defferre se désiste pour Alain Poher tandis que le Parti communiste se refuse de choisir et recommande l'abstention en considérant que le choix c'est « bonnet blanc et blanc bonnet ». En revanche, Antoine Pinay et certains membres du CNI rejoignent Georges Pompidou.

La campagne du second tour s'engage sur un rythme plus soutenu et avec une vigueur plus forte. La personnalisation et la politisation ont une envergure largement amplifiée. Chacun des candidats cherche à conquérir l'audience des masses populaires plus que celle des notables déjà acquise. C'est dire que tout est mis en œuvre pour conquérir les électeurs nécessaires.

Alain Poher, dont la situation est délicate, s'affiche comme le candidat des démocrates, de tous les adversaires du gaullisme et force les attaques contre les pratiques des gouvernements présidés par son adversaire. Les meetings populaires se multiplient à l'occasion desquels sont dénoncées les atteintes à l'indépendance de la magistrature, de la radio, et de la télévision, et est attaqué le clan qui a accaparé le pouvoir depuis plus de dix ans. C'est l'occasion de réunir des équipes qui semblent reconstruire la « Troisième Force » des années 1950.

Georges Pompidou peut, à loisir, combattre avec force le retour supposé aux institutions et aux orientations d'une IVe République que les gaullistes ont toujours combattue.

Les résultats du second tour accordent 58 % à Georges Pompidou alors qu'Alain Poher n'en obtient que 42 %. Mais Georges Pompidou a moins progressé que son adversaire : la tactique de rassemblement des opposants s'est donc révélée efficace. Cependant, un taux d'abstention record — 31 % — fait que l'élu représente une minorité du corps électoral.

Cette deuxième élection présidentielle au suffrage universel consolide les institutions de la Ve République et le choix de 1962. Le pays ratifie, une nouvelle fois, la « primauté du chef de l'Etat qui lui vient de son mandat national ». Mais en proposant, d'entrée, une conception plus conciliante de l'action gouvernementale, Georges Pompidou met un terme à la « guerre des Républiques ».

« Le président Pompidou »

Georges Pompidou devient président à l'âge de 58 ans, au terme d'un itinéraire professionnel et personnel diversifié.

Issu d'un milieu de petite bourgeoisie (son père, fils de paysan, a été instituteur puis professeur), Georges Pompidou est un ancien élève de l'Ecole normale supérieure, agrégé des lettres. Professeur de lycée en province, puis à Paris, jusqu'en 1944, il entre au cabinet du général de Gaulle à la Libération. Mais, s'il a été hostile au nazisme et à la collaboration, il n'a aucun passé de résistant.

A la démission, en janvier 1946, du chef du gouvernement provisoire, Georges Pompidou entre au Conseil d'Etat. Lors de la fondation du RPF, de Gaulle l'appelle pour devenir son « chef de cabinet ». Mais, s'il entre dans le cercle très étroit des dirigeants gaullistes, Georges Pompidou n'adhère pas au parti. Lorsque de Gaulle dissout le RPF en 1953, Georges Pompidou demeure un proche mais abandonne le service de l'Etat pour devenir fondé de pouvoir à la banque Rothschild.

Le 1er juin 1958, de Gaulle, dernier président du Conseil de la IVe République, l'institue directeur du cabinet, fonction qu'il quitte en janvier 1959 quand de Gaulle est élu président de la République.

Redevenu directeur de banque, nommé membre du Conseil constitutionnel, Georges Pompidou exerce un rôle politique discret. En effet, il est, en 1961, au cœur des discussions secrètes avec le FLN qui permettent la reprise des négociations avec les nationalistes algériens et la signature, l'année suivante, des accords d'Evian. En avril 1962, de Gaulle l'appelle pour diriger le gouvernement après la démission de Michel Debré. Il garde ses fonctions jusqu'en juillet 1968.

La crise de mai le met probablement en concurrence avec de Gaulle car les deux hommes ne partagent pas les mêmes opinions sur la crise. Néanmoins, il faut souligner que, progressivement, derrière la fidélité gaulliste, émerge le « pompidolisme » qui anime, pour l'essentiel, le groupe parlementaire après 1967.

Formé à l'école laïque, influencé par le socialisme dans sa jeunesse, Georges Pompidou n'est pas un militant politique. C'est un pragmatique qui pense à gérer plutôt qu'à modeler une société. Il se veut d'ailleurs le gérant de « l'entreprise France ». Il est donc, dans une certaine mesure, l'antithèse de Charles de Gaulle. S'il demeure longtemps un proche de de Gaulle, il n'appartient pas au cercle des « barons du gaullisme » qui lui font sentir qu'il est étranger à leur passé de résistants et d'engagés politiques. Ce sont probablement ses qualités personnelles — le réalisme, la lucidité, le sang-froid — qui en ont fait un collaborateur proche de De Gaulle, mais aussi la conjoncture politique.

Chef de gouvernement malhabile en 1962, Georges Pompidou s'aguerrit rapidement. L'homme « tout rond » devient un personnage redoutable, débatteur parlementaire féroce, qui impose une autorité très ferme sur ses collaborateurs et les députés de la majorité. Son sens de la politique l'incite à placer ses hommes dans les lieux stratégiques du pouvoir et à former une nouvelle génération d'hommes politiques capables de remplacer, le moment venu, les « compagnons ». Parmi eux, Jean Charbonnel mais surtout Jacques Chirac.

Devenu président, Georges Pompidou exerce une autorité grandissante en s'appuyant sur une équipe de collaborateurs fidèles : Michel Jobert, secrétaire général de l'Elysée et ancien collaborateur de Pierre Mendès France ; Edouard Balladur, secrétaire général adjoint. Pierre Juillet et Marie-France Garaud, chargés de mission fort influents, représentent la sensibilité conservatrice. La volonté d'affirmer la primauté du chef de l'Etat l'incite à n'exclure aucune question de son champ d'intervention. La présidentialisation du pouvoir l'amène à limiter les domaines de compétences du premier ministre. Georges Pompidou n'hésite pas à traiter de tout sujet avec chaque ministre sans consulter le premier ministre.

En plaçant son mandat sous le signe de la continuité, Georges Pompidou cherche à rassurer une opinion gaulliste traditionnelle : les références à la grandeur, à la souveraineté de l'Etat, s'inscrivent dans le droit fil de cette stratégie. L'ouverture promise concerne surtout les orientations de politique étrangère : le ralliement des centristes est à ce prix. Car la dimension sociale de la démarche présidentielle demeure faible même si son premier gouvernement contribue à moderniser les rapports sociaux.

Ouverture et novations (1969-1972)

C'est Jacques Chaban-Delmas qui forme le premier gouvernement de Georges Pompidou. Le nouveau premier ministre correspond à la continuité puisqu'il appartient au cercle des « gaullistes historiques ». Jacques Chaban-Delmas est issu de la résistance intérieure : il était délégué national militaire à la Libération. Après 1947, il est une des personnalités essentielles du RPF, avant de devenir un des fondateurs de l'UNR en 1958. Ancien radical, il participe au Front républicain en 1956 ; après avoir été ministre de Pierre Mendès France, il participe au gouvernement de Guy Mollet. De 1958 à 1969, il préside avec courtoisie l'Assemblée nationale. C'est l'homme qui, par son passé, peut le mieux contribuer à mettre un terme à la « guerre des Républiques ».

L'arrivée de ministres centristes (René Pleven à la Justice, Jacques Duhamel à l'Agriculture, Joseph Fontanet au Travail) concrétise l'ouverture politique. Le retour de Valéry Giscard d'Estaing (Economie et Finances) aux côtés de Michel Debré et de Maurice Schumann (Affaires étrangères) confirme la réunification des familles se réclamant du « phénomène gaulliste ».

L'équipe qui entoure le premier ministre est probablement plus novatrice. Peu de collaborateurs gaullistes participent au cabinet.

En revanche, Simon Nora, ancien mendésiste, est chargé des questions économiques tandis que Jacques Delors, syndicaliste de la CFDT, est chargé des questions sociales.

Le gouvernement s'est donné cinq objectifs simples :

— contribuer à l'avancement de l'Europe ; mais ce domaine relève plutôt des compétences présidentielles ;
— améliorer la compétitivité industrielle dans le cadre européen ;
— modifier le rôle de l'Etat dans un système trop centralisé ;
— rajeunir les moyens de fonctionnement des relations sociales dans l'entreprise, privée ou publique ;
— mieux informer le citoyen.

Ces projets relèvent du modernisme tel que le définissaient Pierre Mendès France et les novateurs des années 1960. Ils définissent les perspectives de réforme dans une « société bloquée ».

L'ouverture européenne

Plusieurs raisons justifient ce choix :

— la conviction du président que la Grande-Bretagne doit appartenir à la CEE ;
— les interventions des partenaires de la France ;
— l'influence des centristes dans la majorité présidentielle ;
— la crise monétaire de l'été 1969 accentue la prise de conscience.

• La crise monétaire subsiste en France depuis l'automne 1968. A partir d'avril 1969, le franc est déprécié car les spéculations contre la monnaie sont de plus en plus fortes. Au début de l'été, le franc a perdu environ 10 % de sa valeur. La décision est prise de dévaluer la monnaie de 12,5 % de façon à l'adapter à la situation internationale, et notamment à la valeur du mark allemand. La France souhaite, en effet, relancer des projets d'union monétaire européenne.

• Georges Pompidou souhaite que l'on achève la construction européenne avant de songer à l'élargissement de la CEE. L'entrée de la Grande-Bretagne — et de pays de l'Europe du Nord-Ouest — lui semble une nécessité d'autant plus que, de plus en plus, l'Allemagne s'engage dans une stratégie de rapprochement avec l'est de l'Europe.

Un nouveau grand dessein : la politique industrielle

Georges Pompidou, dès avant 1969, s'est intéressé à la modernisation industrielle ; mais c'est en 1971, qu'à l'occasion de l'élaboration du VIe Plan, un projet de grande ampleur est adopté. Deux principes définissent cette politique :

— l'industrialisation doit donner à la France la maîtrise de son avenir et répondre à la volonté de mieux vivre de la population ;

— dans le cadre de l'économie de marché, l'Etat doit stimuler l'expansion. Georges Pompidou choisit une croissance forte. Elle seule peut contribuer au plein emploi.

• Les moyens choisis visent d'abord à encourager la concentration des entreprises. Toutes les fusions utiles sont favorisées (Saint-Gobain, Pont-à-Mousson, Ugine Kuhlmann, Péchiney). De même, l'Etat pousse à une réorganisation de l'industrie électrique et électronique comme de la chimie ou de la métallurgie (Creusot-Loire). Parallèlement, il se préoccupe du développement des activités commerciales ; la diplomatie doit largement aider à l'essor des implantations industrielles à l'étranger.

• Mais la croissance ne peut être analogue dans l'ensemble des activités ; c'est pourquoi l'Etat, quand il le peut, définit des priorités. Selon Georges Pompidou, l'aéronautique, le nucléaire, l'informatique, les télécommunications, sont autant de secteurs stratégiques qu'il importe de promouvoir. Ces années sont celles du lancement des grandes centrales nucléaires sous l'action conjointe d'EDF et du Commissariat à l'énergie atomique (CEA). De même, dans le domaine aéronautique, c'est la poursuite du projet Concorde.

• Enfin, cette stratégie industrielle s'inscrit aussi dans une perspective européenne. L'usine du Tricastin (enrichissement de l'uranium) et l'avion Airbus soulignent cette dimension comme le projet de la fusée Ariane.

De 1969 à 1973, l'industrie joue le rôle moteur de la croissance économique ; la productivité industrielle s'élève, en moyenne, par an, de 6 %, ce qui situe la France aux premiers rangs, derrière le Japon mais aussi devant les Etats-Unis et les autres pays européens. Les exportations doublent : la France s'installe désormais à la troisième place dans le commerce mondial, après les Etats-Unis et l'Allemagne.

• Cette politique s'est accompagnée d'orientations d'aménagement du territoire destinées à corriger les déséquilibres imposés par un développement économique rapide. La DATAR est chargée de limiter les effets douloureux des mutations économiques car, pour Georges Pompidou, le peuple français doit accepter l'industrie ; il ne doit pas s'y résigner.

La réussite de ces mutations dépend de la volonté présidentielle et de l'action menée par les industriels volontaires. Mais il faut souligner aussi qu'une conjoncture favorable, aidée par la dévaluation de 1969, sert la politique industrielle. Il reste à distribuer les fruits de la croissance puisque, selon le président, la politique sociale doit dépendre avant tout des résultats de l'économie.

« La nouvelle société »

Plus qu'un projet présidentiel, il s'agit d'une ambition voulue par le premier ministre qui s'efforce de tenir les orientations définies lors de la présentation de la politique du gouvernement à l'automne 1969 et d'aller au-delà de ce que souhaite Georges Pompidou.

La politique sociale menée par Jacques Chaban-Delmas revêt plusieurs aspects complémentaires mais incontestablement novateurs :

— faire partager aux salariés les bénéfices de la croissance économique : c'est le sens de la création du SMIC (salaire minimum interprofessionnel de croissance) ou de la mensualisation de tous les salariés ouvriers ;
— réformer les rapports sociaux : le gouvernement encourage patrons et salariés à développer les conventions collectives pour organiser le travail, assurer la formation professionnelle, la préretraite (loi du 13 juillet 1971). Il s'agit de faire en sorte que, dans les entreprises, patrons et employés apprennent à être des « partenaires sociaux » ;
— faire évoluer la situation du salarié par le droit à la formation professionnelle continue (loi du 16 juillet 1971) à laquelle l'entreprise doit contribuer ;
— rapprocher les choix des citoyens par la décentralisation. La loi

du 5 juillet 1972 crée la région dont les compétences demeurent limitées à l'économie. La tutelle préfectorale subsiste ;

— libéraliser l'information audiovisuelle car chaque Français est un citoyen. Le gouvernement limite la tutelle de l'Etat et fait appel à des journalistes connus pour leur indépendance (Pierre Desgraupes par exemple) ;

— l'application persévérante et prudente de la loi sur les universités votée à l'automne 1968 à l'initiative d'Edgar Faure, ministre de l'Education nationale.

L'accueil fait à cette politique

L'opinion reçoit cette politique de manière contradictoire :

— les années 1969-1972 connaissent une vague d'agitation gauchiste violente. Les groupes maoïstes ou trotskistes ne sombrent pas dans le terrorisme mais adoptent des méthodes d' « action directe ». Le gouvernement engage une politique répressive pour rétablir l'ordre. Les organisations gauchistes sont dissoutes ; la loi anticasseurs (juin 1970) introduit la notion de responsabilité collective tandis que l'on songe à modifier la loi sur les associations ;

— la gauche politique poursuit sa politique d'opposition. Les syndicats observent, circonspects, la législation sociale ;

— les manifestations de mécontentement se multiplient dans les milieux sociaux touchés par la modernisation industrielle : agriculteurs, artisans et commerçants ;

— elles se développent aussi dans les milieux qui estiment que leur situation n'est pas bien prise en compte : ce sont notamment les femmes ou les mouvements régionalistes.

• La majorité parlementaire est troublée car les mesures lui sont imposées alors que leurs inspirateurs n'appartiennent pas aux sensibilités qu'elle incarne. Elle estime que des concessions insupportables sont faites à ses adversaires politiques qui, par ailleurs, se rénovent avec le nouveau Parti socialiste. D'autre part, elle est éclaboussée par des scandales politico-financiers que les magistrats instruisent avec vigilance. Les gaullistes orthodoxes sont les premiers à exprimer ce malaise contre le président et le premier ministre dont les désaccords sont connus.

• Georges Pompidou, conscient de ce malaise, souhaite ressaisir l'opinion par un référendum, selon la tactique classique du gaullisme. Il choisit le terrain de la politique européenne car, à l'exception des communistes, tous les partis sont favorables à la construction de l'Europe. En divisant socialistes et communistes, il pense pouvoir engranger tous les votes favorables.

Or le référendum du 23 avril 1972, que les observateurs imaginent comme une bonne idée, constitue un échec pour le président. En effet, Georges Pompidou engage son action dans la campagne alors que les communistes annoncent un vote négatif et que les socialistes appellent à l'abstention ou au vote nul. Les résultats de la consultation révèlent que :

32 % des suffrages exprimés vont au non ;
68 % vont au oui ;
40 % des électeurs s'abstiennent ;
7 % votent blanc ou nul.

Dans ces conditions, un peu plus du tiers seulement des électeurs inscrits approuvent le président. Une fraction assez importante de l'électorat traditionnellement gaulliste a fait défection tandis que le Parti socialiste peut se prévaloir d'une forte proportion des abstentionnistes.

• L'opération politique échoue ; le président n'en sort pas renforcé. L'arme constitutionnelle du référendum n'est pas simple à utiliser dans une période politique calme puisqu'elle permet à tous les mécontents d'exprimer de manière globale leur insatisfaction. Les successeurs de Georges Pompidou s'en souviendront.

La disgrâce de Jacques Chaban-Delmas

Georges Pompidou impute l'échec de son référendum au premier ministre. En effet, le trouble dans la majorité peut expliquer, en partie, l'échec présidentiel. En prévision des élections législatives de 1973, il lui paraît utile de changer de gouvernement. Le 5 juillet 1972, Jacques Chaban-Delmas donne sa démission. Mais, en la circonstance, il s'agit d'une révocation effective.

En effet, quelques semaines auparavant, le gouvernement a obtenu de l'Assemblée un vote de large confiance. L'éviction de Jacques Chaban-Delmas surprend l'opinion.

Plusieurs raisons l'expliquent :

— l'image du premier ministre est tachée par la révélation opportune de certaines affaires fiscales ;
— la volonté réformatrice du premier ministre, après avoir inquiété Georges Pompidou, le mécontente car elle ne correspond pas à sa sensibilité personnelle. Ce conservateur, depuis son accession à la présidence, semble être de plus en plus attaché à une extrême prudence en matière politique sociale ;
— les méthodes du gouvernement déplaisent profondément au président qu'elles agacent. Héritier du gaullisme, Jacques Chaban-Delmas peut se prévaloir de certaines audaces du général de Gaulle. D'autre part, le premier ministre ne cache pas qu'il souhaite une recomposition politique. Il estime qu'une ouverture est possible en direction de radicaux, de certains socialistes, de certains syndicalistes (CFDT et FO) après les élections de 1973. De ce recentrage, Georges Pompidou ne veut pas ;
— enfin, le président s'irrite de la popularité de Jacques Chaban-Delmas qui peut devenir un rival. Une telle concurrence ne correspond pas aux pratiques de la Ve République.

La révocation de Jacques Chaban-Delmas confirme la prééminence présidentielle. Elle souligne que le gouvernement dépend du président plus que du Parlement. Par ailleurs, elle consolide le raidissement conservateur des héritiers du gaullisme. Ceux-ci ne peuvent plus se prévaloir, unanimement, du rassemblement puisque le pompidolisme incline fortement à droite. L'échec de Jacques Chaban-Delmas pousse vers la gauche les modernistes et les réformateurs. En ce sens, il marque une nouvelle étape vers la bipolarisation et le développement d'un pôle réformateur autour de la gauche.

La rénovation de la gauche

La gauche sort sinistrée de la crise de Mai 68 et de l'élection présidentielle de juin 1969. Si les communistes résistent mieux que les socialistes, les partis de gauche ne représentent plus que 30 % du corps électoral. La remobilisation des électeurs suppose un sérieux effort de rénovation.

Comme à l'époque du gaullisme triomphant, l'action syndicale a tendance à relayer des partis de gauche défaillants. En 1970, CGT et CFDT renouvellent leur pacte d'unité d'action. Si la CGT combat la « nouvelle société » de Jacques Chaban-Delmas, la CFDT adopte des positions contradictoires ; séduite par certains aspects de cette politique, elle engage souvent des combats sociaux divers avec les gauchistes. Elle mûrit son projet de « socialisme autogestionnaire » qui la mène à jouer un rôle plus complexe que celui d'une organisation syndicale en appelant la construction d'un parti socialiste combatif et moderne. Mais ni la CGT ni la CFDT ne se substituent aux partis.

La refondation du Parti socialiste

Dès 1969, un projet de rénovation de la SFIO est élaboré qui aboutit au « nouveau Parti socialiste » créé en juillet. La SFIO vieillie et sclérosée fusionne avec l'Union des clubs pour le renouveau de la gauche (UCRG) dirigée par Alain Savary et l'Union des groupes et clubs socialistes (UGCS) dirigée par Jean Poperen. Guy Mollet s'écarte de la direction du nouveau parti qui revient à Alain Savary. Celui-ci oriente la rénovation dans deux directions principales : renforcer le militantisme et enraciner le parti à gauche en envisageant les moyens et les méthodes d'une union de la gauche permanente. Ni les clubs de François Mitterrand ni le PSU ne se joignent à l'opération.

Le processus doit se poursuivre à l'occasion du congrès qui se tient à Epinay en juin 1971. Cette fois, les clubs de la Convention des institutions républicaines (CIR) dirigés par François Mitterrand décident d'adhérer au parti en voie de rénovation. Au terme de manœuvres fort habiles, en s'appuyant sur ses partisans, sur l'aile gauche du Parti socialiste (le CERES) et certaines grandes fédérations, François Mitterrand parvient à prendre la direction du parti en évinçant Alain Savary. C'est l'acte de naissance de l'actuel Parti socialiste (PS).

Le changement intervenu est important. En effet, François Mitterrand, qui est plus républicain que socialiste, veut faire du parti un instrument de la conquête du pouvoir politique. Pour y parvenir, il doit renforcer le militantisme partisan mais aussi rééquilibrer le Parti socialiste face à un Parti communiste hégémonique à gauche depuis 1944. Peu intéressé par les problèmes de doctrine, il prétend recruter hors du vivier traditionnel du socialisme français (chrétiens, classes moyennes).

Pour vaincre la droite, il faut réussir l'union de la gauche ; il importe donc de conclure un contrat avec le Parti communiste dont l'électorat populaire doit compléter celui du socialisme. Mais ce contrat ne doit pas être idéologique : il doit être politique, reposer sur une démarche électorale et un programme de gouvernement.

Ce programme doit, pour François Mitterrand, placer l'union sur un terrain concret, avoir une durée déterminée (une législature) et préserver l'originalité de chaque parti. Il doit, pour le Parti socialiste, ancrer à gauche une formation rénovée qui, à terme, peut espérer exercer le rôle hégémonique. Enfin, ce programme ne s'applique pas à l'occasion des élections présidentielles.

L'alliance avec les communistes est, en apparence, dangereuse puisque les forces électorales sont très inégales. Mais François Mitterrand parie sur plusieurs phénomènes : l'évolution internationale, les mutations profondes de la société française qui tendent à réduire la classe ouvrière traditionnelle au profit des « couches nouvelles salariées ». Mais l'alliance suppose vigilance.

Le programme commun de gouvernement

Depuis plusieurs années, le Parti communiste souhaite le dialogue à gauche ; l'élection de 1965 l'a convaincu qu'il est possible de sortir de l'isolement. Tout en maintenant l'essentiel de ses références idéologiques, le PCF se résigne à certaines évolutions. Sous la direction de Waldeck Rochet, de 1964 à 1970, puis sous celle de Georges Marchais, le Parti communiste entre dans une période de dégel. En 1968, à son Congrès de Champigny, il préconise une « démocratie avancée ». En 1970, après avoir « réprouvé » l'invasion soviétique de la Tchécoslovaquie en août 1968 et pris ses distances avec les démocraties populaires et l'URSS, le parti accepte le principe de l'alternance démocratique, principe qu'il a toujours refusé. Le programme qu'il définit en 1971, « Changer de cap », propose à la fois un programme de gouvernement et l'union populaire. Le PCF semble donc se déstaliniser et être prêt à jouer un rôle actif à gauche.

Ces évolutions s'expliquent pour des motifs intérieurs mais aussi internationaux. Il ne faut pas oublier que le PCF, s'il garde la première place à gauche, ne connaît pas de sensibles progressions de ses effectifs. L'Union de la gauche et le programme commun apparaissent, aux dirigeants communistes, comme une méthode capable de remobiliser l'électorat populaire. L'ouverture communiste demeure fragile et aléatoire : le philosophe communiste Roger Garaudy qui, depuis de nombreuses années, souhaite que le parti se réforme en profondeur, en est exclu en 1970. Cependant, les communistes sont prêts à la discussion, surtout dans la mesure où le Parti socialiste est faible.

La négociation entre socialistes et communistes est longue et difficile. Des concessions réciproques sont acceptées de part et d'autre ; un programme de nationalisations économiques ambitieux, l'Alliance atlantique, la construction européenne, le pluralisme des partis, sont admis par les contractants. Malgré les risques multiples de division, ce programme est signé en juin 1972.

De cet accord, l'opinion retient l'union de la gauche. Les divergences demeurent nombreuses. Néanmoins, cette stratégie est attractive. Une partie des radicaux quitte le Parti républicain radical pour fonder le Mouvement des radicaux de gauche (MRG) qui accepte de se joindre à l'Union de la gauche naissante. Celle-ci concrétise, à gauche, l'évolution vers la bipolarisation déjà effective à droite.

Un septennat interrompu

Nommé premier ministre pour remplacer Jacques Chaban-Delmas, Pierre Messmer est un gaulliste orthodoxe pour lequel la prééminence présidentielle ne se discute pas ; en ce sens, il se veut le lieutenant du président comme il a été l'exécutant fidèle de la politique militaire de de Gaulle pendant dix ans. Homme d'ordre, il n'entend pas définir de projets de société ambitieux ; il doit gérer et non réformer. Héritier fidèle de la pensée gaulliste, il souhaite, à la demande de Georges Pompidou, réduire les préventions des « barons du gaullisme » à l'égard du président et rassurer un électorat perturbé par la politique de son prédécesseur. D'emblée, il donne une tonalité conservatrice à son gouvernement chargé de préparer et de gagner les élections de 1973.

1973 : l'échec prometteur de la gauche

La campagne de 1973 réédite en partie celle de 1967, même si la conjoncture s'est modifiée :

— dans la majorité présidentielle l'unité de candidature s'impose assez largement sous l'étiquette d'Union des républicains de progrès (URP). Les républicains indépendants qui souhaitaient une large capacité de manœuvre doivent se résigner même si, depuis plusieurs mois, certains dénoncent « les copains et les coquins » qui dirigeraient l'Etat. Quelques propositions rassemblées un peu à la hâte, « le programme de Provins », servent de références électorales ;

— l'opposition de gauche se bat autour du programme commun. Chaque parti présente ses candidats au premier tour mais un accord de désistement doit fonctionner au second. La dynamique créée incite le PSU à se joindre à l'Union de la gauche ;

— le président Pompidou n'a pas réussi depuis juin 1969 à rallier tout le centrisme. Le centrisme d'opposition s'est regroupé, en 1971, dans le Mouvement réformateur qui associe le Centre démocrate de Jean Lecanuet au Parti radical dirigé par l'ancien directeur de l'hebdomadaire *L'Express,* Jean-Jacques Servan-Schreiber (J.-J. S.-S.).

Ce mouvement présente quelques ambiguïtés. En effet, si J.-J. S.-S. a défini un projet et un programme ambitieux de réformes (manifeste *Ciel et Terre*) et combat avec vigueur et persévérance, « l'Etat UDR », Jean Lecanuet considère la gauche, dominée par le PCF, comme plus menaçante que la majorité présidentielle. Les deux partenaires veulent réduite le pompidolisme mais ne partagent pas la même vision d'avenir.

Les sondages — dont la pratique se développe rapidement — annoncent des résultats serrés. En effet, au premier tour :

— La gauche reconquiert le terrain électoral perdu en 1968 et retrouve son niveau de 1967. Mais si le Parti communiste demeure le premier à gauche, le Parti socialiste, auquel s'est joint le MRG, fait presque jeu égal avec lui. L'Union de la gauche semble confirmer le pari de François Mitterrand : rééquilibrer le rapport de forces entre communistes et non-communistes. Enfin si la gauche stagne dans ses bastions traditionnels (Nord, Pas-de-Calais, Bouches-du-Rhône, région parisienne), elle remporte des succès prometteurs dans des « terres de mission » (l'Ouest, l'Alsace-Lorraine).

— La majorité cède du terrain mais moins que prévu (37 % des voix). Cependant, elle tend à reculer un peu plus dans ses bastions traditionnels (France du Nord, de l'Ouest et de l'Est) et à se maintenir mieux dans les régions acquises depuis la fin des années 1960 (le Sud-Ouest notamment). Les trois dernières consultations électorales révèlent que le gaullisme et son héritage incarnent de plus en plus nettement l'électorat conservateur. Sa clientèle est beaucoup plus rurale qu'au début des années 1960 ; l'électorat populaire citadin se rallie à d'autres organisations politiques.

— Le mouvement réformateur, avec 12,5 % des voix, est l'arbitre du second tour car le succès ou l'échec des candidats de gauche ou de ceux de la majorité dépendent du report des voix centristes. Mais les réformateurs se divisent. Si les radicaux désignent les gaullistes comme les hommes à « abattre » pour établir le pouvoir régional, le Centre démocrate adopte une attitude délibérément anticommuniste ; il prépare aussi un ralliement prochain à la majorité présidentielle.

Le second tour confirme les tendances du premier tour. La majorité perd une centaine de députés ; l'UDR, en en perdant 90, sort défaite du scrutin. Mais, en conservant 268 sièges à l'Assemblée nationale, elle garde la majorité absolue.

Les réformateurs, avec une trentaine de députés, peuvent constituer un groupe parlementaire, mais leur rôle devient moins stratégique que prévu. Enfin, la gauche, avec 175 députés, demeure minoritaire ; mais le scrutin la ragaillardit. Les reports de voix se sont convenablement réalisés, mieux des communistes vers les socialistes que l'inverse. Les élections de 1973 soulignent que les électeurs de gauche se rallient au projet d'Union de la gauche et de programme commun. La gauche demeure exclue du pouvoir ; mais ses capacités d'attraction se sont renforcées. L'écart avec la majorité sortante s'est réduit très sensiblement, ce qui permet aux responsables de la gauche d'envisager un succès proche.

« La fin d'un règne »

La majorité semble assurée de la durée : trois ans (l'élection présidentielle) ou cinq ans (élection législative) la séparent de la prochaine consultation électorale. Mais la confirmation que lui a donnée le corps électoral n'est pas utilisée pour relancer l'action gouvernementale. Pierre Messmer est reconduit à la tête d'un gouvernement où les personnalités conservatrices pèsent plus fortement encore. Le départ d'hommes politiques de stature (Michel Debré) ou de battus aux élections (Maurice Schumann, René Pleven) donne à ce gouvernement une allure délibérément pompidolienne. La seule initiative vient du président : un projet de réforme de la durée du mandat présidentiel de sept ans à cinq ans. Mais cette proposition, votée par l'Assemblée nationale et le Sénat, n'a pas la majorité nécessaire pour être adoptée (trois cinquièmes des parlementaires). La réforme avorte car le président ne souhaite pas engager un référendum sur ce thème.

Le climat social et politique se dégrade rapidement. L'agitation reprend. Les lycéens s'émeuvent de la loi Debré qui réforme la législation sur les sursis militaires pour études. Les étudiants s'agitent contre une réforme des premiers cycles universitaires. Tout évoque un « Mai rampant ». L'agitation gauchiste, mal éteinte, reprend : la Ligue communiste (trotskiste) est dissoute. Surtout des grèves dures, d'origines complexes, éclatent et paralysent des entreprises ; la politique présidentielle en matière industrielle subit une contestation fiévreuse. Ces grèves suscitent des projets plus ou moins utopiques ; c'est le cas de Lip (horlogerie) où la revendication autogestionnaire prétend suppléer une direction défaillante ; ce sont aussi les manifestations des régionalistes et des antimilitaristes à propos de l'extension de certains camps militaires (le Larzac).

La popularité du président, encore élevée au printemps 1973, s'effrite rapidement tandis qu'augmente le nombre des mécontents. La presse se fait l'écho, de manière de plus insistante, de la maladie du président. L'autorité de Georges Pompidou diminue ; l'Etat semble de moins en moins gouverné d'autant plus que le premier ministre ne sait pas s'affirmer comme tel.

Le premier choc pétrolier (automne 1973) aggrave cette atmosphère de « fin de règne ». Entre octobre et décembre 1973, le prix du pétrole quadruple. Cette explosion des prix frappe de plein fouet une économie qui, depuis plus de dix ans, dépend, dans une large mesure, d'une énergie à bon marché ; il faut accepter les décisions des pays producteurs, ce qui souligne la dépendance énergétique de l'économie française (comme de toutes les économies industrielles occidentales). Mais, loin de s'engager dans une stratégie de long terme — comprendre que l'énergie ne sera plus bon marché — le gouvernement agit au coup par coup en signant des accords préférentiels avec certains Etats producteurs du Proche-Orient. Les importations pétrolières compliquent une conjoncture internationale devenue moins favorable : la crise monétaire américaine rend instables les monnaies dans le monde, désorganise le commerce international et tend à exporter le chômage américain vers l'Europe.

La situation économique française se dégrade. L'inflation reprend tandis que stagne l'activité : c'est la « stagflation ». Le franc se déprécie : le gouvernement doit se résigner à le laisser « flotter ». Partager les bénéfices d'une croissance réduite ne peut plus étayer un projet social.

Le 2 avril 1974, un communiqué radiotélévisé annonce la mort du président de la République. C'est la stupeur dans la presse et l'opinion qui s'interroge sur le bien-fondé du silence qui a été observé. Si l'on rend hommage au courage personnel de Georges Pompidou, on se laisse aussi aller à un débat d'éthique politique sur les responsables gouvernementaux en démocratie.

Georges Pompidou qui, pendant cinq ans, a été plus soucieux de gérer et de conserver que d'innover et de réformer, marque l'histoire nationale sur trois plans principaux :

— Il a donné une impulsion décisive à la modernisation économique française, comme premier ministre et comme président de la République. Particulièrement vantée à l'époque, cette mutation rapide laisse un prix très élevé. L'industrialisation entraîne l'urbanisation, c'est-à-dire l'entassement dans des quartiers périphériques d'une population déracinée qui vit dans l'anonymat et la solitude. Les risques d'une véritable pathologie sociale sont en germe.
— Il a enraciné les institutions. Charles de Gaulle évoquait le chaos ou le trop-plein après sa disparition. Georges Pompidou prouve qu'une succession paisible est possible tout en respec-

tant, en les infléchissant, les pratiques constitutionnelles gaullistes. Les institutions de la Ve République, dont on disait qu'elles étaient faites pour leur fondateur, peuvent être mises en œuvre par d'autres dirigeants.

— Il a consolidé le rôle international de la France, tant vers l'Europe de l'Est et les pays communistes (URSS et Chine) qu'en direction de l'Afrique et des pays arabes. Politique d'indépendance entre les deux grands, cette stratégie, en continuité avec le gaullisme, est devenue une ligne directrice de la diplomatie française.

BIBLIOGRAPHIE

Bergounioux Alain, Grunberg Gérard, *Le long remords du pouvoir,* Fayard, 1992.
Bredin Jean-Denis, *La République de Monsieur Pompidou,* Fayard, 1974.
Debbasch Charles, *La France de Pompidou,* PUF, 1974.
Roussel Eric, *Georges Pompidou,* J.-C. Lattès, 1984.
Schwartzenberg Roger-Gérard, *La guerre de succession,* PUF, 1969.

12. Le septennat de Valéry Giscard d'Estaing

Dès le 3 avril, conformément à la Constitution, le président du Sénat, Alain Poher, est chargé de l'intérim de la Présidence de la République. Au fil des jours suivants, plusieurs candidatures sont successivement annoncées, dont certaines (Edgar Faure, Pierre Messmer) seront bientôt retirées.

L'élection présidentielle de 1974

Au bout du compte, ce sont douze candidats qui seront en lice : Jacques Chaban-Delmas, René Dumont, Valéry Giscard d'Estaing, Guy Héraud, Alain Krivine, Arlette Laguiller, Jean-Marie Le Pen, François Mitterrand, Emile Muller, Bertrand Renouvin, Jean Royer, Jean-Claude Sebag.

En fait, les deux traits essentiels de la campagne qui s'ouvre sont les suivants :

— François Mitterrand est candidat unique de la gauche (si l'on excepte les deux candidats d'extrême gauche, Alain Krivine et Arlette Laguiller) : le premier secrétaire du PS est soutenu par le Parti communiste, les radicaux de gauche et le PSU. La dynamique de l'Union de la gauche, après la signature du programme commun de gouvernement en juin 1972, a permis cette candidature unique.

— Dans le camp de la majorité, au contraire, Jacques Chaban-

Delmas et Valéry Giscard d'Estaing sont en position de concurrence. La candidature du premier est fragilisée par la défection de 43 parlementaires UDR, conduits par Jacques Chirac, qui, en publiant un communiqué déplorant la multiplicité des candidatures au sein de la majorité, prenaient en fait publiquement position en faveur du second.

Le 5 mai a lieu le *premier tour,* avec une très forte participation (15,77 % d'abstention). Si six candidats obtiennent des scores inférieurs à 1 % (Alain Krivine, Emile Muller, Guy Héraud, Jean-Claude Sebag, Bertrand Renouvin et Jean-Marie Le Pen, qui plafonne à 0,74 %), les autres candidats obtiennent les scores suivants :

François Mitterrand	43,35 %
Valéry Giscard d'Estaing	32,60 %
Jacques Chaban-Delmas	15,10 %
Jean Royer	3,17 %
Arlette Laguiller	2,33 %
René Dumont	1,32 % des suffrages exprimés.

Ces résultats annoncent un second tour serré entre les deux candidats restés en lice. Ceux-ci s'opposent dans un débat télévisé très suivi (10 mai), et qui était à l'époque une innovation en France. Si les effets d'un tel débat sur l'opinion sont difficiles à évaluer, plusieurs formules de Valéry Giscard d'Estaing visant François Mitterrand (« l'homme du passé », qui n'a pas « le monopole du cœur ») frapperont.

Au second tour (19 mai), les Français se rendent encore plus massivement aux urnes (12,66 % d'abstention, le taux le plus bas, jusqu'ici, à une élection présidentielle, 1988 inclus) que lors du premier tour, pourtant déjà placé sous le signe d'une très forte participation.

Valéry Giscard d'Estaing est élu président de la République, avec un peu plus de 400 000 voix d'avance. Le résultat est très serré, en effet, entre les deux hommes :

	Voix	*% par rapport aux suffrages exprimés*
Valéry Giscard d'Estaing	13 396 203	50,81
François Mitterrand	12 971 604	49,19

La bipolarisation de la vie politique est alors très forte. Le résultat serré du second tour l'atteste, mais aussi l'analyse de celui du premier tour : les deux candidats de la majorité et François Mitterrand totalisent alors à eux trois 91 % des suffrages exprimés. Le mouvement écologiste naissant, à travers son candidat René Dumont, dépasse à peine 1 %, score que n'atteint pas l'extrême droite représentée par Jean-Marie Le Pen.

Installé officiellement dans ses fonctions le 27 mai, Valéry Giscard d'Estaing est le premier président non gaulliste de la Vᵉ République. Il a, à cette date, 48 ans. Né le 2 février 1926, polytechnicien, énarque, inspecteur des finances, il a connu une carrière précoce et brillante : député à 29 ans (janvier 1956), secrétaire d'Etat à 32 ans (janvier 1959), ministre des Finances du général de Gaulle à 35 ans (janvier 1962). Il soutient ce dernier en 1962 au moment du référendum sur l'amendement de la Constitution, pour lequel sa famille politique d'origine, les Indépendants, préconise le non.

Au fil des années 1960, il entretient des rapports complexes avec de Gaulle : ministre des Finances jusqu'au début 1966, il prend ensuite ses distances, adoptant une attitude de « oui mais » (janvier 1967) dans son soutien à la politique gouvernementale. En août 1967, il dénonce l' « exercice solitaire du pouvoir » et, en 1969, se prononce pour le non au référendum.

Redevenu ministre de l'Economie et des Finances après l'élection de Georges Pompidou, ayant entre-temps récupéré le gros de l'héritage de la droite libérale dans la Fédération nationale des républicains indépendants (juin 1966), il incarne au début des années 1970 l'autre rameau de droite de la majorité au pouvoir, et le duel avec Chaban-Delmas en 1974 apparaîtra comme une compétition entre le gaullisme et cette droite libérale, qui sort donc victorieuse de l'élection de 1974.

Le nouveau président, dans sa déclaration de prise de fonctions (27 mai), place son action sous le signe du « changement ». Cela étant, par-delà cette volonté proclamée d'innovation, il doit tenir compte de plusieurs paramètres :

— En 1972, à la Convention de Charenton des républicains indépendants, il avait déclaré : « La France aspire à être gouvernée au centre. » Si une telle intuition a probablement été un facteur important de sa victoire deux ans plus tard, sa mise en pratique s'annonce difficile dans une France politiquement bipolarisée et après un résultat très serré. A cet égard, les thèmes de « décrispation » et de « consensus » que le nouveau président de la République utilisera à plusieurs reprises n'auront ni réel écho ni portée pratique.

— Sa victoire électoralement serrée le 19 mai lui donne une marge de manœuvre d'autant plus étroite que la gauche, en fait, a encore progressé entre 1973 et 1974. Dans une France à peu près coupée en deux politiquement, la dynamique de l'Union de la gauche, si elle se poursuit, peut inquiéter le pouvoir au moment des échéances politiques à venir : cantonales (1976), municipales (1977), législatives (1978). Inversement, il est vrai, un tel calendrier sans échéance immédiate reste, somme toute, favorable à une reprise de l'initiative.

— A condition, toutefois, de préserver la cohérence de la majorité, ébranlée par la compétition entre Valéry Giscard d'Estaing et Jacques Chaban-Delmas pour le premier tour et par les divisions qu'une telle situation avait entraînées au sein de l'UDR.

— Le premier « choc pétrolier » de l'automne 1973 — le prix du baril de pétrole brut a quasiment quadruplé en deux mois, d'octobre à décembre — commence rapidement à faire sentir ses effets : une crise économique longue et profonde s'amorce alors, sensible notamment dans le domaine de l'inflation (15,2 % en 1974). Tout comme l'inflation, le chômage augmentera brutalement à partir de 1974 : les chômeurs sont 450 000 au début de cette année 1974 et 900 000 à la fin de 1975.

Malgré cette marge de manœuvre étroite, Valéry Giscard d'Estaing prend immédiatement plusieurs décisions :

— Sur le plan politique, il nomme Jacques Chirac, alors âgé de 41 ans, premier ministre. Si l'UDR est bien moins représentée dans ce gouvernement que dans les précédents, au profit des républicains indépendants (Michel Poniatowski à l'Intérieur) et des centristes (Jean Lecanuet, jusque-là dans l'opposition, devient garde des Sceaux), la nomination d'un premier ministre gaulliste et le maintien de l'Assemblée nationale élue en 1973 — où les gaullistes étaient beaucoup plus nombreux que les républicains indépendants — apaisent momentanément les tensions au sein de la majorité.

— Sur le plan social, le « changement » proclamé est concrétisé par plusieurs mesures importantes, adoptées très rapidement : majorité à 18 ans et libéralisation de la contraception (juin), loi sur le divorce par consentement mutuel et nomination d'une secrétaire d'Etat à la Condition féminine, Françoise Giroud (juillet), loi Veil sur l'interruption volontaire de grossesse (décembre), votée grâce à l'appui des parlementaires de gauche et malgré les réticences d'une partie de la majorité.

Sous le signe de la crise

Si l'élan donné au changement est incontestable, une donnée structurelle allait rapidement faire sentir ses effets déstabilisateurs : la France allait s'installer durablement dans la crise, à la suite notamment des deux chocs pétroliers successifs.

La crise économique

Le premier choc pétrolier de l'automne 1973 eut des effets quasi immédiats : si l'on prend l'année 1970 comme base 100 de l'indice de production industrielle, on ne retrouve que 126 en 1977, soit à peu près le même indice qu'en 1974. Effets immédiats et, de surcroît, durables : par rapport à la même base, 1983 n'enregistrera que 132 ; la crise, entre-temps, avait passé le cap du début des années 1980. Et, alors que la production industrielle avait connu une progression de 100 % entre 1962 et 1974, elle n'enregistra donc qu'une hausse de moins de 10 % entre 1974 et 1983. A partir de 1974, la stagnation a succédé à l'expansion, avec une croissance quasiment nulle.

Et cette inversion fut d'autant plus fortement ressentie qu'elle fut chronologiquement brutale. Pour les contemporains, le contraste fut donc durement vécu. D'autant que ces contemporains étaient non seulement habitués à une croissance économique soutenue mais aussi à une société de quasi plein emploi. Or, le marché de l'emploi, on l'a vu, se dégrade rapidement, le chômage doublant entre le début de l'année 1974 et la fin de l'année 1975 et passant de 450 000 à 900 000.

Un an plus tard, les chômeurs avaient dépassé le cap du million et la montée de leur nombre, même si elle se ralentit nettement, continuera au fil du septennat : la France comptera 1 650 000 chômeurs à la fin de l'hiver 1981. Progressivement, mais avec un décalage dû à une perception différée de l'ampleur de la crise, s'insinuera dans l'opinion publique le sentiment que cette crise avait entraîné « la fin des années faciles » (Jean Fourastié).

Au bout du compte, le septennat de Valéry Giscard d'Estaing allait être placé sous le signe de la *stagflation,* alliage d'inflation et de stagnation économique. Le premier choc pétrolier avait entraîné, on l'a vu, une hausse brutale de l'inflation, supérieure à 15 % en 1974. Et la lutte menée contre cette inflation fut ruinée par le second choc pétrolier en 1979 : en 1980, la hausse des prix de détail atteignit 13,6 %.

Les difficultés du gouvernement Chirac

Face aux premiers effets de la crise, est immédiatement mis en chantier un plan de « refroidissement de l'économie », dont l'effet, semble-t-il, fut de freiner fortement l'investissement. D'où, à l'automne 1975, un plan de relance par la consommation, qui entraîna un fort déficit de la balance commerciale.

A ces difficultés économiques viennent de surcroît s'ajouter des tensions sociales et surtout politiques :

— Une agitation sociale multiforme (prostituées, comités de soldats) et de graves incidents en Corse (deux gendarmes mobiles et un CRS tués par balle en août) marquent l'année 1975. En mars 1976, des manifestations paysannes dans le Midi entraînent un mort parmi les forces de l'ordre et un autre parmi les agriculteurs.
— A la même date, l'opposition de gauche progresse aux élections cantonales : 15 présidences de conseils généraux basculent à gauche à la suite de ces élections.
— De surcroît, en ce même printemps 1976, des divergences se font jour entre Valéry Giscard d'Estaing et son premier ministre Jacques Chirac. Ce dernier démissionne le

25 août 1976, justifiant ainsi sa décision : « Je ne dispose pas des moyens que j'estime aujourd'hui nécessaires pour assurer efficacement mes fonctions de premier ministre. » Cette démission explicite est une première sous la Ve République.

Raymond Barre premier ministre (1976-1981)

C'est Raymond Barre qui succède à Jacques Chirac. Il restera premier ministre jusqu'à la fin du septennat.

La fin de la législature (1976-1978)

Au moment où il accède ainsi à la tête d'un gouvernement, Raymond Barre n'est guère connu des Français. Né en 1924, professeur de science économique et haut fonctionnaire — notamment du Marché commun —, il n'était ministre que depuis janvier 1976 — au Commerce extérieur — quand Valéry Giscard d'Estaing le nomme premier ministre. N'ayant jusque-là jamais brigué de mandat électif — il sera élu député du Rhône en 1978 —, il apparaît à cette date comme un technicien, présenté par le président de la République comme « le meilleur économiste de France ».

Face à la récession économique, Raymond Barre, qui a pris également en charge le ministère de l'Economie et des Finances, met en place, dès le mois de septembre, un plan de redressement, visant au retour aux grands équilibres (budget, commerce extérieur), à la baisse de l'inflation et au redémarrage de l'investissement.

Dans un premier temps, jusqu'au second choc pétrolier de 1979, certains des indices économiques commencent à se redresser, même si l'inflation reste forte. La hausse du pétrole compromet ensuite ces efforts : le chômage s'accroît, atteignant 1 650 000 à la fin du septennat, et le taux d'inflation augmente, dépassant 13 % en 1980.

Pour l'heure, à la fin de 1976, les perspectives politiques s'assombrissent pour la majorité. D'une part, au sein de cette majorité, la tension subsiste entre les partisans de Valéry Giscard d'Estaing et l'UDR (qui critique, par exemple, le plan Barre), transformée en

Rassemblement pour la République (RPR) en décembre 1976. D'autre part, malgré des divergences surgies entre socialistes et communistes à la fin de 1974, l'Union de la gauche, renforcée par les résultats des élections cantonales, apparaît d'autant plus solide que ce sont des listes fondées sur cette Union qui se constituent en vue des élections municipales prévues pour mars 1977, et non plus, comme jusqu'ici dans nombre de grandes villes, des listes socialo-centristes (les précédentes élections municipales remontaient, en effet, à mars 1971, avant la signature du programme commun de gouvernement).

De fait, les élections municipales des 13 et 20 mars 1977 confirment à la fois les tensions au sein de la majorité — ainsi, à Paris, la candidature de Michel d'Ornano, proche du président de la République, et celle de Jacques Chirac, qui l'emportera — et la poussée de la gauche dans les villes de plus de 30 000 habitants. Plusieurs grandes villes passent de droite à gauche : par exemple, Montpellier, Nantes, Rennes et Saint-Etienne.

Dès lors, l'échéance politique importante devient celle des élections législatives de mars 1978 : les résultats des élections municipales et les sondages donnent, en effet, à penser qu'une victoire de la gauche est possible. Un élément nouveau, il est vrai, apparaît en septembre 1977 : la réunion des partenaires de l'Union de la gauche consacrée à la réactualisation du programme commun de gouvernement met en lumière de profondes dissensions entre les communistes d'une part, les socialistes et radicaux de gauche d'autre part ; l'Union de la gauche s'en trouve *de facto* rompue.

Dans ce contexte, et même si les sondages continuent à prévoir une victoire de la gauche, rien ne semble joué à l'avance. A droite, les partis de la mouvance giscardienne — Parti républicain, CDS et Parti radical — se rassemblent le 1er février 1978 en une Union pour la démocratie française (UDF). La majorité a donc désormais deux pôles, l'UDF et le RPR, entre lesquels les relations restent tendues mais que rapprochent l'échéance électorale et la menace d'une victoire de la gauche. Le président de la République s'engage directement dans la campagne (discours sur le « bon choix » pour la France, à Verdun-sur-le-Doubs, le 27 janvier). Le premier ministre fait campagne sur le thème « Barre confiance ».

A gauche également, la tension reste vive entre partenaires de l'ancien programme commun, mais la base électorale reste unitaire.

Le premier tour (12 mars 1978) est caractérisé à la fois par un très fort taux de participation (83,37 %, le plus fort taux depuis les débuts de la IVe République à une élection législative) et par une très forte bipolarisation : 48,6 % pour la gauche et l'extrême gauche, 46,5 % pour la majorité sortante. Entre les deux tours, les partis de gauche, malgré la tension ouverte depuis septembre 1977, parviennent à un accord de désistement. En dépit de cet accord, les résultats de la gauche sont décevants : les socialistes et radicaux de gauche obtiennent 114 sièges, dont 10 pour les seconds, et les communistes 86 sièges. Ce total de 200 sièges constitue incontestablement un échec, dû notamment à un mauvais report sur les candidats communistes au second tour et, plus largement, à l'éclatement de l'Union de la gauche quelques mois plus tôt. Le soir même du second tour, l'un des leaders socialistes, Michel Rocard, refuse la « fatalité de l'échec » et entend « parler vrai, même si ça ne fait pas plaisir à tout le monde » : déjà s'amorce ainsi la concurrence avec François Mitterrand, pour l'investiture du candidat socialiste aux élections présidentielles en 1981.

Pour la droite, au contraire, menacée depuis plusieurs mois par la forte poussée de la gauche, ces élections législatives constituent un succès — « Le succès de ce soir est celui du bon sens », déclare Raymond Barre —, concrétisé par l'obtention de 291 sièges : le RPR, en recul, restait le groupe le plus puissant avec 148 sièges ; l'UDF réalisait un beau score, avec 137 sièges, 6 divers droite complétant l'ensemble.

La fin du septennat (1978-1981)

Rendre compte de cette période 1978-1981 est, pour l'historien, une tâche complexe. Il y a, en effet, quelque paradoxe à constater qu'elle est balisée au départ, en mars 1978, par une victoire qui parut à nombre d'observateurs comme inespérée — « La majorité miraculée », pour reprendre l'expression de René Rémond dans *Notre Siècle* —, à l'arrivée par une défaite qu'auraient pu faire éviter à la fois une opposition entre communistes et socialistes et, à l'intérieur du PS, un conflit ouvert entre les partisans de Michel Rocard et ceux de François Mitterrand.

Malgré l'accord de désistement conclu entre les deux tours des élections législatives entre communistes et socialistes, la tension reste grande, en effet, entre les deux partis. L'Union de la gauche semble défunte, et cette tension est encore avivée au fil des années suivantes par l'aggravation des relations internationales et le réalignement du Parti communiste sur les positions soviétiques : après l'intervention soviétique en Afghanistan en décembre 1979, le secrétaire général du PCF Georges Marchais approuve et justifie cette intervention. Et, à la différence de 1974, le PCF n'envisagera pas, le moment venu, une candidature de gauche unique dès le premier tour de l'élection présidentielle.

Mais c'est au sein même du PS que la préparation de cette élection présidentielle révèle et attise la concurrence entre François Mitterrand et Michel Rocard. Cette concurrence, on l'a vu, était apparue clairement le 19 mars 1978, au soir du second tour des élections législatives, quand Michel Rocard constate que « la gauche vient donc de manquer un nouveau rendez-vous avec l'histoire », déclare « refuser la fatalité de l'échec » et invite à « parler vrai ». En septembre, il dénonce « un certain archaïsme politique », selon lui « condamné », et tous les observateurs y verront un coup de griffe à François Mitterrand. L'année suivante, au Congrès de Metz (6-8 avril 1979), le choc est frontal entre les partisans des deux hommes, et la compétition pour l'investiture à l'élection présidentielle se dessine déjà.

A droite, il est vrai, l'affrontement larvé entre le RPR et l'UDF va s'amplifier. A plusieurs reprises, dès 1978, Jacques Chirac critique l'action du gouvernement de Raymond Barre et la politique étrangère du président de la République : le 6 décembre notamment, à quelques mois des élections européennes, le leader du RPR dénonce le « parti de l'étranger », toujours « à l'œuvre avec sa voix paisible et rassurante ». Malgré un échec du RPR à ces élections européennes du 10 juin 1979 (16,09 % des suffrages exprimés, la liste de tendance UDF, conduite par Simone Veil, en obtenant 27,39 %), la guérilla entre les deux formations continue, et le RPR marque aussi sa différence au Parlement, pour le vote de plusieurs projets de loi et même dans les débats budgétaires. Le recours à l'alinéa 3 de l'article 49 de la Constitution permettra au premier ministre Raymond Barre de tourner ce type de situation : il est, en effet, possible à un gouvernement, grâce à cet article, d'engager sa responsabilité devant l'Assemblée nationale sur le vote d'un texte ; « dans ce cas, précise la Constitution, ce texte est considéré comme adopté, sauf si une motion de mesure, déposée dans les vingt-quatre heures qui suivent, est votée ».

Malgré la division de la gauche, le président sortant n'est donc pas pour autant en position favorable en vue d'une éventuelle réélection. D'autant que difficultés et problèmes s'accumulent :

— Le premier ministre Raymond Barre connaît au début 1981 des taux de popularité très faibles (31 % des Français, par exemple, lui accordent leur confiance en janvier 1981).
— Le président lui-même est atteint, depuis l'automne 1979, par une campagne de presse : *Le Canard enchaîné*, relayé par plusieurs journaux d'opposition, évoque la remise en 1973 par le président de la République centrafricaine Bokassa d'une plaquette de diamants à Valéry Giscard d'Estaing. En outre, le suicide, en octobre 1979, de Robert Boulin, ministre du Travail et de la Participation, et la mort par balle en février 1980 de Joseph Fontanet, ancien ministre, précédé, quelques années plus tôt (décembre 1976), de l'assassinat de Jean de Broglie, député et ancien ministre, ne contribuent pas à assainir le climat.
— Plusieurs projets de lois, par exemple le projet « sécurité et liberté » du garde des Sceaux, Alain Peyrefitte, sont contestés jusque dans les rangs de la majorité (1980).
— Surtout, les rapports au sein de cette majorité restent tendus et Jacques Chirac, durant sa campagne présidentielle de 1981, réservera une partie de ses attaques au président sortant.
— Et, en toile de fond, non seulement la situation économique ne paraît pas s'améliorer, mais de surcroît, on l'a vu plus haut, le second choc pétrolier de 1979 vient encore aggraver la situation et compromettre les effets des mesures prises par le gouvernement de Raymond Barre. Dès mai 1980, Valéry Giscard d'Estaing prend acte de ce que « le prix du pétrole ne baissera plus jamais » et, deux mois plus tard, Raymond Barre annonce à la télévision des « années difficiles » pour la France.

De fait, au cours de son septennat, Valéry Giscard d'Estaing fut confronté au passage des « années faciles » — tout au moins pour ce qui concerne la croissance économique — à ces « années difficiles », apparues à partir de 1974, même si leur réelle perception fut décalée chez nombre d'observateurs et dans l'opinion publique. Pour celle-ci, le réveil n'en fut que plus dur et pour la majorité au pouvoir le déficit de popularité se creusa peu à peu.

Il y a donc un premier paradoxe dans ce septennat placé, à ses débuts, sous le signe du « changement » et de la « décrispation » et qui, la crise s'aggravant, dut vite ralentir le rythme des réformes. Quant à la « décrispation », et nous touchons là à un second paradoxe, force est de constater que ce septennat qui se réclamait du « centre » correspondit au contraire, chronologiquement, à une phase de bipolarisation extrême de la vie politique. Si, en 1965, il subsistait encore un centre d'opposition, distinct aussi bien de la majorité que du rassemblement des forces de gauche autour de la candidature de François Mitterrand, et si ce centre pouvait encore à cette date drainer sur le nom du candidat du MRP Jean Lecanuet près de 4 millions de voix, soit 15 % des suffrages exprimés, dès l'élection présidentielle suivante, celle de 1969, le Centre démocrate, héritier du MRP, avait éclaté, une partie de ses membres ralliant le camp de la majorité en soutenant Georges Pompidou. Et l'autre partie les rejoignait cinq ans plus tard, en soutenant comme eux Valéry Giscard d'Estaing et l'ensemble se ressoudant ensuite en un Centre démocrate et social (CDS), qui deviendra, en 1978, une composante de l'UDF. De même, au centre gauche, le Parti radical avait éclaté en 1972, une partie de ses membres — regroupés au sein des radicaux de gauche — ralliant l'Union de la gauche, les autres — conservant le sigle du Parti radical — soutenant Valéry Giscard d'Estaing en 1974.

A cette date, donc, et au terme d'une évolution d'une dizaine d'années, le centre avait été laminé et la vie politique était structurée autour de quatre grandes formations, réunies deux à deux — PS et PC, UDR (devenue en 1976 RPR) et mouvance giscardienne (fédérée en 1978 au sein de l'UDF) — en un « quadrille bipolaire » (Maurice Duverger). Et au second tour de 1981 c'est le même cas de figure qui prévaudra. Le septennat de Valéry Giscard d'Estaing, malgré les efforts de ce dernier, sera donc, au bout du compte, bordé par deux élections où la bipolarisation fut extrême. Et ce furent tour à tour l'un et l'autre camp qui l'emportèrent à ces deux élections : 1981 fut, en effet, pour la première fois depuis les débuts de la Ve République, l'année d'une « alternance » politique.

BIBLIOGRAPHIE

Berstein Serge, Rémond René et Sirinelli Jean-François, *Les années Giscard. Institutions et pratiques politiques, 1974-1978,* Fayard, 2003.

Portelli Hugues, *La vie politique en France sous la Ve République,* Grasset, 1987, rééd., Poche-Références, 1994.

13. La présidence de François Mitterrand

La victoire de la gauche

L'élection de François Mitterrand (10 mai 1981)

Les difficultés accumulées dans les dernières années du septennat de Valéry Giscard d'Estaing ne rendaient pas pour autant sa réélection perdue d'avance. A la même date, en effet, la gauche apparaît doublement divisée : d'une part, au sein du PS, la concurrence Rocard-Mitterrand s'est encore avivée à proximité de l'échéance électorale, d'autre part, les rapports PS-PC se sont encore davantage tendus.

• Au PS, la situation tourne à l'avantage de François Mitterrand, mais l'issue de la compétition pour l'investiture à l'élection présidentielle sembla longtemps indécise. Le 19 octobre 1980, Michel Rocard, depuis sa mairie de Conflans-Sainte-Honorine, avait proposé sa candidature. Mais le 8 novembre suivant, au terme de la réunion du comité directeur du PS, François Mitterrand est lui aussi candidat et son concurrent se retire quelques jours plus tard. Le candidat fondera sa campagne sur un thème, « la force tranquille », et un programme articulé sur « 110 propositions ».

• François Mitterrand ne deviendra pas pour autant, comme en 1974, candidat unique de la gauche : le secrétaire général du Parti communiste, Georges Marchais, annonce sa candidature. Comme en 1969, c'est-à-dire avant la signature du programme commun, la gauche ira désunie à l'élection.

• De son côté, le camp de la majorité voit en position de concurrence un candidat de la droite libérale, le président sortant, et un gaulliste, Jacques Chirac. Si deux autres gaullistes, Michel Debré et Marie-France Garaud, sont aussi en lice, Jacques Chirac est soutenu par le RPR.

• En dehors des quatre grandes formations que sont le PS, le PCF, l'UDF et le RPR, seuls six autre candidats sont présents : outre Debré et Garaud, la trotskyste Arlette Laguiller, l'écologiste Brice Lalonde, la PSU Huguette Bouchardeau et le radical de gauche Michel Crépeau. A l'extrême droite, en revanche, Jean-Marie Le Pen n'est pas parvenu à réunir les signatures d'élus nécessaires pour être candidat.

Les résultats du premier tour (26 avril) sont les suivants (avec 18,91 % d'abstention) :

Valéry Giscard d'Estaing	28,31 %
François Mitterrand	25,84 %
Jacques Chirac	17,99 %
Georges Marchais	15,34 %
Brice Lalonde	3,88 %
Arlette Laguiller	2,30 %
Michel Crépeau	2,21 %
Michel Debré	1,66 %
Marie-France Garaud	1,33 %
Huguette Bouchardeau	1,10 % des suffrages exprimés.

Ces résultats appellent plusieurs remarques :

— le président sortant, avec 28,31 % des voix, ne retrouve pas son score de 1974. Avec les voix, au second tour, des candidats gaullistes il conserve pourtant un résultat potentiel de 49,29 % ;

— à gauche, l'événement historiquement marquant est le recul du Parti communiste qui, avec 15,34 %, connaît un décrochage très net par rapport à ses scores habituels des années 1970, le plus souvent placés autour de 20-21 %.

Les voix potentielles communistes et radicales devraient, en cas de désistement réussi, assurer à François Mitterrand un plancher de 43,39 %. Si l'on ajoute les voix d'Arlette Laguiller et celles d'Huguette Bouchardeau, le capital de départ atteint 46,79 % (sans compter les voix écologistes, Brice Lalonde ne donnant pas de consigne de vote). Le score s'annonce donc serré pour le second tour et décisifs les reports de voix au sein des deux camps. D'autant que le faible score communiste rend la candidature Mitterrand moins inquiétante pour nombre de centristes et rend plus efficient le thème de la « force tranquille ».

Entre les deux tours, Georges Marchais appelle « à voter pour François Mitterrand sur des bases bien précises : les 131 propositions que nous avons soumises ». Jacques Chirac soutient Valéry Giscard d'Estaing sans enthousiasme excessif : « Le 10 mai, chacun devra voter selon sa conscience. A titre personnel... je ne puis que voter pour M. Giscard d'Estaing. » Par ailleurs, durant cet entre-deux-tours, le ton se fait plus dur de part et d'autre. Le 1er mai, à Montpellier, François Mitterrand attaque le « candidat finissant ». Le 5 mai, comme sept ans auparavant, un face-à-face télévisé oppose les deux hommes et François Mitterrand dénonce l' « homme du passif ».

Poursuite d'une dynamique de la candidature Mitterrand ? Défection, dans l'autre camp, de voix gaullistes hostiles au président sortant ? Les politologues ont avancé différentes hypothèses à propos du résultat du 10 mai 1981. Le résultat, en tout cas, est sans appel : au soir du second tour marqué par une très forte participation (14,15 % d'abstention), François Mitterrand est élu président de la République, avec 51,75 % des suffrages exprimés. Vingt-trois ans après la fondation de la Ve République, la gauche arrivait au pouvoir : c'est ce que l'on a appelé l' « alternance politique ».

Au moment où il accède à la magistrature suprême, François Mitterrand est âgé de 64 ans. Né le 26 octobre 1916, il connaîtra après la Libération une carrière précoce, rapide et brillante. Elu député de la Nièvre à 30 ans, aux élections législatives de novembre 1946, il devient deux mois plus tard ministre des Anciens combattants dans le gouvernement Ramadier. Dans les dix ans qui suivent, jusqu'à la fin du gouvernement Guy Mollet en mai 1957, il sera onze fois ministre ou secrétaire d'Etat, dans des fonctions de plus en plus importantes : il est ainsi ministre de l'Intérieur de Pierre Mendès France et, un an plus tard, garde des Sceaux dans le ministère Guy Mollet. Etant l'un des dirigeants de l'Union démocratique et socialiste de la Résistance (UDSR), petit parti centriste fondé par d'anciens résistants et surtout parti charnière de nombre de coalitions gouvernementales, il connaît donc une ascension accélérée et apparaît, aux approches de la quarantaine, comme une des étoiles montantes de la IVe République. C'est dire que la brusque disparition de ce régime aurait pu, comme ce fut le cas d'autres dirigeants, mettre fin à sa carrière politique. D'autant qu'ayant pris position, en mai-juin 1958, contre les conditions du retour au pouvoir du général de Gaulle, puis, en septembre, contre les institutions de la Ve République, il est battu aux élections législatives de novembre.

Se manifeste alors une donnée constante de la carrière politique de François Mitterrand : sa capacité de rebond, qui lui permettra à plusieurs reprises de surmonter ses échecs. Pour l'heure, en ces débuts de la Ve République, il paraît d'autant plus hors jeu qu'à son échec électoral s'ajoute en 1959 l'affaire des jardins de l'Observatoire : il déclarera avoir été la cible d'une fusillade, pour laquelle certains parleront d'un attentat simulé et dont il aurait été averti préalablement. L'affaire, probablement une machination contre lui, lui aliéna nombre d'appuis et de sympathies et accrédita l'image d'un personnage calculateur et secret, volontiers manipulateur, « florentin » comme l'avait qualifié François Mauriac. Toujours est-il qu'à force de volonté, François Mitterrand opéra un rétablissement politique : très isolé, sans parti — l'UDSR n'est plus que l'ombre d'elle-même —, il parvient à récupérer en 1962 son siège de député et s'impose ensuite à l'Assemblée nationale comme l'un des plus brillants orateurs de l'opposition. Surtout, il parvient, on l'a vu, à devenir en septembre 1965 le candidat unique de la gauche. Et les beaux scores obtenus aussi bien au premier tour qu'au second en font le leader de la gauche non communiste, alors qu'il n'est même pas membre de la SFIO qui est alors la principale composante de cette gauche non communiste. En 1966, il est l'un des artisans d'un rapprochement entre celle-ci et les communistes, rapprochement qui se traduit par une progression de l'opposition aux élections législatives de mars 1967. Mais les événements de Mai 68, à nouveau, semblent compromettre gravement son avenir politique : il lui sera ensuite reproché à la fois d'avoir surtout songé, au plus fort de la crise, à ses propres intérêts politiques et d'avoir adopté, dans sa conférence de presse du 29 mai, une attitude peu respectueuse des institutions. Toujours est-il qu'à l'automne 1968 nombre d'observateurs pensent que cet homme de 52 ans a sa carrière politique derrière lui. C'est compter sans cette aptitude à surmonter ses revers et à rebondir. Deux ans et demi plus tard, en juin 1971, il participe au Congrès fondateur (Epinay, 11-13 juin) du Parti socialiste et en devient, grâce à un talent manœuvrier qui lui permet de s'appuyer à la fois sur l'aile droite et sur l'aile gauche du parti, le premier secrétaire.

Défenseur d'une union des forces de gauche, il avait notamment déclaré à la tribune : « Celui qui n'accepte pas la rupture avec l'ordre établi, la société capitaliste, ne peut pas être adhérent du PS. La révolution, c'est la rupture. Notre base, le front de classe. Le véritable ennemi, c'est le monopole de l'argent, l'argent qui corrompt, l'argent qui achète, l'argent qui écrase. L'argent roi qui ruine et qui pourrit jusqu'à la conscience des hommes. »

Dès lors, il va incarner, à travers la remontée électorale du PS, sur les ruines de la vieille SFIO, la renaissance d'un fort courant socialiste français. Et il va s'identifier à la politique d'Union de la gauche, conclue avec le PCF en juin 1972 et qui lui fera frôler la victoire à l'élection présidentielle de 1974. D'autant que cette dynamique électorale semble se poursuivre après cette date, malgré la victoire de Valéry Giscard d'Estaing.

Mais, à nouveau, trois ans plus tard, tout semble largement compromis : au mois de septembre 1977, l'Union de la gauche est gravement ébranlée par l'échec de la « réactualisation » du programme commun de gouvernement signé cinq ans plus tôt et par la rupture de fait avec les communistes qui en découle ; d'autre part, du fait même de cette crise de l'Union de la gauche, la dynamique victorieuse semble s'enrayer et c'est l'échec aux élections législatives de mars 1978. Cet échec permet à une autre personnalité du PS, Michel Rocard, de se poser en concurrent de François Mitterrand, dénonçant implicitement l' « archaïsme » qu'il incarnerait désormais et entrant en compétition avec lui, pour l'investiture du PS à l'élection présidentielle de 1981. Le danger est d'autant plus grand que Michel Rocard est porté par une cote de popularité alors bien plus élevée que celle de François Mitterrand qui, à plus de 60 ans, apparaît à une partie de l'opinion comme un homme du passé et même, à une partie de la gauche, comme un obstacle à la modernisation et à la victoire. Or, à nouveau, on l'a vu, l'homme saura rebondir, triomphant de son concurrent socialiste avant de connaître, à sa troisième tentative, la victoire électorale en mai 1981.

« L'état de grâce »

Pendant sa campagne électorale, François Mitterrand avait prévu, en cas de victoire, un « état de grâce » permettant de procéder rapidement à des réformes profondes. L'installation officielle au pouvoir se fait le 21 mai. François Mitterrand, symboliquement, se rend au Panthéon où il se recueille devant les tombes de Jean Jaurès, Jean Moulin et Victor Schoelcher. La journée est marquée, comme le 10 mai place de la Bastille, par des scènes de liesse de l'électorat de gauche.

Pierre Mauroy est nommé, le même jour, premier ministre et son gouvernement comprend notamment Gaston Defferre au ministère de l'Intérieur et Jacques Delors au ministère de l'Economie et des Finances. Le 22 mai, l'Assemblée nationale est dissoute et des élections législatives sont prévues pour les 14 et 21 juin.

Au premier tour, les socialistes obtiennent 37,7 % des voix (avec les radicaux de gauche), tandis que les communistes voient leur recul confirmé (16,12 % des voix). Grâce au scrutin uninominal à deux tours, qui amplifie classiquement les résultats du premier tour, et à un bon report des voix communistes, le PS obtient 285 sièges, dépassant ainsi à lui seul de 39 sièges la majorité absolue. C'est seulement la seconde fois sous la Ve République qu'un parti détient ainsi la majorité absolue à l'Assemblée nationale : la première fois, on l'a vu, s'était produite en juin 1968, quand, après la crise de mai et la dissolution de l'Assemblée nationale par le général de Gaulle, l'UDR avait obtenu 293 députés.

Si les résultats du second tour ont les causes « mécaniques » évoquées plus haut, ceux du premier tour et notamment l'ampleur du succès socialiste doivent être cherchés plus largement à la fois dans l' « état de grâce » et la dynamique créés par la victoire de François Mitterrand un mois et demi plus tôt, et, par défaut, dans la progression de l'abstention entre mai et juin (14,15 % le 10 mai, 29,1 % le 14 juin) qui aurait frappé surtout l'électorat de droite et amplifié d'autant le succès de la gauche. Cette analyse a été développée par le politologue François Goguel (cf. *Chroniques électorales,* t. 3, 1983).

Par-delà les causes conjoncturelles — défection de voix gaullistes le 10 mai, abstention d'une partie de l'électorat de droite aux législatives de juin —, la question essentielle reste de savoir si les victoires socialistes de mai et juin 1981 avaient aussi des causes structurelles et s'inscrivaient dans le droit fil d'une montée de la gauche tout au long de la décennie précédente, dont ces victoires de 1981 auraient été l'aboutissement logique. Le point est débattu, mais la montée en puissance de la gauche au fil des années 1970 est en revanche indéniable. Le politologue Jérôme Jaffré a proposé de cette montée en puissance les explications suivantes (« Retour sur les élections de 1981 », *Pouvoirs*, n° 24, 1983) :

— « les transformations sociologiques », avec notamment l'accroissement du salariat au sein de la population active ;
— « les changements culturels », avec la baisse de la pratique religieuse (pratique qui est considérée comme une variable essentielle d'explication du vote de droite) ;
— la crise économique qui a doublement favorisé l'alternance : « usure du pouvoir », à cause de son incapacité à juguler l'inflation et la hausse du chômage, et légitimation des programmes de gauche préconisant un Etat davantage interventionniste ;
— les tensions au sein de l'ancienne majorité ;
— le rééquilibrage au sein de la gauche, au profit des socialistes. Confirmé massivement par le décrochage communiste en 1981, ce rééquilibrage a permis, on l'a vu, de lever une hypothèque : la crainte inspirée à un électorat modéré par un Parti communiste trop fort.

Le gouvernement de Pierre Mauroy

Deux phases très contrastées sont perceptibles. D'une part, la mise en place du « socle du changement » — pour reprendre une formule de Pierre Mauroy —, en d'autres termes les réformes opérées après la victoire de mai-juin 1981. D'autre part, et ce dès l'année suivante, le coût de ces réformes et les contraintes économiques entraînèrent un changement de cap et le passage à la « rigueur » et au socialisme gestionnaire. Entre-temps, l' « état de grâce » s'était dissipé et les courbes de notoriété des dirigeants de gauche avaient commencé à s'infléchir.

Le « socle du changement »

Après les législatives, a lieu un remaniement du gouvernement, marqué par l'entrée en son sein de quatre ministres communistes. Plusieurs mesures prises rapidement se veulent autant symboliques que pratiques : abolition de la peine de mort, suppression de la Cour de sûreté de l'Etat, arrêt de l'extension du camp militaire du Larzac, amnistie et libération de 6 200 détenus, régularisation des immigrés en situation irrégulière.

Si le principe des nationalisations est acquis, ont lieu durant l'été des débats — alors inconnus de l'opinion publique — sur la nature de ces nationalisations : Jacques Delors est réticent à l'idée de procéder à des nationalisations à 100 % (tout comme Michel Rocard, ministre du Plan, et Robert Badinter, garde des Sceaux). Il sera pourtant décidé de procéder à des nationalisations totales. Dès juillet, le premier ministre, dans sa déclaration gouvernementale, avait affirmé que les nationalisations « donneront au gouvernement des moyens déterminants pour conduire sa politique économique ». Cette extension du secteur public entraîna la nationalisation de cinq sociétés industrielles (Saint-Gobain, Compagnie générale d'électricité, Péchiney-Ugine-Kuhlmann, Rhône-Poulenc, Thomson), de trente-six banques et de deux compagnies financières (Paribas et Suez).

L'autre trait essentiel de la politique économique alors menée est la relance par la consommation. Mesure sociale et en même temps instrument de relance, l'augmentation du SMIC est rapidement mise en œuvre, tout comme la majoration du minimum vieillesse et des allocations familiales, ainsi que celle de l'allocation logement.

La lutte contre le chômage est également considérée contre une priorité nationale. Au mois de juin, lors de son premier déplacement officiel en province, François Mitterrand, à Montélimar, proclame « la bataille de l'emploi ». Et le premier ministre évoquera le combat à mener sur « la crête des deux millions de chômeurs ».

D'importantes réformes sociales sont mises en œuvre :

— la durée du travail hebdomadaire est ramenée à trente-neuf heures, la baisse d'une heure s'opérant sans diminution de salaire ;
— la cinquième semaine de congés payés est généralisée ;
— la retraite est abaissée à 60 ans ;
— les « lois Auroux » — du nom de Jean Auroux, ministre du Travail — introduisent d'importantes modifications dans le domaine du droit du travail, avec notamment, par la loi du 4 août 1982, le droit d'expression directe des salariés sur le lieu de travail.

La loi de décentralisation, préparée et mise en œuvre par le ministre de l'Intérieur Gaston Defferre, fut promulguée le

2 mars 1982. Elle transférait aux élus locaux — présidents de conseils généraux et régionaux, maires — le pouvoir exécutif jusque-là détenu par le préfet, rebaptisé commissaire de la République. Les collectivités locales voient donc leurs compétences largement étendues et disposent de ressources nouvelles par transfert vers elles de certaines recettes fiscales et par dotations de l'Etat.

Dans le domaine de l'audiovisuel, les radios locales privées sont autorisées et une Haute Autorité de l'audiovisuel est créée.

Le temps des difficultés

Les premières difficultés apparaissent à l'automne. Ainsi, si une dévaluation avait été envisagée dès le mois de mai, elle n'aura pas lieu à cette date et quand elle interviendra en octobre, elle sera à la fois de peu d'ampleur (3 %, et une réévaluation du mark de 5,5 %) et sans véritables mesures d'accompagnement.

Et l'année 1982 allait être une année difficile. Dès le mois de décembre 1981, Jacques Delors, inquiet, avait réclamé une « pause ». Depuis l'automne, en effet, le déficit de la balance commerciale s'était aggravé, l'inflation demeurait à un taux élevé — 13,9 % pour 1981 et, de surcroît, un « différentiel d'inflation » avec les principaux pays européens — et la crête des deux millions de chômeurs allait bientôt être atteinte. Certes, lors de la présentation de ses vœux aux Français, le 31 décembre 1981, François Mitterrand avait affirmé : « la reprise est là », mais celle-ci, au cours des mois suivants, n'avait pas eu lieu. Ce qui avait contraint le gouvernement, au mois de juin 1982, à une nouvelle dévaluation (12 juin) et à un plan d'accompagnement fondé sur la « rigueur » — en septembre, le président, en visite dans la région Midi-Pyrénées prônera « la rigueur et l'effort » —, avec blocage des prix et des salaires (13 juin).

Mais, avant même ces décisions, un reflux politique semblait s'être amorcé, sonnant la fin de l'état de grâce. Déjà, en octobre 1981, le Congrès du PS à Valence avait choqué l'opinion par quelques phrases maladroites paraissant annoncer une radicalisation des socialistes. En janvier 1982, lors de quatre élections législatives partielles, les députés sortants, tous socialistes ou apparentés, avaient été battus. Surtout, en mars 1982, les élections cantonales avaient vu un échec de la gauche. Et, après les mesures économiques de juin, les courbes de popularité de François Mitterrand et de Pierre Mauroy commencèrent à fléchir.

Les problèmes économiques persistants entraînèrent au début de 1983 un débat — non rendu public sur le moment — au sein du gouvernement et surtout à l'Elysée sur l'opportunité de la sortie du franc du système monétaire européen (SME). Le président consulte et hésite. Entre-temps ont lieu à la fin de l'hiver (6 et 13 mars 1983) les élections municipales. Malgré les déclarations rassurantes du premier ministre durant la campagne électorale — « actuellement, pratiquement tous les indicateurs de la politique gouvernementale se remettent tranquillement au vert » —, le premier tour est catastrophique pour la gauche. Et si le second tour permet de conserver Marseille, où Gaston Defferre risquait de perdre la mairie, ce sont tout de même trente villes de plus de 30 000 habitants qui sont conquises par l'opposition. Et le premier secrétaire du PS, Lionel Jospin, prend acte du recul depuis 1981 : « Malgré le redressement du second tour, nous n'avons pas pu conserver ceux qui s'étaient rassemblés autour de nous le 10 mai 1981. »

Après cet échec électoral, le président de la République semble avoir envisagé de faire sortir le franc du SME. Les conseils en sens contraire de Pierre Mauroy — et du ministre directement concerné, Jacques Delors — entraînèrent encore dix jours d'hésitation de François Mitterrand : le 21 mars, le franc, maintenu dans le SME, était dévalué ; le 22 mars, Pierre Mauroy était reconduit dans ses fonctions de premier ministre.

Celui-ci allait avoir à affronter des difficultés redoublées :

— dans le domaine économique et social, le chômage, loin d'être endigué, continuait sa progression : presque deux ans exactement après l'élection de François Mitterrand, en avril 1983, le chiffre des deux millions de chômeurs était atteint ;
— de surcroît, tout le premier semestre de l'année 1984 allait être occupé par l'affaire dite de l'école libre, qui allait profondément ébranler le premier ministre et le président de la République. Parmi les 110 propositions de ce dernier en 1981 se trouvait la mise en place d'un grand service public laïc unifié. Chargé de mettre en œuvre une telle promesse, le ministre de l'Education, Alain Savary, avait multiplié les consultations et tenté de par-

venir à un compromis acceptable aussi bien par les tenants de l'école libre que par les défenseurs des principes laïques. Mais son projet se heurta à une hostilité de plus en plus massive. Le début de l'année 1984 avait été marqué par plusieurs rassemblements importants en faveur de l'école libre jusqu'à la manifestation de Versailles, le 4 mars, où les leaders de l'opposition avaient défilé aux côtés de centaines de milliers de participants. Surtout, le 24 juin, une manifestation réunissant un million de personnes défile dans Paris. Le pouvoir politique est d'autant plus ébranlé que, la semaine précédente, aux élections européennes, la liste socialiste conduite par Lionel Jospin n'avait obtenu que 20,75 % des suffrages exprimés, contre 43,02 % à la liste de l'opposition conduite par Simone Veil et que le Front national de Jean-Marie Le Pen avait fait, à cette occasion, une percée spectaculaire, obtenant 10,95 % des suffrages, c'est-à-dire pratiquement autant que la liste communiste (11,20 %).

Devant une telle situation, François Mitterrand, dans son allocution télévisée du 14 juillet, propose une révision constitutionnelle sur l'élargissement du champ d'application du référendum, et, surtout, il annonce le retrait du projet Savary. Alain Savary démissionne aussitôt et, quatre jours plus tard, Pierre Mauroy est remplacé par Laurent Fabius.

Le ministère de Laurent Fabius

« Moderniser et rassembler »

Laurent Fabius, né en août 1946, normalien, agrégé, énarque, député de Seine-Maritime depuis 1978, proche conseiller de François Mitterrand avant 1981, ministre (chargé du Budget en 1981-1983, à l'Industrie et à la Recherche en 1983-1984) après 1981, devient donc premier ministre à 37 ans.

Il annonce immédiatement son intention de « moderniser » et de « rassembler ». Si l'assise parlementaire de son gouvernement est affaiblie par le refus des communistes d'y participer et par la distance qu'ils commencent à prendre dès cette date, il dispose de plusieurs atouts :

— D'une part, si les dures années 1982-1984 avaient usé les cotes de popularité et de confiance de son prédécesseur Pierre Mauroy, Laurent Fabius dispose d'un crédit initial non négligeable dans l'opinion. D'autant que, de façon quelque peu injuste, les échecs de la gauche à partir de 1982 et l'usure apparente de Pierre Mauroy avaient fini par faire de ce dernier un symbole d'archaïsme, archaïsme qui faisait d'autant mieux ressortir la jeunesse de son successeur et rendait davantage crédibles ses appels à la modernisation.

— D'autre part, la période d'austérité et de rigueur, sans avoir totalement rétabli les grands équilibres économiques, avait entraîné une baisse du déficit commercial et surtout une baisse de l'inflation : 9,3 % à la fin de l'année 1983, 6,7 % à la fin 1984.

Plusieurs problèmes, il est vrai, occupent les premiers mois du gouvernement Fabius. Dans le domaine économique, le chômage continue d'augmenter. En Nouvelle-Calédonie, la situation s'aggrave à la fin de l'année 1984. Et au Liban, à deux Français emprisonnés dans un endroit inconnu, à partir du 22 mars, viennent s'ajouter deux nouvelles victimes le 22 mai. Le sort de ces otages allait peser lourdement, par la suite, sur la vie politique intérieure, tout comme, quelques années plus tôt, les Américains retenus à l'ambassade des Etats-Unis en Iran avaient pesé sur la fin de la présidence de Jimmy Carter. D'autant que d'autres noms s'ajouteront par la suite à la liste des otages français.

Cela étant, comparée à la période 1982-1984, la première année du gouvernement de Laurent Fabius, jusqu'à l'été 1985, avait été placée sous le signe d'un certain apaisement. D'autant qu'aucune échéance électorale importante — hormis les cantonales de mars 1985, perdues par la gauche — n'était intervenue durant cette période. Et le capital de popularité du premier ministre s'était alors globalement maintenu.

Mais, durant l'été 1985, l'affaire du *Rainbow-Warrior* allait affaiblir le gouvernement Fabius. Le *Rainbow-Warrior,* navire de l'organisation écologiste Greenpace, est coulé, le 10 juillet, dans le port d'Auckland, en Nouvelle-Zélande, par deux charges explosives, et un photographe qui se trouvait à bord est tué dans l'explosion. Le navire s'apprêtait à venir protester au large de l'atoll de Mururoa contre les expériences nucléaires françaises. Or, il apparaît bientôt qu'il s'agit d'une opération montée par les services français de renseignement (DGSE), probablement à l'initiative du ministre de la Défense, Charles Hernu, soucieux de protéger la zone de tirs nucléaires français. Le gouvernement commença par nier puis, devant les révélations de la presse, Charles Hernu et le directeur de la DGSE, l'amiral Lacoste, furent contraints à la démission.

Le premier ministre, déjà déstabilisé par une gestion maladroite de l'affaire du *Rainbow-Warrior,* connut de surcroît un échec lors d'un débat télévisé où il fut dominé par l'un des chefs de l'opposition, Jacques Chirac (27 octobre). En cette fin d'année 1985, à trois mois d'élections législatives décisives, son gouvernement peut cependant faire valoir d'indéniables résultats. La lutte contre le chômage semble d'abord porter quelques fruits. Les TUC (travaux d'utilité collective), par exemple, furent destinés aux jeunes chômeurs. Surtout, le rythme d'augmentation parut se ralentir — les chômeurs étaient 2 370 000 à la fin de 1985 — et même enregistrer une inversion de tendance au début de l'année suivante. Certes, ce succès était fragile et se révélera conjoncturel : il n'en était pas moins significatif, dans un domaine essentiel. En outre, l'inflation semble maîtrisée et passe largement en dessous de la barre de 5 %. Ces résultats peuvent-ils permettre de renverser une tendance annoncée par tous les sondages, c'est-à-dire la victoire de l'opposition en mars 1986 ?

Les élections législatives du 16 mars 1986

Le passage au scrutin proportionnel, intervenu à quelques mois de l'échéance, permet au Front national, avec 9,80 % des suffrages exprimés, d'obtenir 35 sièges (comme le PCF qui, avec 9,69 %, passe — pour la première fois depuis 1932 — en dessus de la barre des 10 %). Jamais depuis le mouvement Poujade aux élections de janvier 1956, l'extrême droite n'a été aussi largement représentée à l'Assemblée nationale.

Cette percée de l'extrême droite n'empêche pas la victoire de la droite. L'UDF et le RPR l'emportent largement (42,03 %, et 44,81 % avec les « divers droite ») sur un PS en recul par rapport à 1981 mais dont le score reste élevé (31,61 %, et 32,76 % avec les radicaux de gauche et les « divers gauche »). Le changement du mode de scrutin, s'il limite les effets en nombre de sièges de ce succès, n'empêche pas l'opposition de droite d'obtenir une courte majorité absolue : 291 élus sur 577 (contre 216 pour le PS et apparentés). Ce succès est encore amplifié par le succès de l'opposition aux élections régionales qui ont lieu le même jour : la droite emportera 20 des 22 présidences de conseils régionaux (la gauche ne conserve plus que celles du Limousin et du Nord - Pas-de-Calais).

La cohabitation

Pour la première fois depuis les débuts de la Ve République, un président n'a pas une majorité politiquement favorable à l'Assemblée nationale. Commence donc une phase institutionnellement inédite, bientôt appelée la cohabitation, avec un président de gauche et un gouvernement de droite. Le lendemain de l'élection, en effet, le président de la République prend acte de la victoire d'une majorité nouvelle et le 18 mars 1986 Jacques Chirac est nommé premier ministre.

Jacques Chirac, premier ministre

C'est la seconde fois que le chef du RPR devient chef du gouvernement. Né le 19 novembre 1932, ancien élève de l'ENA, il avait d'abord fait partie de ceux que les journalistes avaient appelés dans les années 1960 les « jeunes loups » du premier ministre Georges Pompidou : en 1967, il était devenu député de la Corrèze puis avait connu une ascension sous la présidence de Georges Pompidou, occupant des postes ministériels de plus en plus importants (notamment l'Agriculture et l'Intérieur). Ayant favorisé au premier tour de l'élection présidentielle de 1974 Valéry Giscard d'Estaing contre le candidat gaulliste Jacques Chaban-Delmas, il devint après l'élection premier ministre puis parvint à s'assurer sept mois plus tard, le 14 décembre 1974, la direction de l'UDR malgré l'hostilité des « barons » historiques du gaullisme. Après avoir démissionné de ses fonctions de premier ministre en août 1976, il fonde, le

5 décembre 1976, le Rassemblement pour la République (RPR). Maire de Paris en 1977 — après une compétition électorale avec le candidat giscardien, Michel d'Ornano —, il mène, à l'intérieur de la majorité, une guérilla parlementaire contre son successeur à Matignon, Raymond Barre, et attaque explicitement la politique européenne du président de la République dans son « appel de Cochin » (décembre 1978). En 1981, on l'a vu, la compétition fut âpre avec le président sortant, les deux hommes se portant candidats à l'élection présidentielle. Et l'appel de Jacques Chirac à voter en faveur de Valéry Giscard d'Estaing au second tour fut, pour le moins, sans chaleur. Après l'échec de Valéry Giscard d'Estaing, Jacques Chirac se consacra à renforcer le RPR qui, avec 148 élus aux élections législatives de mars 1986 et 19 sièges de plus que l'UDF, pouvait revendiquer la direction du gouvernement au soir du 16 mars.

Le choix des principaux ministres est à la fois le reflet de la composition de la majorité parlementaire victorieuse et le symbole des lignes directrices de l'action ministérielle qui commence. Les 40 membres du gouvernement se répartissent notamment entre 20 RPR et 17 UDF. La nomination d'Edouard Balladur à la tête d'un ministère significativement dénommé « de l'Economie, des Finances et de la Privatisation » reflète le choix d'une politique placée sous le signe du libéralisme économique. Et l'attribution du ministère de l'Intérieur à Charles Pasqua symbolise l'option sécuritaire, qui avait été, du reste, l'un des thèmes de la campagne électorale. Le 22 mars 1986, dans une atmosphère glaciale, a lieu, présidé par le chef de l'Etat, le premier Conseil des ministres du gouvernement de Jacques Chirac.

Dans le domaine économique, ce gouvernement, porté par un programme d'inspiration libérale, va entreprendre des privatisations. Celles-ci concerneront non seulement les nationalisations de 1982 mais aussi certaines de celles opérées après la Libération par le général de Gaulle. Soixante-cinq entreprises sont touchées, dans l'industrie, les assurances et les banques, ainsi que dans le domaine de la communication. La procédure initialement prévue, par voie d'ordonnances, ayant été refusée par le président de la République, c'est par la voie parlementaire que s'opéreront les privatisations. Ce programme, enclenché dès l'automne 1986 avec la privatisation de Saint-Gobain, connaîtra un grand succès populaire : des millions de souscripteurs achèteront des titres des sociétés privatisées.

Intervint aussi la libération des prix. Déjà en 1984-1985, Pierre Bérégovoy, ministre de l'Economie et des Finances, avait libéré une grande partie des prix industriels. L'ordonnance du 1er décembre 1986 va plus loin et pose le principe de la liberté de tous les prix.

Dans le domaine social, si les acquis sociaux de 1981 ne sont pas remis en cause (retraite à 60 ans, 5e semaine de congés payés), l'impôt sur les grandes fortunes est supprimé, tout comme l'autorisation administrative de licenciement.

Rapidement, le gouvernement de Jacques Chirac va se trouver confronté à des difficultés de différentes natures :

- Au mois de septembre 1986, la France eut à affronter une vague d'attentats sanglants.
- Surtout, à partir de la fin novembre, le projet de loi du secrétaire d'Etat aux Universités, Alain Devaquet, perçu comme devant instaurer la sélection à l'entrée à l'Université et prévoyant d'augmenter les droits d'inscriptions, entraîne une agitation lycéenne et étudiante. Le mouvement de protestation culmine le jeudi 4 décembre 1986, avec des manifestations très importantes dans les grandes villes universitaires et notamment à Paris. L'ampleur de ces manifestations et la mort tragique le lendemain d'un jeune homme, Malik Oussekine, violemment frappé par des membres d'un peloton voltigeur motocycliste, entraînent le retrait du projet. C'est un échec indéniable pour le gouvernement.
- De surcroît, quelques semaines plus tard, une grève de la SNCF contre les nouvelles modalités d'avancement dans la grille indiciaire durera plus d'un mois, au cœur de l'hiver.
- Dans le même temps, la cohabitation permet au président, qui apparaît à la fois comme le garant des institutions et, à gauche, comme le gardien des acquis sociaux contre le gouvernement en place, de récupérer une popularité qui s'était effondrée au cours des années précédentes.
- En outre, l'année suivante, les privatisations qui avaient réussi à attirer un actionnariat populaire — les « petits porteurs » — voient leur image altérée après le « krach » de la Bourse, le 19 octobre 1987, où l'indicateur de tendance enregistre une très forte baisse.
- La tension reste forte en Nouvelle-Calédonie. En 1985, le plan d' « indépendance-association » élaboré par Edgard Pisani avait été rejeté par les anti-indépendantistes, représentés par le Rassemblement pour la Calédonie dans la République (RCPR),

proche du RPR, dont les élections régionales de septembre 1985 avaient confirmé la prépondérance. Le Front de Libération nationale kanak socialiste (FLNKS), indépendantiste, avait cependant gagné, à l'occasion de ces élections, le contrôle de trois régions sur quatre. En septembre 1987, un référendum d'autodétermination est un succès pour les anti-indépendantistes, qui rassemblent 98,30 % des suffrages exprimés, avec, il est vrai, 40 % d'abstentions, venues surtout des rangs indépendantistes. Le fossé reste large entre les deux communautés. Deux jours avant le premier tour de l'élection présidentielle, le 22 avril 1988, un poste de gendarmerie est attaqué par des indépendantistes canaques sur l'île d'Ouvéa : quatre gendarmes sont tués, et vingt-sept sont pris en otage. Ces otages seront libérés le 5 mai suivant, après une opération qui coûtera la vie à deux militaires et à dix-neuf Canaques.

La victoire de François Mitterrand en 1988

La France était à cette date entre les deux tours de l'élection présidentielle. Depuis les débuts de la cohabitation, deux ans plus tôt, les deux camps s'y préparaient. Ces élections allaient voir, d'une part, la large victoire de François Mitterrand, d'autre part, la confirmation de la montée en puissance du Front national.

La grande différence avec 1981, en effet, est qu'aux candidats des deux camps — tels qu'ils se recomposent au second tour — vient s'ajouter la candidature de Jean-Marie Le Pen.

- Dans les rangs de la majorité parlementaire, il y a, comme en 1981, deux candidats : Jacques Chirac annonce sa candidature le 16 janvier ; Raymond Barre, auquel l'UDF a apporté son soutien, est candidat le 8 février. Malgré la proclamation réciproque d'un « climat de loyauté et de franchise sans affrontement », une compétition tendue marque la campagne des deux hommes, un seul pouvant éventuellement rester en lice au second tour. Et même si durant cette campagne est évoquée par Edouard Balladur la perspective à terme d'une « confédération RPR-UDF », les deux partis partent donc désunis à la bataille électorale.
- La droite désunie doit, de surcroît, compter avec la présence d'un candidat d'extrême droite, Jean-Marie Le Pen. Ce dernier, né en 1928, leader étudiant d'extrême droite au Quartier latin au

début des années 1950, officier parachutiste en Indochine à la fin de la guerre, plus jeune député (poujadiste) de France en 1956, engagé volontaire en Algérie en 1957 — durant la « bataille d'Alger », il aurait, selon des accusations postérieures, démenties par l'intéressé, assisté ou participé à des séances de torture —, réélu député en 1958 et battu en 1962, fut ensuite, durant les périodes de basses eaux de l'extrême droite, le leader d'un minuscule parti, le Front national, fondé en 1972, qui obtient 0,74 % des voix à l'élection présidentielle de 1974 (Jean-Louis Tixier-Vignancour avait obtenu 5,19 % des voix en 1965). En 1981, il ne pourra même pas trouver les signatures nécessaires pour être candidat à l'élection présidentielle.

A cette date, l'extrême droite est électoralement inexistante : les statistiques du ministère de l'Intérieur la créditent de 0,35 % des suffrages exprimés au premier tour des élections législatives de juin 1981. C'est à partir de 1983 et surtout de 1984 et 1986 que le Front national s'affirme et prend de l'ampleur. L'élection présidentielle va-t-elle confirmer cette montée ?

- A gauche, François Mitterrand, après avoir laissé planer pendant plusieurs mois le doute sur ses intentions, annonce, le 22 mars, qu'il est candidat. Comme en 1981, le Parti communiste présente un candidat. Mais celui-ci, André Lajoinie, est le représentant d'un parti dont le recul s'est accéléré depuis 1981. Il doit compter, de surcroît, avec la candidature d'un ancien dirigeant du Parti communiste, Pierre Juquin.
- Les écologistes présentent Antoine Waechter et deux candidats sont présents à l'extrême gauche trotskyste, Arlette Laguiller et Pierre Boussel.

Au soir du premier tour, le 24 avril, les résultats sont les suivants (avec un taux d'abstention de 18,62 %) :

François Mitterrand	34,09 %
Jacques Chirac	19,94 %
Raymond Barre	16,54 %
Jean-Marie Le Pen	14,39 %
André Lajoinie	6,76 %
Antoine Waechter	3,78 %
Pierre Juquin	2,10 %
Arlette Laguiller	1,99 %
Pierre Boussel	0,38 % des suffrages exprimés.

A droite, l'enseignement du scrutin est double : la droite parlementaire (36,5 %) est en recul par rapport à 1981 (49,3 %) et par rapport aux élections législatives de 1986 (44,8 % au premier tour) ; inversement, le Front national confirme et amplifie sa percée.

A gauche, le président sortant obtient un bon résultat, mais le Parti communiste ayant enregistré un nouveau recul, les voix de gauche dépassent à peine 40 %. Le report éventuel des voix d'extrême droite sur le candidat de droite et l'attitude de l'électorat centriste s'annoncent donc décisifs.

L'entre-deux-tours oppose rudement les deux candidats restés en lice, Jacques Chirac et François Mitterrand, notamment à l'occasion d'un débat télévisé. Si le PCF appelle à voter Mitterrand, tandis que l'UDF annonce son soutien à Jacques Chirac, Jean-Marie Le Pen, le 1er mai, aux Tuileries, laisse ses électeurs choisir entre « le pire et le mal », tout en souhaitant qu'aucune voix « n'aille à François Mitterrand ».

Au second tour, le 8 mai, François Mitterrand est réélu, avec une large avance :

François Mitterrand	54,01 %
Jacques Chirac	45,98 %

Le taux d'abstention étant à peine supérieur (15,94 %) à celui des seconds tours des élections précédentes, c'est plutôt vers des transferts de voix d'un camp à l'autre qu'il faut chercher les causes du succès de François Mitterrand. D'une part, le candidat sortant, dont la courbe de popularité était fortement remontée durant la phase de cohabitation, s'est moins présenté comme le candidat socialiste ou de gauche, comme en 1981, que comme celui de la « France unie », thème choisi pour sa campagne ; ce facteur lui a probablement permis de rallier des voix centristes qui s'étaient portées au premier tour sur Raymond Barre. D'autre part, et inversement, à droite, l'analyse des résultats du scrutin indique qu'une partie de l'électorat du Front national — un tiers selon certains politologues — n'a pas reporté ses voix vers Jacques Chirac.

Pour la droite parlementaire, la période de la cohabitation s'achève sur un échec politique. Pour la gauche, au contraire, c'est la revanche de la défaite électorale de 1986.

L'importance du score du Jean-Marie Le Pen au premier tour est un autre trait marquant de cette élection présidentielle. Le décollage du Front national s'était amorcé, semble-t-il, en 1983, comme le montrent les résultats enregistrés à Dreux, lors d'une élection municipale partielle (16,7 % des suffrages exprimés). Ce sont les élections européennes de l'année suivante qui révèlent brusquement l'ampleur déjà acquise : au soir du 17 juin 1984, nous l'avons vu, le Front national franchit, à la surprise générale, la barre des 10 % des suffrages exprimés (10,95 %). Et, deux ans plus tard, l'accession à l'Assemblée nationale, grâce au scrutin proportionnel, d'un groupe de 35 députés frappe l'opinion par son ampleur et atteste que le résultat de 1984 n'était pas un feu de paille. Comment expliquer cette percée puis ce maintien en profil électoral haut, confirmé et largement amplifié en 1988 ?

Question d'autant plus importante que, rappelons-le, à cette date la percée est très récente. Le Front national a été fondé en octobre 1972. Durant une décennie ses résultats seront insignifiants : aux élections législatives de 1973, l'ensemble de l'extrême droite n'obtient que 2 % des voix. L'année suivante, aux élections présidentielles, le score de Jean-Marie Le Pen est de 0,74 % des voix, et aux élections législatives de 1978 le Front national recueille 0,33 % des suffrages. Bien plus, nous l'avons vu, en 1981, Jean-Marie Le Pen ne parvint pas à réunir les 500 signatures nécessaires à une candidature officielle.

Ce n'est qu'au fil des années 1980 que le Front national prend son essor. Ce parti, très hétérogène dans sa composition — on y distingue notamment une droite ultraconservatrice et un « national-populisme » —, est complexe à analyser. Il est possible toutefois de voir dans son succès durable le reflet d'une triple crise : sociale, identitaire et, plus récemment, politique. Même si le Front national ne se développe pas durant la période centrale de crise sociale qu'a connue la France après 1973-1974 — période qui correspond au contraire à une phase de basses eaux de l'extrême droite —, il y a tout de même corrélation avec l'incertitude et le désarroi nés de cette crise et qui marquent les années 1980.

Dans un tissu social fragilisé par cette inquiétude et bientôt déchiré par la hausse du chômage, le paramètre sociologique est indéniable. D'autant que la « fonction tribunitienne » — à la fois forme d'expression de mécontentements et de frustrations et, par là même, facteur d'intégration — tenue par le Parti communiste s'est peu à peu dissipée, au fil du recul électoral de ce parti.

Mais le facteur déclenchant a été, semble-t-il, ailleurs : c'est le rejet de l'immigration qui a grossi puis maintenu en position haute l'électorat du Front national. Le thème de l'immigration est d'ailleurs explicitement et régulièrement manié par ce parti. D'autant qu'il est associé dans le discours du Front national à la petite délinquance. La crise identitaire se double donc d'un réflexe sécuritaire, qui donne plus d'impact aux slogans de Jean-Marie Le Pen.

C'est donc un aspect doublement protestataire — né du malaise social et de l'interrogation identitaire et des rejets et phobies qui en découlent — qui nourrit, au bout du compte, la mouvance électorale du Front national. Aspect protestataire d'autant plus important qu'il se double d'une méfiance — alimentée par le discours lepéniste contre l' « établissement » — envers les partis de gouvernement, de gauche aussi bien que de droite. Or, cette méfiance va s'accroître au fil des années 1980 pour déboucher, au début de la décennie suivante, sur une véritable crise de la représentation politique, les craintes et les aspirations de l'électorat n'étant plus forcément relayées par les formations traditionnelles. Ce « déficit démocratique » sera également pour le Front national une source de force électorale et un facteur d'enracinement.

Le second mandat de François Mitterrand

Ce sont trois premiers ministres qui vont se succéder entre mai 1988 et le retour de la droite parlementaire au pouvoir, après les élections législatives de mars 1993.

Le ministère Rocard

Le nouveau premier ministre est né en 1930. Enarque, inspecteur des Finances, Michel Rocard avait rompu avec la SFIO au moment de la guerre d'Algérie et avait appartenu à la « nouvelle gauche » née à cette époque et dont l'élément essentiel sera, à partir de 1960, le Parti socialiste unifié (PSU). Il dirigera ce parti de 1967 à 1973. Candidat aux élections présidentielles de 1969, il obtient un score modeste — 3,61 % des suffrages exprimés — mais qui retiendra l'attention des observateurs : il n'était alors, en effet, que le candidat d'un parti électoralement très faible ; de surcroît, le candidat de la SFIO, Gaston Defferre, pourtant épaulé par Pierre Mendès France, n'obtiendra pour sa part que 5,01 % des suffrages.

Elu député des Yvelines lors d'une élection partielle en octobre 1969, sa victoire rencontre un certain écho, car il bat à cette occasion l'ancien premier ministre Maurice Couve de Murville.

Mais c'est au sein du PS, qu'il rejoint à l'automne 1974, que son ascension politique va réellement s'opérer et qu'il entrera rapidement en concurrence ouverte avec François Mitterrand. Déjà, au Congrès du PS à Nantes, en juin 1977, il avait marqué sa différence en opposant « deux cultures politiques dans la gauche française », l'une « jacobine, étatique et centralisatrice », l'autre « décentralisatrice », préférant « l'autonomie des collectivités de base et l'expérimentation » et puisant à des sources idéologiques davantage ramifiées : implicitement, Michel Rocard incarnait la seconde, et François Mitterrand la première. Bientôt, Michel Rocard apparaîtra comme le représentant d'une « deuxième gauche » entendant allier progrès social et modernisme économique, et très réticente notamment sur le marxisme qui imprègne, encore largement à cette date, le discours officiel du PS. A la même époque, sa courbe de popularité dans l'opinion va croître régulièrement et bientôt dépasser celle de François Mitterrand.

Au soir du second tour des élections législatives de mars 1978, il prend ouvertement ses distances avec ce dernier et, nous l'avons vu, durant les trois ans qui précèdent l'élection présidentielle de 1981, la concurrence est publique entre les deux hommes pour l'investiture du candidat du PS. Au terme d'une lutte serrée, François Mitterrand est investi candidat par son parti.

Après la victoire de 1981, Michel Rocard est nommé à la tête du ministère du Plan puis, deux ans plus tard, il devient ministre de l'Agriculture. La nomination en 1984 de Laurent Fabius à la tête du gouvernement avait fait de ce dernier un concurrent potentiel sur le terrain du modernisme et du réalisme économique. En avril 1985, après la décision d'établir le scrutin proportionnel, il quitte le gouvernement. Et, dès le mois de juin, il affirme son intention d'être candidat lors de l'élection présidentielle de 1988. Mais, une seconde fois, comme à l'automne 1980, les circonstances le contraindront à s'effacer derrière François Mitterrand, à la campagne électorale duquel il participera activement en avril-mai 1988.

Michel Rocard avait été nommé premier ministre le 10 mai et le 14 mai intervient la dissolution de l'Assemblée nationale. Entre ces deux dates, à l'occasion de la constitution du gouvernement Rocard, l' « ouverture », c'est-à-dire l'entrée de centristes dans ce gouvernement, prélude à une recomposition du paysage politique et à une alliance avec ces centristes, semble avoir été envisagée. En fait, cette « ouverture » ne se fera pas et les ralliements ne seront qu'individuels.

Les élections législatives ont lieu les 5 et 12 juin, au scrutin majoritaire rétabli par le gouvernement Chirac durant la cohabitation. Le résultat majeur est que les candidats socialistes et apparentés, avec 37,52 % des suffrages exprimés au premier tour, n'obtiennent pas la majorité à l'Assemblée nationale : 275 sièges sur 575. Michel Rocard devra donc gouverner avec une majorité relative. L'UDF obtient 132 sièges, le RPR 131, le PCF 27 (avec 11,32 % des suffrages exprimés) et le Front national, laminé par le scrutin majoritaire, n'a qu'un seul élu (tout en obtenant 9,65 % des suffrages exprimés).

Malgré l'hypothèque que constitue cette majorité relative, le gouvernement de Michel Rocard prendra rapidement des décisions importantes :

- En Nouvelle-Calédonie — où la situation, on l'a vu, s'était encore aggravée pendant la campagne électorale —, après les travaux sur place d'une mission de conciliation, et après une rencontre à Matignon de Jacques Lafleur, président du RPCR, et Jean-Marie Tjibaou, président du FLNKS (26 juin), un référendum est organisé dès l'automne suivant. Le oui l'emporte largement (79,99 %), mais avec, il est vrai, un très fort taux d'abstention (63,1 %, le plus fort taux pour une consultation électorale en France).
- Dans le domaine économique et social, dès le 18 mai était adopté le principe d'un revenu minimum d'insertion (RMI), financé par un impôt de solidarité sur la fortune, qui reprend l'impôt sur les grandes fortunes qu'avait abandonné le gouvernement de Jacques Chirac. Un « plan pour l'emploi » est annoncé en septembre.
- Dans le domaine de l'Education nationale, une priorité est accordée au budget de ce ministère. Le gouvernement annonce une « revalorisation » de la fonction enseignante. Et, l'année suivante, le ministre de l'Education nationale, Lionel Jospin, fera adopter une loi d'orientation dont le but proclamé est de conduire, dans les dix ans, 80 % d'une classe d'âge au niveau du baccalauréat.

Plusieurs handicaps gênent l'action du premier ministre :

— l'absence d'une majorité absolue à l'Assemblée nationale. D'autant que, dès l'été 1988, la recherche de l' « ouverture » est définitivement abandonnée : le 14 juillet, dans son entretien télévisé avec des journalistes, François Mitterrand estime que le gouvernement de Michel Rocard doit s'appuyer sur « une majorité de gauche » ;
— par ailleurs, immédiatement après la réélection de François Mitterrand, les tensions entre « courants » du PS se manifestent : ainsi, le 14 mai, Pierre Mauroy est élu premier secrétaire du PS contre Laurent Fabius, sur lequel s'était porté le choix du président ;
— un climat de désaffectation vis-à-vis des dirigeants politiques semble se faire jour à partir de l'automne 1988 : aux élections cantonales du 25 septembre le taux d'abstention atteint 50,87 % au premier tour et 52,97 % au deuxième tour. Et le 6 novembre le référendum sur la Nouvelle-Calédonie voit l'abstention monter à 63,10 % ;
— à la même date, des grèves éclatent dans plusieurs secteurs : infirmières, gardiens de prison puis, en novembre, postes et transports parisiens. Michel Rocard entend toutefois ne pas remettre en cause sa politique de rigueur salariale et budgétaire et il déclare que le gouvernement ne peut pas « distribuer de pouvoir d'achat au-delà de ce que permet l'état actuel de l'économie » ;
— dans ce domaine de l'économie, la *Lettre à tous les Français*, document de base du candidat François Mitterrand pendant la campagne électorale de 1988, préconisait le « ni ni » : ni nationalisations nouvelles, ni privatisations supplémentaires. Très vite, une telle promesse paraît limiter la marge de manœuvre et d'initiative du gouvernement ;
— plusieurs proches de membres du gouvernement ou du président lui-même sont suspectés de « délit d'initiés ». Et, au mois de février 1989, les premières affaires de « fausses factures », liées au financement occulte des partis politiques, commencent à être évoquées par la presse.

Cela étant, dans un premier temps, ces difficultés ne paraissent pas entraîner de conséquences électorales. Aux élections municipales (12-19 mars 1989), le PS gagne plusieurs villes importantes — notamment Strasbourg, Dunkerque, Brest et Aix-en-Provence.

Bien plus, à l'approche des élections européennes, prévues pour le mois de juin suivant, l'opposition connaît des divisions internes. C'est moins la division UDF-RPR qui joue à cette occasion qu'un clivage de générations : plusieurs quadragénaires de l'opposition — notamment Philippe Séguin, Michel Noir, Charles Millon, Dominique Baudis —, bientôt surnommés les « rénovateurs », envisagent de présenter leur propre liste aux élections européennes, alors que le projet des dirigeants de l'opposition était une liste d'union RPR-UDF conduite par Valéry Giscard d'Estaing.

Si la tentative des « rénovateurs », en définitive, n'aboutit pas, certains d'entre eux soutiennent la liste conduite par la centriste Simone Veil. Et, le 18 juin, les résultats sont les suivants :

Valéry Giscard d'Estaing (UDF-RPR)	28,87 %
Laurent Fabius (PS)	23,61 %
Jean-Marie Le Pen (FN)	11,73 %
Antoine Waechter (Verts)	10,59 %
Simone Veil (CDS)	8,42 %
Philippe Herzog (PCF)	8,15 % des suffrages exprimés.

Plusieurs faits sont à noter :

— d'une part, l'ampleur du taux d'abstention (51,27 % contre 43,27 % en 1984 et 45 % en 1979) ;

— d'autre part, la percée des écologistes, qui triplent leur score — en pourcentage — par rapport à celui de l'élection présidentielle de l'année précédente. En outre, le Front national, sans retrouver les 14,39 % de Jean-Marie Le Pen à cette même élection, reste en profil électoral haut.

Après l'été, marqué par les cérémonies et les festivités commémorant 1789 — et notamment, le 14 juillet au soir, un défilé orchestré par le publicitaire Jean-Paul Goude —, et un automne dominé par la chute du Mur de Berlin le 9 novembre et les événements de Roumanie en décembre (fin du régime de Ceausescu), le fait marquant en politique intérieure est le vote par l'Assemblée nationale, le 7 décembre, d'une amnistie des délits politico-financiers antérieurs au 15 juin 1989. Cette disposition, votée à l'occasion de nouvelles lois sur le financement des partis politiques, aura des effets inverses de ceux que les parlementaires — qui s'excluaient pourtant de cette amnistie — souhaitaient.

Commencera à se développer dans l'opinion le thème, dévastateur, de l' « auto-amnistie ».

Mais, somme toute, en cette fin d'année 1989, au terme d'un an et demi à la tête du gouvernement, Michel Rocard peut se prévaloir d'un bilan qui, compte tenu des obstacles recensés plus haut et notamment de l'absence d'une majorité absolue à l'Assemblée nationale, est largement satisfaisant pour lui-même et pour le PS. Les élections municipales et européennes n'ont pas entraîné des ébranlements comparables à ceux, respectivement, de 1983 et 1984. La reprise d'une croissance économique relativement élevée (3,4 % du PNB en 1987, 4,4 % en 1988, 3,4 % en 1989) lui donne une certaine marge de manœuvre dans le domaine économique et social. Bien plus, face aux importants mouvements sociaux que doit affronter le pouvoir, notamment à l'automne 1988, la « méthode Rocard », fondée sur le dialogue, permet au gouvernement de faire face.

Mais l'année 1990 sera, pour Michel Rocard, en demi-teinte. Au mois de mars 1990, le Congrès du Parti socialiste réuni à Rennes laisse apparaître publiquement de profondes dissensions internes, et l'effet en est désastreux sur l'opinion publique. D'autant que la cote de popularité du président, après sa remontée au moment de la cohabitation et après la brillante victoire de 1988, recommence à se dégrader. Mais, à partir du 2 août, la crise du Golfe va, pendant plusieurs mois, occuper le devant de la scène et occulter cette dégradation. Dès le 27 août, le Parlement est réuni en session extraordinaire et l'opposition de droite, à l'exception du Front national, approuve l'attitude de fermeté adoptée par François Mitterrand. Malgré un automne chargé en politique intérieure — agitation dans les banlieues, manifestations lycéennes en novembre, motion de censure repoussée de justesse le 16 novembre —, c'est cette crise du Golfe qui focalise l'attention à cette date. D'autant que le président parle d'une « logique de guerre ». De fait, en janvier et février 1991, la France participe aux opérations militaires au Koweit et en Irak. L'opposition à cette guerre du Golfe reste limitée, même si Jean-Pierre Chevènement, ministre de la Défense, démissionne le 29 janvier pour exprimer son désaccord avec la participation de la France à l'intervention militaire. Le 3 mars 1991, le président de la République déclare « avec fierté que la France a tenu son rôle et son rang ».

Le capital retrouvé de popularité du président de la République va pourtant s'éroder rapidement et, dans un tel processus, deux facteurs semblent avoir joué un rôle important : le renvoi du premier ministre le 15 mai 1991, et, en politique extérieure, l'impression donnée de mal apprécier les conséquences de l'implosion des régimes communistes à l'Est.

Durant la période 1988-1991, en fait, comme auparavant, les rapports n'ont jamais été simples entre Michel Rocard et François Mitterrand et plusieurs signes en avaient, notamment, été manifestes durant l'année 1990. En juin, le président avait parlé d'un « déficit social » à propos de la politique menée par le gouvernement Rocard. Et, en novembre, il donne l'impression de désavouer son premier ministre, au moment des manifestations lycéennes, en recevant une délégation de manifestants.

Au printemps 1991, après la guerre du Golfe, Michel Rocard, dont les cotes de popularité sont toujours restées élevées, pense rester encore longtemps à son poste, où il estime n'avoir pas démérité. Le 15 mai, pourtant, il présente sa démission au président à la demande de celui-ci. Plusieurs mois plus tard, dans une interview, il dira avoir été « viré ».

Il est remplacé par l'une des proches du président, Edith Cresson, plusieurs fois ministre entre 1981 et 1991 et chargée, selon François Mitterrand, d'insuffler un « nouvel élan ».

Le ministère Cresson

Si la nomination d'une femme, pour la première fois, au poste de premier ministre est bien accueillie, Edith Cresson va rapidement décevoir. Le 22 mai sa déclaration de politique générale à l'Assemblée nationale est jugée médiocre sur la forme et sans perspective sur le fond. De surcroît, la reprise, en ce printemps 1991, de l'agitation dans les banlieues place le chef du gouvernement dans une position inconfortable sur une question alors particulièrement sensible. Sa cote de popularité s'effondre rapidement, et celle de François Mitterrand continue à chuter. De plus, durant l'été, le président de la République donne l'impression de commettre une erreur d'appréciation au moment du putsch de Moscou, le 19 août. L'opposition lui reprochera une certaine complaisance vis-à-vis des putschistes, qui tentaient une restauration communiste en URSS.

A l'automne, Edith Cresson lance un programme d'action économique, prévoyant notamment un plan en faveur des petites et moyennes entreprises. Plus largement, le premier ministre et son ministre du Travail, Martine Aubry, entendent lutter pour l'emploi : exonération de charges sociales et mesures de formation doivent faciliter le premier emploi des jeunes sans qualification ; et l'attention est également portée aux chômeurs de longue durée. La formation est aussi analysée à travers la question de l'apprentissage, pour lequel un plan de développement est préparé.

Si plusieurs grandes opérations de restructuration ne suscitent pas l'unanimité — ainsi le rapprochement entre le Commissariat à l'énergie atomique et Thomson —, l'inflation est maintenue à 3 % et le commerce extérieur se redresse notablement. Dans un contexte économique difficile (la croissance a chuté à 1 % pour l'année 1991, contre 2,8 % l'année précédente et 3,4 % en 1989, et l'investissement industriel, pour la même période, est en recul de 9 %), ces résultats sont loin d'être négligeables. Mais le chômage poursuit sa montée : en février 1992, à la veille des élections régionales et cantonales, il avait atteint 9,9 % de la population active, contre 8,9 % treize mois plus tôt, à la fin de l'année 1990.

De surcroît, le climat social est alourdi par le malaise profond des paysans (200 000 d'entre eux viennent manifester à Paris le 29 septembre 1991) et par des vagues de grèves (infirmières durant sept semaines et l'usine Renault de Cléon pendant trois semaines, en octobre-novembre). Surtout, commence à se développer l'affaire de la contamination d'hémophiles par le virus du sida lors de transfusions sanguines en 1984 et 1985 : plusieurs responsables de la Santé puis, aussi, des membres du gouvernement de l'époque seront accusés de négligence aux conséquences dramatiques. En outre, des « affaires » judiciaires concernant des délits d'initiés ou des fausses factures touchent notamment des personnalités très proches du pouvoir et des parlementaires socialistes.

En cette fin d'année 1991, malgré l'ampleur des mouvements sociaux et un nouveau recul de popularité du premier ministre et du président, ce dernier dispose pourtant d'atouts pour tenter de desserrer l'étau. D'une part, le Congrès du PS à La Défense se passe dans de bien meilleures conditions que celui de Rennes, un an et demi plus tôt, et les courants du parti s'entendent pour adopter un nouveau « projet » socialiste. D'autre part, François Mitterrand reste maître du calendrier des échéances électorales : certes, les élections cantonales et régionales prévues pour mars 1992 ne s'annoncent pas sous les meilleurs auspices, mais le 15 décembre, dans une émission télévisée, le président n'exclut pas de recourir en 1992 à la pratique du référendum, aussi bien sur la ratification des accords européens de Maastricht que sur d'éventuelles réformes constitutionnelles. Pour l'heure, il est vrai, la question essentielle reste l'échéance électorale du printemps. Elle va se révéler catastrophique pour le pouvoir en place.

Les forces politiques au début des années 1990 : un « vote éclaté » ?

Le 22 mars 1992 ont lieu les élections régionales et le premier tour des élections cantonales. Contrairement à certaines prévisions, le taux de participation (respectivement 68,71 % et 70,04 %) n'est pas, comme au cours de précédentes consultations, aux alentours de 50 % : la désaffection politique souvent annoncée ne s'est pas confirmée. L'électorat ne s'est pas évaporé. En revanche, l'analyse des résultats livre d'autres indications sur le comportement de cet électorat.

Les élections régionales donnent ainsi les résultats suivants, en s'en tenant ici aux principaux courants représentés :

UPF [1]	33 %
PS	18,3 %
Front national	13,9 %
PC	8 %
Génération écologie	7,1 %
Verts	6,8 % des suffrages exprimés.

[1] UPF : Union pour la France : rassemblement électoral du RPR et de l'UDF.

(Source : ministère de l'Intérieur, totalisation en métropole.)

Les observateurs tirèrent notamment deux enseignements de ces élections :

• Le PS qui, depuis les élections législatives de 1988, avait réussi à limiter son recul, connaît un grave échec. A travers cet échec, sont plus profondément ébranlés, pour le pouvoir en place, deux des piliers politiques classiques sous la Ve République : un parti dominant et une majorité présidentielle solide. En mars 1992, en effet, le score du PS lui enlève ce statut de parti dominant acquis en juin 1981 et reconduit — avec déjà, il est vrai, une érosion — en juin 1988. Situation d'autant plus grave qu'à la différence de l'après 1981, les socialistes n'ont plus d'alliés et que la majorité présidentielle se trouve réduite au seul PS, auquel s'ajoutent des ralliements individuels. Ce double ébranlement posait donc déjà, un an avant les élections législatives de mars 1993, la double question, d'une part d'une probable victoire de la droite, d'autre part du destin électoral du PS et de la recherche, pour lui, de nouvelles alliances.

• Recherche d'autant plus difficile que, et c'est le second enseignement des élections de mars 1992, ces élections révèlent un paysage politique profondément modifié en ce début des années 1990. L'analyse des résultats de mars 1992 faite par trois politologues (Philippe Habert, Pascal Perrineau et Colette Ysmal) concluait notamment à un « vote éclaté », avec trois niveaux d'éclatement :

— « éclatement de l'offre politique », avec de nouvelles forces (ainsi Génération écologie) et aussi de nombreuses dissidences au sein des forces politiques établies ;
— « éclatement des campagnes électorales », avec l'interférence des données nationales et du poids des implantations régionales ou locales ;
— « éclatement des électorats », avec la baisse de puissance des partis dits de gouvernement : ceux-ci (UDF, RPR et PS) n'ont totalisé lors des consultations électorales de mars 1992 que 51 % des suffrages exprimés.

Deux forces politiques situées en dehors de ces partis de gouvernement frappent par leurs résultats, autour de 14 % des suffrages exprimés :

— le Front national, déjà évoqué plus haut ;
— le courant écologiste, représenté à cette date par deux composantes, les Verts et Génération écologie.

Si la défense de l'environnement s'est développée dès la fin des années 1960 et amplifiée au fil des années 1970, notamment dans le combat contre la construction de centrales nucléaires, les retombées électorales du mouvement écologiste naissant furent longtemps limitées. A l'élection présidentielle de 1974, le candidat écologiste, René Dumont, rassembla 1,32 % des suffrages exprimés. Et si les élections municipales de 1977 marquèrent une progression dans certaines grandes villes, confirmée par le score de 4,4 % aux élections européennes de 1979, le seuil de la décennie suivante vit le potentiel électoral des écologistes plafonner à moins de 4 % : aux élections présidentielles de 1981, Brice Lalonde obtint 3,9 % des suffrages exprimés. En 1984, les Verts — nés de la fusion des divers courants de la mouvance écologiste — obtiennent 3,4 % des voix aux élections européennes (avec, il est vrai, la concurrence de la liste ERE de Doubin, Stirn et l'écologiste Lalonde, réunissant 3,3 % de voix). Quatre ans plus tard, Antoine Waechter obtient 3,8 % au premier tour de l'élection présidentielle d'avril 1988.

C'est, en fait, en cette fin des années 1980 que le mouvement écologiste, après une décennie électoralement décevante, va connaître une rapide et forte montée en puissance : aux élections européennes de 1989, les Verts obtiennent 10,67 % des voix. Le mouvement, il est vrai, va se diviser à partir de mai 1990 : à cette date, Brice Lalonde, devenu secrétaire d'Etat à l'environnement dans le gouvernement Rocard en 1988, fonde le mouvement Génération écologie. Aux élections régionales de mars 1992, on l'a vu, les deux composantes du courant écologiste obtiennent chacune 7 % environ des suffrages exprimés. Se pose dès lors la question de l'alliance entre ces deux composantes, en vue des élections législatives de 1993 : cette alliance est conclue en novembre 1992. Se pose aussi, plus largement, la question de l'enracinement — ou pas — du mouvement écologiste comme force politique durable. Par-delà ces bons résultats de 1992, deux questions, notamment, restent en suspens : d'une part, le recul électoral des mouvements écologistes dans d'autres pays européens, d'autre part, le problème de savoir si une partie de l'électorat de Génération écologie, composée d'électeurs socialistes déçus, ne reviendra pas vers le PS au moment des choix décisifs ; le recul (10,70 % pour l'ensemble des listes écologistes, dont 7,63 pour les listes Verts-Génération écologie) enregistré aux élections législatives de mars 1993 ne permet pas encore de dégager une tendance de fond. Se pose aussi, désormais, la question des alliances politiques, aussi bien locales que nationales, que pourraient conclure les écologistes.

Le ministère Bérégovoy

Après les élections, le président de la République hésita, semble-t-il, sur le choix du premier ministre. Edith Cresson, qui souhaitait être maintenue en fonction, fut priée de donner sa démission. Jacques Delors, pressenti pour lui succéder, ne donna pas suite. C'est, en définitive, Pierre Bérégovoy qui fut désigné le 2 avril. Avec trois cent vingt-trois jours passés à l'Hôtel Matignon, Edith Cresson a été jusqu'ici le premier ministre le plus éphémère de la Ve République (devant Maurice Couve de Murville, de juillet 1968 à juin 1969, avec trois cent quarante-quatre jours, et Pierre Bérégovoy, d'avril 1992 à mars 1993, avec trois cent soixante-deux jours).

Agé de 66 ans, d'origine modeste, autodidacte, Pierre Bérégovoy a milité au PSU puis au PS. Secrétaire général de l'Elysée en 1981 après la victoire de François Mitterrand, ce proche du président devient ministre des Affaires sociales en 1982. Surtout, il sera ensuite pendant six années ministre de l'Economie, des Finances et du Budget : de 1984 à 1986 dans le ministère Fabius, puis, après la phase de la cohabitation, de 1988 à 1992 dans les ministères Rocard et Cresson. A ce poste, sorte de « super-ministère », il incarnera un souci de gestion vigilante — à tel point qu'il sera surnommé le « Pinay de gauche » — et le ralliement de la gauche à l'économie de marché. Rassurant pour les milieux économiques, il lui sera parfois reproché, par ses amis politiques, de trop sacrifier à la gestion économique, au détriment du social. Le 8 avril 1992, dans sa déclaration de politique générale, le nouveau premier ministre annonce sa volonté de lutter contre « les trois fléaux qui démoralisent la société française » : le chômage, l'insécurité et la corruption. Pour ce faire, explique-t-il, il lui faudra « décider, expliquer, convaincre ».

Dans le domaine économique et social, la marge est étroite. Aucune reprise économique durable, en effet, ne se manifestera en 1992, contrairement à certaines prévisions émises à la fin de 1991. Après un premier trimestre encourageant — avec un taux de croissance autour de 3,5 % —, l'activité économique a connu une stagnation, due notamment au recul des investissements et de la consommation des ménages. Un taux annuel de croissance finalement voisin de 2 % ne doit donc pas abuser : seuls les premiers mois de l'année l'expliquent. La production industrielle a même reculé (— 0,5 % par rapport à l'année précédente, tandis qu'elle avait stagné en 1991 avec + 0,2 %). Il faut remonter aux années 1981-1982 pour retrouver ainsi une baisse de la production industrielle.

Dans un contexte économique aussi difficile, la lutte contre le chômage, annoncée prioritaire par Pierre Bérégovoy, n'a pu obtenir de résultats tangibles. Au contraire, le nombre des chômeurs frôlait au 31 décembre le seuil symbolique des trois millions et le taux de chômage atteignait alors 10,5 % de la population active. Pourtant, tout comme avant lui Edith Cresson, Pierre Bérégovoy s'était lui aussi attaqué avec détermination au chômage, notamment celui de longue durée, au point de faire la promesse, non tenue, qu' « il n'y ait plus de chômeurs de longue durée au 1er novembre ». Dans le domaine de la lutte contre l'inflation, en revanche, la politique de Pierre Bérégovoy, déjà mise en œuvre sous les ministères précédents, continue à porter ses fruits, avec une hausse des prix de 2 % seulement pour 1992, qui est, de surcroît, l'une des plus faibles des pays industrialisés, qui connaissent une hausse moyenne de 3,1 %. De même, on observe un lent rééquilibrage des échanges extérieurs.

La situation sociale, déjà altérée par le problème du chômage, est également tendue par un malaise paysan persistant et puisant à deux sources : d'une part, une baisse du revenu agricole, d'autre part, l'insertion de l'agriculture française dans la nouvelle politique agricole commune (PAC) et sa place dans les grandes négociations internationales du GATT. Ce malaise a nourri une agitation sporadique, malgré des mesures concrètes d'aide et notamment un plan d'accompagnement de la réforme de la PAC. De surcroît, des grèves paralysantes comme celle des chauffeurs routiers au début de l'été 1992 ou celle de la RATP à l'automne ont montré la difficulté du dialogue social dans cette situation économique déprimée.

Année difficile dans le domaine économique et social, 1992 l'a été également dans le domaine politique. Au mois de mars, on l'a vu, les élections régionales et cantonales avaient constitué un échec sévère pour le gouvernement et le président. Ce dernier, il est vrai, avait gardé une marge de manœuvre, en annonçant par avance le 15 décembre précédent d'éventuelles initiatives en 1992 par voie de référendum. Et de fait, il va, dès le printemps, tenter de reprendre l'initiative, en choisissant le domaine de la construction européenne.

La 10 décembre 1991, au sommet européen de Maastricht (Pays-Bas), avait été adopté un nouveau traité communautaire, signé au même endroit le 7 février 1992. Malgré les réticences britanniques, l'accord prévoyait, notamment, pour 1999 au plus tard, une monnaie unique et une Banque centrale européenne mettant en œuvre une politique monétaire commune. Le 3 juin, le président de la République prend la décision de soumettre la ratification de ces accords de Maastricht à référendum. Quelques jours plus tard, la date en est fixée au 20 septembre.

Les premiers sondages, très favorables, pronostiquent alors une large victoire du oui. Et la révision constitutionnelle permettant l'application de ces accords, en étant approuvée massivement par le Congrès (députés et sénateurs) à Versailles le 23 juin, semble indiquer un large soutien de la classe politique (592 voix pour, 73 contre, 14 abstentions ; les élus RPR n'ont pas participé au vote). De surcroît, pour le président, la procédure référendaire présente l'avantage supplémentaire de diviser l'opposition, la plus grande partie du RPR ne suivant pas Jacques Chirac dans son soutien (4 juillet) au oui.

Malgré cette division au sein du RPR, les hommes politiques appelant à voter non sont, en proportion, beaucoup moins nombreux que ceux favorables au oui : à gauche, le Parti communiste et quelques socialistes derrière Jean-Pierre Chevènement, à droite, une partie du RPR, conduite par Philippe Séguin et Charles Pasqua, quelques membres de l'UDF et, à l'extrême droite, le Front national. Pourtant, on observe au mois d'août une montée du non, qui paraît même rattraper, durant quelques jours, le oui. Début septembre, l'entrée en campagne des leaders de la droite, Jacques Chirac et Valéry Giscard d'Estaing, et l'intervention personnelle du président de la République (dans une émission télévisée, où il dialogue avec l'un des leaders du non, Philippe Séguin) redonnent au oui une légère avance. Cette avance sera, à l'arrivée, très faible : le 20 septembre, les résultats sont, en effet, les suivants :

	Voix	*% par rapport aux suffrages exprimés*
Oui	13 172 710	51,04
Non	12 632 816	48,95

Certes, le taux de participation (30,31 % d'abstention) a été fort : près de 10 points de plus que pour le référendum de 1972 sur l'élargissement de la Communauté économique européenne. Mais on a compté 51,04 % seulement de oui — 68,32 % en 1972 — et, tout de même, près de 12 millions d'abstentionnistes.

Autant de facteurs qui firent que le référendum n'apparut guère comme une victoire du président de la République. D'autant que la brève — et légère — remontée des indices de popularité de ce dernier se dissipa au bout de quelques semaines, pour repartir à la baisse. L'annonce, à la même époque, de la maladie de François Mitterrand (opéré d'un cancer de la prostate au mois de septembre) contribua encore davantage à fragiliser le pouvoir en place.

Surtout, les résultats du référendum mirent en lumière l'ampleur de la crise politique. Les observateurs notèrent, en effet, dans leurs analyses, la coupure socioculturelle entre la France du oui et celle du non, ainsi que le caractère protestataire du vote non. Le premier aspect reflète la crise, à cette date, de la représentation politique, une partie de l'électorat ne se reconnaissant plus dans la classe politique traditionnelle. L'une des raisons du succès du Front national se trouve, du reste, probablement dans ce déficit de représentation. Quant au second aspect, protestataire, il nourrit lui aussi le vote Front national, mais pose aussi un problème à la gauche socialiste : nombre de régions de forte et ancienne implantation socialiste ont voté en majorité pour le non, ainsi le Limousin ou le Nord.

Contexte économique difficile, climat social morose, situation politique fragile, crise morale latente — les « affaires » ont continué à se développer, et la question de la contamination des hémophiles par le virus du sida a connu au second semestre de 1992 un très fort écho —, les élections législatives de mars 1993 s'annonçaient catastrophiques pour le PS. De fait, au soir du premier tour, le 21 mars, les principaux partis ou regroupements de partis obtenaient les résultats suivants :

UPF	39,69 %
Divers droite	4,40 %
PS	17,39 %
Verts - Génération écologie	7,63 %
Front national	12,42 %
PC	9,18 % des suffrages exprimés
	(Abstention : 30,69 %)

Au soir du second tour (28 mars), RPR et UDF, regroupés au sein de l'UPF, obtenaient 486 sièges (dont 37 divers droite), soit

84 % des sièges. Comme en 1986, mais avec une bien plus forte ampleur, le président en place se retrouvait confronté à une majorité politique adverse, sortie des urnes. Le lendemain, il désignait Edouard Balladur comme premier ministre.

Le ministère Balladur

Né en 1929, ancien élève de l'ENA, Edouard Balladur avait été l'un des conseillers de Georges Pompidou à Matignon puis à l'Elysée. A partir de 1980, il était devenu l'un des proches de Jacques Chirac et, dès 1983, dans un article du *Monde,* avait été le théoricien de la « cohabitation » entre un président de gauche et une éventuelle majorité de droite sortie d'une victoire aux élections législatives. Quand celle-ci a lieu en mars 1986, il devient, on l'a vu, ministre de l'Economie, des Finances et de la Privatisation dans le gouvernement de Jacques Chirac. Après la réélection de François Mitterrand en 1988, il apparaît progressivement comme l'un des premiers ministres virtuels en cas de nouvelle « cohabitation ».

Pour l'ensemble des forces politiques, après les élections législatives de 1993, l'échéance déterminante devient *de facto* l'élection présidentielle, prévue pour le printemps 1995. Pour l'heure, le nouveau premier ministre ne se prononce pas sur ses futures intentions en la matière, et Jacques Chirac apparaît comme le candidat potentiel du RPR. A gauche, c'est Michel Rocard qui, au sein du PS, est considéré comme le candidat « virtuel » puis « naturel ». D'autant que la lourde défaite du PS lui permet de prendre la tête de son parti, au détriment de Laurent Fabius. Pour l'heure, il est vrai, ce parti est très ébranlé par les mauvais résultats électoraux successifs de 1992 et 1993. Lionel Jospin, qui en fut le premier secrétaire de 1981 à 1988, annonce qu'il se place en retrait de la scène politique. Jean-Pierre Chevènement, pour sa part, quitte le PS. Le 1er mai 1993, Pierre Bérégovoy, dont la presse avait révélé durant la campagne électorale le prêt sans intérêts que lui avait accordé l'un des proches du président, Roger-Patrice Pelat, pour acheter un appartement, se suicide d'une balle dans la tête. Trois jours plus tard, aux obsèques de son ancien premier ministre, François Mitterrand met en cause les médias : « Toutes les explications du monde ne justifieront pas qu'on ait pu livrer aux chiens l'honneur d'un homme et finalement sa vie. »

Edouard Balladur a constitué un gouvernement où RPR et UDF sont à parité, et dans lequel sont présents aussi bien Simone Veil, qui incarne l'ouverture et la conciliation, que Charles Pasqua, symbole de fermeté sur les deux dossiers de la sécurité et de l'immigration. Ce gouvernement annonce un plan d'économie budgétaire et, dès le mois de juin, lance un grand emprunt d'Etat. Un projet de loi de privatisations est voté en juillet. Au début, tout paraît réussir au nouveau premier ministre :

— l'emprunt d'Etat à 6 % rencontre un très grand succès public ;
— durant l'été 1993, le franc est attaqué sur les marchés monétaires, mais l'accord se fait, par le « compromis de Bruxelles » (1er août), sur un élargissement temporaire des marges de fluctuation des monnaies européennes, et la crise est évitée ;
— les premières privatisations opérées par le gouvernement Balladur (BNP en octobre, Rhône-Poulenc en novembre) obtiennent un très grand succès auprès des particuliers ;
— tout au long de l'année 1993, la cote de popularité du premier ministre reste très élevée dans les sondages d'opinion.

C'est au premier trimestre 1994 qu'apparaissent les premières grosses difficultés politiques. Le 16 janvier, une manifestation de plusieurs centaines de milliers de personnes a lieu à Paris pour la défense de l'école publique. Un mois plus tôt, en effet, le Parlement avait révisé la loi Falloux, permettant aux collectivités locales de financer des établissements privés avec des fonds publics. Le thème de la défense de la laïcité reste très mobilisateur à gauche, et cette manifestation apparaît aux observateurs comme une sorte de pendant, dix ans après, aux grandes manifestations en faveur de l'école libre durant l'année 1984. De surcroît, au début du printemps, quand le gouvernement met au point le contrat d'insertion professionnelle (CIP), qui proposait notamment de rémunérer à 80 % du SMIC des jeunes gens à la recherche d'un premier emploi, de fortes mobilisations lycéennes et étudiantes contraignent Edouard Balladur à retirer son projet (30 mars).

Dans le camp même de la majorité, une rivalité de plus en plus sensible avait commencé à poindre dès l'automne 1993 entre Jacques Chirac et Edouard Balladur à propos du choix du futur candidat du RPR à l'élection présidentielle. Le second répète qu'il ne se prononcera sur ce point qu'au début de 1995, mais sa popularité persistante le désigne aux yeux de l'opinion comme un candidat potentiel. C'est sur ce fond de rivalité croissante, et tandis que le PS est également parcouru de tensions au fur et à mesure que se rapproche l'échéance de la présidentielle, qu'ont lieu les élections européennes du 12 juin 1994. Celles-ci voient les listes « protestataires » (Philippe de Villiers, Bernard Tapie, Jean-Marie Le Pen) obtenir un score élevé, face aux listes des « partis de gouvernement » (RPR-UDF, PS). Comme, de surcroît, le taux d'abstention est particulièrement élevé (47,3 %), il y a là autant d'indices que le malaise politique profond que révélaient déjà les cantonales et régionales de mars 1992 persiste à cette date.

Elections européennes du 12 juin 1994

	Suffrages exprimés
Liste Dominique Baudis (RPR-UDF)	25,58 %
Liste Michel Rocard (PS)	14,49 %
Liste Philippe de Villiers (liste dissidente de l'UDF)	12,33 %
Liste Bernard Tapie (MRG)	12,03 %
Liste Jean-Marie Le Pen (Front national)	10,52 %
Liste Francis Wurtz (PCF)	6,88 %

Outre la persistance d'un vote protestataire, ces élections confirment le très net recul des écologistes, amorcé dès l'année précédente : ceux-ci, repassant en dessous de la barre des 5 %, perdent leurs 9 sièges au Parlement européen acquis en 1989. Elles ont, par ailleurs, une conséquence indirecte : l'échec de la liste du PS entraîne, une semaine plus tard, le remplacement à la tête de ce parti de Michel Rocard par Henri Emmanuelli.

Cela étant, malgré le climat de morosité politique, le premier ministre conserve des taux de popularité élevés. Bien plus, certains indices économiques commencent à s'inverser :

— la croissance, négative en 1993, dépassera, au bout du compte, 2 % en 1994 ;
— en juin 1994, pour la première fois depuis août 1992, l'indice mensuel du chômage accuse une baisse (– 0,4 %). Dès lors, à défaut d'une décrue, le chômage semble connaître une certaine stabilisation : en hausse de 230 000 entre mars et décembre 1993, le nombre des demandeurs d'emploi accusera une augmentation beaucoup moins forte pour l'ensemble de 1994 (50 000) ;

— sans qu'il y ait pour autant une relance forte et globale de la consommation, certaines dispositions (ainsi, dans le domaine automobile, des primes pour la reprise de vieux véhicules et l'achat de véhicules neufs) entraînent tout de même des phénomènes partiels d'amélioration du marché ;
— les privatisations se poursuivent en 1994, avec toujours un bon accueil du public (ainsi, au premier semestre, celles d'Elf-Aquitaine et de l'UAP).

Inversement, plusieurs difficultés subsistent et s'amplifient à l'automne :

— la réduction des différents déficits (Budget, Sécurité sociale, notamment), annoncée au printemps 1993, se révèle plus malaisée que prévu ;
— plusieurs membres du gouvernement, mis en examen dans des affaires relevant souvent du financement de partis ou de campagnes électorales par fausses factures, doivent démissionner (Alain Carignon en juillet, Gérard Longuet en octobre, Michel Roussin en novembre).

Ces difficultés n'empêchent pas Edouard Balladur d'exercer la plénitude de ses fonctions, en continuant à être porté par une forte popularité, d'autant que le président de la République, affaibli par une deuxième intervention chirurgicale en juillet 1994, doit s'expliquer à la télévision, le 12 septembre, sur son passé vichyste, révélé par le livre de Pierre Péan, *Une jeunesse française.*

A partir de l'automne 1994, progressivement, les futurs acteurs de la campagne présidentielle vont commencer à se déclarer :

— le 4 novembre, c'est Jacques Chirac qui annonce sa candidature, pour la troisième fois. Dans un premier temps, jusqu'au mois de février, les sondages n'enregistrent pas de progression en sa faveur. C'est Edouard Balladur qui, sans être candidat déclaré jusqu'au 18 janvier suivant, conserve d'abord la faveur de l'électorat de droite ;
— à gauche, face à la forte popularité d'Edouard Balladur, seul Jacques Delors, selon les sondages, apparaît en mesure d'être un concurrent dangereux. Mais, le 11 décembre, il annonce à la télévision qu'il ne sera pas candidat. S'engage, dès lors, au sein du PS, une lutte pour l'investiture entre Henri Emmanuelli et Lionel Jospin. C'est le vote des militants qui doit arbitrer entre

les deux hommes : finalement, le 3 février 1995, c'est Lionel Jospin qui est investi ;
— le PCF, pour sa part, a annoncé dès l'automne la candidature de Robert Hue qui, depuis janvier 1994, avait remplacé Georges Marchais à la tête du parti ;
— la mouvance écologiste est, dans un premier temps, divisée entre trois candidats, Dominique Voynet, Brice Lalonde et Antoine Waechter. Seule la première, en définitive, persistera jusqu'au bout ;
— comme aux élections présidentielles précédentes, Arlette Laguiller est candidate ;
— le président du Front national, Jean-Marie Le Pen, est lui aussi candidat, tout comme Philippe de Villiers, décidé à capitaliser son score de l'année précédente aux élections européennes.

Le premier tour verra donc se livrer à droite un duel inédit sous la Ve République, avec deux candidats principaux issus du RPR. Le 18 janvier, dans sa déclaration de candidature, Edouard Balladur s'était dit résolu à « réformer sans fractures ni rupture ». Mais Jacques Chirac, progressivement, parviendra à apparaître porteur d'une solution alternative, en tenant un discours fondé sur le constat d'une « fracture sociale » et sur la volonté proclamée de tenter de la réduire. Bien plus, au soir du premier tour (23 avril), il devance le premier ministre. Les résultats sont, en effet, les suivants :

	Suffrages exprimés
Lionel Jospin	23,30 %
Jacques Chirac	20,84 %
Edouard Balladur	18,58 %
Jean-Marie Le Pen	15,00 %
Robert Hue	8,64 %
Arlette Laguiller	5,30 %
Philippe de Villiers	4,74 %
Dominique Voynet	3,32 %
Jacques Cheminade	0,28 %

Au regard des sondages des dernières semaines, le score de Jacques Chirac apparaît, sur le moment, étriqué. En fait, une analyse plus approfondie montre, d'une part, que ce premier tour a joué *de facto* le rôle de « primaire » à droite dans un contexte de forte concurrence (Jacques Chirac, Edouard Balladur, mais aussi Philippe de Villiers). D'autre part, le fort résultat du Front national rognait d'autant les flancs de la droite parlementaire. Enfin, le vote « légitimiste » d'une partie de l'électorat de droite avait souvent, par le passé, favorisé le candidat paraissant le plus proche du pouvoir sortant (Pompidou contre Poher en 1969, Giscard d'Estaing contre Chirac en 1981, Chirac contre Barre en 1988). Inversement, au regard des mêmes sondages, le résultat de Lionel Jospin apparaît inattendu et donne un fort dynamisme à sa campagne de second tour contre Jacques Chirac.

Ce premier tour voit aussi, comme l'année précédente, des scores élevés des forces protestataires, qui atteignent 37 % des voix, ce qui, jusque-là, n'avait eu lieu qu'à des scrutins locaux. Le vote du Front national, notamment, progresse encore par rapport à 1988, et réalise une percée dans l'électorat ouvrier et chez les chômeurs. Les écologistes, en revanche, qui avaient réussi en 1992 une percée remarquée, voient leur score encore diminuer par rapport aux législatives de 1993 et aux européennes de 1994. Leurs divisions, notamment, ont joué en leur défaveur, ainsi qu'une inaptitude à s'installer, à gauche, en position alternative aux socialistes.

Au second tour, le 7 mai, le taux d'abstention apparaît plus élevé que de coutume (hormis l'élection de 1969), avec 20,33 % des inscrits. De surcroît, on observe un très fort pourcentage de bulletins blancs et nuls (5,97 %). Sur 29 943 671 suffrages exprimés, Jacques Chirac devance Lionel Jospin de plus de 1,5 million de voix (15 763 027 voix obtenues, contre 14 180 644), obtenant ainsi 52,64 % de ces suffrages.

Ce score se situe entre les deux scores de François Mitterrand en 1981 et 1988.

Second tour de l'élection présidentielle

% par rapport aux exprimés		*Taux d'abstentions par rapport aux inscrits*
58,21 %	Pompidou 1969	31,15 %
55,20 %	De Gaulle 1965	15,68 %
54,01 %	Mitterrand 1988	15,94 %
52,64 %	Chirac 1995	20,33 %
51,75 %	Mitterrand 1981	14,15 %
50,81 %	Giscard d'Estaing 1974	12,66 %

Le 7 mai au soir, les partisans de Jacques Chirac organisent une fête à la Concorde. Dix jours plus tard, le 17 mai, François Mitterrand quitte officiellement l'Elysée. Ce sont quatorze ans — durée jusque-là jamais atteinte sous la Ve République — d'un double mandat qui s'achèvent. Le même jour, Jacques Chirac nomme Alain Juppé premier ministre.

BIBLIOGRAPHIE

Habert Philippe, Perrineau Pascal, Ysmal Colette, *Le vote éclaté. Les élections régionales et cantonales des 22 et 29 mars 1992,* Presses de la Fondation nationale des sciences politiques, 1992.

Portelli Hugues, *op. cit.*

Sirinelli Jean-François (sous la direction de), *Dictionnaire historique de la vie politique française au XXe siècle,* PUF, « Quadrige », 2003.

14. Le septennat de Jacques Chirac (1995 2002)

La victoire de Jacques Chirac constitue la dernière étape de la reconquête du pouvoir par un mouvement gaulliste écarté depuis 1974 des responsabilités suprêmes. Mais plus que le succès d'un parti politique, le RPR, c'est celui d'un homme que les déboires et les défaites ont mûri et qui apparaît plus serein, plus maître de lui, plus proche des Français. Le soutien de son parti l'a aidé à surmonter les épreuves plus qu'à gagner la compétition électorale.

Cette victoire s'inscrit dans une certaine logique politique car, après le raz-de-marée électoral de 1993, la droite modérée et parlementaire (RPR et UDF) occupe une position hégémonique. Dès lors, le succès de Jacques Chirac se nourrit aussi d'une disgrâce profonde et persistante de la gauche que Lionel Jospin ne peut que stabiliser.

Néanmoins, les scrutins victorieux des 23 avril et 7 mai 1995 ne sont pas dénués d'ambiguïté. En effet, la gauche n'a pas subi le désastre attendu. Par ailleurs, la stratégie du second tour n'a pas reproduit ni amplifié les perspectives du premier tour parce que le clivage droite-gauche, par son classicisme, a modelé les électorats. Enfin, les incertitudes demeurent sur plusieurs thèmes : l'extension de la construction européenne, la capacité à dominer le chômage, la volonté de retrouver les grands équilibres.

Face à ces défis, Jacques Chirac n'entend pas dissoudre l'Assemblée nationale élue en 1993. A vrai dire, la conjoncture n'impose pas de chercher une majorité parlementaire qui subsiste même si l'élection présidentielle l'a divisée. Néanmoins, si la légitimité de cette majorité est incontestable, le rôle fondateur de l'élection présidentielle voulue par la Ve République est, en partie, occulté. Ce choix initial pèse sur le déroulement de la présidence chiraquienne.

Le gouvernement d'Alain Juppé

La réforme d'abord

Le 17 mai 1995, le soir de son investiture comme président de la République, Jacques Chirac nomme Alain Juppé premier ministre. Les observateurs, pour la plupart, estiment que ce choix est logique. En effet, Alain Juppé est un collaborateur très proche du nouveau président depuis près de vingt ans, aussi bien au sein du RPR, dont il est le secrétaire général puis le président à partir de la fin de l'année 1994, que dans des fonctions exécutives, notamment comme adjoint aux finances de la mairie de Paris. Ministre des Affaires étrangères du gouvernement dirigé par Edouard Balladur, Alain Juppé a gardé sa loyauté envers le maire de Paris.

L'itinéraire politique du nouveau premier ministre correspond à celui d'un « surdoué », d'un « pur produit de la méritocratie républicaine ». Né dans une famille modeste, gaulliste et catholique des Landes, il a suivi un cursus scolaire et universitaire brillant. Lauréat du concours général des lycées, élève de l'Ecole normale supérieure (Ulm) agrégé de Lettres classiques, élève de l'Ecole nationale d'administration, il devient inspecteur des finances et rejoint vite les cabinets ministériels. Les différentes fonctions qu'il exerce lui confèrent l'image d'un excellent connaisseur de dossiers ; il paraît éloigné des contingences du quotidien. Il passe pour un « technocrate » qui revendique d'être « droit dans ses bottes ».

Elu député de Paris en 1981, il fait partie de la génération des jeunes élus de l'opposition qui engagent la bataille parlementaire contre les gouvernements à direction socialiste. Il passe pour « l'économiste » du RPR et rédige à ce titre, avec d'autres élus comme Edouard Balladur, le programme du futur gouvernement dirigé par Jacques Chirac entre 1986 et 1988. Mais s'il est favorable à la réduction du rôle de l'Etat dans la vie économique, il n'adopte nullement les thèses du pur libéralisme et entend promouvoir un « libéralisme à visage humain ».

Le gouvernement qu'il compose présente quelques caractères originaux. Rassemblant quarante-trois membres, c'est un gouvernement qui exclut ceux qui, au RPR, ont apporté leur soutien à Edouard Balladur. Mais c'est une équipe renouvelée et équilibrée qui associe des proches de Jacques Chirac (Jean-Louis Debré, au ministère de l'Intérieur, Jacques Toubon au ministère de la Justice) à des responsables de l'UDF (Alain Madelin, au ministère de l'Economie et des Finances, Hervé de Charette au ministère des Affaires étrangères, François Bayrou à l'Education nationale ou Jacques Barrot au ministère du Travail). Par ailleurs, douze femmes ont obtenu une nomination ministérielle dans des fonctions sociales (Elisabeth Hubert au ministère de la Santé ou Colette Codaccioni à celui de la Solidarité).

Pour le président de la République, ce gouvernement a une obligation particulière de résultats : il lui faut réduire la « fracture sociale » et « limiter les écrans entre les ministres et le peuple ». Mais Jacques Chirac, qui entend se consacrer aux compétences internationales de sa fonction, laisse agir le gouvernement dans le domaine intérieur.

L'équipe ministérielle s'installe, en fait, dans une conjoncture assez confuse. Les Français apprécient, à leurs débuts, le nouveau président et le chef de son gouvernement ; Jacques Chirac est populaire, Alain Juppé est « à la mode ». Mais leurs cotes de popularité, pour être initialement bonnes, n'atteignent pas des niveaux exceptionnels. Dans un passé récent, F. Mitterrand, M. Rocard ou E. Balladur ont été mieux appréciés. Il semble donc qu'il n'y ait pas « d'effet Chirac » comme il y a eu « un effet Giscard » ou un « effet Mitterrand ». C'est ce que mesurent les élections municipales. Certes, elles ont une fonction locale puisqu'elles désignent les maires. Un mois seulement après la présidentielle, les gains de la gauche et de la droite s'équilibrent. Si la droite modérée conquiert Marseille, Le Havre, Bourges, Avignon, la « gauche plurielle » l'emporte à Rouen, à Nîmes, à Grenoble, à Tours et garde Strasbourg. A Bordeaux, le succès d'Alain Juppé est plutôt étriqué tandis qu'à Paris, la presse souligne les échecs des chiraquiens. Il est évident que le nouvel exécutif ne parvient pas à réduire le malaise politique. Le taux d'abstention s'est accru tandis que le Front national poursuit sa progression (conquête de Toulon, d'Orange, de Marignane après celle de Dreux). Ce sont des alertes qui, dans l'immédiat, ne sont pas évaluées à leur juste importance.

Les premières semaines de l'action présidentielle et gouvernementale suscitent l'intérêt des Français. Les prises de position fermes de Jacques Chirac en faveur de la cessation des combats en Bosnie, comme la dénonciation des responsabilités de l'État français dans la déportation des Juifs pendant la seconde guerre mondiale, rompent avec le septennat de François Mitterrand.

Ces gestes ne compensent pas les effets dommageables d'autres décisions telles que celles qui accompagnent la reprise des essais nucléaires décidée le 13 juin. Les Français sont acquis à la dissuasion nucléaire mais désapprouvent le choix présidentiel qui ne semble pas pertinent. Ils craignent que la France ne mécontente durablement les Etats qui lui font confiance et donne le mauvais exemple aux plus aventureux. La désapprobation internationale est, en effet, unanime.

De même, au cours de l'été puis de l'automne, le pays est affecté par une vague d'attentats qui rappellent ceux de la première cohabitation en 1986. L'émotion gonfle rapidement lorsque, le 25 juillet, une bombe tue, à la station Saint-Michel du RER, 7 personnes et blesse 80 victimes. Elle s'amplifie encore lorsque le 17 août un autre attentat blesse 17 personnes à l'Arc de Triomphe à Paris ou lorsque l'on apprend en septembre, octobre et novembre que de nouvelles tentatives ont été déjouées par la police. La capacité à assurer la sécurité, dont les Français gratifiaient président de la République et premier ministre, semble contestée.

Le climat politique s'alourdit d'autant plus que les « affaires » politiques et financières reprennent. Les principales familles politiques en sont affectées vers le milieu de l'année 1995. Des jugements sévères sont prononcés à l'encontre de dirigeants connus (Bernard Tapie, l'ancien maire de Nice Jacques Médecin, l'ancien maire de Lyon Michel Noir, l'ancien maire de Grenoble Alain Carignon) qui ont mêlé politique et finance. Ces affaires n'expriment pas une plus grande corruption des hommes politiques. Elles soulignent que des magistrats, plus indépendants par rapport au pouvoir politique, montrent plus de rigueur dans l'application de la loi. C'est pourquoi la polémique que lance la presse à l'encontre d'Alain Juppé, locataire d'un appartement privé de la ville de Paris, obtient un large écho et écorne sensiblement l'image d'intégrité du premier ministre.

Le désenchantement s'installe de manière insidieuse : la popularité d'Alain Juppé décline régulièrement au cours de l'été. Cette dégradation explique la déception sans cesse aggravée des Français qui attendaient, au nom des promesses de Jacques Chirac, des infléchissements sensibles de la politique économique et sociale. Or, l'automne n'apporte pas d'amélioration à la situation de l'économie tandis que la politique sociale semble, pour le moins, brouillée. Les désaccords connus entre le ministre de l'Economie et des Finances, Alain Madelin, très sensible aux thèses libérales et Alain Juppé, plus prudent, qui aboutissent à la « démission » du premier, contribuent à faire peser une ambiguïté certaine. Les choix n'apparaissent pas toujours plus cohérents ni plus conformes aux engagements pris pendant la campagne électorale. L'augmentation du SMIC, la création du contrat initiative-emploi en faveur des chômeurs de longue durée, l'instauration du prêt au taux zéro pour l'accession à la propriété, sont appréciés par les observateurs et la population. Mais l'accroissement des impôts indirects (TVA) et celui de l'impôt sur les sociétés ne sont pas compris : ils contribuent à alourdir les charges alors que Jacques Chirac avait promis de les baisser. Tandis que le gouvernement s'engage à lutter contre l'exclusion, il laisse entendre que la mendicité peut être interdite. Enfin les méthodes du premier ministre donnent lieu à bien des interrogations : des députés de la majorité se plaignent de n'avoir d'informations que par la presse.

Au total, la politique du gouvernement semble hésitante et incertaine. Ces tâtonnements accentuent la morosité voire les amertumes de l'opinion. Les cotes de popularité d'Alain Juppé et de Jacques Chirac s'effondrent. En octobre, moins de 40 % des Français leur font confiance pour résoudre les grands problèmes du pays.

« La grève de l'opinion »

La rentrée politique et sociale de l'automne s'effectue dans un mécontentement qui s'élargit. Le niveau du chômage est monté pendant l'été. Fin septembre, 3 millions de Français sont demandeurs d'emplois. La population se résigne à l'accroissement des impôts tout en exigeant des limites aux « réformes annoncées ». Ainsi, tous les sondages effectués pendant les premières semaines de l'automne 1995 soulignent que les Français ne sont pas prêts à abandonner leurs acquis sociaux. La Sécurité sociale suscite un attachement particulier. L'amélioration sensible de l'image des syndicats exprime bien toutes ces préoccupations.

Devant le gouvernement, les difficultés s'accumulent. Tous les déficits se creusent. Les perspectives imposées par la construction de la monnaie unique européenne semblent difficilement accessibles. Le déficit du budget de l'Etat est plus élevé que prévu ; celui de la Sécurité sociale continue à s'amplifier. Des grèves s'annoncent dans la Fonction publique car le gouvernement refuse de négocier une éventuelle augmentation des salaires. L'effervescence gagne l'Education nationale où les syndicats dénoncent l'insuffisance des moyens. De plus, les attentats terroristes qui affectent Paris ou Lyon renforcent le doute sur de la capacité du gouvernement à assurer la sécurité de la population.

Ce malaise et ce désarroi ont rapidement leur traduction électorale. Ainsi, les élections sénatoriales de septembre 1995 confirment la fragilité de la droite modérée comme l'a déjà montré la consultation municipale de juin. Quelques semaines plus tard, début décembre, les élections législatives partielles sanctionnent la droite parlementaire qui perd 5 des 7 sièges en jeu. A cette date, le divorce entre l'opinion et le gouvernement s'engage.

En effet, Jacques Chirac veut reprendre l'initiative et afficher les priorités de l'action gouvernementale. C'est pourquoi, le 26 octobre, dans un entretien télévisé, il annonce un réajustement de la politique économique et sociale. Il demande au gouvernement de rétablir les grands équilibres budgétaires et de prendre les mesures incitatives nécessaires à l'activité économique, à la réduction du chômage ; il instaure une politique de rigueur qui se substitue à une stratégie qui se voulait sociale lors de l'élection présidentielle.

Cette réorientation surprend beaucoup les Français. Un tel changement laisse entendre que les engagements du printemps sont abandonnés et que les choix présidentiels peuvent rapidement changer selon les opportunités. Par ailleurs, un tel tournant aurait supposé la mise en place d'une nouvelle équipe ministérielle d'autant plus que l'impopularité du premier ministre gêne le dynamisme de l'action réformatrice. En effet, fin octobre deux Français sur trois n'accordent plus leur confiance au chef du gouvernement. Néanmoins, le président de la République confirme Alain Juppé dans ses fonctions. Un gouvernement est composé, qui, par certains choix, se renouvelle (appel au maire de Marseille, Jean-Claude Gaudin) et renforce les secteurs économiques et sociaux. Mais Alain Juppé étonne les Français en écartant la plupart des femmes qu'il a nommées au printemps avant qu'elles n'aient pu faire la preuve de leurs compétences. Une décision aussi brutale dans la forme que mal fondée sur le plan politique assombrit un peu plus l'image dépréciée du premier ministre.

Le nouveau gouvernement Juppé, plus resserré que le premier, entend mettre en route sa « lettre de mission » c'est-à-dire engager une action cohérente pour réduire les dettes et les déficits. Cette perspective qui convient mieux à la sensibilité du premier ministre lui permet de lancer quatre chantiers de réformes qui n'ont pas la même urgence mais qui peuvent jalonner l'itinéraire gouvernemental pour les mois à venir. La réforme de la Sécurité sociale, celle de l'Etat et celle du la fiscalité semblent « incontournables ». La définition d'une politique d'intégration urbaine doit répondre à une effervescence croissante dans les cités.

Le premier projet concerne la Sécurité sociale, dont le gouvernement entend équilibrer les comptes. Il accroît les cotisations pour relever les recettes et organise un véritable encadrement des dépenses. Par ailleurs, en appelant le Parlement à voter, chaque année, le budget général de la Sécurité sociale, il prépare un contrôle renforcé de l'Etat sur une institution paritaire, ce qui impose une modification de la Constitution. Enfin, le gouvernement met en œuvre une réforme des « régimes spéciaux de retraite » en alignant la durée des cotisations versées par les salariés du secteur public sur celle des employés du secteur privé.

L'ampleur et l'audace du projet surprennent. La majorité parlementaire en loue les objectifs et la cohérence. La presse lui accorde un préjugé favorable. La gauche parlementaire joue son rôle en s'y opposant. Les syndicats, à l'exception de la CFDT qui estime que la « réforme va dans le bon sens », dénoncent une démarche qui met en cause « les principes de la démocratie sociale ».

Les mesures annoncées heurtent les fonctionnaires et les employés des entreprises nationalisées. Leurs syndicats lancent un appel à la grève générale pour le 24 novembre. Cet appel est largement entendu, au-delà des services publics, puisque l'opinion publique, majoritairement, affiche sa neutralité puis son approbation d'un « front du refus » qui tend à se construire.

Dès lors, un mouvement social d'une ampleur et d'une vigueur inconnues depuis 1968 affecte le pays qu'il paralyse. Les transports sont arrêtés ; les fonctionnaires cessent le travail comme les postiers. La pression de la rue s'amplifie : chaque jour des manifestations dans les grandes villes rassemblent des cortèges de dizaines de milliers de grévistes dont les revendications se radicalisent. L'ensemble de la politique économique et sociale du gouvernement subit la virulence de la critique incessante. Si les salariés du secteur privé ne rejoignent pas le mouvement, ils n'hésitent pas, avec une majorité de l'opinion, à rendre le gouvernement responsable des difficultés quotidiennes qui se prolongent.

Certes, au bout de deux semaines de grève, la protestation sociale s'essouffle. Le gouvernement cherche à exploiter cet étiage pour engager des négociations avec les organisations syndicales qui, étonnées de la vigueur des réactions de leurs mandants, hésitent à entrouvrir le dialogue. La CGT qui tient son congrès retarde sa réponse tandis que la CFDT subit, comme FO, de nombreuses turbulences. Le premier ministre multiplie les assurances et propose des concessions afin de diviser le front du refus et de susciter le rejet, par l'opinion, des positions syndicales. Cette tactique lui permet d'abandonner certains points de son projet sur les régimes de retraite. Mais il faut attendre la mi-décembre et surtout le « sommet social » du 21 décembre pour qu'une négociation puisse s'engager, quatre semaines après les débuts du conflit. L'activité des services reprend pour les fêtes de fin d'année.

Ses ambitions revues à la baisse, le gouvernement met en œuvre la réforme de la Sécurité sociale que le Parlement a votée le 19 décembre en l'habilitant à procéder par ordonnances. Dans les semaines qui suivent, différents textes sont publiés pour réformer les conventions avec les médecins, pour encadrer les dépenses de santé, organiser la gestion des hôpitaux et réorganiser le fonctionnement des caisses de Sécurité sociale. Le conflit social n'est pourtant pas achevé puisque les médecins généralistes entrent en effervescence à leur tour.

La crise sociale a donné lieu à bien des analyses comme celles que présentent Pierre Bourdieu ou Alain Touraine. Selon ce dernier, la société française aurait exprimé un « grand refus » du changement pour sauvegarder les acquis sociaux. Il est vrai que ce sont les salariés « à statut » qui ont porté la protestation sociale dans une conjoncture particulièrement dégradée. En défendant des situations particulières, les grévistes ont donc manifesté des comportements souvent proches du corporatisme. Mais ils ont obtenu, au moins, la neutralité bienveillante de l'opinion, dans la mesure où leur réaction correspondait à un très large sentiment d'insatisfaction sinon de frustration. En effet, moins d'un semestre après avoir dénoncé la fracture sociale, le président de la République reprend à son compte un discours économique classique sur les nécessités de l'équilibre budgétaire ; sa démarche semble prouver qu'il s'est creusé un clivage fondamental entre « le peuple » et les « élites » qui, au nom de leur expertise, proposent une politique devenue difficilement supportable. La sensibilité des Français apparaît surévaluée par rapport aux réalités sociales vécues et par rapport à la situation de la France en Europe. Cependant, l'impression d'être entré dans une impasse – les effets de la construction européenne – inquiète de très larges fractions de la société française. A l'évidence, ce « grand refus » peut être un des visages d'une « tentation populiste » plus large qui, sous les formes politiques et syndicales, gagne le pays.

Néanmoins, la méthode gouvernementale a amplifié le phénomène. En négligeant la concertation et en privilégiant la « réforme au pas de course », Alain Juppé a sous-estimé l'attachement des Français aux acquis sociaux, dans une conjoncture de chômage persistant et de plans sociaux régulièrement mis en œuvre. En ce sens, l'image du technocrate a donné une dimension politique à une crise qui était principalement sociale. La popularité du premier ministre poursuit son érosion.

Difficile sursaut

L'année 1996 s'ouvre sur un événement qui, un temps, laisse penser qu'il peut fédérer les familles politiques : l'annonce de la mort de François Mitterrand le 8 janvier. Jacques Chirac dans son intervention télévisée déclare que l'ancien président de la République « a écrit une page importante de l'histoire de notre pays en permettant aux alternances démocratiques de se faire dans la sérénité et en faisant progresser la construction européenne ». Nombre d'acteurs politiques présentent leurs hommages et offrent leur témoignage. Les seuls commentaires négatifs viennent des extrêmes. L'ancien président semble capable, un moment, de construire effectivement « la France unie ».

Mais l'union nationale n'est qu'éphémère ! Certes, des mesures comme l'arrêt espéré et définitif des essais nucléaires, décidé en janvier, ou la suppression du service national annoncée en février, rencontrent un écho favorable. Mais la professionnalisation de l'armée soulève bien des questions. Est-ce l'abandon du soldat citoyen, un des fondements de la culture républicaine ? La dissolution de nombreux régiments, le démantèlement de bases aériennes, la fermeture de sites militaires, ne menacent-ils pas l'activité économique de régions déjà en difficulté ? En tout état de cause, une telle politique suppose des délais dans son application et laisse planer des inquiétudes, chez les élus locaux mais aussi dans les populations concernées.

Force est de constater que l'activité économique demeure atone au cours de l'année 1996. L'insuffisance des investissements gêne la modernisation tandis que la consommation des ménages garde un niveau fort modeste. De plus, en faisant de la réduction du déficit budgétaire sa priorité politique, le gouvernement manque de moyens pour peser efficacement sur la reprise. En fin d'année, la conjoncture s'améliore mais l'embellie ne permet pas d'enrayer la progression du chômage qui affecte désormais près de 3 100 000 personnes. Avec un accroissement annuel de 3 %, le chômage atteint le niveau record de 12,7 % de la population active.

Face à une popularité qui continue à se dégrader – les cotes de sympathie des deux têtes de l'exécutif sont au plus bas –, Jacques Chirac, qui refuse de se séparer de son premier ministre, tente de reprendre l'initiative. Il encourage les partenaires sociaux à s'entendre sur la réduction du temps de travail pour faire baisser le nombre des demandeurs d'emplois mais il se heurte aux réserves fortes du patronat qui parle de la « flexibilité du travail ». Alain Juppé annonce une baisse de l'impôt sur le revenu pour faire repartir la demande de consommation. Mais ses projets n'emportent pas la conviction : le gouvernement donne l'impression de tâtonner et l'opinion reproche au premier ministre son incapacité permanente à comprendre les préoccupations quotidiennes des Français. Pourtant, certains projets sont innovants comme ceux qui concernent la politique de la ville ou la lutte contre l'exclusion sociale, l'apprentissage et l'emploi des jeunes.

Le divorce entre le gouvernement et l'opinion continue de s'approfondir. Par-delà les alternances, des majorités différentes semblent adopter des analyses voisines et des choix équivalents. Surtout, le discrédit du personnel politique s'amplifie : l'année 1996 voit se dérouler des feuilletons politico-judiciaires où les procès et les mises en examen de personnalités de tous bords révèlent les complicités et les réseaux de clientèle. A l'évidence, les ravages de ces affaires sont très importants dans de larges fractions de l'opinion. Les élites administratives sont elles aussi contestées : la justice, la police sont les cibles de l'opinion. En revanche, le gouvernement adopte une grande fermeté à l'égard des défenseurs des sans-abri, ou des sans-papiers, au cours de l'été 1996. Cette méthode contraste avec la compréhension apparente des faits plus ou moins entachés de corruption. Une telle démarche ne peut qu'alimenter de nouvelles réactions populistes.

Au sein de la majorité parlementaire, les perspectives ouvertes par le renouvellement de l'Assemblée, au printemps 1998, s'assombrisssent. Les choix économiques et sociaux, la pratique gouvernementale donnent lieu à des contestations parfois très sévères. Ainsi l'ancien président de la République Valéry Giscard d'Estaing déplore-t-il « la grande incompréhension entre les dirigeants et l'opinion » tandis que l'UDF juge la gestion d'Alain Juppé « un peu autoritaire et pas particulièrement efficace ». Si le chef du gouvernement demande plus de réserves, des élus de la majorité n'hésitent pas à rappeler que la coalition ne peut être assimilée à une caserne. On hésite de moins en moins à souhaiter publiquement le départ du premier ministre et même la dissolution de l'Assemblée nationale. La fronde atteint certains dirigeants du RPR, comme Charles Pasqua, l'ancien ministre de l'Intérieur du gouvernement d'Edouard Balladur, tandis que les conflits sociaux reprennent vigueur (grève des transports routiers à l'automne) et que persiste la violence en Corse.

Enfin, un dossier trouble et divise la majorité parlementaire, celui de la monnaie unique européenne. Le sommet de Madrid, en décembre 1995, en a décidé la création, et le Conseil européen en a défini les statuts et l'organisation les 13 et 14 décembre 1996. Les membres de l'Union européenne adoptent le pacte de stabilité et de croissance qui est destiné à assurer une gestion saine des finances publiques et déterminent les critères de convergence nécessaires pour rapprocher les monnaies. La création de la monnaie unique – l'euro – impose des contraintes budgétaires ; en ce sens elle représente un défi pour les pays qui veulent y avoir accès.

En France, si la notoriété de l'euro progresse, la confiance dans la monnaie unique s'affaiblit car l'opinion comprend l'ampleur des exigences qu'elle impose. Des tensions éclatent au sein de toutes les familles politiques, notamment au sein de la majorité parlementaire où le clivage se rouvre entre les partisans d'une stratégie sociale comme Philippe Séguin, le président de l'Assemblée nationale, et les adeptes d'une construction européenne solide.

La dissolution de l'Assemblée

Le 21 avril 1997, le président de la République annonce qu'il a pris la décision de dissoudre l'Assemblée nationale. Il s'agit, dit-il, de redonner la parole au peuple sur l'ampleur et le rythme des réformes, d'aborder le passage à la monnaie unique dans les meilleures conditions, et de rassembler la population autour des grandes valeurs de la République. Cette décision qui était attendue ne surprend pas vraiment, même si les objectifs de la dissolution ne sont pas tout à fait clairs. Il ne s'agit pas, en effet, de résoudre une crise politique grave ni de faire coïncider une majorité parlementaire avec la majorité présidentielle comme en 1981 et 1988. Les Français demeurent donc assez perplexes.

S'il est vrai que la fronde agite la majorité parlementaire, il apparaît plus probable que le président a souhaité surprendre l'opposition. En effet, celle-ci, après le double échec de 1993 et 1995, et malgré les succès partiels de 1995, n'est pas entièrement reconstruite et tente de s'organiser pour l'échéance législative normale de 1998. Lionel Jospin, premier secrétaire du Parti socialiste, s'efforce de préparer son Parti au réalisme économique et d'instaurer la concertation nécessaire avec les organisations syndicales. De même, il tente de réunir les partis de la gauche autour d'une stratégie commune dans la diversité, mais les réticences, voire les oppositions demeurent avec le Parti des Verts, le Parti communiste ou l'extrême gauche trotskiste. Certes, dès le début de 1997, des rencontres bilatérales sont organisées pour lever les ambiguïtés et rapprocher les points de vue. Mais elles sont timides tant la santé des gauches apparaît fragile. Car, même, sous la forme de « gauche plurielle », la gauche semble en panne ; au début de l'année, la majorité de ses électeurs potentiels ne croit pas en sa capacité à reprendre la direction du gouvernement.

En revanche, le président de la République et le gouvernement bénéficient, au même moment, d'une embellie. Tout en maintenant le cap de la rigueur, le gouvernement donne l'impression d'obtenir des résultats, notamment dans le domaine économique et financier. Les sondages soulignent ces signes de redressement qui marquent une inversion de la tendance persévérante à l'impopularité. Cependant cette embellie est éphémère et fragile car d'autres enquêtes d'opinion révèlent que les préoccupations des

Français sont redevenues celles de l'emploi et du chômage, thèmes sur lesquels le gouvernement ne suscite pas une grande confiance.

Si la dissolution ne semble pas avoir été souhaitée par les Français, elle a été acceptée par un électorat qui, majoritairement, attend un changement de politique ou, à défaut, de personnels politiques. Cette sensibilité est exploitée, au cours de la campagne, par les candidats de gauche : socialistes, communistes, radicaux, Verts, républicains chevènementistes. Ils profitent de l'opportunité offerte pour renouveler les candidats qu'ils rajeunissent et féminisent. La majorité sortante, dès lors, doit se tenir sur la défensive car elle a beaucoup de circonscriptions à défendre et ne peut donc pas, dans le même temps, assumer le risque de la rénovation de ses candidats.

De courte durée – le premier tour a lieu le 25 mai – la campagne est longtemps confuse. Des projets opposés et exclusifs s'affrontent mais la ligne de partage entre droite et gauche plurielle apparaît souvent sinueuse. Si les gauches refusent une société dominée par le libéralisme économique, la majorité sortante met l'accent sur la nécessité de « libérer l'initiative au service de l'emploi » et préconise la rénovation du pacte social. La gauche, de son côté, propose de construire une « société où l'homme est au cœur de l'économie ». Le libéralisme de la droite est donc bien tempéré quand le socialisme de la gauche est bien nuancé. En fait, très vite la campagne oppose deux personnalités, Alain Juppé, en homme moderne, compétent et distant, et Lionel Jospin, plus proche des préoccupations du quotidien, plus attentif au dialogue social. Cette bataille d'hommes se développe dans une conjoncture où les préoccupations des Français ont changé : les thèmes sociaux deviennent prépondérants. Par voie de conséquence, les thèmes politiques – cohabitation, insécurité – sur lesquels la droite fonde son identité passent au second plan. Dès lors, la gauche semble plus crédible même si, à l'évidence, son projet n'est pas tout à fait prêt.

La campagne sous-estime le Front national qui cherche, suivant sa stratégie des années 1980, à capter tous les déçus. Or, il bénéficie, en 1997, d'une forte opportunité en attirant, après les déçus de la gauche, ceux que la politique menée par Jacques Chirac et Alain Juppé a profondément désappointés. Les débats internes au Front national ne dégradent pas son image de mouvement protestataire d'autant moins qu'il s'efforce de les masquer dans une campagne qui n'emporte pas l'enthousiasme des électeurs.

La majorité sortante subit un désaveu sans précédent puisque, à l'issue du premier tour, elle obtient à peine 36 % des suffrages exprimés, ce qui représente son niveau le plus bas depuis 1958. Au contraire, la « gauche plurielle » obtient plus de 42 % des suffrages. A l'intérieur de la gauche, le Parti socialiste impose son hégémonie puisqu'il obtient près de 26 % des suffrages. Son influence électorale demeure néanmoins affaiblie par rapport aux résultats des années 1980. Pour les communistes, le pire est évité car la chute électorale semble enrayée mais le score espéré – 10 % des suffrages – n'est pas atteint (9,8 %). Les Verts montrent, à cette occasion, qu'ils ne sont plus en progrès puisque leurs résultats confirment ceux de Dominique Voynet à la présidentielle de 1995 (3,6 % des suffrages). A l'extrême droite, les candidats présentés par le Front national démontrent l'enracinement de leur parti, en obtenant des résultats équivalant à ceux de Jean-Marie Le Pen en 1995 (14,9 %). Par ailleurs, ils sont en situation de jouer un rôle d'arbitres dans plus de 290 circonscriptions.

La consultation électorale n'a pas mobilisé vraiment le corps électoral. Le niveau de l'abstention demeure élevé (il atteint 39 %) et confirme le « malaise démocratique ». Mais, contrairement aux pronostics souvent alarmistes, l'abstentionnisme ne progresse pas : il demeure au niveau qu'il a atteint au début des années 1990.

Vote surprise ? Sans doute, ni la majorité parlementaire ni l'opposition de gauche n'ont imaginé un tel renversement de tendance. Pour la droite la surprise est très forte. Ses composantes principales, RPR et UDF, qui détenaient des lieux de pouvoir nombreux (la majorité des députés, des sénateurs, des régions et des départements, de très nombreuses villes importantes) sont renvoyées par les électeurs à un statut de minorité. Ce vote est déstabilisateur pour la droite, car la dissolution a été voulue par le président, dont l'action est clairement désavouée ainsi que celle de son premier ministre.

La campagne du second tour devient donc très délicate pour les partis de droite, qui doivent combattre à gauche un Parti socialiste revigoré par l'espoir d'une victoire possible et à l'extrême droite un Front national qui entend, à l'occasion de compétitions triangulaires, imposer son choix. Ni le changement de chef de file, Alain Juppé annonçant son départ, ni une nouvelle intervention présidentielle, n'empêchent la tendance du premier tour de se confirmer au second. Avec plus de 48 % des suffrages, la gauche obtient la majorité absolue des sièges à l'Assemblée nationale (320 sièges) tandis que la droite en perd plus de 220.

Les élections législatives de 1997 constituent donc une défaite cuisante pour la majorité élue en 1993 et renforcée en 1995. Elles ouvrent une longue période de remises en cause dans les familles RPR et UDF, qui la composent. Ce grave échec doit aussi être mesuré à l'aune du triomphe de 1993 car c'est toute la géographie électorale des forces de droite qui est bousculée. En l'occurrence, si le RPR et l'UDF gardent leurs bastions traditionnels (le grand Ouest, l'Est lorrain et alsacien, le Centre, les vallées de la Saône et du Rhône), leur niveau d'influence recule. Partout la mobilisation des électeurs de droite est en retrait par rapport aux scrutins précédents, notamment par rapport à 1995. Le déficit est marqué dans les catégories populaires, mais aussi parmi les électeurs issus des classes moyennes (professions libérales et cadres) qui sanctionnent lourdement l'exécutif. Une partie importante des déçus rejoignent le Front national qui progresse là où la droite parlementaire recule.

Les élections expriment aussi une victoire sans ambiguïté de la « gauche plurielle » et plus précisément du Parti socialiste. Certes, les résultats obtenus par les communistes (37 élus) et les Verts (8 élus) sont plus mitigés et doivent beaucoup au Parti socialiste. Mais la gauche plurielle bénéficie d'une victoire logique que certaines triangulaires imposées par le Front national ont amplifiée mais non déterminée. C'est aussi un succès inattendu même si, à la veille des élections, le Parti socialiste a reconquis une excellente image dans l'opinion, image confirmée par les enquêtes menées après l'annonce des résultats du second tour. Près de 60 % des électeurs disent leur satisfaction à l'issue du scrutin. Cependant, cette victoire ne peut masquer une évidente fragilité puisque le score obtenu est inférieur à ceux des années 1980. Si la gauche plurielle reconstitue une partie de ses assises en milieu populaire, elle ne parvient pas à reconstruire le rassemblement électoral qui, dans les années 1970 et 1980, a fait sa force.

Enfin le Front national continue sa progression et son enracinement. Il ne s'identifie plus à quelques régions bien déterminées (Provence - Alpes - Côte-d'Azur, Alsace) mais se nationalise en récupérant les déçus de la droite et de la gauche. Sa progression fait baisser l'abstentionnisme mais ses reculs électoraux font s'élever le nombre des abstentions. C'est dire que le Front national se nourrit du malaise social et des inquiétudes identitaires. C'est dire aussi que le Front national, mouvement protestataire, cristallise une minorité électorale hétérogène, sans doute, qui n'est plus prête à faire confiance aux partis traditionnels, appelés à la gestion gouvernementale.

Projets, action, difficultés du ministère Jospin

Le renouvellement de la majorité et de l'équipe dirigeante

La victoire surprise de la « gauche plurielle », entraîne la mise en place d'une nouvelle formation majoritaire. La gauche plurielle a obtenu 320 sièges sur 577, mais le Parti socialiste avec 246 sièges ne dispose pas de la majorité absolue à lui seul. Il bénéficie toutefois d'un avantage : ses 74 alliés sont dispersés dans les diverses autres composantes de la gauche. On compte en effet 37 communistes, 7 « républicains » de la tendance chevènementiste, 13 représentants du Parti radical-socialiste (PRS, nouvelle dénomination des radicaux de gauche), 8 écologistes, qui font pour la première fois leur entrée au Palais-Bourbon, enfin 9 « centre gauche ». A côté du groupe socialiste, les communistes peuvent sans difficulté former le leur, mais les autres composantes se réunissent dans un ensemble fort composite, pour ne pas dire hétéroclite, le groupe « Radical, Citoyen, Vert ».

Lionel Jospin, appelé par le président de la République à exercer la charge de premier ministre dès le lendemain du deuxième tour, compose son gouvernement en respectant les équilibres nés des élections ; mais il est animé par une autre préoccupation, celle de promouvoir de nouveaux dirigeants, la difficile fin de mandat de François Mitterrand imposant un renouvellement profond dans la composition de l'équipe du PS appelée à gouverner le pays. Il annonce le 4 juin 1997 la formation d'une équipe resserrée : 26 membres, dont 14 ministres. Jospin réserve 18 portefeuilles aux socialistes, 3 au Parti communiste, dont les militants, consultés sur l'initiative de Robert Hue, leur secrétaire général, approuvent massivement la participation, 3 au PRS ; les « Républicains » et les Verts ne sont représentés que par un seul ministre, leur chef de file, respectivement Jean-Pierre Chevènement (Intérieur) et Dominique Voynet (Aménagement du territoire et Environnement). Au total, en confiant 8 portefeuilles (5 ministères, 3 secrétariats d'Etat) sur 26 à ses alliés, Lionel Jospin n'a pas hésité à leur accorder une représentation gouvernementale supérieure à leur poids dans la nouvelle Assemblée.

La préoccupation de renouvellement se manifeste par deux autres caractéristiques de la nouvelle formation gouvernementale. Sa féminisation est nettement marquée : le gouvernement compte 8 femmes, dont 5 ministres. Mais la grande nouveauté réside dans les fonctions qui sont attribuées à certaines d'entre elles : les titulaires de l'Emploi et de la Justice, placées respectivement aux deuxième et troisième rangs de la hiérarchie gouvernementale, sont des femmes, Martine Aubry et Elisabeth Guigou. Ces nominations reflètent une réalité nouvelle à l'Assemblée : 63 femmes ont été élues lors des législatives, portant la présence féminine à près de 11 % du total des représentants, contre 5 % dans l'ancienne Chambre. Sur ces 63, 42 ont été élues avec l'investiture du Parti socialiste, soit 17 % du total des députés PS, alors que le RPR n'en compte que 5 sur 139.

L'autre préoccupation visible est le souci de changement des personnes. Certes, le nouveau ministère comprend nombre de personnalités bien connues dans la vie publique ; mais on ne trouve aucun des dirigeants de premier rang de l'époque mitterrandienne, sauf Jospin lui-même et Jean-Pierre Chevènement, à qui est attribué le poste stratégique de l'Intérieur. L'ancien premier ministre Laurent Fabius, n'ayant pas reçu d'affectation gouvernementale, est élu président de l'Assemblée nationale. Peu nombreux sont les anciens ministres parmi les membres du nouveau gouvernement, tels M. Aubry, E. Guigou, Dominique Strauss-Kahn (Finances), mais beaucoup ont exercé d'importantes fonctions comme conseillers au plus haut niveau, comme Hubert Védrine (Affaires étrangères), non parlementaire et ancien secrétaire général de l'Elysée sous François Mitterrand. D'autres personnalités non parlementaires sont appelées en raison de leurs liens particuliers avec le premier ministre, comme le géophysicien Claude Allègre (Education nationale et Recherche), ancien conseiller de Jospin lors du passage de ce dernier à l'Education nationale, ou le docteur Bernard Kouchner (secrétariat d'Etat à la Santé), figure médiatique bien connue et infatigable promoteur des doctrines « humanitaires ». La presse proche de la majorité salue, de manière générale, une équipe rajeunie. Et, pour bien marquer la rupture, Jospin se prononce à plusieurs reprises avec force en faveur d'une méthode de gouvernement fondée sur la transparence et sur la mise en accord des actes et des paroles.

Enfin, le premier ministre doit régler un dernier problème, celui de la direction du Parti socialiste, dont il abandonne le secrétariat national, comme l'avait fait François Mitterrand seize ans plus tôt, précisément en sa faveur – il a été lui-même premier secrétaire de 1981 à 1988. En novembre 1997, le congrès du parti porte à sa tête un de ses proches, François Hollande, qui dispose d'une majorité de 85 %, la seule opposition interne étant celle de la « Gauche socialiste » de Julien Dray et Jean-Luc Mélanchon, qui n'est pas représentée au gouvernement. Favorisé par la victoire électorale, un fort sentiment unitaire semble alors traverser une formation déchirée depuis des années par des luttes intestines. Disposant d'une solide majorité et d'un gouvernement qu'il a composé de façon personnelle, et qui n'est donc pas issu de préoccupations de pur équilibre politique, sûr de l'appui d'un Parti socialiste où ses partisans jouent un rôle essentiel, Lionel Jospin va, de plus, bénéficier d'un état de grâce exceptionnellement long dans l'opinion publique et qui lui semble de très bon augure : il s'agit, en effet, de durer, jusqu'à l'élection présidentielle de 2002.

Le gouvernement Jospin, les mutations économiques et la politique de l'emploi

Lionel Jospin et son équipe arrivent au pouvoir dans un contexte de transformations économiques et sociales engagées depuis les années 1970, accélérées dans les années 1990. Si le pays a bénéficié de la croissance induite par son insertion dans le marché mondial, il en subit aussi durement les contrecoups. La « modération salariale », estimée nécessaire au début des années 1980 – et mise en place par les socialistes – pour permettre la relance des profits et donc des investissements, a largement modifié le rapport entre les revenus du capital et ceux du travail, pour le plus grand bénéfice du premier de ces deux facteurs. Le chômage massif, conséquence des restructurations industrielles provoquées par la « mondialisation », engendre une précarité accrue pour les travailleurs, alors que la délinquance, dont le lien avec le sous-emploi n'est pas douteux, se développe au détriment des populations des « quartiers » ou « cités » défavorisés. D'autre part, la présence d'une main-d'œuvre étrangère, à laquelle le pays a eu massivement recours depuis les années 1960, à la fois pour compenser l'insuffisance quantitative de la main-d'œuvre nationale et pour peser sur les salaires à la baisse, pose le double problème du contrôle des flux migratoires et de l'intégration des populations immigrées. Enfin, les transformations du système économique n'ont pas été sans conséquences sur la protection sociale : les régimes de la Sécurité sociale, assis sur la rémunération du travail, voient leurs ressources stagner, alors que les besoins d'aides aux chômeurs et la demande de santé, dans un pays où le vieillissement fait sentir ses effets, viennent peser toujours davantage sur l'équilibre financier de plus en plus précaire des régimes sociaux.

D'emblée, Lionel Jospin proclame ses intentions volontaristes dans le domaine social. Inspiré par « une pensée économique keynésienne pimentée de marxisme », selon la formule d'un commentateur, il estime nécessaire l'intervention de l'Etat en matière d'emploi, et aussi, si possible, dans le domaine infiniment plus délicat de la répartition du revenu. En fait, c'est sur le premier point que portent deux mesures majeures, adoptées dès le début du « quinquennat », la limitation de la durée légale du travail hebdomadaire à 35 heures et la création des 350 000 « emplois-jeunes » dans le secteur public ou les collectivités territoriales – il s'agissait d'emplois partiellement pris en charge par l'Etat, donnant lieu à une rémunération, mais liée à une obligation de formation, la durée du contrat ne pouvant excéder cinq ans. Ces mesures suscitent de vives critiques. Aux 35 heures, on reproche leur caractère contraignant – alors que les entreprises ont besoin de « souplesse » ; leur caractère contradictoire – diminuer le temps de travail peut aller à l'encontre des nécessités d'une politique de relance ; leur nature de marché de dupes – les entreprises reçoivent de plus grandes possibilités de flexibilité du travail, parfois préjudiciables à la santé et à la qualité de vie des salariés. On fait aux emplois-jeunes le grief d'aboutir à des embauches plus ou moins fictives en même temps que coûteuses, ne correspondant pas à une prestation effective sur le marché du travail. Malgré tout, les faits sont là : en 1999 et 2000, le chômage a notablement reculé, descendant au-dessous de la barre des 10 %, sans qu'il soit possible de déterminer la part prise respectivement par cette politique volontariste et par la bonne conjoncture internationale. Et paradoxalement, comme on le verra plus loin, le gouvernement Jospin doit affronter des mouvements de protestation des chômeurs.

Sur le plan de la répartition, plusieurs mesures en faveur de la solidarité témoignent d'un souci de transfert vers les bas revenus : les allocations familiales sont désormais soumises à des conditions de revenu, mesure sans doute conforme à l'équité, mais qui remet en cause le caractère « assurantiel » de la prestation ; mise en place en 2000, la couverture maladie universelle élargit l'accès aux soins de nombreux ménages défavorisés ; la CSG est mise à contribution pour équilibrer le régime d'assurance maladie. Ces mesures organisent donc une solidarité essentiellement en faveur des plus démunis, sans que puisse être réellement envisagée une action visant à modifier le rapport global entre les revenus du capital et les revenus du travail. Du reste, sur ce sujet, l'équipe au pouvoir est divisée : en regard des objectifs sociaux, sur lesquels insiste en particulier Martine Aubry, le ministre des Finances Dominique Strauss-Kahn tient à préserver avant tout les équilibres existants, qui lui semblent être une condition indispensable de la croissance, donc de l'emploi. Ce même souci se manifeste dans le soin mis à préserver l'équilibre budgétaire, plus facile à réaliser, il est vrai, dans la période faste du moment.

Cette politique sociale se situe dans le contexte de la « mondialisation », c'est-à-dire de l'insertion de l'économie française dans l'espace économique mondial. Cette politique doit respecter strictement les engagements internationaux de la France, l'échéance essentielle restant le passage à la monnaie unique européenne en vue duquel il convient de respecter le pacte de stabilité – qui limite la marge de manœuvre des gouvernements en prohibant un certain niveau de déficit budgétaire – signé à Dublin en 1996 et approuvé explicitement par Lionel Jospin après son accession au pouvoir. Le passage à l'euro se réalise sans encombre le 1er janvier 1999 en France et dans les dix autres pays de l'Union européenne qui ont fait le choix de la monnaie unique. Dans la même perspective, la politique de privatisations engagée par la droite est poursuivie dès 1997, aboutissant à la vente de la plus grande partie des entreprises publiques entre 1997 et 2000 : la banque et l'assurance, avec la BNP, l'UAP, le GAN, le Crédit lyonnais ; dans l'industrie, les grandes firmes nationalisées en 1981 sont revendues au secteur privé, comme Rhône-Poulenc, Péchiney, Thomson ; même Renault, le plus ancien et le plus beau fleuron des nationalisations de 1945, voit son capital ouvert à hauteur de 54 % ; dans les télécommunications, France Télécom est partiellement cédé au privé, grâce à une opération d'« ouverture du capital » à hauteur de 38 %. En ce domaine, le gouvernement Jospin estime que les entreprises publiques, adaptées à un marché limité à l'espace national, n'ont plus guère de raisons d'être dans un espace économique internationalisé.

Du social au « sociétal »

Mais si la politique de soutien à l'emploi, associée au respect des grands équilibres, constitue le cœur du projet politique de Lionel Jospin, celui-ci n'entend nullement s'abstenir d'intervenir dans d'autres domaines. Les plaies sociales engendrées par les mutations de l'économie méritent un traitement direct, qu'il va s'efforcer d'administrer à l'organisme malade. Le contrôle de l'immigration, la lutte contre la délinquance, la réforme scolaire, sont les axes majeurs d'une politique dont les résultats restent très inégaux. En premier lieu, la politique des flux migratoires, sujet à forte charge affective, ne se limite pas à la politique de la main-d'œuvre : elle soulève toutes les questions afférentes à la conception de la nationalité. Les socialistes se montrent en ce domaine plus libéraux que leurs prédécesseurs : la loi Guigou sur la nationalité supprime la manifestation de volonté entre 16 et 21 ans que prévoyait la loi Pasqua pour les enfants nés en France de parents étrangers. Dans le domaine de l'immigration, le gouvernement Jospin doit par ailleurs affronter le délicat problème des sans-papiers, immigrés en situation irrégulière. La loi Chevènement de 1998 autorise les étrangers ayant des « liens personnels et familiaux » en France, ou résidant depuis 10 ans dans le pays, à recevoir une carte de séjour de longue durée, prélude à la naturalisation. Mais la régularisation suppose des opérations de contrôle administratif : 140 000 personnes déposent une demande, dont la moitié recevront une réponse positive. L'affaire des sans-papiers révèle une fracture à gauche, Chevènement étant accusé par les uns de mettre en œuvre une politique répressive, alors que ses partisans se réjouissent de la clarification à laquelle on est parvenu.

La délinquance et la question « sécuritaire » divisent aussi la gauche. Certes, l'accord se fait sur la mise en place d'une « police de proximité », destinée à résoudre sur le terrain, par la médiation, les conflits ou querelles de moindre importance, et permettant d'utiliser à plein les forces de l'ordre dans la lutte contre la criminalité. Mais le désaccord surgit à propos du traitement des jeunes délinquants, dont les activités délictueuses se donnent souvent libre cours dans le cadre des cités, parfois devenues des zones de « non-droit », hors de toute emprise étatique. Jean-Pierre Chevènement se déclare, au début de 1999, partisan de la création de « centres de retenue » pour les « sauvageons » ; certains, à gauche protestent aussitôt et le Garde des Sceaux, Élisabeth Guigou, déclare son hostilité à la formule. Jospin crée toutefois une cinquantaine de « centres de placements immédiats », destinés au contrôle des jeunes délinquants multirécidivistes en attente de jugement. Ce débat « sécuritaire » devait coûter cher à la gauche, accusée sans nuance d'avoir fait preuve de laxisme devant la délinquance.

La réforme scolaire occupe une grande place dans les projets de Lionel Jospin, ancien ministre de l'Education nationale de 1988 à 1992. La personnalité qu'il choisit, son ancien conseiller Claude Allègre, n'est pas issue des milieux politiques. Il s'agit d'un universitaire, reconnu dans sa spécialité, la géophysique, et jouissant d'une notoriété internationale. Ses propositions, axées sur la réforme des contenus – définir des objectifs intellectuels, au lieu d' « empiler » des connaissances, grâce notamment à une autonomie accrue, dans le cadre des « travaux personnels encadrés » (TPE) –, l'amélioration de l'encadrement humain par la création de nombreux emplois-jeunes dans les collèges et lycées, et l'accent mis sur le développement des filières scientifiques, dont la crise est lourde de menaces pour l'avenir du pays, forment un projet incontestablement cohérent. Pour certains de ses critiques, toutefois, il néglige des points importants, comme la nécessaire restauration de la discipline et de l'autorité des personnels, ou le retour à un système d'orientation conforme à davantage d'exigences de niveau, sans lesquels il n'est pas de réforme sérieuse. Mais la réalisation n'est pas à la hauteur des espérances. La réforme des contenus se traduit par la diminution des horaires de cours ; le bilan des TPE semble révéler des résultats très variables, et qui ne vont pas nécessairement dans le sens d'un renforcement de la rigueur ; enfin, Allègre, pour mieux faire passer sa réforme, croit devoir se livrer à des attaques publiques contre le personnel enseignant, provoquant un véritable mouvement contre sa personne ; en mars 2000, devant une mobilisation massive des agents de son ministère – près de 200 000 manifestants –, ayant perdu le soutien du premier ministre, il doit se retirer, remplacé par Jack Lang. Là encore, la fracture apparue entre la gauche socialiste et les enseignants se révélera lourde de conséquences.

Enfin, une dernière catégorie de mesures ressortit du volontarisme optimiste traditionnel de la gauche, orienté vers une société plus démocratique, assurant davantage d'autonomie aux individus et aux groupes : dans l'ordre civil, le Pacte civil de solidarité (PACS) ;

dans l'ordre institutionnel, la parité entre hommes et femmes et la décentralisation. Toutes ces actions relèvent largement de la « deuxième gauche », anti-étatiste, sociétale, héritière de 68, et qui se réclame de la « diversité » contre l' « uniformité » jacobine. Le paradoxe est bien de voir un homme comme Lionel Jospin, issu de la gauche centraliste, mettre en œuvre ce type de mesures. Réclamée par les groupes de pression homosexuels, adoptée en novembre 1999, la loi sur le PACS crée un contrat de vie commune, dûment enregistré devant le tribunal d'instance, entre personnes non mariées, de même sexe ou de sexe différent, générateur de droits et de devoirs pour les cocontractants, toutefois révocable unilatéralement. Le clivage oppose ici la droite et la gauche, même si sur le terrain des mœurs, des convergences peuvent se produire entre les deux camps. La loi sur la parité, destinée à promouvoir la présence des femmes dans la vie politique, nécessite une réforme constitutionnelle, qui précise que « la loi favorise l'égal accès des hommes et des femmes aux mandats électoraux ». Une loi de 2001 prévoit la présence égale des représentants des deux sexes sur les listes élaborées pour les municipales et l'obligation pour les partis de présenter aux législatives un nombre de candidatures égal pour les hommes et les femmes.

La décentralisation est abordée sous plusieurs angles. Si une mesure de premier plan, la création des communautés d'agglomérations en 1999, modifie le paysage des collectivités territoriales, la question corse, beaucoup plus chargée politiquement, occupe rapidement le devant de la scène. Depuis plus de vingt ans, l'île connaît une agitation indépendantiste, revêtant un caractère violent, depuis les incidents meurtriers d'Aléria, en 1975. Deux faits particulièrement graves mettent la Corse au premier plan de l'actualité au début du « quinquennat » de Lionel Jospin, l'assassinat par des indépendantistes, en février 1998, du préfet de l'île, Claude Erignac ; et l'implication de son successeur, Bernard Bonnet, dans l'incendie d'un restaurant de plage illégalement implanté, détruit par un attentat fomenté par les forces de gendarmerie. Posant le principe de l'arrêt des attentats, Jospin décide à la fin de 1999 d'engager une négociation, dite « processus de Matignon », avec toutes les parties corses en cause. L'accord auquel il parvient, au cours de l'été 2000, avec la majorité des élus de la collectivité territoriale de Corse, prévoit de larges délégations de compétences réglementaires, et dans une moindre mesure législatives – mais ces dernières limitées dans le temps et encadrées par le Parlement national –, ainsi que des dispositions rendant *de facto* l'apprentissage de la langue corse obligatoire dès l'école primaire. L'accord soulève de vives oppositions, de principe – le ministre de l'Intérieur Chevènement, ardent défenseur de l'unité nationale, donne sa démission –, juridiques – émanant du Conseil d'Etat et du Conseil constitutionnel – ou politiques – le chef de l'Etat saisit l'opportunité d'une critique. L'affaire corse affaiblit politiquement le premier ministre, bien qu'elle ne rencontre qu'un écho limité dans l'opinion publique.

Au total, l'action « sociétale » du premier ministre, aux yeux de certains observateurs, paraît surtout engagée en direction des classes moyennes aisées beaucoup plus que des catégories laborieuses défavorisées. Vision rapide à coup sûr, car l'amélioration de l'emploi reste un acquis important de son passage au gouvernement, mais lourde de conséquences pour l'échéance de 2002.

L'équilibre des forces politiques, des législatives de 1997 aux municipales de 2001

Bénéficiant d'une conjoncture favorable dans le domaine économique, Lionel Jospin tire également parti dans les premières années de son gouvernement de la situation politique : ses adversaires de droite sont divisés et affaiblis. Ce n'est que progressivement que le principal facteur d'usure, les fractures au sein de la gauche, va faire sentir ses effets.

Les droites ont dû précédemment, à deux ans d'intervalle, subir deux chocs, le combat fratricide de 1995 et la défaite de 1997. Durant la période qui s'étend de juin 1997 au printemps 2001, les divisions, tant sur le fond que sur les personnes, paraissent s'approfondir et s'exaspérer : des clivages se forment sur trois points. Une aile gagnée à l'idéologie libérale la plus accentuée se forme autour d'Alain Madelin, président du Parti républicain, devenu en 1997 Démocratie libérale, et qui se retire de l'UDF l'année suivante. Symétriquement, les centristes, davantage préoccupés par le « social » et regroupés autour de François Bayrou, deviennent la principale composante de l'UDF, dont Bayrou est élu président en 1998. Une deuxième divergence concerne l'Europe : faut-il poursuivre la politique de transfert de compétences en direction des institutions européennes ou au contraire mettre l'accent sur le maintien de la souveraineté, comme le pensent les « souverainistes », dont les deux chefs de file, Charles Pasqua et Philippe de Villiers, sont issus respectivement du RPR et de l'UDF ? Enfin, de plus en plus lancinante, la question de l'alliance électorale : faut-il se rapprocher de l'extrême droite pour battre la gauche lors des élections ? La question se pose de manière aiguë lors des régionales de 1998, à l'issue desquelles Charles Millon, ancien ministre UDF, devient président de la région Rhône-Alpes avec l'appui du Front national.

On s'explique donc aisément les résultats médiocres de la droite aux élections : en 1998, elle perd 6 présidences de conseils régionaux et ne réalise qu'un score en recul par rapport aux régionales précédentes, 35,8 % (contre 36,5 % à la gauche), le Front national se situant autour de 15 %. Les européennes de 1999 marquent le point le plus bas dans la dépression qui frappe la droite : la liste Pasqua- Villiers obtient 13 %, la liste RPR-DL – qui regroupait donc les principales forces partisanes de droite – un peu moins (12,8), l'UDF, 9,2 % ; contre 22 % au PS, près de 10 % aux Verts et un peu moins de 7 au Parti communiste. La bonne tenue de la gauche est encore accentuée par l'effacement temporaire de l'extrême droite, du fait de la scission qui atteint le Front national, par suite de la défection de son secrétaire général, Bruno Mégret, qui quitte Jean-Marie Le Pen et fonde le Mouvement national républicain (MNR).

Au total, l'adversaire le plus redoutable pour la gauche demeure le président de la République, malgré les « affaires » – datant de sa période « parisienne » – à propos desquelles son nom est prononcé. Dans le cadre de la cohabitation, la lutte entre le président et le premier ministre est au départ discrète en 1997-1998, moins feutrée en 1999-2000, avant de devenir ouverte en 2001.

L'usure à gauche, pour être moins spectaculaire que la guérilla droite-gauche, n'en est pas moins le point le plus inquiétant pour le premier ministre. Cette usure revêt trois aspects : les divergences dans le parti dominant lui-même, le PS ; les tiraillements de la gauche plurielle ; enfin le surgissement d'une gauche de la gauche, contestant la mondialisation financière et ses conséquences. Certes, si l'on considère le premier point, les départs des ministres Strauss-Kahn (novembre 1999) et Martine Aubry (octobre 2000) ne sont pas dus à des crises de nature directement politique – implication dans une « affaire » pour le premier, souci de se placer en bonne position pour les municipales pour la seconde –, au contraire de Claude Allègre, en mars 2000. A la même époque, d'autre part,

Laurent Fabius revient aux Finances, ainsi que des représentants de la « gauche socialiste » : il semble que le premier ministre cherche à présenter un front uni dans la perspective de l'élection présidentielle. Mais précisément, les divergences se font plus nettes dans le parti en cette année 2000, une fois passée la phase des réalisations. Les uns voudraient s'engager dans une voie plus libérale, tant dans le domaine des retraites – introduire de la capitalisation – que dans celui de la fiscalité – allégement pour les revenus élevés ; les autres prônent toujours une politique volontariste, un budget plus redistributif et une meilleure répartition de la valeur ajoutée. Entre les deux, Jospin cherche une synthèse, au risque de mécontenter les deux camps, et renvoie à plus tard la solution des problèmes les plus délicats, au risque de s'exposer à l'accusation de temporiser.

Les alliés de la gauche plurielle manifestent également, surtout à partir de 2000, leur mécontentement. Jean-Pierre Chevènement, en désaccord sur la sécurité, l'Europe – il est favorable au maintien de la souveraineté nationale, mais Jospin s'est gardé dans ce domaine d'initiatives hardies –, et surtout sur la Corse, au nom de l'unité nationale, démissionne fin août 2000. Ayant recouvré sa liberté de parole, le leader « républicain » prend de plus en plus ses distances avec la gauche plurielle. Les Verts, confortés par leur succès aux européennes, mettent l'accent sur leur programme propre, la lutte contre la « productivisme » et l'arrêt de la production électrique d'origine nucléaire. Le Parti communiste, tentant de sauver les quelques îlots qui lui restent, et de plus en plus boudé par la CGT, demande une politique plus « sociale ». Sans doute, pour ces formations, l'affirmation de la différence à l'égard de leur puissant allié est-elle une question de survie. Mais ces divergences montrent surtout la fragilité de la coalition disparate qu'est la « gauche plurielle ».

Le renouveau d'une gauche de la gauche revêt deux aspects, celui d'abord d'une percée des mouvements révolutionnaires d'inspiration trotskiste, essentiellement la Ligue communiste révolutionnaire d'Alain Krivine et Lutte ouvrière, dont le porte-parole est Arlette Laguiller. Cette dernière obtient 5 % à l'élection présidentielle de 1995 et les listes trotskistes réunies aux régionales de 1998 et aux européennes de 1999 réalisent le même pourcentage. Cependant, plus que la poussée relative de ces formations, c'est l'apparition de collectifs indépendants des partis, centrés sur des situations concrètes, concernant les chômeurs, les sans-abri, les sans-papiers, etc., qui paraît le phénomène le plus significatif de cette évolution. Agir en bloc contre le chômage (AC !), Droit au logement (DAL), Droits devant, rejoignent par leur contestation pratique des mouvements qui, tels les syndicats SUD, l'association ATTAC ou la Confédération paysanne de José Bové, se réclament de plus en plus d'une « autre mondialisation », même si leur revendication reste limitée à un registre relativement modéré. Ainsi, ATTAC, qui connaît un développement certain, réclame une taxation internationale sur les déplacements de capitaux spéculatifs, et son affectation à l'aide au développement des pays du Sud, ce que refusent les trotskistes, qui jugent la mesure réformiste et non révolutionnaire. S'il convient de ne pas exagérer l'ampleur de ces mouvements, dont l'avenir n'est pas encore nettement tracé, il faut les interpréter comme le résultat du vide créé à l'extrême gauche par l'évolution et l'amenuisement considérable du Parti communiste. Ils contribuent, par leur activité même, à positionner à droite le Parti socialiste, rendant plus difficile encore l'exercice du gouvernement dans une phase particulièrement délicate.

Ainsi, la quatrième année du « quinquennat » de Lionel Jospin débute dans un sentiment de malaise : lutte au sommet, que masque la popularité de la cohabitation, système hybride qui contente en un sens les partisans des deux camps, mais engendre atermoiements et attentisme ; affaires scolaire et corse ; par-dessus tout, incertitude devant l'avenir. Dans ce contexte, la consultation référendaire du 24 septembre 2000 sur le mandat présidentiel joue le rôle de révélateur. Après une campagne sans grand intérêt – les seuls partisans du « non » sont l'extrême droite et les « souverainistes », tandis que le PCF et l'extrême gauche préconisent l'abstention –, le projet, qui se borne à réduire le mandat de sept à cinq ans, mais ne pose aucune limite à la possibilité de réélection, est adopté par 73 % des suffrages exprimés. Mais l'essentiel est ailleurs : 70 % des électeurs inscrits n'ont pas jugé utile de se déplacer pour aller voter, tant l'enjeu leur est apparu lointain et circonscrit aux intérêts de la classe politique. Il y a là l'indice d'une crise civique profonde, confirmée par le niveau d'abstention aux municipales et aux cantonales de mars 2001, respectivement 38,7 % et 34,5 %.

Les élections locales de mars 2001, perçues comme le prélude à l'affrontement présidentiel, sont considérées par l'opinion et les commentateurs, sinon comme un échec total pour la gauche, au moins comme une sérieuse mise en cause de la prééminence électorale qu'elle semblait détenir depuis 1997. Sans doute, la gauche, bénéficiant d'un bon dynamisme électoral des Verts, emporte-t-elle deux succès « historiques », à Paris, désormais dirigé par le socialiste Bertrand Delanoë, et Lyon. Plusieurs ministres n'en subissent pas moins des échecs marquants, tels Jack Lang à Blois, Dominique Voynet à Dole, Elisabeth Guigou à Avignon. Dans les villes de plus de 15 000 habitants, la gauche totalise 44,8 % des suffrages, contre 45,2 % à la droite, ce qui apparaît comme une défaite – alors que sa progression par rapport à 1995, dans cette catégorie de commune, a été plus forte que celle de sa compétitrice.

En réalité, trois faits majeurs ressortent du scrutin : 1 / les difficultés de la gauche ont été les plus grandes dans les villes moyennes de 30 000 à 50 000 habitants, particulièrement touchées par la campagne « sécuritaire » ; 2 / l'abstention dans les milieux populaires a été massive, et a porté particulièrement préjudice aux formations socialiste et communiste ; 3 / l'affaiblissement de l'extrême droite – qui garde, malgré ses dissensions internes, trois des quatre mairies qu'elle détenait, Vitrolles, Marignane, Orange – a avantagé la droite, en écartant les menaces de « triangulaires » : de plus, le report des voix « populaires » de l'extrême droite vers la droite – qui a axé sa campagne sur la sécurité – paraît désormais un phénomène plausible.

A droite, certains croient devoir tirer de ce dernier fait un des enseignements majeurs du scrutin : une victoire législative de leur camp leur apparaît désormais possible, et plus sûre que l'issue d'un duel présidentiel Chirac-Jospin. Aussi, quand se pose quelques semaines plus tard, en avril 2001, la question du calendrier électoral de 2002 – le scrutin législatif doit-il précéder le scrutin présidentiel, comme le prévoit l'échéancier, ou faut-il inverser les opérations ?, le PS, en dépit de l'opposition de ses alliés de la « gauche plurielle », soutient cette inversion, alors que la droite se prononce contre, à l'exception notable d'une grande partie de l'UDF, soutenue par Raymond Barre et Valéry Giscard d'Estaing, qui font prévaloir la logique institutionnelle de la Ve République, organisée autour de l'élection phare du chef de l'Etat par le peuple. Au lendemain de l'adoption de l'inversion par le Parlement, tout est en place pour l'affrontement présidentiel.

Le choc de 2002

La surprise du 21 avril

La campagne fut marquée par plusieurs traits et, en tout premier lieu, par le nombre très élevé de candidatures : seize. En même temps, le seuil imposé par le Conseil constitutionnel – cinq cents signatures – avait paru élevé à bien des candidats, dont Jean-Marie le Pen qui peina pour y parvenir. Un tel éparpillement, qui conférait *de facto* au scrutin du premier tour une apparence d'élection au suffrage proportionnel, explique en partie ce qui se passa aussi bien à droite qu'à gauche : le faible score du président sortant et du premier ministre. Joua, du reste, contre eux également – et c'est le deuxième trait de la campagne – l'idée que le premier tour n'était qu'une formalité et que l'un et l'autre seraient forcément présents au second tour. Un troisième trait rajouta encore à ce sentiment d'un premier tour sans grand enjeu : la campagne elle-même fut jugée assez terne par bien des observateurs. Le coup de tonnerre des résultats du premier tour n'en fut, dès lors, que plus vif encore.

Au soir du premier tour, en effet, le 21 avril, les résultats constituent une surprise considérable :

Electeurs inscrits : 41 194 689
Votants : 29 495 733 (71,60 %)
Exprimés : 28 498 471 (69,17 %)

Jacques Chirac :	5 665 855 (19,88 %)
Jean-Marie Le Pen :	4 804 713 (16,85 %)
Lionel Jospin :	4 610 113 (16,17 %)
François Bayrou :	1 949 170 (6,83 %)
Arlette Laguiller :	1 630 045 (5,71 %)
Jean-Pierre Chevènement :	1 518 528 (5,32 %)
Noël Mamère :	1 495 724 (5,24 %)
Olivier Besancenot :	1 210 562 (4,24 %)
Jean Saint-Josse :	1 204 689 (4,22 %)
Alain Madelin :	1 113 484 (3,90 %)
Robert Hue :	960 480 (3,37 %)

Bruno Mégret :	667 026 (2,34 %)
Christiane Taubira :	660 447 (2,31 %)
Corinne Lepage :	535 837 (1,88 %)
Christine Boutin :	339 112 (1,18 %)
Daniel Gluckstein :	132 686 (0,46 %)

Jusqu'au dernier moment, les sondages publiés avaient été placés sous le signe de l'indétermination, mais celle-ci portait davantage sur la place respective de Jacques Chirac et de Lionel Jospin que sur la présence éventuelle, dans le duo de tête, d'un troisième homme. Pour cette raison aussi, les résultats du premier tour résonnèrent comme un coup de tonnerre : le premier ministre, placé en troisième position, se trouvait éliminé et le candidat d'extrême droite, Jean-Marie Le Pen, était présent au second tour. Si l'absence d'un candidat de gauche à ce second tour n'était pas inédite – déjà, on l'a vu, en 1969, une telle situation s'était produite –, la présence de l'extrême droite l'était complètement. Certes, après coup, des observateurs soulignèrent que les sondages de la dernière semaine avaient indiqué une triple tendance : effritement des intentions de vote en faveur de Lionel Jospin, stagnation de celles qui se portaient vers Jacques Chirac, et montée très nette de celles du leader d'extrême droite. Mais, pour autant, les courbes ascendantes et descendantes ne s'étaient pas encore véritablement croisées dans ces ultimes sondages. L'effet de surprise, de ce fait, joua à fond, y compris au sein des états-majors. Dans la soirée, du reste, Lionel Jospin annonça qu'il se retirait de la vie politique.

Pour la discipline historique, les enseignements des résultats du premier tour sont multiples. Assurément, la présence, parmi les deux candidats retenus pour le second tour, de Jean-Marie Le Pen, par son caractère inédit et l'effet de surprise occasionné, constitue bien le premier de ces enseignements. Elle suscitera, du reste, on va le voir, une réaction très vive de l'opinion. Mais, à bien y regarder, si la poussée du candidat d'extrême droite est réelle, elle reste relativement limitée par rapport à 1995. Cette poussée n'a pu se transformer en percée que par défaut, en raison du score exceptionnellement bas, pour un candidat du PS, de Lionel Jospin. Et l'écart entre les deux hommes est resté finalement très serré : il s'en est fallu de 200 000 voix pour que leur rang respectif au soir du premier tour s'inverse, et que la poussée ne devienne pas une percée.

Cette poussée reste, il est vrai, une question pour l'historien.

Personne ne l'attendait vraiment après les déboires connus deux ans plus tôt par le Front national, au moment de la scission opérée par Bruno Mégret. Le score de Jean-Marie Le Pen était donc bien le reflet d'une réelle réactivation : au sein d'un paysage politique miné par l'abstention et par la dispersion des candidatures, le maintien d'un potentiel électoral du Front national à plus de quatre millions et demi de voix a naturellement focalisé, à chaud et par la suite, bien des analyses. En fait, c'est la conjugaison de plusieurs facteurs qui explique un tel niveau :

— La persistance de la fracture sociale occasionnée par la stagnation économique enclenchée à partir du milieu des années 1970 explique notamment les situations de détresse sociologique persistantes dans certaines régions françaises, notamment le Nord et l'Est. Et l'embellie entraînée par la reprise de la croissance à l'époque du gouvernement Jospin n'avait pu réduire une telle fracture.

— Bien plus, par-delà cette conjoncture longtemps défavorable, l'ampleur des difficultés sociales est due également à des causes structurelles : la France, progressivement, s'est trouvée prise, comme ses voisins, dans un contexte de globalisation économique – c'est le moment où le terme « mondialisation » apparaît dans le vocabulaire militant, dans un sens le plus souvent péjoratif. L'affaissement économique de certaines régions ouvrières, déjà ébranlées par la crise commencée dans les années 1970 puis profondément touchées par le passage de la France à une société largement postindustrielle, s'en est trouvé encore accru. Et le chômage y a parfois atteint des seuils très élevés.

— Pourtant, d'autres facteurs ont joué également un rôle important. Les enquêtes dites « de sortie des urnes » (utiles dans la mesure où les sondés signalent leur vote mais en expliquent également les raisons) ont ainsi pointé le thème de l'insécurité. Certes, des analyses tenteront de faire la distinction entre la réalité de cette insécurité, qu'elles tendront à nuancer, et sa perception, qui aurait amplifié le phénomène. Un fait demeure : cette insécurité, qu'elle ait été réelle ou seulement ressentie, a joué, de fait, un rôle essentiel dans la détermination de certains votes. Elle a reflété et accéléré une crise de l'autorité de l'Etat : un certain nombre de Français, en effet, se sont sentis exclus de l'aire de protection de la puissance publique.

Autant qu'une crise de la représentation politique, c'est un véritable déficit du lien social qui était ainsi mis en lumière. En France, en effet, une partie du lien social est de nature politique : la République est censée tout à la fois rassembler et protéger.

Au bout du compte, si le 21 avril 2002 a parfois été analysé comme un séisme politique, c'est certes en raison de la présence de Jean-Marie Le Pen au second tour mais donc aussi, plus largement, parce qu'il a révélé une crise profonde de la représentation politique. On est passé, en effet, d'une situation où, on l'a vu, jusqu'aux années 1980, les trois quarts des électeurs votaient pour les partis du gouvernement à une nouvelle configuration où, si l'on totalise abstentions, suffrages pour l'extrême droite et vote protestataire de gauche, plus de la moitié de l'électorat s'est abstenue ou a voté pour des candidats qui se plaçaient en dehors du système politique et qui, le plus souvent, le rejetaient. A coup sûr, et par plusieurs aspects, les résultats du 21 avril ont été le reflet d'une crise aiguë de la démocratie française.

L'entre-deux tours fut marqué par deux faits notables. D'une part, les candidats de gauche – à l'exception des trotskistes – appelèrent explicitement à voter pour Jacques Chirac. Seul Bruno Mégret, à l'extrême droite, se prononçait en faveur de Jean-Marie Le Pen. D'autre part, des manifestations imposantes, souvent composées de jeunes, se multiplièrent après le premier tour, appelant à s'opposer au Front national. Plus largement, on observa dans le pays une large mobilisation pour faire barrage à Jean-Marie Le Pen.

Les résultats du second tour reflètent cette forte mobilisation. L'abstention, certes, resta assez élevée (19,86 %) par rapport aux taux habituels de second tour d'une élection présidentielle sous la Ve République, mais elle enregistrait tout de même une forte diminution de plus de 3 millions de personnes. Compte tenu des bulletins blancs ou nuls en augmentation, le nombre des suffrages exprimés avait augmenté de plus de 2 millions et demi de voix, passant de 69,17 % à 74,74 %. Et le résultat était sans appel, Jacques Chirac l'emportant avec 82,15 % de ces suffrages exprimés. Avec 5 millions et demi de voix (17,85 % des suffrages exprimés), Jean-Marie Le Pen restait au deçà du pourcentage cumulé de ses voix et de celles de Bruno Mégret au premier tour.

Dès le lendemain du second tour, le président réélu nommait Jean-Pierre Raffarin, président de la région Poitou-Charentes, premier ministre. Et déjà se profilait l'échéance des élections législatives, fixée aux 9 et 16 juin. Dans cette perspective, la droite s'était très largement unie au sein de l'UMP (Union pour la majorité présidentielle). Celle-ci l'emporta largement au premier tour, avec 34,23 % des suffrages exprimés, sans compter ceux recueillis par les « divers droite » (4,35 %) et par l'UDF (4,19 %). De son côté le PS (et les radicaux de gauche) parvenait à maintenir des positions relativement stables, avec 25,28 %. Le Front national, en recul (11,1 %) par rapport aux législatives de 1997, ne pouvait peser indirectement sur le second tour.

Le second tour amplifia très classiquement, en nombre de sièges, les résultats du premier tour, confirmant et élargissant la victoire de l'UMP, tandis que le PS, à la différence de 1993, conservait un groupe parlementaire étoffé :

2e tour (16 juin)

UMP	369 sièges
UDF	22 sièges
Divers droite	8 sièges
PS et radicaux de gauche	148 sièges
Parti communiste	21 sièges
Divers gauche	6 sièges
Verts	3 sièges

Dès le lendemain, Jean-Pierre Raffarin était reconduit dans ses fonctions de premier ministre. Il pouvait s'appuyer sur un groupe parlementaire imposant, mais les problèmes mis en lumière par les résultats du 21 avril précédent restaient entiers. Bien plus, dès le premier tour des élections législatives, l'abstention était repartie à la hausse (35,62 % des inscrits).

Un nouveau rapport de forces ?

En ce qui concerne le rapport de forces entre la droite et la gauche, ces élections législatives, sans revenir à la situation de 1993, marquaient indéniablement une victoire de la droite. Dans un tel contexte, les problèmes posés à l'un et l'autre camp étaient de nature différente. A gauche, le parti dominant, même s'il venait de préserver largement ses positions, sortait profondément ébranlé de cette période électorale et de l'élimination de Lionel Jospin dès le premier tour. Bien plus, ce premier tour avait mis en lumière, à travers le score des candidats trotskistes, une translation sur la gauche du PS : traditionnellement, la concurrence, sur ce segment du paysage politique, se faisait entre le PS et le Parti communiste ; ce dernier, se situant en 2002 entre 3,37 % – premier tour des élections présidentielles – et 4,7° % – premier tour des élections législatives –, n'y apparaît plus désormais comme la force principale et le PS doit réfléchir à ses relations avec un vote protestataire de gauche, encore vivifié par la montée des « altermondialistes ». Cette réflexion débouche sur des questions de stratégie qui renvoient à un débat interne au PS et à des luttes de tendances, que le retrait de Lionel Jospin avive brutalement à partir du printemps 2002.

Quant à la droite, la création de l'UMP est pour elle assurément essentielle. Au fil des deux siècles précédents, les droites françaises ont toujours été divisées. Ainsi, pour le XIXe siècle, la tripartition proposée par René Rémond entre légitimistes, orléanistes et bonapartistes rend bien compte d'une telle division. Et si la droite légitimiste cesse d'être une force politique importante au début du XXe siècle, les deux autres souches se sont perpétuées au fil de ce siècle. Cette bipartition a même connu une phase presque chimiquement pure sous le septennat de Valéry Giscard d'Estaing : la création de l'UDF en 1978, deux ans après la naissance du RPR, illustrait parfaitement l'existence de deux droites, à travers deux partis qui s'équilibraient à peu près à cette date.

Les années 1980 ont contribué à brouiller fortement cette structure binaire. D'une part, l'extrême droite, à travers la montée en puissance du Front national, rogne progressivement sur l'espace politique des droites libérale et néo-gaulliste : l'élection de plusieurs dizaines de députés lepénistes, par le scrutin proportionnel, aux législatives de 1986 puis le score de Jean-Marie Le Pen à la présidentielle de 1988 illustrent bien ce rétrécissement de l'espace. D'autre part, à l'occasion de la première cohabitation entre 1986 et 1988, il apparaît que le néo-gaullisme commence à être influencé par la pensée libérale. C'est, du reste, l'époque où les libéraux ont le vent en poupe dans les pays industrialisés, stimulés par les succès politiques de Ronald Reagan aux Etats-Unis et de Margaret Thatcher en Grande-Bretagne.

Dans les années 1990, l'affadissement de la bipartition s'accélère, comme en attestent plusieurs indices : la relève de génération au sein de la droite – ainsi les « rénovateurs » à partir de 1989 – promeut de nouveaux leaders du RPR et de l'UDF, aux différences moins marquées. Du reste, le clivage à droite, au moment de la présidentielle de 1995, n'épouse pas les contours du fossé UDF-RPR : les deux candidats en lice, Édouard Balladur et Jacques Chirac, sont l'un et l'autre issus du RPR. Certes, ce clivage rend compte, en partie, de la prégnance de deux cultures politiques, l'une plutôt souverainiste et attachée à l'autorité de l'exécutif, l'autre plus européenne et attentive aux droits du Parlement. Mais ces cultures elles-mêmes ne sont plus aussi tranchées à cette date : ainsi le Jacques Chirac de 1995 n'est-il plus celui de l'appel de Cochin, stigmatisant en 1978 « le parti de l'étranger » ; entre-temps, il a, par exemple, soutenu le traité de Maastricht.

C'est, du reste, sur la question de l'Europe plus que sur le clivage RPR-UDF que se bâtiront les deux listes de droite concurrentes aux élections européennes de 1999 : la liste « officielle » réunissait le RPR Nicolas Sarkozy et Alain Madelin, leader de Démocratie libérale, mouvement issu de l'UDF, tandis que la liste dissidente était conduite par le gaulliste Charles Pasqua et l'ex-UDF Philippe de Villiers.

Bien plus, en 2002, une large partie de l'UDF se rallia, dès avant le premier tour, au candidat Jacques Chirac, soutenu également par le RPR. A travers cette candidature, qui obtint à ce premier tour plus du triple des voix du candidat de l'UDF, François Bayrou, c'était déjà l'unité d'une large partie de la droite qui se trouvait *de facto* réalisée. Dans le prolongement de la victoire de Jacques Chirac, l'investiture, pour les élections législatives, d'une large partie des candidats de la droite sous la même étiquette UMP – et la transformation en parti dans les mois qui suivirent, avec, comme nouvelle signification du sigle, Union pour un mouvement populaire – est un événement important. Ce parti, en effet, représente près des deux tiers de l'Assemblée nationale et regroupe les neuf dixièmes des élus de droite.

De surcroît, tout au long de la campagne présidentielle de 2002, le gaullisme n'a plus été une référence explicite. Là encore, ce constat est fondamental. S'agit-il d'une sorte d'épuisement historique du gaullisme ou, au contraire, d'un effacement passager ? L'UMP, en tout cas, est loin d'être une sorte de RPR bis comme l'ont écrit à chaud certains observateurs et cette réunification d'une grande partie de la droite s'est opérée par un large brassage des deux anciens rameaux, l'UDF actuelle ne représentant plus, de son côté, qu'une fraction de l'ancienne confédération des droites non gaullistes.

BIBLIOGRAPHIE

Année politique, 1995, 1996, 1997, 1998, 1999, 2000, 2001.

Bréchon Pierre, Laurent Anne, Perrineau Pascal, *Les cultures politiques des Français,* Presses de Sciences Po, 2000.

Gattolïn André, Miquet-Marty François, *La France blessée, une radioscopie politique,* Denoël, 2003.

Grunberg Gérard, Mayer Nonna, Sniderman Paul, *La démocratie à l'épreuve,* Presses de Sciences Po, 2002.

Juppé Alain, July Serge, *Entre quatre z'yeux,* Grasset, 2001.

Perrineau Pascal, Ysmal Colette, *Le vote de crise. L'élection présidentielle,* Presses de Sciences Po, 1995.

Perrineau Pascal, Ysmal Colette, *Le vote surprise. Les élections législatives des 25 mai et 1er juin 1997,* Presses de Sciences Po, 1998.

Sirenelli Jean-François (sous la dir. de), *Dictionnaire historique de la vie politique française au XXe siècle,* PUF, « Quadrige », 2003.

SOFRES, *L'état de l'opinion,* Le Seuil, 1996, 1997, 1998, 1999, 2000, 2001, 2002.

Touraine Alain, *Le grand refus,* Fayard, 1997.

15. La France fin de siècle. La société française depuis le milieu des années 1970

C'est une société de croissance forte et de quasi-plein emploi qui est frappée, à partir de 1974, par une situation de « stagflation ». Cette situation n'a pas, pour autant, arrêté l'amélioration du niveau de vie ni enrayé l'évolution de la société française. La mutation socioculturelle française s'est donc poursuivie.

Cela étant, autant il est possible pour les historiens, au fil des rééditions, de prolonger les chapitres d'histoire politique, « poldérisant » ainsi au fur et à mesure les espaces chronologiques dégagés par l'écoulement du temps, autant les mutations socioculturelles demandent, pour en évaluer l'ampleur et en saisir la portée, du recul. Dans ce domaine et pour ces raisons, on s'en est donc tenu, dans les pages qui suivent, à une analyse des mutations intervenues jusqu'à la dernière décennie du siècle.

La « stagflation » après le premier choc pétrolier

La croissance économique faisait, jusqu'à l'apparition de la crise, l'objet d'un vaste consensus :

- Certes, la « société de consommation » avait été attaquée en mai 1968. Bien plus, au seuil de la décennie suivante, le thème de la « croissance zéro » avait trouvé ses théoriciens et ses défenseurs : le « club de Rome », par exemple, préconisant le ralentissement, voire l'arrêt, de la croissance, ou Sicco Mansholt, le président de la Commission du Marché commun, parvenant à des conclusions similaires.

• Mais de telles thèses, si elles rencontraient un écho dans certains milieux et si elles ont pu notamment influencer les mouvements écologistes naissants, n'ont jamais emporté la conviction du plus grand nombre : un sondage de l'IFOP d'avril 1972 précisait que 66 % des Français jugaient alors la croissance économique indispensable à la qualité de la vie.

C'est donc, en fait, une croissance économique sous-tendue par un large consensus qui est frappée, à l'automne 1973, par ce qu'il est convenu d'appeler le « premier choc pétrolier » : d'octobre à décembre 1973, nous l'avons vu, le prix du baril de pétrole brut va presque quadrupler. Les effets de ce choc pétrolier seront rapides :

— Pour l'année 1974, l'inflation atteint 15,2 %.
— Pour les années 1974 et 1975, le nombre des chômeurs double, passant de 450 000 à 900 000.
— Plus largement, c'est la croissance économique qui accusa un tassement quasi immédiat : nous avons déjà souligné le point dans un autre chapitre, si l'on prend l'année 1970 comme base 100 de l'indice de production industrielle, cet indice n'est que de 126 en 1977, c'est-à-dire sensiblement le même qu'en 1974. De surcroît, par rapport à la même base 100 de 1970, 1983 n'enregistrera que 132 : entre 1974 et 1983, on le voit, la croissance resta pratiquement étale.
— La « croissance zéro » dont certains, au début des années 1970, avaient fait la panacée, était devenue une réalité. La stagnation s'était installée durablement et, avec une inflation qui pendant près d'une dizaine d'années allait rester forte, on parla de « stagflation ».

Ce qui donne à la crise son importance et ce qui explique ses retombées sont donc, on le voit, à la fois son ampleur et sa soudaineté : les contemporains de cette crise étaient habitués à une société portée par une croissance forte et marquée par un quasi-plein emploi. De surcroît, malgré les politiques mises en œuvre pour tenter de redresser la situation, celle-ci continuera à se dégrader, d'autant que le « second choc pétrolier » de 1979 ruina ces efforts. Au début de l'année 1981, en mars, le chiffre de 1 650 000 chômeurs est atteint : en sept ans, depuis le début 1974, le chiffre avait donc presque quadruplé. Et, au fil de l'année 1980, l'inflation, qui s'était quelque peu ralentie au cours des années précédentes, retrouve pratiquement le taux de 1974, avec une hausse des prix de détail de 13,6 %.

Cette ampleur et cette rapidité de la crise doivent toutefois être nuancées, pour deux raisons :

— d'une part, la perception, aussi bien par une partie de la classe politique que par l'opinion publique, des effets de cette crise sera très largement différée : il faudra plusieurs années avant qu'une prise de conscience s'opère que la crise avait entraîné « la fin des années faciles » (Jean Fourastié) ;

— d'autre part, et peut-être ceci explique-t-il en partie cela, par une sorte de paradoxe sur lequel il faudra revenir, cette stagflation n'a pour autant arrêté ni l'amélioration globale du niveau de vie, qui s'est poursuivie après 1974, ni cette mutation socioculturelle dont l'ampleur a fait parler d'une « seconde Révolution française ».

Une mutation socioculturelle qui s'est poursuivie

La hausse du niveau de vie

Les travaux du Centre d'étude des revenus et des coûts (CERC) confirment à la fois cette poursuite de la progression du revenu national par habitant et, dans le même temps, le ralentissement très net, après 1973, d'une telle progression. Une étude portant sur la période 1960-1983 montre que le pouvoir d'achat des Français a doublé entre ces deux dates, mais avec une progression de 80 % entre 1960 et 1973 et de 20 % seulement entre 1973 et 1983. Il est même possible d'affiner encore la chronologie : « La croissance du pouvoir d'achat du salaire net moyen, qui est en moyenne de 3,9 % par an de 1960 à 1968, s'accélère légèrement à 4,3 % l'an de 1968 à 1973, puis freine à 1,8 % par an de 1973 à 1980 et même 0,6 % entre 1981 et 1983. »

La décélération est donc forte. Elle n'a pas pour autant fait baisser le pouvoir d'achat des Français. Bien plus, si l'on élargit la perspective chronologique vers l'amont, il apparaît que ce pouvoir d'achat a triplé entre 1950 et 1985.

Le résultat en est que les changements et l'amélioration de la vie quotidienne, amorcés avant 1974, ont continué au-delà et que les processus d'homogénéisation croissante des genres de vie constatés avant cette date se sont encore amplifiés.

Les travaux du CREDOC (Centre de recherche pour l'étude et l'observation des conditions de vie) ont ainsi tenté d'étudier l'évolution des comportements entre la fin des années 1970 et 1992. Au début de cette période, seule un peu plus d'une moitié de Français (57 %) possédait l'ensemble de l' « équipement de base » (w.-c. intérieurs, douche ou baignoire, télévision couleur, téléphone, voiture) contre 92 % en 1992. Certes, pris individuellement, ces éléments d'équipement étaient souvent, pour la plupart, possédés avant la fin des années 1970, mais c'est la possession de l'ensemble par le plus grand nombre qui constitue un fait social essentiel.

C'est le cœur des « Trente Glorieuses », avant 1974, qui avait vu s'amorcer, on l'a vu, un tel processus. Ainsi remise en perspective chronologique, l'évolution depuis le début des années 1960 est saisissante. Le pourcentage des ménages équipés d'un réfrigérateur triple en vingt-cinq ans (32 % en 1963 et 98 % en 1988), celui des ménages possédant un téléviseur est multiplié par 3,4 (28 % en 1963 et 94 % en 1988), et celui concernant le téléphone décuple durant la même période (9 % et 92 %). On pourrait multiplier ainsi les exemples aussi bien pour les salles de bains (30 % en 1962, 70 % en 1975, 93 % en 1991) que pour les w.-c. intérieurs (41 %, 74 % et 93 % pour les mêmes dates) ou le chauffage central (20 %, 53 % et 79 %) ou le lave-linge (30 %, 65 % et 88 %).

L'ampleur de la décélération économique après 1974 n'a donc pas, pour autant, entraîné pour le plus grand nombre une dégradation matérielle. De même, les mutations au sein de la population active française se sont poursuivies après cette date.

L'évolution de la population active

Dans trois domaines, notamment, les études comparant le début des années 1960 et celui des années 1980 sont particulièrement significatives : « salarisation », « tertiairisation » et « féminisation ».

En 1960, les salariés représentaient 71,7 % de la population active. En 1983, leur proportion était passée à 84,3 %. L'extension du salariat et l'homogénéisation de sa pratique — il faudra, par exemple, attendre le début des années 1970 pour que se généralise la mensualisation du salaire ouvrier — constituent, à cet égard, une des grandes mutations sociologiques du second demi-siècle. Au début des années 1990, les salariés représentaient désormais plus de 85 % de la population totale.

La « tertiairisation » de la population active est également une donnée essentielle. Le secteur tertiaire représentait en 1990 64,2 % de la population active, contre 29,6 % au secteur secondaire.

- La part des ouvriers est passée, en effet, de 39 % en 1962 à 31 % en 1985 et 29,6 % en 1990.
- Inversement, la part des salariés des services n'a cessé d'augmenter durant la même période. En 1985, le nombre des cadres supérieurs était de 2 095 000, avec une augmentation que n'avaient pas entravée les deux chocs pétroliers : cette augmentation a été en moyenne de 3,1 % par an entre 1975 et 1985. En moins de trente ans, de 1962 à 1990, les « cadres et professions intellectuelles supérieures » ont vu leur proportion dans la population active multipliée par 2,4, passant de 4,6 % à 11 %. Et les employés, durant la même période, sont passés de 18,4 % à 27 % de la population active. Cette « tertiairisation » s'évalue, du reste, également en proportion du PIB : entre 1960 et 1983, la part des services y passe de 47,4 % à 59,3 %.
- Durant la même période, le nombre des agriculteurs a continué de reculer. Ceux-ci représentaient près de 3,7 millions d'actifs en 1963. En 1990, ils n'étaient plus que 1,4 million. D'autant que les années 1980 n'ont pas vu s'arrêter ce processus d'effondrement du secteur primaire : entre les recensements de 1982 et 1990, les « petits » agriculteurs ont encore diminué de moitié (51,5 %) et les agriculteurs « moyens » du tiers (32,3 %). Et entre ces deux dates, la population agricole active totale a diminué de près de 14 %.

Si, au cœur des « Trente Glorieuses », cette population agricole active a connu les taux de baisse les plus forts, cette baisse s'est donc maintenue par la suite :

	Population agricole active (en milliers)
1963	3 673
1975	2 118
1980	1 650
1990	1 440

En moins de trente ans, le nombre d'exploitations agricoles a baissé de moitié en France : de près de 2 millions (1 917 000) en 1963, on est passé à moins d'un million (956 000) en 1990.

La « féminisation » de la population active est une donnée indéniable : le taux d'activité féminine est passé de 36,2 % en 1962 à 45,4 en 1982. Si une femme sur trois travaillait — au sens, bien sûr, d'un travail rétribué — au début des années 1960, à peine vingt ans plus tard ce pourcentage atteignait presque la moitié de l'ensemble.

De surcroît, l'augmentation du nombre des femmes au travail a continué dans les années 1980 : en 1991, le nombre des femmes recensées dans la population active était de 11 millions, contre 6,7 millions en 1962. Et leur part dans cette population active de ce fait n'a cessé d'augmenter, passant en 1988 à 42 % de l'ensemble.

Bien plus, leur qualification est en augmentation constante : en 1962, elles représentaient un sixième des cadres supérieurs (145 000 sur un total de 892 000) ; en 1991, elles en constituaient quasiment le tiers (822 000 sur 2 560 000).

C'est une question classique posée à l'analyse historique ou sociologique que de tenter de mesurer les écarts sociaux entre catégories de la population active et d'évaluer leurs éventuelles variations sur une période donnée. La réponse apportée est toujours délicate : elle varie avec les indicateurs utilisés, et elle prête souvent à polémique, car elle déborde sur le domaine du débat proprement politique. Cela étant, pour la période étudiée ici, il est tout de même possible de rappeler plusieurs données statistiques :

— Le rapport entre le salaire moyen des cadres supérieurs et celui des ouvriers non qualifiés est passé de 4,5 à 3,1 entre 1972 et 1987.
— La crise a-t-elle multiplié les « nouveaux pauvres », comme semblent l'indiquer des situations de détresse constatées dans les rues ou montrées par les médias ? Des études statistiques semblent indiquer, au contraire, que le nombre de pauvres a baissé en France : Serge Milano, dans *La pauvreté absolue* (1988), a évalué ce nombre à 4 millions en 1974, 2,6 millions en 1979 et 1 million en 1987. Mais dans le même temps, cette pauvreté est devenue plus visible, car le type social du pauvre s'est modifié :

les « petits vieux », aux retraites et pensions infimes, composaient une large partie des poches de pauvreté des années 1960 et 1970 ; leur discrétion ne les rendait guère visibles du plus grand nombre ; en revanche, la nouvelle forme de pauvreté, celle des adultes sans emploi et sans domicile fixe, a augmenté les phénomènes de « clochardisation », beaucoup plus visibles dans les rues.

On l'a déjà souligné, l'historien manque de recul pour saisir les tendances de fond, car elles sont forcément plus lentes dans le domaine sociologique que dans le domaine politique. On notera seulement ici que les tendances lourdes concernant la population active se sont confirmées. L'emploi est davantage féminisé qu'auparavant (45 % du total en 1999, contre 42 % en 1990) et sa « tertiairisation » s'est poursuivie : en dix ans, le nombre d'employés a progressé de 13,6 %. En 1999, les ouvriers ne représentent plus que 27 % de la population active.

L'évolution des comportements collectifs

Si les principales modifications de structure sociologique étaient déjà largement amorcées avant 1975 — rapport villes-campagnes, montée en puissance des classes moyennes, extension du salariat —, l'évolution s'est donc poursuivie et même, parfois, accélérée depuis cette date. Il en va de même pour le domaine du comportement collectif, des règles qui le régissent, des normes qui le balisent et des institutions qui furent longtemps « régulatrices ». Là encore, les évolutions amorcées avant 1975 vont se poursuivre, voire s'amplifier.

La fécondité était restée forte jusqu'en 1964 puis elle a baissé jusqu'en 1976, atteignant le taux de 1,8 à cette date puis se stabilisant autour de ce niveau (le taux de 2,1 est statistiquement nécessaire pour le renouvellement des générations). L'importance des classes d'âge, issues du *baby boom*, en âge de procréer a différé d'une décennie environ les conséquences de cette baisse de la fécondité sur le taux de natalité, qui a été à son tour touché au milieu des années 1970.

Le groupe d'âge des personnes âgées de 60 ans et plus représentait 13 % de la population en 1901, 16 % en 1946 et 18,7 % en 1988. C'est au cours de la première décennie de ce siècle que l'arrivée à

60 ans de la génération du *baby boom* jointe à la baisse de la mortalité devrait encore faire augmenter ce taux. A tel point que certains observateurs ont déjà commencé à parler de « papy boom ».

Depuis le début des années 1970, la structure de la famille a profondément évolué.

• Le nombre le plus élevé des mariages sous la Ve République avait été atteint en 1972 : 416 300, ce qui représentait un taux de 8,1 pour 1 000 habitants. Ce taux a ensuite baissé régulièrement jusqu'en 1987, atteignant alors 4,8 ‰. Une légère augmentation à la fin des années 1980 puis une stabilisation au début de la décennie suivante ont entraîné une légère inversion de tendance avec 281 000 mariages en 1989 et 1991 (contre 266 000 en 1986, mais 300 000 en 1983).

• C'est également dans les années 1970 que le nombre des divorces a connu une très forte augmentation, suivie d'une stabilisation en position haute dans les années 1980 (106 709 en 1986, 103 637 en 1989). Pour mesurer l'évolution, il convient de rappeler que, jusqu'en 1970, le taux des divorces était resté inférieur ou égal à 10 % (l'indice de divortialité et de séparation pour 1 000 mariages dans une année est de 100 à cette date) et que, dès 1979, il est passé à 20 % et à 29 % en 1987. Conséquence logique : les familles monoparentales — le plus souvent une femme élevant seule ses enfants — ont presque doublé en trente ans, passant de 700 000 à 1,2 million.

Assurément la loi de 1975 sur le divorce par consentement mutuel, ayant facilité une telle procédure, a donc indirectement favorisé la hausse des divorces. Mais la chronologie précise montre, on l'a vu, que cette hausse s'amorce avant 1975 : la loi prend donc acte d'une évolution plus qu'elle ne la crée.

• Le nombre des couples non mariés, vivant en union libre, est toujours difficile, par essence, à établir. On l'évalue à 300 000 environ dans les années 1960, mais il augmente brusquement à la fin de cette décennie — en 1975, sa croissance a été de 50 % en cinq ou six ans, et on compte environ 450 000 couples en union libre — et, dès lors, l'évolution semble irréversible : 1 million en 1985, peut-être 1,7 million en 1992, soit plus de 10 % de l'ensemble des couples recensés (et un pourcentage beaucoup plus important à Paris et dans les grandes villes).

• La cohabitation prénuptiale — que le démographe Louis Roussel a appelée la « cohabitation juvénile » — a beaucoup augmenté dans la phase après 1968 : à cette date, elle avait concerné 17 % des couples mariés ; en 1977, la proportion atteignait presque la moitié des couples mariés (44 %).

• D'autre part, au début de la décennie suivante, un bébé français sur dix était né hors mariage (et un sur cinq à Paris). En 1987, ce taux était passé à 21,9 %. Il a, depuis cette date, atteint 30 %. Cette proportion a donc été multipliée par 5 depuis le début des années 1960 (6 % en 1962).

Peut-on pour autant parler d'une crise, voire d'un déclin de la famille ? Si l'on examine les deux structures auxquelles renvoie communément le mot famille, il est difficile de conclure à une disparition, mais il convient plutôt de parler d'une mutation en cours.

• D'une part, la parentèle, c'est-à-dire l'ensemble des gens unis par les liens du sang, paraît continuer à jouer un rôle essentiel : plusieurs générations coexistent plus longtemps, du fait de l'allongement de la durée de la vie ; de surcroît, les servitudes de la vie urbaine et le travail des femmes donnent ou redonnent aux aïeux un rôle important dans la garde et l'éducation des enfants, d'autant que les difficultés économiques des années 1980 ont fait que les jeunes ménages demeurent plus longtemps hébergés — voire aidés — par l'une ou l'autre des deux cellules familiales d'origine. Certes, en 1955, le sociologue américain Talcott Parsons, dans un article important, *The normal American family*, avait diagnostiqué pour les Etats-Unis la disparition de la « famille élargie », du fait de l'industrialisation et des déracinements opérés. Certes, en France, le passage au second plan du monde rural a pu faire penser que la parentèle perdrait forcément la cohésion et le rôle qu'elle avait eus jusque-là dans ce monde. Toujours est-il qu'elle n'a pas pour autant connu l'effondrement parfois diagnostiqué ou pronostiqué.

• Quant au groupe domestique — en d'autres termes, le couple et les enfants en cours d'éducation, ce que l'on appelle souvent la « famille nucléaire » —, s'il est devenu fragile, nous l'avons vu, il a montré aussi une grande faculté d'adaptation.

Dans le domaine de la condition féminine, le début des années 1970 marque un tournant, car le débat cristallise alors sur plusieurs affaires qui divisent l'opinion. C'est la question de l'interruption volontaire de grossesse, notamment, qui est au cœur de ce débat. En quelques années à peine, l'évolution va, sur ce point, être très rapide. Le 22 novembre 1972, encore, le tribunal de Bobigny jugeait quatre personnes inculpées dans l'avortement d'une jeune fille de 17 ans. Deux ans exactement plus tard, au terme d'un débat de plusieurs jours, grâce à l'appoint de voix venues de l'opposition, l'Assemblée nationale adoptait, sur proposition du ministre de la Santé, Simone Veil, et par 284 voix contre 189, une loi autorisant l'interruption volontaire de grossesse (13-29 novembre 1974). Cette loi était définitivement adoptée en janvier 1975, après rejet par le Conseil constitutionnel d'une requête en annulation déposée par 81 députés, appartenant pour la plupart à la majorité. La loi Veil avait entraîné au sein de cette majorité des réactions hostiles mais aussi des réticences liées à des problèmes de conscience, eux-mêmes souvent sous-tendus par des convictions religieuses. A cet égard, le débat sur l'interruption volontaire de grossesse fut l'un des grands débats de société de la France des années 1970.

Pour ce qui est de la foi catholique, nous avions vu s'amorcer une crise profonde de l'Eglise en tant qu'institution, avec une chute accélérée des vocations, sensible à travers celle des ordinations de prêtres. D'un peu plus de 30 000 au début des années 1980, le nombre des prêtres risquait, de ce fait, de tomber à 15 000 ou 16 000 au tournant du siècle, si l'on projetait les courbes actuelles. Déjà, en 1990, 60 % des 25 000 prêtres vivants avaient plus de 60 ans.

Quant aux fidèles, le fléchissement de leur pratique cultuelle est indéniable. La proportion des pratiquants réguliers, parmi les Français baptisés, serait actuellement située entre 10 et 13 %, contre environ 24 % au milieu des années 1960. Quant aux pratiquants occasionnels, ils ne seraient plus que 30 % (certaines études avancent même le chiffre de 19 %), contre 60 % trente ans plus tôt. Dans les deux cas il y a donc, pour le moins, érosion de moitié.

Et la situation est d'autant plus préoccupante pour l'Eglise catholique que l'attitude religieuse des nouvelles générations a décru. Le nombre des baptêmes est, à cet égard, un indicateur précieux. Au milieu des années 1960, la proportion de baptisés catholiques au sein d'une classe d'âge était d'environ 90 %. En 1983, cette proportion était tombée à 64 %. Par empilement des générations, la proportion des baptisés dans la population française restait certes en 1985 de 84 %, mais la courbe se retrouvait forcément à la baisse.

D'autant que le baptême n'induit plus forcément une éducation religieuse : au début des années 1980, seuls 15 % des élèves du primaire et 8 % de ceux du secondaire avaient des rapports suivis avec des aumôniers dans les établissements scolaires. En aval, cette désaffection se retrouve, du reste, sur le sacrement du mariage. En 1991, 52 % des mariages étaient célébrés à l'église, contre 78 % en 1965.

Telle était la situation au seuil des années 1990. Dans la quinzaine d'années écoulées depuis cette date, la configuration religieuse de la France a enregistré un nouveau paramètre essentiel : l'islam, longtemps marginal, a connu une montée en puissance statistique. Et, de ce fait, ont surgi des questions nouvelles au sein de la société française. Et les débats autour du « voile islamique », notamment, sont le reflet de cette donnée nouvelle.

Vie quotidienne et environnement technologique

Si les mentalités et le comportement collectif ont ainsi connu des mutations apparemment irréversibles au fil des décennies écoulées, cette période, nous l'avons vu, a été aussi celle d'un changement accéléré de l'environnement technologique de la vie quotidienne.

Ce changement est dû à l'élévation du pouvoir d'achat, mais aussi au progrès scientifique lui-même. D'autant que les seuils de passage sont devenus de plus en plus courts entre le moment de la découverte scientifique et celui de l'exploitation industrielle. Jean-Jacques Servan-Schreiber en avait donné, il y a vingt-cinq ans, plusieurs exemples éloquents dans *Le défi américain* :

— 112 ans pour la photographie (1727-1839) ;
— 56 ans pour le téléphone (1820-1876) ;
— 35 ans pour la radio (1867-1902) ;
— 15 ans pour le radar (1925-1940) ;
— 12 ans pour la télévision (1922-1934) ;
— 6 ans pour la bombe atomique (1939-1945) ;
— 5 ans pour le transistor (1948-1953) ;
— 3 ans pour les circuits intégrés (1958-1961).

Ce constat général et ces exemples dépassent, bien sûr, le cas français, mais ils éclairent l'ampleur et la rapidité des changements dans la vie quotidienne, avec des conséquences notamment sur les pratiques culturelles. Deux domaines, notamment, ont connu, du fait de ces progrès accélérés, une mutation profonde, actuellement en cours : l'informatique et les télécommunications. Et, à la charnière des deux, c'est la télématique qui facilite non seulement une gestion comptable et administrative, au plan collectif, mais de surcroît l'accès d'un particulier à des données de plus en plus étendues. Plusieurs générations d'ordinateurs se sont succédé, de plus en plus maniables, la miniaturisation et la baisse des coûts des composants électroniques ont rendu ces appareils de plus en plus accessibles. La révolution industrielle avait, avec le machinisme, promu le muscle artificiel. Avec la « révolution informatique », ce sont un système nerveux et une mémoire artificiels qui s'installent au cœur de nos sociétés, pour des usages collectifs aussi bien que domestiques.

De surcroît, la télématique — il y avait, par exemple, déjà 6 millions de minitels en 1992 — n'est qu'un aspect des progrès techniques dont les retombées socioculturelles sont importantes. Dans le domaine de l'image et du son, on assiste à une prolifération des moyens de communication : les radios locales se sont multipliées après la loi sur l'audiovisuel de 1982 ; surtout, le magnétoscope est en train de modifier en profondeur les pratiques culturelles et amplifie la place de l'image dans ces pratiques.

Avant de revenir sur les retombées socioculturelles d'une telle évolution, il faut aussi observer que d'autres domaines ont été également touchés par ce progrès scientifique et technologique. La médecine, notamment, a connu de nouveaux progrès saisissants, dont bien des applications ont déjà été mises en pratique et dont d'autres constituent des promesses à court terme. Parmi les applications, les techniques de plus en plus sophistiquées du dépistage permettent le diagnostic précoce et la guérison de certains cancers, tandis que les fécondations *in vitro* sont devenues une pratique de lutte contre la stérilité. Et parmi les promesses, la recherche biologique s'éploie dans des domaines aussi décisifs que la chimie du cerveau ou le code génétique.

Ces progrès, et déjà ceux qui précédaient, entraînent des coûts de plus en plus lourds. Certes, ceux-ci sont atténués au plan individuel par l'extension des couvertures sociales ; mais, sur le plan collectif, le financement des dépenses de santé est un problème de plus en plus complexe à résoudre, d'autant que le chômage en hausse et la croissance en baisse altèrent encore davantage l'équilibre entre prélèvements sociaux et dépenses collectives.

Bien plus, on l'a vu, l'arrivée progressive des *Baby-boomers* à la soixantaine pose la question de l'aménagement des régimes de retraite.

Une « civilisation des loisirs » ?

Le progrès technique joint à la poursuite de l'élévation du niveau de vie a entraîné, nous l'avons constaté, une rapide prolifération des moyens de communication. Les retombées dans le domaine des pratiques socioculturelles ont été d'autant plus sensibles que deux autres facteurs ont joué dans le même sens :

— d'une part, la place des loisirs et de l'équipement dans le budget des familles a beaucoup augmenté au fil des récentes décennies. La part des dépenses de « culture et loisirs », plus précisément, dans la consommation des ménages est passée de 5,5 % à 7,6 % de 1960 à 1979. Bien plus, en 1960 « culture et loisirs » représentaient un sixième environ de la part affectée à l'alimentation (respectivement 5,5 % et 33,5 %) contre à peu près un tiers en 1979 (7,6 % et 21,9 %) ;

— d'autre part, les dispositions juridiques et réglementaires ont facilité la multiplication des médias. La loi de 1982 sur l'audiovisuel, en effet, a mis fin au monopole d'Etat et favorisé la mise en place de nombreuses radios locales privées.

Tous les indices le confirment : la « civilisation des loisirs », que nous avions vue s'amorcer, s'est encore développée. Une enquête de l'INSEE portant sur 1985-1986, par exemple, établissait que les adultes citadins, au cours des dix années qui avaient précédé, avaient gagné trente-six minutes de temps libre par jour en moyenne. Et c'est la télévision qui avait été la grande bénéficiaire de ce temps grappillé au travail ou au sommeil : sur ces trente-six minutes gagnées, vingt-six avaient été réinvesties, en moyenne, dans la télévision, regardée durant la période 1975-1985 une heure et quarante-huit minutes par jour. La place essentielle tenue désormais par la télévision mais aussi le rôle de la radio, de la télématique et de la micro-informatique représentent les aspects les plus notables de cette sphère de la communication.

Dans les années 1960, on l'a vu, la télévision a détrôné la radio. Mais ce changement de dynastie audiovisuelle n'a pas, pour autant, fait disparaître la radio. Celle-ci s'est, au contraire, encore multipliée : en 1983, le seuil des 50 millions de récepteurs a été atteint et ce nombre a encore largement augmenté depuis cette date. En 1958, 14 millions de ménages utilisaient 10 600 000 postes de radio et 1 million de postes de télévision. Trente ans plus tard, au seuil des années 1990, 21 millions de ménages possèdent 60 millions de postes de radio et 26 millions de postes de télévision.

La radio est donc restée un élément essentiel de communication et de brassage. D'autant qu'elle s'est, de surcroît, diversifiée. Cette diversification s'est opérée à la fois dans ses heures d'écoute (le recul a été massif le soir), dans ses genres (les feuilletons et le théâtre radiophonique, si prisés au moment de l'âge d'or de la radio, ont disparu) et dans ses supports : les lourds boîtiers de la « TSF » ont été remplacés depuis les années 1960 par le transistor, tandis que l'autoradio est devenu, plus récemment, une pratique généralisée. Le résultat en est que le taux d'écoute quotidien de la radio, loin de régresser, a encore augmenté : de 67 % en 1967, il est passé à 75 % en 1987.

Mais la télévision est bien devenue le support socioculturel le plus important (en 1987, son taux d'écoute quotidien était de 82 %) : en 1992, les Français regardaient en moyenne 3 h 19 la télévision, dont 49 minutes consacrées aux feuilletons et séries, et écoutaient 1 h 59 la radio. En 1963, 28 % des foyers étaient équipés d'un récepteur de télévision, contre 77 % en 1972, 91 % en 1982. Quant aux taux d'équipement en télévision couleur, il est passé de 20 % en 1976 à 56 % en 1982 et 84 % en 1991.

A cette date, 93,5 % des foyers français possédaient un téléviseur, regardé en moyenne 184 minutes par jour (et, nous l'avons vu, 199 minutes en 1992). Et les magazines de télévision figurent, nous y reviendrons, parmi les meilleurs tirages de la presse périodique : cinq d'entre eux dépassent 1 million d'exemplaires par semaine, et parmi eux *Télé 7 jours* frôle 3 millions d'exemplaires. Le philosophe Régis Debray a observé que le monde — car le phénomène télévisuel n'est pas propre à la France : 228 minutes quotidiennes en Grande-Bretagne, 216 en Espagne et 196 en Belgique, pour 1991 — était ainsi passé de l'ère de la graphosphère (l'imprimerie) à celle de la vidéosphère.

L'uniformisation culturelle croissante, en effet, n'est pas seulement sensible au plan national, en termes d'homogénéisation croissante des niveaux socioculturels. C'est également au plan mondial que la question se pose : la diffusion des « séries » américaines de télévision, notamment, et le poids du cinéma américain avaient fait parler d'« impérialisme culturel » (Jack Lang, 1982). Le problème est probablement plus complexe et ne se ramène pas à une sorte de volontarisme et de stratégie délibérée, que suggérait une telle formule. Il reste pourtant que la question de l'apparition d'une culture de masse dilatée à l'échelle mondiale, favorisée par la puissance des vecteurs culturels de masse, a souvent été posée : le monde serait-il en train de devenir, par certains aspects, un « village planétaire » ? Dans un tel processus, en tout cas, la place prédominante de la langue anglaise, la suprématie technologique des Etats-Unis dans le domaine de la diffusion de l'image et du son — suprématie battue en brèche, il est vrai, par le Japon, mais le phénomène renforce encore ainsi la place de la langue anglaise —, et la puissance financière des grandes « compagnies » cinématographiques américaines — avec, là encore, le poids croissant des capitaux japonais — et des firmes de télévision donnent assurément aux médias nord-américains une place prépondérante dans ces pratiques culturelles de masse, y compris sur le continent européen.

L'extension des moyens de diffusion télévisuelle, avec les satellites de télécommunication et les réseaux câblés, a encore davantage densifié les canaux de transmission socioculturelle et rendu encore plus présents les événements de l'actualité mondiale, parfois restitués en direct. D'où, d'ailleurs, des interrogations sur les dérapages possibles de cette information en direct et en simultanéité avec d'autres pays, qui peut par exemple donner lieu à des manipulations (charnier de Timisoara, lors des événements roumains de décembre 1989), ou à des amplifications hors de proportions.

Cette puissance de l'image et du son et ses conséquences dans le domaine des pratiques culturelles des Français sont confirmées par les enquêtes les plus sérieuses. Ainsi celle réalisée durant l'hiver 1988-1989 par le département des études et de la prospective du ministère de la Culture permet de mesurer l'évolution, par comparaison avec deux études similaires réalisées en 1973 et 1981. Les auteurs de l'enquête de 1989 confirment le « déplacement du centre de gravité » de ces pratiques culturelles du pôle du livre vers celui de l'audiovisuel et constatent qu'une « culture d'appartement », fondée sur les applications technologiques des progrès en matière de communication, continue de se développer. Peut-on pour autant conclure au recul massif de l'imprimé ? Pour répondre à une telle question, l'historien dispose d'indicateurs quelque peu contradictoires.

• D'une part, l'encadrement scolaire et universitaire a continué à connaître une évolution spectaculaire. La scolarisation longue est devenue le cas le plus fréquent : le taux de scolarisation des 18-19 ans est passé de 40 % en 1982-1983 à 61 % en 1988-1989. 5 % d'une classe d'âge devenaient bacheliers en 1950, 10 % en 1960, 20 % en 1970, et plus de 30 % en 1986 (31,1 %), la barre des 40 % étant atteinte en 1989 (plus précisément 39,9 %).

En aval, c'est la population étudiante qui a connu elle aussi une forte hausse : 1 182 000 étudiants en 1990-1991.

Et l'Education nationale, pour encadrer écoliers, collégiens, lycéens et étudiants, est devenue le plus gros employeur de France : 1 044 924 salariés en 1990, dont près des trois quarts sont des enseignants (les 289 000 restants assurant des fonctions de direction, d'administration et d'entretien).

• D'autre part, la multiplication des collections de poche a rendu le livre toujours plus accessible. Ainsi *L'Etranger* d'Albert Camus, publié en 1942 chez Gallimard, connut dans les cinquante ans qui suivirent 6 millions d'exemplaires vendus, toutes éditions confondues mais avec 4 millions pour la seule collection « Folio ». Et chaque année se vendent 200 000 exemplaires de l'ouvrage. « Le Livre de poche » avait été lancé par Hachette en 1953 — depuis, 700 millions d'exemplaires ont été vendus en quarante ans — puis d'autres éditeurs lancèrent à leur tour des collections de poche. Depuis, l'œuvre d'Emile Zola, par exemple, s'est vendue à 10 millions d'exemplaires.

• L'imprimé, aussi bien par le livre, donc, que par le journal, est, de ce fait, resté un vecteur culturel très présent. Cela étant, il faut nuancer, et triplement, cette observation. D'une part, la « culture d'appartement » mise en lumière par les enquêtes récentes est très largement fondée — et parfois exclusivement — sur l'audiovisuel : radio, télévision, magnétoscope, minitel, micro-informatique. D'autre part, ces enquêtes révèlent une érosion de la lecture, qui touche plus particulièrement les jeunes et serait, de ce fait, annonciatrice d'une dégradation beaucoup plus importante dans quelques années. Et le bilan serait, à cet égard, d'autant moins prometteur que la presse, dont nous avons vu le rôle très important comme vecteur culturel depuis la IIIe République, connaît pour le moins un tassement sensible.

En 1946, la presse quotidienne française comptait plus de

200 titres, dont un huitième à Paris. En 1952, ils n'étaient que 129, dont un dixième à Paris (12). En 1946, le tirage global de cette presse quotidienne était de 15 millions d'exemplaires et 9,5 millions en 1952. En 1992, si le tirage n'a guère été modifié (9,8 millions d'exemplaires) — mais ce tirage, en fait, était remonté à 11,6 millions en 1958 —, il n'y a plus que 10 titres à Paris, et 64 en province.

Il y a bien, en fait, une crise de la presse quotidienne. La presse quotidienne nationale a connu depuis 1970 de grandes difficultés, avec la disparition de certains de ses titres *(Paris-Jour, L'Aurore)* et la chute du tirage d'autres titres *(France-Soir, L'Humanité)*. Et la presse quotidienne régionale, malgré de solides succès (*Ouest-France*, par exemple, premier titre de la presse quotidienne, avec 800 000 exemplaires diffusés), connaît, elle aussi, une érosion.

La presse quotidienne, notamment, est directement concurrencée par l'information télévisuelle : en 1967, deux Français sur trois lisaient un journal « tous les jours ou presque » ; ils ne sont plus que 42 % en 1987

Inversement, la partie de la presse qui est suscitée par la télévision se porte de mieux en mieux. En une décennie, au fil des années 1980, le tirage total des magazines de télévision a pratiquement doublé (+ 83 %). En y incluant les 6 millions de suppléments gratuits insérés dans certains quotidiens, les hebdomadaires de télévision représentent, en 1990, 16 millions d'exemplaires en circulation chaque semaine. Et cinq de ces hebdomadaires dépassent 1 million d'exemplaires, dont près de 3 millions (2 951 599) pour le seul *Télé 7 jours*.

La télévision, on le voit, est non seulement devenue le premier support des pratiques socioculturelles françaises, mais sa montée en puissance est de surcroît sensible indirectement dans les autres vecteurs : l'imprimé, on l'a vu, mais aussi, par exemple, le cinéma.

Dans ce domaine, en effet, le recul est net et lié, selon toutes les analyses, à la concurrence de la télévision : en 1962 la France comptait 5 742 salles de cinéma, contre 4 518 seulement en 1990. Encore la baisse est-elle masquée, dans ce cas précis, par l'éclatement de nombreuses salles en complexes multisalles ; ce phénomène est bien sensible, indirectement, si l'on dénombre le nombre de fauteuils disponibles : 2,8 millions en 1962, 1 million en 1990.

Le résultat est encore sensible pour le nombre de spectateurs : 311,7 millions en 1962, 122 en 1990. En 1964, l'audience télévisuelle était en moyenne d'une heure (cinquante-sept minutes) par jour et par individu, et le nombre d'entrées annuelles au cinéma était encore de 276 millions. En 1990, l'audience télévisuelle quotidienne est passée en moyenne à trois heures et le nombre d'entrées annuelles au cinéma a été, on l'a vu, de 122 millions.

C'est dans ce contexte de suprématie peu à peu acquise qu'il convient de replacer les critiques faites, depuis les années 1960, à la télévision. A celles relevées plus haut, on ajoutera le constat, souvent fait, du caractère supposé passif du regard télévisuel — « le message est le massage » avait noté Marshall McLuhan —, par rapport à l'acte volontaire que représentent l'acquisition d'une langue puis la pratique de la lecture.

En tout état de cause, il y a bien eu, au fil des dernières décennies, un ébranlement de secteurs culturels comme celui de l'imprimé ou du cinéma.

Une crise du milieu intellectuel

La période qui commence au milieu des années 1970 fut aussi, mais pour d'autres raisons, une phase d'ébranlement du milieu intellectuel. Deux causes essentielles expliquent cet ébranlement : d'une part, une crise idéologique profonde, avec l'effritement de toute une vision du monde ; d'autre part, une crise d'identité, liée à la mutation des pratiques socioculturelles et à l'évolution de la notion même de culture.

La crise idéologique

Plusieurs facteurs vont contribuer à susciter une telle crise.

- Au milieu des années 1970, l'érosion des modèles communistes va se trouver amplifiée et accélérée par l' « effet Soljenitsyne ». En 1974, en effet, la traduction française de *L'archipel du goulag* d'Alexandre Soljenitsyne connaît un très grand succès public et réactive, de surcroît, le débat sur l'ampleur de la répression dans les pays communistes et sur la nature totalitaire de ces régimes. Dès lors, non seulement ceux-ci continuent à perdre à la fois la faculté d'attraction qui fut la leur au cours des décennies précédentes, à travers des variantes géographiques successives — URSS, Chine communiste, pays socialistes du Tiers Monde —, et le statut de modèles qui fut le leur, mais, de surcroît, ils deviennent peu à peu, pour la plupart des intellectuels de gauche, des contre-modèles.

• D'autant que les événements survenus dans la péninsule indochinoise après que s'y furent installés des régimes communistes au printemps 1975, événements dont le caractère tragique frappe les opinions publiques — *boat people* qui quittent le Viêtnam communiste par la mer dans des conditions dramatiques, extermination en masse de populations par les Khmers rouges au Cambodge —, contribuent eux aussi à ternir, encore plus profondément, l'image des régimes communistes. Commencent, en cette fin de décennie, pour nombre d'intellectuels de gauche, des « années orphelines » — selon le titre d'un ouvrage publié par Jean-Claude Guillebaud en 1978.

Les modèles qui avaient souvent prévalu jusque-là sont dévalorisés, et les idéologies qui les sous-tendaient sont largement disqualifiées. La politique dite des « droits de l'homme » qui se développe alors est en large part une réaction contre ces modèles et ces idéologies. Mais la gauche intellectuelle n'en a pas le monopole et doit la partager en copropriété avec les penseurs de la droite libérale.

• Cette droite libérale connaît, du reste, un regain à cette époque. Un penseur comme Raymond Aron rencontre ainsi, dans les dernières années de sa vie — il meurt en 1983 —, un très large écho et ses livres ont une forte influence. A la fois conséquence et facteur aggravant de la crise de la partie gauche du milieu intellectuel, ce regain entraîne une recomposition de ce milieu intellectuel : la gauche qui, depuis la Libération, occupait, on l'a vu, le devant de la scène, doit céder du terrain à cette droite libérale pour qui la crise de la gauche constitue un appel d'air.

• Encore plus qu'à une crise idéologique — dont témoigne aussi la réapparition d'une extrême droite intellectuelle qui connaîtra à la fin des années 1970 une certaine influence —, c'est donc à une recomposition du paysage intellectuel que l'on assiste à cette époque, suite aux grands ébranlements de la décennie. Mais cette recomposition et le rééquilibrage idéologique qui l'accompagnait étaient assurément le contrecoup et le produit d'une crise idéologique qui laissa d'abord dans le trouble et l'interrogation bien des intellectuels de gauche.

• A la fin des années 1980, cette recomposition s'est accélérée à la suite de l'implosion des régimes communistes à l'est. Mais en même temps, la relève des générations aidant, la crise idéologique des intellectuels de gauche s'est largement désamorcée.

Une crise plus profonde, et plus large, car touchant sans distinction d'orientation politique le milieu intellectuel tout entier, s'est, il est vrai, entre-temps amplifiée, d'autant plus grave qu'elle constitue une véritable crise d'identité des intellectuels.

La crise d'identité

Cette crise est sous-tendue par deux questions, étroitement liées l'une à l'autre : la nature de la culture, la définition et le rôle de ces hommes de culture que sont les intellectuels :

A plusieurs reprises, au fil des années 1980, des ouvrages se sont interrogés sur la nature de la culture. Dans *La défaite de la pensée,* en 1987, le philosophe Alain Finkielkraut constatait un « malaise dans la culture », lié à un élargissement et donc à une banalisation du champ culturel, et, de ce fait, diagnostiquait une dilution de la notion même de culture, assimilée, à tort selon lui, à toutes les formes de pratique socioculturelle. La même année, un universitaire américain, Allan Bloom, déplorait dans *L'âme désarmée* le même travers de relativisme culturel : le tout-se-vaut serait en train d'entraîner, selon lui, un étouffement de la culture. En toile de fond des deux constats, c'est, bien sûr, la montée en puissance d'une culture médiatique qui apparaissait comme la cause principale de cette situation.

Situation qui, pour l'intellectuel, est triplement dommageable :

— La culture étant la base et la raison d'être de leur fonction sociale, le phénomène de dilution culturelle touchait à leur identité même.

— D'autant que la montée en puissance d'une culture médiatique a entraîné le passage sur le devant de la scène, comme leaders d'opinion, de personnages médiatiques qui se sont emparés de ce rôle de héraut jusque-là souvent dévolu aux intellectuels : le fantaisiste Coluche ou l'homme d'affaires Bernard Tapie semblent ainsi avoir indirectement supplanté les intellectuels dans leur pouvoir d'influence.

— Si les choses, dans la réalité, sont plus complexes, cet affaiblissement apparent du pouvoir d'influence des intellectuels ajoute, en tout cas, à la crise d'identité entraînée par la banalisation de la notion de culture.

Mais, comme sur le plan idéologique, cette crise est elle-même porteuse d'une mutation : si un glissement s'est opéré au détriment des intellectuels, l'avenir, dans ce domaine, demeure ouvert. Il reste, il est vrai, du domaine de la prédiction, qui n'est pas la vocation de l'historien.

Telles étaient, en tout cas, à la fin des années 1980, les questions majeures qui paraissaient se poser. Mais bientôt, presque à la bissectrice de cette vingtaine d'années qui clôt le XXe siècle, l'Histoire se remet brusquement en marche. L'implosion des régimes communistes à partir de 1989, la guerre du Golfe l'année suivante puis l'embrasement en chaîne dans l'ex-Yougoslavie modifient la donne. Là encore, un livre de Bernard-Henri Lévy indique le changement de temps : au printemps 1991, *Les aventures de la liberté* paraissent à la fois sur support papier et sur écran TV et constituent une manière de métamorphose : comme dans *Eloge des intellectuels*, les dreyfusards restent certes la référence, mais c'est « BHL » en Malraux qui apparaît en filigrane de cette chronique – au demeurant excellente – des intellectuels dans le siècle. Avant d'être panthéonisé quelques années plus tard, le Malraux de la guerre d'Espagne redevient un modèle.

Et, comme dans les années 1930, plusieurs brasiers exogènes deviennent autant de causes à défendre et de thèmes de mobilisation. Déjà, en 1990-1991, à l'occasion de la première guerre du Golfe, nombre de clercs remontent au créneau. A cette occasion, du reste, les comptes des décennies précédentes sont indirectement apurés. Un chassé-croisé géopolitique semble s'amorcer, en effet, au profit des Etats-Unis. Une inversion de symbole est, à cet égard, révélatrice : l'aviation américaine, pour une partie de la génération de 1968, était restée une sorte d'instrument de mort – le B 52 – et de terreur aveugle – le napalm. Ce sont pourtant parfois les mêmes anciens tenants de l'extrême gauche, devenus entre-temps de fervents partisans de la défense des droits de l'homme, qui soutiendront l'intervention occidentale qui avait pour bras séculier l'aviation des Etats-Unis : les ailes américaines étaient alors redevenues les ailes de la liberté. Et ce chassé-croisé est d'autant plus perceptible que l'entrée dans la dernière ligne droite avant le changement de siècle active les bilans qui, forcément, butent sur la question encore palpitante du communisme : le succès, dès le milieu de la décennie, du livre de François Furet puis, trois ans plus tard, le fort écho public du *Livre noir du communisme* contribueront à rythmer le débat intellectuel.

Entre-temps, après la première guerre du Golfe et bien plus qu'elle, ce sont les contrecoups tragiques de l'éclatement de la Yougoslavie titiste qui marquent le véritable retour des clercs sur la scène civique. A tel point, du reste, qu'une liste pour Sarajevo sera présente aux élections européennes de 1994. Son très faible score et la valse-hésitation de nombre de ses membres au moment de sa gestation ne doivent pas abuser : il y avait bien là, à nouveau, la présence d'intellectuels au cœur des débats franco-français. Et les années qui suivirent montrèrent bien que les intellectuels engagés constituaient une catégorie encore bien vivante.

Bien plus, ces intellectuels opèrent aussi un retour à la France, à l'occasion de la flambée sociale de novembre-décembre 1995. Deux pétitions s'opposèrent alors sur le « plan Juppé ». La question, assurément, ne peut se poser en termes d'effet direct de telles pétitions : les mouvements sociaux qui se déroulèrent alors ne leur doivent rien. En revanche, elles n'en furent pas seulement la glose. En toile de fond, en effet, c'est bien le cœur du débat qui était abordé dans cette bataille de clercs. De surcroît, les deux pétitions mirent en lumière deux sensibilités de gauche opposées, qui ne renvoyaient plus seulement à la division qui parut longtemps pérenne entre gauches communiste et non communiste. Par-delà les réductions hâtives – Touraine contre Bourdieu, *Esprit* ou la Fondation Saint-Simon contre les cheminots de la CGT –, le débat sur le projet de réforme de la Sécurité sociale, d'une part, fit rejouer les récentes failles apparues à propos du ralliement de la gauche socialiste à l'économie de marché ou lors du traité de Maastricht et, d'autre part, contribua à mettre en lumière deux mouvances pour lesquelles les actions de modernisation économique et sociale n'avaient plus désormais la même signification.

La victoire électorale de 1997 a pu mettre momentanément en sourdine les désaccords de fond au sein de la gauche « plurielle », les débats devenus récurrents entre intellectuels de gauche, moins tenus au devoir de cohésion gouvernementale, sont là pour rappeler l'essentiel : cette gauche « plurielle » est bien constituée de cultures politiques très dissemblables et difficilement compatibles dans l'analyse des grands enjeux de la France début de siècle. On le constata, du reste, quelques mois avant cette victoire électorale, au moment du débat sur le projet de loi Debré, qui vit la gauche institutionnelle – et notamment le PS – peu en phase avec le mouvement contestataire. Mais ce mouvement de février 1997 est ici important à un autre titre. A cette occasion, ce sont de jeunes cinéastes qui enclenchèrent le processus. Et comme le brandon utilisé fut une pétition et que, de surcroît, ces intervenants relevaient, dans leur pratique professionnelle, du domaine de la culture, ils furent d'emblée baptisés intellectuels.

Un tel nom de baptême conféré dès leur entrée en lice mérite qu'on s'y attache. Car si cet épisode de février 1997 eut assurément son importance, une analyse trop calquée sur le discours en boucle des observateurs risque d'entraîner des erreurs de perspective et des effets en trompe-l'œil. A la fin des années 1970, on l'a vu, les intellectuels engagés s'étaient retrouvés entre chien et loup, dans une sorte d'entre-deux où ils n'étaient guère visibles dans le regard de leurs concitoyens. Et quand, au terme d'une quinzaine d'années, ils commençaient, au fil des années 1990, à reprendre un peu d'épaisseur et de densité dans ce regard, ce fut donc au risque d'un changement d'apparence, voire de nature, et donc au prix d'une identité encore davantage bouleversée. La comparaison qui fut faite, à chaud, avec les grandes pétitions d'intellectuels du fil du XXe siècle manquait, en effet, quelque peu de pertinence, pour deux raisons au moins. D'une part, dans une France de plus en plus imprégnée par l'image et par le son, après les clercs de la lignée dreyfusienne et ceux des ruptures révolutionnaires, issus, les uns et les autres, de la sphère de l'imprimé et qui déclinaient, par cet imprimé, les attendus de leurs prises de position, le temps était venu de l'interpellation directe par les nouvelles professions culturelles issues de la « vidéosphère » (Régis Debray). D'autre part, et de surcroît, les cinéastes ne sont pas restés longtemps les acteurs principaux de la pièce qui se jouait. Leur intervention enclencha rapidement un indéniable effet d'entraînement. Il s'est même agi alors d'un cas, somme toute très rare, où la posture classique de dénonciation déboucha sur un phénomène de contagion. La pétition des cinéastes a touché rapidement d'autres secteurs de la société, à tel point que *Libération*, qui a joué alors le rôle de caisse de résonance, a été vite conduit à classer les signataires – qui se chiffraient, fut-il précisé, par dizaines de milliers – par catégories professionnelles. Il y eut bien là, plus largement, l'émergence d'un véritable pouvoir pétitionnaire, jusque-là peu présent en France mais que la prolifération des vecteurs de communication – Internet, notamment – pourrait amplifier. D'une certaine façon, il s'est alors agi d'un cas presque chimiquement pur de pouvoir médiatique : des hommes et des femmes relevant de la sphère de la communication audiovisuelle s'exprimant sur des vecteurs naturels de masse et définissant le Bien et le Mal sans se référer explicitement à un cadre idéologique ou spirituel.

BIBLIOGRAPHIE

Donnat Olivier, Cogneau Denis, *Les pratiques culturelles des Français. 1973-1989,* La Découverte, La Documentation française, 1990.

Guillaume Pierre, *Histoire sociale de la France au XXe siècle,* Masson, 1993.

Le Goff Jacques et Rémond René (sous la direction de), *Histoire de la France religieuse,* t. 4 : *Société sécularisée et renouveaux religieux (XXe siècle),* Le Seuil, 1992.

Mendras Henri, *La seconde Révolution française. 1965-1984,* Gallimard, 1988.

Rioux Jean-Pierre et Sirinelli Jean-François (sous la direction de), *La France d'un siècle à l'autre. Dictionnaire critique, 1914-2000,* coll. poche « Pluriel », 2 t., 2002.

Sirinelli Jean-François, *Les Baby-boomers,* Fayard, 2003.

BIBLIOGRAPHIE GÉNÉRALE[1]

La plupart des manuels et synthèses couvrent une partie seulement de la période étudiée dans ce livre. Ils ont, de ce fait, été signalés dans les bibliographies des chapitres concernés. On citera donc seulement ici quelques ouvrages, de nature au demeurant parfois très différente.

Agulhon Maurice, *La République de Jules Ferry à François Mitterrand, de 1880 à nos jours,* Hachette, 1990, rééd., 2 t., coll. « Pluriel », 1992.

Berstein Serge et Milza Pierre, *Histoire de la France au XXe siècle,* 4 t. parus, 1900-1974, Bruxelles, Complexe, 1990-1992.

Duby Georges, Mandrou Robert, avec la participation de Sirinelli Jean-François, *Histoire de la civilisation française,* t. 2, Armand Colin, 1984, rééd., Livre de Poche, 1993.

Prost Antoine, *Petite histoire de la France au XXe siècle,* 2e éd., Armand Colin, 1992.

Rémond René, avec la collaboration de Sirinelli Jean-François, *Notre siècle (1918-1991),* Fayard, 2e éd., 1991, rééd., Livre de Poche, 1993, réédité sous le titre *Le siècle dernier* (1918-2002), Fayard, 2003.

Rioux Jean-Pierre et Sirinelli Jean-François (sous la direction de), *La France d'un siècle à l'autre. Dictionnaire critique, 1914-2000,* coll. poche « Pluriel », 2 t., 2002.

Sirinelli Jean-François (sous la direction de), *Dictionnaire historique de la vie politique française au XXe siècle,* PUF, 1995, rééd. « Quadrige », 2003.

1. Sauf mention contraire, les ouvrages signalés en bibliographie sont publiés à Paris.

Index

COLLECTION « QUADRIGE »

ALAIN	Propos sur des philosophes
ALAIN	Propos sur l'éducation *suivis de* Pédagogie enfantine
ALAIN	Propos sur les Beaux-Arts
ALAIN	Stendhal *et autres textes*
ALLAND D., RIALS S. (dir.)	Dictionnaire de la culture juridique
ALQUIÉ F.	Le désir d'éternité
ALTER N.	L'innovation ordinaire
ALTER N. (dir.)	Sociologie du monde du travail
ALTET M.	Les pédagogies de l'apprentissage
ALTHUSSER L.	Montesquieu, la politique et l'histoire
ALTHUSSER L. *et al.*	Lire *Le Capital*
AMBRIÈRE M. (dir.)	Dictionnaire du XIXe siècle européen
ANDRÉ J.	Aux origines féminines de la sexualité
ANDREAS-SALOMÉ L.	Ma vie
ANDRIANTSIMBAZOVINA J., GAUDIN H., MARGUÉNAUD J.-P., RIALS S., SUDRE F. (dir.)	Dictionnaire des Droits de l'Homme
ANZIEU D., CHABERT C.	Les méthodes projectives
ANZIEU D., MARTIN J.-Y.	La dynamique des groupes restreints
ARABEYRE P., HALPÉRIN J.-L., KRYNEN J. (dir.)	Dictionnaire historique des juristes français
ARENDT H.	La vie de l'esprit
ARON P., SAINT-JACQUES D. et VIALA A. (dir.)	Le dictionnaire du littéraire
ARON R.	Les sociétés modernes
ARON R.	La sociologie allemande contemporaine
ARVON H.	Le bouddhisme
ASSOUN P.-L.	Freud, la philosophie et les philosophes
ASSOUN P.-L.	Freud et Nietzsche
ASSOUN P.-L.	Le freudisme
ASSOUN P.-L.	Psychanalyse
AUBENQUE P.	Le problème de l'être chez Aristote
AUBENQUE P.	La prudence chez Aristote
AUROUX S.	La question de l'origine des langues
AUROUX S., DESCHAMPS J., KOULOUGHLI D.	La philosophie du langage
AYMARD A. et AUBOYER J.	L'Orient et la Grèce antique
AYMARD A. et AUBOYER J.	Rome et son Empire
BACHELARD G.	La philosophie du non
BACHELARD G.	La poétique de l'espace
BACHELARD G.	La poétique de la rêverie
BACHELARD G.	Le nouvel esprit scientifique
BACHELARD G.	La flamme d'une chandelle
BACHELARD G.	Le rationalisme appliqué
BACHELARD G.	La dialectique de la durée
BACHELARD G.	Le matérialisme rationnel
BACHELARD G.	Le droit de rêver
BALANDIER G.	Sens et puissance
BALANDIER G.	Anthropologie politique
BALIBAR É.	Droit de cité
BARDIN L.	L'analyse de contenu
BARJOT D., CHALINE J.-P., ENCREVÉ A.	La France au XIXe siècle
BARLUET S.	Édition de sciences humaines et sociales : le cœur en danger

BAUDUIN A. et COBLENCE F. (dir.)	Marcel Proust, visiteur des psychanalystes
BAUZON S.	La personne biojuridique
BEAUFRET J.	Parménide. Le Poème
BELLEMIN-NOËL J.	Psychanalyse et littérature
BÉLY L. (dir.)	Dictionnaire de l'Ancien Régime
BÉLY L.	La France moderne, 1498-1789
BENCHEIKH J. E. (dir.)	Dictionnaire de littératures de langue arabe et maghrébine francophone
BÉNÉTON P.	Introduction à la politique
BENOÎT XVI	La théologie de l'Histoire de saint Bonaventure
BERGSON H.	Essai sur les données immédiates de la conscience
BERGSON H.	L'énergie spirituelle
BERGSON H.	L'évolution créatrice
BERGSON H.	Le rire
BERGSON H.	Les deux sources de la morale et de la religion
BERGSON H.	Matière et mémoire
BERGSON H.	La pensée et le mouvant
BERGSON H.	Durée et simultanéité
BERNARD C.	Principes de médecine expérimentale
BERNSTEIN P. L.	Des idées capitales
BERTHELOT J.-M.	Les vertus de l'incertitude
BIDEAUD J., HOUDÉ O. et PEDINIELLI J.-L.	L'homme en développement
BIDET J., DUMÉNIL G.	Altermarxisme. Un autre marxisme pour un autre monde
BINOCHE B., CLÉRO J.-P.	Bentham contre les droits de l'homme
BLANCHÉ R.	L'axiomatique
BLOCH O. et WARTBURG W. VON	Dictionnaire étymologique de la langue française
BLONDEL M.	L'action (1893)
BODÉÜS R., GAUTHIER-MUZELLEC M.-H., JAULIN A. et WOLFF F.	La philosophie d'Aristote
BONTE P. et IZARD M. (dir.)	Dictionnaire de l'ethnologie et de l'anthropologie
BONY A., MILLET B., WILKINSON R.	Versions et thèmes anglais
BORLANDI M., BOUDON R., CHERKAOUI M., VALADE B. (dir.)	Dictionnaire de la pensée sociologique
BORNE É.	Le problème du mal
BOUDON R.	Effets pervers et ordre social
BOUDON R.	Essais sur la théorie générale de la rationalité
BOUDON R.	La place du désordre
BOUDON R.	Études sur les sociologues classiques I
BOUDON R.	Études sur les sociologues classiques II
BOUDON R.	Le sens des valeurs
BOUDON R. et BOURRICAUD F. (dir.)	Dictionnaire critique de la sociologie
BOUHDIBA A.	La sexualité en Islam
BOURDIEU P.	Sociologie de l'Algérie
BOURIAU C., CLAVIER P., LEQUAN M., RAULET G. et TOSEL A.	La philosophie de Kant
BOUTANG P.	Ontologie du secret
BOUTINET J.-P.	Anthropologie du projet
BOUVIER A., GEORGE M. et LE LIONNAIS F.	Dictionnaire des mathématiques
BRAGUE R.	Du temps chez Platon et Aristote
BRAHAMI F.	Introduction au *Traité de la nature humaine* de David Hume
BRAUDEL F. et LABROUSSE E.	Histoire économique et sociale de la France T. I : 1450-1660 T. III : 1789-années 1880 T. IV, vol. 1-2 : Années 1880-1950 T. IV, vol. 3 : Années 1950-1980

BRÉHIER É.	Histoire de la philosophie
BRISSON L., FRONTEROTTA F. (dir.)	Lire Platon
BRISSON L., PRADEAU J.-F.	Les *Lois* de Platon
BRONNER G., GÉHIN É.	L'inquiétant principe de précaution
CANGUILHEM G.	Le normal et le pathologique
CANGUILHEM G. *et al.*	Du développement à l'évolution au XIXe siècle
CANTO-SPERBER M.	Éthiques grecques
CANTO-SPERBER M.	Dictionnaire d'éthique et de philosophie morale (2 vol. sous coffret)
CARBONNIER J.	Sociologie juridique
CARBONNIER J.	Droit civil (2 vol. sous coffret)
CARMOY H. de	L'Euramérique
CARON J.	Précis de psycholinguistique
CASTAGNÈDE B.	La politique sans pouvoir
CAUQUELIN A.	L'invention du paysage
CAUQUELIN A.	Le site et le paysage
CAUQUELIN A.	À l'angle des mondes possibles
CHAMPY F.	La sociologie des professions
CHÂTELET F., DUHAMEL O. et PISIER É. (dir.)	Dictionnaire des œuvres politiques
CHAUVIN R.	Les sociétés animales
CHEBEL M.	Le corps en Islam
CHEBEL M.	L'imaginaire arabo-musulman
CHILAND C. (dir.)	L'entretien clinique
CHOULET P., FOLSCHEID D. et WUNENBURGER J.-J.	Méthodologie philosophique
COBAST É., ROBERT R. (dir.)	Culture générale, 1
COBAST É., ROBERT R. (dir.)	Culture générale, 2
COHEN-TANUGI L.	Le droit sans l'État
COLAS D.	Sociologie politique
COMTE A.	Premiers cours de philosophie positive
COMTE-SPONVILLE A.	Traité du désespoir et de la béatitude
CONCHE M.	Essais sur Homère
CORNU G. (dir.)	Vocabulaire juridique
CORVISIER A. (dir.)	Histoire militaire de la France
	T. I : Des origines à 1715
	T. II : De 1715 à 1871
	T. III : De 1871 à 1940
	T. IV : De 1940 à nos jours
COTTERET J.-M.	Gouverner c'est paraître
COUDERC C.	Le théâtre espagnol du Siècle d'Or (1580-1680)
COURNUT J.	Pourquoi les hommes ont peur des femmes
COUTURIER D., DAVID G., LECOURT D., SRAER J.-D., SUREAU C. (dir.)	La mort de la clinique ?
CRAHAY M.	Psychologie de l'éducation
CRÉPIEUX-JAMIN J.	ABC de la graphologie
CUSIN F. et BENAMOUZIG D.	Économie et sociologie
DAGOGNET F.	Le corps
DAMON J.	Questions sociales et questions urbaines
DAUMAS M. (dir.)	Histoire générale des techniques
	T. 1 : Des origines au XVe siècle
	T. 2 : Les premières étapes du machinisme
	T. 3 : L'Expansion du machinisme
	T. 4 : Énergie et matériaux
	T. 5 : Transformation - Communication - Facteur humain
DAVID-MÉNARD M.	Les constructions de l'universel
DAVIS M. et WALLBRIDGE D.	Winnicott. Introduction à son œuvre
DAVY M.-M.	La connaissance de soi
DE KONINCK T.	De la dignité humaine
DELBECQUE É.	Quel patriotisme économique ?
DELEUZE G.	La philosophie critique de Kant
DELEUZE G.	Proust et les signes

DELEUZE G.	Nietzsche et la philosophie
DELEUZE G.	Le bergsonisme
DELMAS-MARTY M.	Le flou du droit
DELON M. (dir.)	Dictionnaire européen des Lumières
DELPORTE C., MOLLIER J.-Y., SIRINELLI J.-F. (dir.)	Dictionnaire d'histoire culturelle de la France contemporaine
DEMEULENAERE P.	*Homo œconomicus.* Enquête sur la constitution d'un paradigme
DENIS H.	Histoire de la pensée économique
DENIS P., JANIN C. (dir.)	Psychothérapie et psychanalyse
DERRIDA J.	La voix et le phénomène
DESANTI J.-T.	Introduction à l'histoire de la philosophie
DESANTI J.-T.	Une pensée captive. Articles de *La Nouvelle Critique* (1948-1956)
DESCARTES R.	La recherche de la vérité par la lumière naturelle
DESCARTES R.	Méditations métaphysiques
DESCOMBES V.	Le platonisme
DESCOMBES V., LARMORE C.	Dernières nouvelles du Moi
DIATKINE R., SIMON J.	La psychanalyse précoce
DORON R., PAROT F. (dir.)	Dictionnaire de psychologie
DOUIN J.-L.	Dictionnaire de la censure au cinéma
DROZ J. (dir.)	Histoire générale du socialisme
	T. 1 : Des origines à 1875
	T. 2 : De 1875 à 1918
	T. 3 : De 1918 à 1945
	T. 4 : De 1945 à nos jours
DUMÉNIL G., LÖWY M., RENAULT E.	Lire Marx
DUMÉZIL G.	Du mythe au roman
DURAND G.	L'imagination symbolique
DURAND M.	L'enfant et le sport
DURKHEIM É.	Les règles de la méthode sociologique
DURKHEIM É.	Le suicide
DURKHEIM É.	Les formes élémentaires de la vie religieuse
DURKHEIM É.	Éducation et sociologie
DURKHEIM É.	De la division du travail social
DURKHEIM É.	L'évolution pédagogique en France
DURKHEIM É.	Leçons de sociologie
DURKHEIM É.	Le socialisme
DURKHEIM É.	Sociologie et philosophie
DUVIGNAUD J.	Sociologie du théâtre
ECO U.	Sémiotique et philosophie du langage
EINAUDI J.-L.	Un rêve algérien
ELBAUM M.	Économie politique de la protection sociale
ELLUL J.	Histoire des institutions. L'Antiquité
ELLUL J.	Histoire des institutions. Le Moyen Âge
ELLUL J.	Histoire des institutions. XVIe-XVIIIe siècle
ELLUL J.	Histoire des institutions. Le XIXe siècle
ELLUL J.	Islam et judéo-christianisme
ENCKELL P., RÉZEAU P.	Dictionnaire des onomatopées
ESNAULT B., HOARAU C.	Comptabilité financière
ETNER F.	Microéconomie
FAMOSE J.-P., BERTSCH J.	L'estime de soi : une controverse éducative
FEBVRE L.	Martin Luther, un destin
FÉDIDA P.	Crise et contre-transfert
FÉDIDA P.	Le site de l'étranger. La situation psychanalytique
FERRY L. et RENAUT A.	Philosophie politique
FICHTE J. G.	Fondement du droit naturel selon les principes de la doctrine de la science
FILLIOZAT P.-S.	Dictionnaire des littératures de l'Inde
FLOUZAT D.	Japon, éternelle renaissance
FOCILLON H.	Vie des formes
FOUCAULT M.	Maladie mentale et psychologie
FOUCAULT M.	Naissance de la clinique

FOULQUIÉ P.	Dictionnaire de la langue pédagogique
FREUD S.	Cinq psychanalyses
FREUD S.	Dora
FREUD S.	Le petit Hans
FREUD S.	L'Homme aux loups
FREUD S.	L'Homme aux rats
FREUD S.	La première théorie des névroses
FREUD S.	Le Président Schreber
FREUD S.	L'avenir d'une illusion
FREUD S.	Inhibition, symptôme et angoisse
FREUD S.	Le malaise dans la culture
FREUD S.	La technique psychanalytique
FREUD S.	Trois essais sur la théorie sexuelle
FREUD S.	Nouvelle suite des leçons d'introduction à la psychanalyse
FREUD S.	Métapsychologie
FREUD S.	Leçons d'introduction à la psychanalyse
FREUD S.	Freud et la création littéraire. Choix de textes
FREUD S.	Le délire et les rêves dans la *Gradiva* de W. Jensen
FREUD S.	De la psychanalyse
FREUD S.	Au-delà du principe de plaisir
FREUD S.	L'interprétation du rêve
FREUD S.	Totem et tabou
FREUD S.	Psychologie des masses et analyse du moi
FRISON-ROCHE M.-A. et BONFILS S.	Les grandes questions du droit économique
FROMM E., DE MARTINO R., SUZUKI D. T.	Bouddhisme zen et psychanalyse
FUMAROLI M., ZUBER R.	Dictionnaire de littérature française du XVIIe siècle
GALLIEN C.-L.	Homo. Histoire plurielle d'un genre très particulier
GANDHI	Autobiographie ou mes expériences de vérité
GARFINKEL H.	Recherches en ethnométhodologie
GAUVARD C.	La France au Moyen Âge, du Ve au XVe siècle
GAUVARD C., LIBERA A. DE et ZINK M. (dir.)	Dictionnaire du Moyen Âge
GÉNETIOT A.	Le classicisme
GEORGE P., VERGER F. (dir.)	Dictionnaire de la géographie
GESELL A., ILG F. L.	Le jeune enfant dans la civilisation moderne
GIDDENS A.	La constitution de la société
GIGANDET A., MOREL P.-M. (dir.)	Lire Épicure et les épicuriens
GISEL P. (dir.)	Encyclopédie du protestantisme
GISEL P.	La théologie
GIUILY É.	La communication institutionnelle. Privé/public : le manuel des stratégies
GORCEIX B.	La bible des Rose-Croix
GOURINAT J.-B., BARNES J. (dir.)	Lire les stoïciens
GREEN A.	Le discours vivant
GRIMAL P.	La mythologie grecque
GROSSKURTH P.	Melanie Klein
GROTIUS H.	Le droit de la guerre et de la paix
GUITTON J.	Justification du temps
GURVITCH G.	Traité de sociologie
GUSDORF G.	La parole
GUTTON P.	Le pubertaire
HABERMAS J.	Logique des sciences sociales
HALBWACHS M.	La topographie légendaire des évangiles en Terre sainte
HALPÉRIN J.-L.	Histoire du droit privé français depuis 1804
HAMON P.	Texte et idéologie
HAMSUN K.	Faim
HAUSER A.	Histoire sociale de l'art et de la littérature
HAYEK F. A.	Droit, législation et liberté
HAYEK F. A.	La route de la servitude

HEGEL G. W. F.	Principes de la philosophie du droit
HEGEL G. W. F.	Le magnétisme animal
HEIDEGGER M.	Qu'appelle-t-on penser ?
HENRY M.	La barbarie
HENRY M.	Voir l'invisible. Sur Kandinsky
HIRSCHMAN A. O.	Les passions et les intérêts
HOUDÉ O. (dir.)	Vocabulaire de sciences cognitives
HOUDÉ O.	10 leçons de psychologie et pédagogie
HUISMAN D.	Dictionnaire des philosophes
HULIN M.	La mystique sauvage
HYPPOLITE J.	Figures de la pensée philosophique
JANKÉLÉVITCH V.	Henri Bergson
JAQUET C.	L'unité du corps et de l'esprit. Affects, actions et passions chez Spinoza
JARRETY M. (dir.)	La poésie française du Moyen Âge au XXe siècle
JONES E.	La vie et l'œuvre de Sigmund Freud Vol. I : Les jeunes années, 1856-1900 Vol. II : Les années de maturité, 1901-1919 Vol. III : Les dernières années, 1919-1939
JOHSUA S., DUPIN J.-J.	Introduction à la didactique des sciences et des mathématiques
JOUANNA A.	La France du XVIe siècle, 1483-1598
JULLIEN F.	La valeur allusive
JURANVILLE A.	Lacan et la philosophie
KAMBOUCHNER D.	Les *Méditations métaphysiques* de Descartes, I
KANT E.	Critique de la raison pratique
KANT E.	Critique de la raison pure
KASPI A., HARTER H., DURPAIRE F., LHERM A.	La civilisation américaine
KEARNEY R., O'LEARY J. S. (dir.)	Heidegger et la question de Dieu
KEPEL G.	Al-Qaida dans le texte
KERVÉGAN J.-F.	Hegel, Carl Schmitt
KLEIN M., HEIMANN P., ISAACS S., RIVIÈRE J.	Développements de la psychanalyse
KLEIN M.	La psychanalyse des enfants
KRIEGEL B. (dir.)	La violence à la télévision
LABRE C., SOLER P.	Études littéraires
LABRUSSE-RIOU C.	Écrits de bioéthique
LABURTHE-TOLRA P. et WARNIER J.-P.	Ethnologie. Anthropologie
LACOSTE J.-Y., RIAUDEL O. (dir.)	Dictionnaire critique de théologie
LACROIX J.-M.	Histoire des États-Unis
LAFON R. (dir.)	Vocabulaire de psychopédagogie et de psychiatrie de l'enfant
LAGACHE D.	La jalousie amoureuse
LAGACHE D.	L'unité de la psychologie
LALANDE A.	Vocabulaire technique et critique de la philosophie
LAMARCK	Système analytique des connaissances positives de l'homme
LAPLANCHE J.	Hölderlin et la question du père
LAPLANCHE J.	Entre séduction et inspiration : l'homme
LAPLANCHE J.	Nouveaux fondements pour la psychanalyse
LAPLANCHE J.	Sexual. La sexualité élargie au sens freudien
LAPLANCHE J.	La révolution copernicienne inachevée
LAPLANCHE J.	Vie et mort en psychanalyse
LAPLANCHE J.	Problématiques I : L'angoisse II : Castration. Symbolisations III : La sublimation IV : L'inconscient et le Ça V : Le baquet. Transcendance du transfert VI : L'après-coup VII : Le fourvoiement biologisant de la sexualité chez Freud

LAPLANCHE J. et PONTALIS J.-B.	Vocabulaire de la psychanalyse
LARTHOMAS P.	Le langage dramatique
LEBECQ S.	Histoire des îles Britanniques
LE BLANC G.	Canguilhem et la vie humaine
LE BON G.	Psychologie des foules
LE BRETON D.	Anthropologie du corps et modernité
LE BRETON D.	Conduites à risque
LE BRETON D.	L'interactionnisme symbolique
LE GLAY M., LE BOHEC Y., VOISIN J.-L.	Histoire romaine
LE RIDER J.	Modernité viennoise et crises de l'identité
LEBOVICI S., SOULÉ M.	La connaissance de l'enfant par la psychanalyse
LEBOVICI S., DIATKINE R. et SOULÉ M. (dir.)	Nouveau Traité de psychiatrie de l'enfant et de l'adolescent (4 volumes sous film)
LECLANT J. (dir.)	Dictionnaire de l'Antiquité
LECOURT D.	L'Amérique entre la Bible et Darwin
LECOURT D.	Contre la peur
LECOURT D. (dir.)	Dictionnaire de la pensée médicale
LECOURT D. (dir.)	Dictionnaire d'histoire et philosophie des sciences
LEFRANCQ S., OGER B.	Lire les états financiers
LÉONARD É. G.	Histoire générale du protestantisme
LEROI-GOURHAN A.	Les religions de la préhistoire
LEROI-GOURHAN A. (dir.)	Dictionnaire de la préhistoire
LEVINAS E.	Le temps et l'autre
LÉVI-STRAUSS C. (dir.)	L'identité. Séminaire du Collège de France, 1974-1975
LÉVY-BRUHL L.	Carnets
LIBERA A. DE	La philosophie médiévale
LIÉBERT G.	Nietzsche et la musique
LIGOU D. (dir.)	Dictionnaire de la franc-maçonnerie
LOCKE J.	Lettre sur la tolérance
MACINTYRE A.	Après la vertu
MAÏMONIDE M.	Le livre de la connaissance
MARION J.-L.	Dieu sans l'être
MARION J.-L.	La croisée du visible
MARION J.-L.	Sur la théologie blanche de Descartes
MARION J.-L.	Étant donné
MARSAULT C.	Socio-histoire de l'éducation physique et sportive
MARTIN R.	Comprendre la linguistique
MARTY P., M'UZAN M. DE, DAVID C.	L'investigation psychosomatique
MARX K.	Le capital, livre I
MARX W. (dir.)	Les arrière-gardes au XXe siècle
MARY A.	Les anthropologues et la religion
MARZANO M. (dir.)	Dictionnaire du corps
MATTÉI J.-F.	La barbarie intérieure
MATTÉI J.-F.	Philosopher en français
MATTÉI J.-F.	Platon et le miroir du mythe
MAUSS M.	Essai sur le don
MAUSS M.	Sociologie et anthropologie
MEILLASSOUX C.	Anthropologie de l'esclavage
MERLEAU-PONTY M.	La structure du comportement
MERLIN P., CHOAY F. (dir.)	Dictionnaire de l'urbanisme et de l'aménagement
MESURE S., SAVIDAN P. (dir.)	Le dictionnaire des sciences humaines
MEYER M.	Science et métaphysique chez Kant
MEYER M.	Pour une histoire de l'ontologie
MEYER M.	Le comique et le tragique
MEYER M.	Comment penser la réalité
MEYER M.	Le philosophe et les passions
MEYER M.	Petite métaphysique de la différence
MEYER M.	De la problématologie
MIALARET G.	Sciences de l'éducation
MICHAUD Y.	Hume et la fin de la philosophie
MICHAUD Y.	Locke

MICHAUD Y.	La crise de l'art contemporain
MILL J. S.	L'utilitarisme. Essai sur Bentham
MIQUEL A.	La littérature arabe
MIOSSEC J.-M.	Géohistoire de la régionalisation en France
MOLINIÉ G.	La stylistique
MONNERET P.	Exercices de linguistique
MONNEYRON F.	La frivolité essentielle
MONTAIGNE M. DE	Les Essais. Livres I, II, III
MONTBRIAL T. DE	L'action et le système du monde
MONTBRIAL T. DE, KLEIN J. (dir.)	Dictionnaire de stratégie
MORENO J. L.	Psychothérapie de groupe et psychodrame
MOSCOVICI S. (dir.)	Psychologie sociale
MOUNIN G. (dir.)	Dictionnaire de la linguistique
MOUNIN G.	Histoire de la linguistique, des origines au XXe siècle
MOURA J.-M.	Littératures francophones et théorie postcoloniale
MOUSNIER R.	Les XVIe et XVIIe siècles
MOUSNIER R.	Les institutions de la France sous la monarchie absolue
NEMO P.	Histoire des idées politiques dans l'Antiquité et au Moyen Âge
NEMO P.	Histoire des idées politiques aux Temps modernes et contemporains
NEMO P.	Qu'est-ce que l'Occident ?
NEMO P.	Les deux Républiques françaises
NEMO P., PETITOT J. (dir.)	Histoire du libéralisme en Europe
NIELSBERG J.-A. (dir.)	Violences impériales et lutte de classes
NIETZSCHE F., RÉE P. et SALOMÉ L. von	Correspondance
NISBET R. A.	La tradition sociologique
NIVEAU M., CROZET Y.	Histoire des faits économiques contemporains
NOZICK R.	Anarchie, État et utopie
ORIGAS J.-J. (dir.)	Dictionnaire de littérature japonaise
ORLÉAN A. (dir.)	Analyse économique des conventions
ORRIEUX C., SCHMITT PANTEL P.	Histoire grecque
PALIER B.	Gouverner la sécurité sociale
PARIENTE-BUTTERLIN I.	Le droit, la norme et le réel
PAROT F., RICHELLE M.	Introduction à la psychologie
PAUGAM S.	La disqualification sociale
PAUGAM S.	Le salarié de la précarité
PAUGAM S.	La société française et ses pauvres
PAUGAM S. (dir.)	L'enquête sociologique
PAUGAM S., DUVOUX N.	La régulation des pauvres
PERRIN M.	Les praticiens du rêve
PIAGET J.	La représentation du monde chez l'enfant
PIAGET J.	Le structuralisme
PIAGET J., INHELDER B.	La psychologie de l'enfant
PIÉRON H. (dir.)	Vocabulaire de la psychologie
PINÇON M. et PINÇON-CHARLOT M.	Voyage en grande bourgeoisie
PIRENNE H.	Mahomet et Charlemagne
PISIER É., DUHAMEL O. et CHÂTELET F. (dir.)	Histoire des idées politiques
POLITZER G.	Critique des fondements de la psychologie
POTTE-BONNEVILLE M.	Michel Foucault, l'inquiétude de l'histoire
POULAIN J.-P.	Sociologies de l'alimentation
POUMARÈDE G.	Pour en finir avec la Croisade
POUPARD P. (dir.)	Dictionnaire des religions (2 vol.)
POUTIGNAT P., STREIFF-FENART J.	Théories de l'ethnicité
PRAIRAT E.	De la déontologie enseignante
PRIGENT M.	Le héros et l'État dans la tragédie de Pierre Corneille
PRIGENT M. (dir.)	Histoire de la France littéraire Vol. 1 : Naissances, Renaissances

	Vol. 2 : Classicismes
	Vol. 3 : Modernités
QUINODOZ J.-M.	La solitude apprivoisée
RAWLS J.	Libéralisme politique
RAYNAUD P., RIALS S. (dir.)	Dictionnaire de philosophie politique
REVUE DIOGÈNE	Chamanismes
REVUE DIOGÈNE	Une anthologie de la vie intellectuelle au XXe siècle
REYNIÉ D. (dir.)	L'extrême gauche, moribonde ou renaissante ?
RIALS S.	Villey et les idoles
RIALS S.	Oppressions et résistances
RIEGEL M., PELLAT J.-C. et RIOUL R.	Grammaire méthodique du français
RIMÉ B.	Le partage social des émotions
ROBIN L.	Platon
ROCHÉ S.	Sociologie politique de l'insécurité
RODINSON M.	Les Arabes
RODIS-LEWIS G.	La morale de Descartes
ROMILLY J. DE (dir.)	Dictionnaire de littérature grecque ancienne et moderne
ROMILLY J. DE	La tragédie grecque
ROMILLY J. DE	Précis de littérature grecque
ROSOLATO G.	Le sacrifice. Repères psychanalytiques
ROSSET C.	Schopenhauer, philosophe de l'absurde
ROSSET C.	L'anti-nature
ROSSET C.	Logique du pire
ROUSSILLON R.	Paradoxes et situations limites de la psychanalyse
ROUSSILLON R.	Agonie, clivage et symbolisation
RUE DESCARTES	Emmanuel Levinas
RUE DESCARTES	Gilles Deleuze. Immanence et vie
SABOT P.	Lire *Les mots et les choses* de Michel Foucault
SAÏD S., TRÉDÉ M. et LE BOULLUEC A.	Histoire de la littérature grecque
SALA-MOLINS L.	Le Code Noir ou le calvaire de Canaan
SANSOT P.	Les gens de peu
SARTRE J.-P.	L'imagination
SCHAEFFER J.	Le refus du féminin
SCHMITT C.	Le nomos de la Terre
SCHMITT C.	Théorie de la Constitution
SCHNAPPER D.	La compréhension sociologique
SCHNERB R.	Le XIXe siècle
SCHŒLCHER V.	Esclavage et colonisation
SCHOPENHAUER A.	Aphorismes sur la sagesse dans la vie
SCHOPENHAUER A.	Le monde comme volonté et comme représentation
SCHULTZ J. H.	Le training autogène
SCHWARTZ O.	Le monde privé des ouvriers
SEN A.	Éthique et économie
SENGHOR L. S.	Anthologie de la nouvelle poésie nègre et malgache de langue française
SFEZ L.	La politique symbolique
SIMMEL G.	Les pauvres
SIMMEL G.	Philosophie de l'argent
SIMMEL G.	Sociologie. Études sur les formes de la socialisation
SIMON P.-J.	Histoire de la sociologie
SINGLY F. DE	Fortune et infortune de la femme mariée
SIRINELLI J.-F. (dir.)	La France de 1914 à nos jours
SIRINELLI J.-F. (dir.)	Dictionnaire historique de la vie politique française au XXe siècle
SMITH A.	Théorie des sentiments moraux
SOBOUL A.	La Révolution française
SOBOUL A. (dir.)	Dictionnaire historique de la Révolution française
SOUILLER D. *et al.*	Études théâtrales
SOULEZ P., WORMS F.	Bergson
SOURDEL D.	L'islam médiéval
SOURDEL J., SOURDEL D.	Dictionnaire historique de l'islam

SOURIAU É.	Vocabulaire d'esthétique
SOUTET O.	Linguistique
STEINER P., VATIN F. (dir.)	Traité de sociologie économique
STRAUSS L.	Qu'est-ce que la philosophie politique ?
STRAUSS L., CROPSEY J.	Histoire de la philosophie politique
SUPIOT A.	Critique du droit du travail
SUPIOT A. (dir.)	Pour une politique des sciences de l'Homme et de la société
TADIÉ J.-Y.	Le roman d'aventures
TATON R. (dir.)	La science contemporaine Vol. I : Le XIXe siècle Vol. II : Le XXe siècle. Années 1900-1960
TENZER N.	Pour une nouvelle philosophie politique
TEYSSIER P. (dir.)	Dictionnaire de littérature brésilienne
TOLSTOÏ L.	Qu'est-ce que l'art ?
TOUCHARD J.	Histoire des idées politiques, t. I
TOUCHARD J.	Histoire des idées politiques, t. II
TULARD J.	La France de la Révolution et de l'Empire
TURPIN D.	Droit constitutionnel
VAN TIEGHEM P.	Les grandes doctrines littéraires en France
VAN YPERSELE L. (dir.)	Questions d'histoire contemporaine
VAN ZANTEN A. (dir.)	Dictionnaire de l'éducation
VELTZ P.	Mondialisation, villes et territoires
VERGER J.	Les universités au Moyen Âge
VERNANT J.-P.	Les origines de la pensée grecque
VERNETTE J. et MONCELON C. (dir.)	Dictionnaire des groupes religieux aujourd'hui
VIALA A.	Lettre à Rousseau sur l'intérêt littéraire
VIALA A. (dir.)	Le théâtre en France
VILLEY M.	Le droit et les droits de l'homme
VILLEY M.	La formation de la pensée juridique moderne
WALLON H.	Les origines du caractère chez l'enfant
WALLON H.	Les origines de la pensée chez l'enfant
WALTER H., FEUILLARD C. (dir.)	Pour une linguistique des langues
WEBER F.	Manuel de l'ethnographe
WEBER M.	Sociologie du droit
WEIL-BARAIS A. (dir.)	L'homme cognitif
WIDLÖCHER D.	Le psychodrame chez l'enfant
WIDLÖCHER D.	Traité de psychopathologie
WOLFF F.	Dire le monde
WORMS F.	Bergson ou les deux sens de la vie
WOTLING P.	Nietzsche et le problème de la civilisation
ZARKA Y. C.	Hobbes et la pensée politique moderne
ZARKA Y. C.	Comment écrire l'histoire de la philosophie ?
ZARKA Y. C. (dir.)	L'islam en France
ZARKA Y. C., PINCHARD B. (dir.)	Y a-t-il une histoire de la métaphysique ?
ZAZZO R.	Les jumeaux, le couple et la personne
ZEHNACKER H., FREDOUILLE J.-C.	Littérature latine
ZINK G.	Phonétique historique du français
ZINK M.	Littérature française du Moyen Âge
ZOURABICHVILI F., SAUVAGNARGUES A. et MARRATI P.	La philosophie de Deleuze
ZWEIG S.	Montaigne

Imprimé en France
par Qualibris France Quercy – Z.A. des Grands Camps
46090 Mercuès

Numéro d'impression : 21236/
Dépôt légal : août 2012

Ouvrage imprimé sur papier écologique à base de pâte FSC
Pour plus d'informations, www.fsc.org